VERLEIDING

CATHERINE GILDINER

VERLEIDING

Oorspronkelijke titel *Seduction*
Published by arrangement with Alfred A. Knopf Canada, a division of Random House of Canada Limited

Vertaald door Elvira Veenings
Omslagontwerp Studio Eric Wondergem BNO
Foto voorzijde omslag Image Partners
Foto achterzijde omslag © V. Tony Hauser
Zetwerk Stand By, Nieuwegein
Druk De Boekentuin, Zwolle

www.sirene.nl

ISBN 90 5831 368 9
NUR 305

Voor mijn echtgenoot Michael
En mijn zoons Jamey, David en Sam

BERICHT AAN DE LEZER

Het grootste deel van de jaren zestig en zeventig zat ik verschanst in een piepklein studiehok op de universiteit, waar ik een dissertatie schreef over de invloed van Darwin op Freud. Als ik iets doe, pak ik het ook meteen groots aan. Terwijl de tijd ongemerkt aan me voorbijgleed in mijn raamloze hok ging ik Charles Darwin en Sigmund Freud steeds interessanter vinden, zowel theoretisch bezien als op het persoonlijke vlak. Freud schreef meer dan twintig boeken en dan tel ik de brieven niet mee. Darwin schreef er nog veel meer. Al lezende leerde ik natuurlijk hun beider karakters kennen, die echter steeds ingewikkelder en soms zelfs tegenstrijdig leken te zijn. Er vielen me discrepanties op, niet zozeer in de theorieën als wel in de achterliggende gedachtegang. Sommige ideeën werden plotseling geheel omgegooid... waarom bijvoorbeeld nam Freud afstand van zijn verleidingstheorie? Dacht hij dat hij het mis had? Zat er een persoonlijke reden achter? Of was de theorie simpelweg geëvolueerd? Darwin scheef pas op latere leeftijd over seksualiteit, maar hij had z'n bewijsmateriaal al jaren. Waar wachtte hij op? Beide heren waren kennelijk druk bezig met hun eigen pr... en geldt dat in wezen niet voor ons allemaal?

Om niet volledig te verdrinken in Darwins insectenwereld en Freuds libidineuze cathexis verleende ik ze allebei een karakter en een verleden, aan de hand van alles wat ik tussen de regels door las.

De karakters van Darwin en Freud die ik tijdens het schrijven van mijn proefschrift creëerde bleven ruim 25 jaar lang tot mijn verbeelding spreken, totdat ik besloot ze in een fictief verhaal te gebruiken.

Hoewel ik veel historische details uit beider levens heb gebruikt, is het verhaal niet ontsproten aan geschiedenisboeken, maar geheel en al aan mijn verbeelding. Hoewel ik de geest van Sigmund Freud, Anna Freud en Charles Darwin trouw ben gebleven, ben ik zo vrij geweest hun levensverhalen aan te passen aan de fictieve plot. Ik heb het niet al te nauw genomen met de historische details, noch met de levensloop van Anna en Sigmund Freud. Net als zoveel fictieschrijvers is mijn verhaallijn gebaseerd op de historie, maar de personages, uitgezonderd Sigmund Freud, Anna Freud en Charles Darwin, zijn puur en alleen in het leven geroepen om mijn verhaal te schrijven en verwijzen niet naar bestaande personen. Alle gebeurtenissen binnen de plot zijn literaire kunstgrepen en niet bedoeld als verwijzing naar enige wetenschappelijke of geschiedkundige hypothese.

Graag wil ik mijn dank uitspreken aan Darwin en Freud. Ze hebben mijn leven verrijkt, niet alleen in de tientallen jaren van intensieve studie 25 jaar geleden, maar ook in het laatste decennium, toen deze roman langzaam maar zeker vorm begon te krijgen. Elke dag weer voel ik waardering voor wat het geweest moet zijn om een genie te zijn, om tegen de stroom in te zwemmen van een gemeenschap die je ideeën hekelt en een theorie op te stellen die een diepe, zo niet perfecte verklaring gaf voor de beweegredenen van de mens.

Catherine Gildiner
Toronto, augustus 2004

Ieder normaal mens is nu eenmaal alleen in doorsnee normaal, zijn Ik komt dat van de psychoticus, op dit of dat punt, meer of minder nabij.
– Sigmund Freud, *De eindige of de oneindige analyse*

INHOUD

DEEL I

PENVRIENDEN

1

CELLULAIRE ACTIVITEIT

Ga jezelf, je diepten binnen en leer jezelf kennen, dan zul je begrijpen waarom je ziek móet worden, en misschien vermijden dat je ziek wórdt.
– Sigmund Freud, *Een moeilijkheid in de psychoanalyse*

Het is gênant om toe te geven, maar ik vergeet steeds waarom ik mijn man heb vermoord.

Het gros van de mensheid vermoordt zijn echtgenoten niet. Ik weet dat ik tot een minderheid behoor. Sinds ik hier zit opgesloten heb ik mijn uiterste best gedaan om erachter te komen wat me is ontgaan dat verder iedereen schijnt te begrijpen. In een vorig leven bestudeerde ik Darwin en leerde ik driften te onderscheiden van instincten. Dat is heel nuttig als je wilt weten waarom vogels nesten bouwen en naar het zuiden vliegen, maar het gaf me geen enkele aanwijzing over de reden waarom ik mijn man heb vermoord en ik was er nog steeds niet achter hoe ik me moest gedragen als ik ooit nog eens uit deze betoncel kom. Ik heb geprobeerd godsdienstige boeken te lezen, maar daar had ik niets mee. Filosofie lag me beter, maar het enige wat het met me deed was dat ik me ging zitten afvragen of ik hier überhaupt wel wás.

In 1974 echter, ongeveer acht jaar geleden – ik zit intussen al negen jaar in deze koelcel, omringd door dichtgevroren toendragebied – stuitte ik bij toeval op Freud. Ik begon met deel één van zijn verzamelde werk, want zo zit ik nu eenmaal in elkaar, en heb ze alle 23 gelezen. (Zo'n type ben ik ook.) Freuds theorie is een kant-en-klaar concept. Je hoeft alleen maar naar je onderbewuste te kijken en dan valt alles op zijn plaats. Het is net of je de modelwoning koopt: je kunt je twijfels hebben over de stoffering, maar voor de rest woon je perfect.

Ik was vooral geïnteresseerd in de vroege Freud, in alle ontdekkingen die hij deed voordat hij beroemd werd. In zijn brieven schreef hij vaak dat hij de hele dag patiënten had gezien, om vervolgens tot diep in de nacht in zijn eentje door te werken in zijn kleine studeerkamer. En als hij dan eindelijk ging slapen, droomde hij dat hij stond te schuren: hij bleef zijn theorie bijschaven. Freud noemde dit eerste decennium van zijn meest oorspronkelijke ontdekkingen voordat hij volgelingen had, afgezien van een geschift maatje, Wilhelm Fliess genaamd, zijn periode van 'splendid isolation'.

Ook ik was alleen en las Freud dag en nacht in mijn cel van twee bij drie. Misschien kwam het doordat onze 'splendid' geïsoleerde omstandigheden enigszins met elkaar te vergelijken waren, maar ik had het gevoel dat Freud speciaal voor mij schreef. Ik beantwoordde zijn brieven zelfs, in een schriftje dat ik verborgen hield in mijn cel. Als ik na tien uur keihard doorwerken midden in de nacht eindelijk in slaap viel, beschouwde ik mezelf als zijn co-auteur.

Ze zeggen dat de gevangenis een hel is en ik denk dat dat sec gezien ook wel zo is, maar ik beschouw het liever als een kloostererervaring, waarbij alle afleiding met zachte hand is gesupprimeerd. Of met harde hand, in dit geval. Het is slechts weinig mensen vergund bijna tien jaar lang een cel te mogen delen met een van de grootste genieën aller tijden. Dit heb ik natuurlijk nooit tegen mijn gevangenispsychiater gezegd – hij zou denken dat ik aan waandenkbeelden leed – maar voor mijn gevoel ben ik geestelijk overeind gebleven omdat ik samen met Freud mijn tijd uitzat.

Vijftig procent van de vrouwelijke gevangenen heeft de lagere school niet afgemaakt; veertig procent is analfabeet; de meerderheid zat zonder baan ten tijde van hun misdrijf. Hoewel de oorspronkelijke bewoners slechts twee procent van de nationale bevolking uitmaken, bestaat de Canadese gevangenisbevolking voor 38 procent uit Natives. Tweederde van de vrouwelijke gevangenen is ongehuwd moeder. Tachtig procent heeft een verleden van seksueel misbruik of geweld. Minder dan één procent van de vrouwen in de gevangenis zit voor misdaad met geweld. In de zeldzame gevallen waarbij wél geweld is gebruikt, was de agressie vrijwel altijd gericht op manlief die haar herhaaldelijk had mishandeld.

Ik val onder geen van deze statistieken. En dat terwijl ik altijd een groot liefhebber ben geweest van statistieken. Cijfers zeggen het altijd precies zoals het is.

Het enige wat ik met mijn medegevangenen gemeen heb, zoals mijn psychiater me altijd zo fijntjes onder de neus wrijft, is dat we allemaal een misdaad hebben gepleegd. Op de een of andere manier schept dat voor mij niet meteen een band. Freud daarentegen was een bioloog die later overschakelde op psychologie, net als ik. In feite beschreef hij zichzelf als 'geen man van de wetenschap, geen waarnemer, geen experimentator, geen denker... ik ben van nature niets dan een conquistador, een avonturier, zo u een vertaling zoekt – met alle nieuwsgierigheid, durf en volharding die karakteristiek zijn voor een man van dit type'. Dat zijn eigenschappen die ook ik in ruime mate bezit. Wat nieuwsgierigheid betreft, als kind al bestudeerde ik alles wat ik te pakken kon krijgen. Als je het over lef wilt hebben, wil ik je er graag aan herinneren dat ik mijn man heb vermoord. Als dat de kwaliteiten zijn die iemand tot een conquistador maken, dan was Freud er een voorbeeld van en ik, zij het ietwat pathologisch, eveneens. Geen wonder dat ik een band met hem kreeg.

Ik was vastbesloten alles te lezen wat ik te pakken kon krijgen om uit te vinden waarom ik zo *ongewoon* was. Afhankelijk van welk psychologisch beoordelingsverslag je over me leest, kun je de woorden *psychopaat* of *paranoïde* vervangen door *ongewoon*. Ik maak me nooit zo druk over die etiketten want, laten we wel wezen, psychiaters worden ervoor betaald je iets te noemen.

Voordat ik in de gevangenis belandde hield ik van de wetenschap met alle toeters en bellen – het testen van hypothesen, het zoeken naar aantoonbare of numerieke resultaten en het meten van verschillen. Het heet *exacte* wetenschap als je iets exact kunt vaststellen aan de hand van meetbare gegevens. Er zit veel troost in het meten van tastbare zaken. Hoewel Freud medicus was, lag zijn grote passie in de fysiologie en het biologisch onderzoek dat dit met zich meebracht. Toen hij op veertigjarige leeftijd niet de door hem gewenste aanstelling voor academisch onderzoek verkreeg, kwalificeerde hij zich als neuroloog en zette hij zijn eigen praktijk op. In een tijd waarin psychiatrie nog geen officiële tak van wetenschap was, kwamen alle geestelijk gestoorden terecht in gekkengestichten, gerund door artsen die zichzelf gerechtspsychiaters noemden. Voorzover ik weet, stonden ze mijlenver van de patiënten af. Hun taak was ervoor te zorgen dat de deuren stevig op slot bleven en dat de gestoorden stro in hun cel hadden. De neuroten uit de negentiende eeuw konden nergens terecht en belandden uit wanhoop met al hun angsten, hysterie en zenuwtics in de spreekkamer van de neuroloog. Freud, een van de weinige neurologen die bereid was onderzoek te doen naar hysterie, zag urenlang patiënten, voornamelijk vrouwen, die allerlei symptomen vertoonden zonder enige aanwijsbare fysieke oorzaak. Freud kwam voor een dilemma te staan: hij wilde zich houden aan de strikte wetten van de wetenschappelijke tradities, maar moest de geest bestuderen om zijn patiënten te helpen, en de exacte wetenschappen voorzagen in geen enkele methode om dat te kunnen doen. Geestelijke fenomenen zijn niet te meten of in getallen uit te drukken. Om zich bij de wetenschap te houden diende hij zijn eigen wetenschap of methode uit te vinden, die later bekend werd als de psychoanalyse.

Freud stelde dat iedereen wordt geboren met twee verschillende driften, globaal gezien de seksuele en de agressieve drift. Je moet seks hebben om je voort te planten en je moet agressief genoeg zijn om te vechten voor voedsel en brandstof en om je jongen te beschermen. (Iedereen die denkt dat vrouwen niet agressief zijn moet maar eens proberen hun kinderen iets aan te doen.) Freud is vooral geïnteresseerd in de gevolgen van het inperken van seks en agressie in een beschaafde gemeenschap. Je kunt geen seks hebben of iemand vermoorden wanneer je er zin in hebt; dat staat in de wet. Als je je driften de vrije teugel laat, eindig je aan mijn kant van de tralies en mag je verder alleen nog maar toekijken.

Volgens Freud staat er in ons aller onbewuste zo'n heksenketel vol seks en agressie te borrelen. Om te voorkomen dat we ons door onze driften laten leiden, hebben we afweermechanismen opgebouwd, allerlei manieren die onze driften afbuigen of afzwakken om onszelf in toom te houden. Er zijn diverse afweermechanismen. De meest voorkomende is verdringing: ik ben niet boos op mijn man. Dan is er de ontkenning: welke man? (Die is vrij primitief, maar ik vind hem wel leuk.) Dan de intellectualisatie: schrijven over de moord op je man. En tot slot de sublimatie: ik heb zin om mijn man te vermoorden, dus laat ik maar gaan winkelen.

Wat gebeurt er als de afweermechanismen niet werken? Freud zegt dat de gemeenschap heeft ingegrepen en het probeerde met religie of pure *schuld.* Als dat ook niet werkte, kwamen ze met zwaarder geschut en probeerden ze *schaamte* of zelfs *taboes.* (De grote taboes zijn erop gericht seks tussen familieleden en moord te voorkomen.)

Tot zover sprak Freuds theorie me wel aan, omdat ik eruit begreep dat ik in werkelijkheid niet zo gek veel verschilde van andere mensen. Ik bedoel, we hebben allemaal dezelfde driften die in onze hersenen rondtollen en de mijne zaten duidelijk in de vijfde versnelling. Het enige probleempje was dat ik vanuit mijn agressie handelde en vergat een afweermechanisme in stelling te brengen.

Freud bedacht een paar geniale manieren om het onbewuste te meten. Hij was van mening dat het onbewuste onder bepaalde omstandigheden naar buiten lekt en stelde voor onderzoek te doen naar dromen, versprekingen en symptomen van geestelijk gestoorden.

Wie heeft er nooit een seksuele of agressieve droom gehad? Freud leerde deze dromen te analyseren. Hij baande zich een weg naar het verleden om erachter te komen welke onbewuste drift of agressie de droom camoufleerde. Hij noemde dromen *de koningsweg tot het onbewuste.* Erg jammer dat ik niet heb *gedroomd* dat ik mijn man vermoordde.

Als je naar de symptomen van geestelijk gestoorden kijkt, kun je zien waarom Freud meende dat het onbewuste naar buiten lekt. Freud nam aan dat alle symptomen een oorzaak hebben, wat betekent dat *niets* op toeval berust. Hij bedacht een methode, vrije associatie genaamd, een soort smeerolie voor de geest. De patiënt krijgt het advies alle afweermechanismen te laten vallen, geen enkele gedachte af te wijzen en alles te zeggen wat in haar hoofd opkomt. Het onderwerp van een van de eerste casestudies, de beroemde Anna O., noemde deze methode 'het schoonvegen van haar persoonlijke schoorsteen'.

Het meest verbazingwekkende van Freud is misschien wel dat hij zichzelf heeft geanalyseerd. Het is één ding om een genie te zijn, maar het is vrijwel bovenmenselijk om achter je eigen afweermechanismen te kunnen kijken. Het is net een partijtje tennis aan beide kanten van het net. Iedereen die zich beschermt tegen bepaalde gegevens uit het onbewuste heeft meestal een verdraaid goede reden om niet te willen weten wat het ook is waar het onbewuste een afweermechanisme voor heeft gezet.

Het is de taak van de afweermechanismen om de onbewuste geest te beschermen tegen bewuste gedachten. Afweermechanismen weten precies hoe ze onbewust materiaal netjes in de kluis kunnen opbergen, opdat de deur niet plotseling openvliegt en al dat gevaarlijke onbewuste materiaal alle kanten op schiet. Ik kon bijvoorbeeld nooit iets met de woede die ik voelde voor mijn man. Ik was altijd bezig mezelf ertegen te beschermen.

Mindere stervelingen dan Freud hebben een psychiater, psycholoog of psychotherapeut nodig om ze door de mazen, barrières en doodlopende straten van hun afweermechanismen te leiden. Mijn ex-celmaat zei: 'Onthoud goed dat je alleen het woord van die Freud hebt.' Ze zei dat als zij haar eigen verklaring van voorwaardelijke vrijlating mocht schrijven, deze er fantastisch uit zou zien. Een denkertje was het om de dooie dood niet, maar ze wist altijd precies wat er speelde. Ze kreeg haar voorwaardelijk in de eerste ronde, terwijl ik hier nog steeds met mijn hoofd tegen de permafrost op loop en naar ijsberen mag staren.

Daar zit het probleem. Ik kan Freud in mijn eentje lezen, want ik ben niet dom. En toch heb ik een psychiater nodig om me te analyseren. Ik weet precies waar het is misgegaan. Het zat hem in de afweermechanismen. Of ze hebben mij in de steek gelaten, of ik heb er niet op gelet. Ik weet alleen niet waarom. Om daar achter te komen moet ik mijn eigen drijfveren leren kennen, dat wil zeggen, alle nietige bijzonderheden die hebben geleid tot de keuzes die ik heb gemaakt in mijn smakeloze leventje. Ik vraag heus niet meteen om Freud, verdorie, maar mag het misschien iemand anders zijn dan die kluns van een dr. Gardonne die me is toegewezen?

Gevangenispsychiaters zijn het laagste van het laagste in een toch al verdachte beroepsgroep. Niemand wil psychopaten behandelen, want beter worden ze toch niet en degenen die in de gevangenis zitten hebben geen geld, dus gaat het baantje naar luie of incompetente psychiaters. Ze kunnen hun eigen tijd indelen en hebben aan niemand rekenschap af te leggen. Als een patiënte klaagt over een slechte behandeling, wordt ze simpelweg geheel of gedeeltelijk ontoerekeningsvatbaar verklaard en beschouwd als klaagziek. Dan gaan ze ervan uit dat haar klachten deel uitmaken van haar probleem.

De minder incompetente jongens werken in stadsgevangenissen, maar hier, ten noorden van de boomgrens, krijg je het uitschot van de maatschappij. Je moet hier naartoe vliegen en dan word je met de hondenslee of de toendrabuggy naar mijn gevangenis gebracht. Er zijn maar zo weinig vrouwelijke gevangenen in Canada dat we zijn ondergebracht in een oude psychiatrische afdeling van een mannengevangenis. Boven de deur hangt een bordje met *P4W – Prison for Women* of *vrouwengevangenis* – dus zo wordt het door iedereen genoemd. Ongeveer tien jaar geleden heeft de regering het een of andere indiaanse naam gegeven, maar die ben ik vergeten. Niemand noemt het zo, zelfs de indianen zelf niet.

De Canadese regering, in haar wanhoop om artsen van de golfbaan te lokken en over te brengen naar de poolcirkel, bood woekerprijzen om ze hier naartoe te lokken. Dr. Gardonne moet wel even wanhopig zijn geweest als de regering om hier een dag per week te willen zitten. Het ligt nog hoger dan Churchill en Manitoba, helemaal in het noordwesten van de Hudsonbaai. Het is natuurlijk ook een manier om een extra bonus op te strijken, voor werkzaamheden in afgelegen streken. Meestal zijn de enige mensen die deze banen aannemen degenen die nergens anders aan de bak komen of types die hun inkomen graag verdubbeld willen zien. Geldzucht en incompetentie vormen een slechte combinatie.

Eenmaal hier heeft hij een rustige dag. Hij ziet alleen de gevangenen met enig cachet, vanwege familieachtergronden of omdat ze een roemruchte misdaad hebben gepleegd. De draaideurcriminelen laat hij over aan de sociaal werkers, die meestal net uit het buitenland zijn gearriveerd en nauwelijks Engels spreken. De rest van de week houdt hij zich op in de lommerrijke laan der angsten, gelegen in de chicste wijk van Toronto, waar hij rijke huisvrouwen in psychoanalyse heeft. Er zijn maar twee groepen die zelden beter worden: neurotische rijke huisvrouwen en psychopaten. Wie wil daar nou naar luisteren?

Sinds dag één loop ik op mijn tenen met deze therapeut. Hij is niet slim, maar wel geslepen. Hij zou zichzelf nog niet kunnen analyseren als zijn leven ervan afhing, maar het is een straatvechter en hij gebruikt psychologische trucjes als boksbeugels. Ik heb mijn uiterste best moeten doen om niet naar zijn interpretaties te luisteren en hem niet te geloven. Ik weet dat ik een zwakke plek heb voor autoritaire mannen. Mijn vader was de eerste. Ik ben niet van plan om me daar nogmaals in mee te laten slepen.

Soms weet dr. Gardonne, net als alle narcistische borderlinepersoonlijkheden, me van mijn stuk te brengen en ga ik me afvragen of ik niet echt knettergek ben (hij noemt het liever *paranoïde*). Ik heb zo weinig vertrouwen in hem dat ik hem van me af sla als een psychologische vleermuis, maar soms weet hij me te raken en dan tolt mijn hoofd en voel ik me net dat meisje in *The Exorcist.*

Vorige maand heeft hij iets bedacht dat me voor het eerst in al die negen jaar compleet uit het lood heeft geslagen. Voordat hij een paar weken geleden op vakantie ging, stelde hij een voorwaardelijk proefverlof voor (een zogeheten VP), in combinatie met een taakproject. Zo'n verloftijd wordt zelden verleend en duurt ongeveer een maand tot zes weken. Er moet een speciale reden voor zijn en het gaat altijd op advies van een hotemetoot. Als het VP goed verloopt, kun je je voorwaardelijk praktisch in je zak steken.

Gardonne zegt dat hij een voorstel wil indienen bij de North American Psychoanalytic Association, het genootschap voor psychoanalytici, om mij een onderzoek te laten instellen naar een vreemde gebeurtenis binnen de freudiaanse gemeenschap. De directeur van de Freud-academie, Anders Konzak, heeft nog geen jaar nadat hij de meest prestigieuze aanstelling in de freudiaanse wereld in de wacht had gesleept een artikel gepubliceerd waarin hij Freud aan de kaak stelt. Konzak, zelf psychotherapeut, stapte onlangs naar de pers met de melding dat Freud een oplichter en een leugenaar was en dat psychoanalyse volksverlakkerij was en is. Alle grote kranten over de hele wereld maakten er voorpaginanieuws van. Hij is zelfs in *60 Minutes* geweest.

Dr. Gardonne staat aan het hoofd van de afdeling public relations van een organisatie van psychoanalytici met 20.000 leden. (Hij vindt het heerlijk om allerlei informatie te spuien om te laten zien dat hij niet de eerste de beste is.) De groep psychoanalytici vreest dat Konzak flagrante leugens gaat publiceren over Freud, die Freuds reputatie zullen schaden en daarmee de psychotherapie in het algemeen. In wezen komt het hierop neer: als het grote publiek Konzak gelooft, komen Gardonne en zijn *compadres* zonder werk te zitten en moeten ze hun dure appartementen aan Fifth

Avenue verkopen. Zoals gewoonlijk maakt iedereen zich vooral druk om zijn eigen hachje.

Nu wil dr. Gardonne dat ik Konzak aan de tand voel om uit te zoeken waar hij zijn informatie vandaan heeft en waarom hij zo plotseling van zijn geloof is gevallen. Als Konzak niet meewerkt, moet ik verder graven en uitzoeken wat zijn bronnen zijn en wat de achterliggende motivatie is. Konzak en ik hebben onze interesse in de vroege Freud met elkaar gemeen en ik zou het heerlijk vinden om te doen, maar ik weet zeker dat Gardonne een verborgen agenda heeft.

Ik sta in dubio. Mijn voorwaardelijk is al tweemaal afgewezen. Er is maar één persoon die gewicht in de schaal legt voor de gerechtelijke commissie – de psychiater. Als hij nee zegt, zal ik weer worden afgewezen en vijf jaar moeten wachten tot ik de volgende aanvraag kan indienen. Als ik deze klus aanneem en er gaat iets mis, dan kunnen ze me voor de rest van mijn leven achter de tralies houden. Als je eenmaal hebt gezeten voor moord, zien ze geen enkel vergrijp meer door de vingers.

Ik heb geen idee wat hij van me wil met dit freudiaanse detectiveproject. Ik denk dat het de bedoeling is dat ik de psychoanalyse naar voren laat komen als een en al rozengeur en maneschijn, of anders ben ik hier terug voordat ik 'Freud is je oom' kan zeggen. Eigenlijk vind ik het wel leuk om uit te zoeken wie er gelijk heeft. Konzak noch Gardonne, dunkt me, want Freuds IQ was hoger dan dat van Konzak en Gardonne samen.

Om beter te kunnen nadenken liep ik naar het raampje, waar ik een schitterend uitzicht had over de Hudsonbaai. Tot zo ver het oog reikte was alles dichtgevroren. Ik en de ijsberen die langs de oever dwaalden wachtten ongeduldig tot de lente het ijs zou doen smelten. Het voorjaar was laat dit jaar. In het begin van de zomer keek ik graag naar de welpen die aan de kustlijn speelden en opgewonden toekeken als hun moeder aan kwam zwemmen met wat zeeleeuwen voor de lunch. Ze hielden wel eens een picknick op een ijsschots.

Het Noorden is wit en ruig, zo erg dat het soms verblindend

kan zijn. De eentonigheid werkt rustgevend, maar ik weet dat ik in die opgelegde periode van rust ieder jaar een stukje van mezelf ben kwijtgeraakt. Ik heb het tot dusver gered, maar het lijkt wel of de dooi elk jaar later intreedt. Wie weet wat er van mijn ware ik overblijft als ik hier nog eens vijf jaar moet zitten?

Het probleem is dat ik zo'n pechvogel ben. Ik weet zeker dat dr. Gardonne over vijf jaar nog steeds degene is die over mijn voorwaardelijke invrijheidstelling moet beslissen. Er is geen enkele garantie dat hij dan zijn toestemming geeft, ook niet na zoveel jaar. Gardonne heeft vaak genoeg op mijn 'paranoia' gezinspeeld, maar hij weet niet dat ik alles heb gelezen wat hij ooit heeft vastgelegd in officiële verslagen. Mijn taak in de gevangenis is dat ik de computer moet 'bemannen'. P4W heeft een gigantische oude computer die zoet staat te brommen in de buik van het gebouw. Er is een of andere programmeur voor verantwoordelijk en hij heeft dan ook een paar simpele programmaatjes geschreven. Ik hoefde alleen maar een ander programma in te voeren om al zijn programma's te overschrijven. Ik had mijn eigen ponskaarten en misschien heb ik de taal van intimiteit, emotionele intelligentie of 'hoe je je echtgenoot niet vermoordt' nooit geleerd, maar ik weet alles van Basic en Fortran en dat zijn twee talen meer dan die informaticus beheerst. In elke computer in de bibliotheek kan ik Gardonnes accountnummer invoeren om toegang te krijgen tot alle verslagen die hij ooit heeft geschreven. Gardonne heeft er geen idee van dat ik weet dat hij mijn laatste aanvraag voor voorwaardelijk heeft getorpedeerd.

Ik weet dat hij zegt dat de keuze om deze freudiaanse klus aan te nemen aan mij is. Hij zou vasthouden aan zijn psychiatrische nieuwspraakmantra: *ik maak zelf de keuze om te veranderen.* Maar ik weet wat er in zijn kille hart verborgen ligt. Ik kan precies voorspellen wat hij zou schrijven over de kans op voorwaardelijk als ik weiger in deze freudiaanse wortel te bijten:

> Uit herhaalde testen blijkt tot mijn spijt dat Kate Fitzgerald haar eerdere teleurstellende testresultaten slechts herhaalt zonder enige aanwijsbare statistische verbetering. Haar score op de MMPI-leugendetector is zelfs hoger uitgevallen. Ze ziet nog steeds afgescheiden lichaamsdelen in de Rorschachtest en haar gedrag kan slechts omschreven worden als psychopathisch. Psychologisch gezien begrijpt ze nog even weinig van de achterliggende reden voor haar wrede misdaad als negen jaar geleden. Jammer genoeg kan ik haar naar goed geweten niet voordragen voor voorwaardelijke invrijheidstelling, aangezien ik haar een gevaar acht voor zichzelf en voor anderen.

En wat zou u zeggen van het volgende deuntje, dat hij zou schrijven *nadat* ik zijn louche Freud-Konzak-expeditie heb geleid:

> Kate Fitzgerald is langdurig in therapie geweest en begint langzaam maar zeker vat te krijgen op haar bewuste en onbewuste conflicten. Haar schizoïde gedrag, dat een discrepantie veroorzaakte tussen ratio en emotie, is tijdens onze sessies overbrugd, waarbij ze een ware therapeutische alliantie heeft gevormd. Deze optimistische diagnose wordt nog ondersteund door haar psychologische testen. Ze heeft grip gekregen op haar agressieve driften en heeft geleerd deze impulsen te incorporeren in een gedisciplineerd intellectueel kader.
> Ik stel voor deze gevangene voorwaardelijk in vrijheid te stellen in een gestructureerde werkomgeving, waarin ze haar hoge intellectuele kwaliteiten kan aanwenden voor de verdere integratie van haar ego.
> Gedicteerd, maar niet gelezen,

Terwijl ik mezelf optrok aan de tralies van mijn kleine celraam om mijn oefeningen te doen en het mijnenveld van mijn toekomst te overdenken, hoorde ik het plotselinge geblèr: '*Man op de afdeling!*' Ik liet mezelf zakken en keek recht in de bleke ogen van Dalton. Hij liep resoluut naar mijn cel, gekleed in zijn strijkvrije uniform met de P4W-badge om zijn nek. Hij droeg gloednieuwe sportschoenen.

'Waar is die man dan?' vroeg ik.

Hij knikte met zijn Jerry Lee Lewis-kop, dat liedje had hij vaker gehoord.

'Dalton, waar vind je tegenwoordig nog Brylcreem?'

'Lach me maar uit, arrogante trut. Ik heb tenminste geen gevangenisstraf. Ik kan gaan en staan waar ik wil en mijn eigen haarproducten uitzoeken.'

'Tjonge, dat is nog eens een uiting van vrije wil,' zei ik.

Toen mijn getraliede deur met luid geratel openschoof, zei hij: 'Het is tijd voor je afspraak met dr. Gardonne. Tijdens de vergadering met de shiftbewaking brachten de hoge jongens wat vuiligheid over je ter sprake. Er staan je wat veranderingen te wachten, dame.'

Ik slenterde langs mijn cellenblok en riep over mijn schouder: 'Tegen de tijd dat vuiligheid jou bereikt, is het al compost, Dalton.'

'Ja, hoor,' zei hij, luid genoeg om boven het gevloek, geschreeuw en het geluid van de radio uit te komen, 'ik durf te wedden dat de dokter niet kan wachten om je te vertellen wat een paranoïde kreng je bent. Het wordt steeds erger met je.' Toen hij me achterliet op de afdeling maatschappelijk werk, beet hij me nog toe: 'Denk erom, je hebt mij er niet over gehoord.'

2

DE SLEUTELBEWAARDER

Hij die ogen heeft om te zien en oren om te horen kan zichzelf ervan overtuigen dat geen sterveling in staat is een geheim te bewaren. Als zijn lippen zwijgen, babbelt hij met zijn vingertoppen; het verraad sijpelt uit al zijn poriën.
– Sigmund Freud, *Psychical Treatment*

De wachtkamer zat vol treurige vrouwen die niet meer te helpen waren, en al helemaal niet door maatschappelijk werk. Ik bladerde door een zes jaar oude uitgave van *Field & Stream*. We zaten allemaal slechts voor één enkele reden in deze sombere ruimte – voor die gelukkige dag waarop we dat rode stempel op onze formulieren zouden krijgen met de tekst *behandeling naar voldoening voltooid*. De 'behandelingsopties' variëren van de hulp van een assistent-verpleegkundige tot die van een psychiater.

Om de hiërarchie van de behandeling in een psychiatrische gevangenis te begrijpen, moet je je een Escher-achtige tekening voorstellen van een doorsnede van een toren met een heleboel verdiepingen, met elkaar verbonden door valluiken en glijbanen die maar één kant op gaan: naar beneden. Denk maar aan een psychiatrisch spelletje ganzenbord. De spreekkamer van de psychiater is op de bovenste verdieping. Nadat de patiënte haar probleem uit de doeken heeft gedaan, zegt de psychiater: 'Het spijt me, u bent te zeer in de war voor therapie.' Dan haalt de psychiater een hendeltje over op de leuning van zijn stoel, dat verbonden is met het valluik onder de stoel van de patiënte. Het luik gaat open. Eronder ligt een diepe kuil waar patiënten die te ver heen zijn om na te denken of te murw gebeukt om het 'begripsgeoriënteerde' spelletje mee te spelen, via de stortkoker naartoe roetsjen. Dat is de kuil 'te zeer in de war voor therapie', waar de patiënten met pillen in bedwang worden gehouden. Degenen die te ver heen zijn voor therapie *en* medicijnen komen in een nog diepere kuil terecht, de 'ik ben te dom om eraan te denken dat ik mijn pil moet innemen'-kuil, of in psychiatrisch jargon simpelweg de kuil voor 'patiënten die de behandeling obstrueren'. In dit ravijn krijgen de patiënten elke maand een shot haloperidol toegediend door een gespierde mannelijke cipier, die vervolgens snel het luik weer dichtgooit.

Ik werd gestoord in mijn dagdromerij toen de deur van dr. Gardonnes spreekkamer stipt op tijd openzwaaide. Hij gaf me het bekende, nauwelijks waarneembaar knikje. Toen ik naar binnen drentelde, trok hij zijn jasje uit en hing het over de leuning van zijn stoel. Ik bestudeerde de familiefoto op zijn bureau, die zo was neergezet dat de patiënt hem net kon zien. Dat was Gardonnes manier om ons te vertellen dat hij niet opgesloten zat. Hij was de knappe, geslaagde psychiater met het leuke gezin. Zijn kinderen droegen blazers van privé-scholen en waren glimlachend op weg naar de universiteit. Mijn jeugd was vergeven van dit soort kerstkaarten met gelukkige gezinnetjes. Mij hielden ze niet voor de gek. Ik wist precies hoe venijnig die hulstkransen konden prikken.

Hij wachtte tot ik van wal zou steken, maar in die negen jaar had ik alles al gezegd wat ik wilde zeggen en ik vond het prima om een uurtje zwijgend tegenover hem te zitten. Hij leunde voorover, liet zijn ellebogen op de armleuningen rusten en zette zijn vingertoppen tegen elkaar, zodat ze vijf kleine, spitse torentjes vormden. Hij wachtte af... en wachtte af. Ik wist dat hij zat te popelen om te horen wat ik had besloten over mijn voorwaardelijk proefverlof en het voorstel van de Freud-academie. Hij was zelfs zo nieuwsgierig dat hij me voor de verandering precies op tijd had binnengeroepen. Hij probeerde me te dwingen de discussie te openen, hetgeen mij in de rol van de 'behoeftige' zou plaatsen en hem in de rol van de 'welwillende despoot'. Dat was een van de vele variaties van zijn overbekende thema om te laten zien wie de broek aanhad en wie er aan penisnijd leed.

Dat spel is heel goed met zijn tweeën te spelen. Ik besloot niets over het voorstel te zeggen en te wachten tot hij er zelf over begon, om hem te dwingen die nonchalante houding te laten varen. Eindelijk vroeg hij: 'Kate, hoe gaat het met je?'

'Gewoon.'

'De sessie van de vorige keer moet veel impact op je hebben gehad. We hebben over jouw ontslag uit de gevangenis gesproken, al is het dan tijdelijk, en over een voorwaardelijk proefverlof. Ik zou een andere rol in je leven gaan spelen, in plaats van je psychiater zou ik je werkgever worden. Na negen jaar zou je mij verliezen als analyticus. Dat is een gewichtig moment. Wil je misschien iets zeggen over de afsluiting van negen jaar ingrijpende therapie?'

'*Gewichtig?* Waarom probeert u toch elke week opnieuw te insinueren dat u belangrijk voor me bent?'

'Zo? Op welke manier doe ik dat volgens jou?'

'Een klassieker was die keer toen u me vroeg of ik me tot u voelde aangetrokken. Toen ik nee zei, vroeg u of ik misschien lesbisch was. Over grootheidswaanzin gesproken,' zei ik hoofdschuddend.

'Als dat het geval is, Kate, dan is dat iets dat we gemeen hebben. Jij wordt aangemerkt als...' Hij wachtte even en las hardop voor uit mijn dossier: 'Een psychopathische herrieschopper die meent boven het systeem te staan en gezien haar superioriteit niets te maken wil hebben met de structuur van het gevangenissysteem.'

Dat achterhaalde verslag had hij ontfutseld aan de bezigheidstherapeute, die beledigd was omdat ik geen zin had in haar 'kookles voor feesten en partijen'. (Volgens mij was het nou juist de lol van de gevangenis dat zij dat vermaledijde kerstdiner voor *jou* kookten.) Waarom zei hij niets over het verslag van de begeleider buitensporten, die zei dat ik een geboren hondensleeër was? Daar deed ik met plezier aan mee, het was zo'n beetje het enige voordeel van langdurige opsluiting in dit noordelijke stukje niemandsland. Hij zei dat ik de beste atlete was die hij ooit had gezien en dat ik een geweldige teamspeler was. Oké, dat was dan wel met honden, maar de wereld draait niet alleen om mensen.

Hij blikte op, keek me recht in de ogen en zei: 'Dan hebben we natuurlijk ook nog de in dit rapport als agressief beschreven aanvaring met Veronica Firedancer op de linnenafdeling.' Hij reageerde op de uitdrukking van walging op mijn gezicht en voegde eraan toe: 'Ik hoop niet dat ik iets uit de context heb gehaald.'

'Na negen jaar zijn ze er eindelijk achter dat ik niet van plan ben naar de wasserij te gaan om te leren hoe ik vlekken moet verwijderen. Het spijt me dat ik twaalf uur per dag in mijn cel heb gezeten om Freud en Darwin te bestuderen en dat ik in de bibliotheek een computersysteem heb opgezet dat die duurbetaalde nitwit van jullie niet kon programmeren.'

'Van een doctor in de filosofie van de wetenschap verwacht ik een beter argument dan dat,' antwoordde dr. Gardonne.

'Als ik zo begin, noemt u het intellectualisatie.'

'Kate,' zei hij met een geërgerde zucht, 'ik zou willen dat je een beetje meewerkte om je emotionele problematiek op te lossen in plaats van constant in de verdediging te gaan.'

'Goed dan. Laten we het hebben over de dokter, de psychiater die nog nooit één helder inzicht heeft gehad of zelfs maar zou herkennen als hij het tegenkwam.'

'Het is erg jammer dat je zo'n lage dunk hebt van iemand die zoveel invloed op je leven heeft.'

'Dat is al niet anders sinds mijn geboorte.'

'Kate, ik ben degene die alle informatie moet vergaren om je te kunnen voordragen voor een VP. Je maakt de zaak niet gemakkelijker voor jezelf, noch voor mij, als je dossier vol met negatieve rapporten van de bewaking zit. Ik kan wel enigszins voor je opkomen, maar het houdt ergens op.'

Dat was zijn inleiding. Nu gaat hij me vertellen waarom ik deze kans van mijn leven op een baantje moet aangrijpen. Wat hij verzwijgt is dat hij een positief ontslagrapport voor me zal schrijven, maar uitsluitend en alleen als ik die freudiaanse klus aanneem.

'Heb je over mijn aanbod nagedacht?'

'Ik heb het nogal druk gehad met winkelen en allerlei sociale verplichtingen, maar het is wel even door me heen gegaan.'

Hij keek op zijn horloge om me te laten zien dat hij een drukbezet man was en het nu wilde weten. 'Kate, ik wil je niet tot een overhaaste beslissing dwingen, maar gezien de recente ontwikkelingen in deze kwestie kunnen we de zaak niet langer uitstellen. We moeten het onderzoek onmiddellijk in gang zetten, voordat Konzak met nieuwe aantijgingen naar de pers stapt.'

'Natuurlijk doe ik mee. Mijn toekomst eindigt op de elektrische stoel als ik uw aanbod afsla,' zei ik, terwijl ik mijn benen over elkaar sloeg.

Hij vouwde zijn handen achter zijn hoofd en zei, achterovergeleund in zijn draaistoel: 'Jouw gebrek aan vertrouwen kleurt onze relatie, zoals gewoonlijk. Ik heb je deze baan aangeboden omdat ik oprecht van mening ben dat intellectualisatie jouw meest succesvolle afweermechanisme is. Je schizoïde gedrag neemt af zodra je je bezighoudt met een verstandelijke taak. Zo zou ik je VP kunnen rechtvaardigen, door erop te wijzen dat je werkzaamheden gaat verrichten die je helpen je meest ontwikkelde afweermechanisme te consolideren.'

'Er is een reden waarom u wilt dat ik deze klus aanneem en ik betwijfel ten zeerste of het alleen maar voor mijn bestwil is. Bewaar de John Howard-toespraak maar voor uw liefdadigheidscommissies. Tenzij u plotseling van uw normale leidmotief van eigenbelang bent afgeweken, hebt u hier ook belang bij.'

'Kate, het is de normaalste zaak van de wereld dat de gevangenis een werksituatie creëert voor een gedetineerde. We plaatsen eenderde van de vrouwen die P4W verlaten.'

'Vertel me eens iets nieuws, voor de verandering.'

Waarom wilde hij dit zo graag voor me regelen? Jemig, hij wilde me toch zeker niet *echt* helpen? Ik kreeg het er benauwd van. Als dat zo was, dan had ik jarenlang mijn therapie ondermijnd. Maar als ik hem vertrouwde en hij bleek toch de gluiperd te zijn die ik dacht dat hij was, dan kon ik het helemaal wel schudden.

Ik stond op, liep naar het raam, leunde tegen de tralies en strekte mijn kuitspieren. Ik voerde een bekende isometrische oefening uit van wel willen, maar weigeren het te geloven. Hij was kennelijk geïrriteerd door wat hij beschouwde als gebrek aan dankbaarheid.

'Ik ben bereid al je vragen te beantwoorden, als dat je angsten kan wegnemen,' zei hij.

'Fijn, nu gaat het om mijn angsten en niet om uw eigenbelang.'

'Kate, ik kan mijn eigenbelang toegeven. Kun jij je angsten toegeven?'

'Ik zou het geen angst willen noemen, ik noem het eerder een verzoek om informatie. Hebt u wel eens gehoord van die sollicitatiegesprekken waarbij aan de sollicitante wordt gevraagd: "Wel, juffrouw Fitzgerald, hebt u misschien nog vragen?"'

'Natuurlijk, je hebt gelijk,' antwoordde hij en hief zijn armen in de lucht. 'Ik zal trachten al je vragen te beantwoorden.'

'Waarom neemt u een gedetineerde met VP? Waarom laat u dit onderzoek niet uitvoeren door een subcommissie, samengesteld uit leden van het genootschap van psychoanalytici?'

'Daar hebben we aan gedacht. Er zijn inderdaad psychoanalytici en zelfs enkele hoogleraren culturele studies, filosofie of wetenschappen die de klus zouden kunnen klaren, maar Konzak zou hen waarschijnlijk niet te woord staan, laat staan dat hij hen in vertrouwen zou nemen. Hij heeft zich al geringschattend over hen uitgelaten tegen Dvorah Little in haar uitgebreide artikel over het debacle van de Freud-academie in *Metropolitan Life*.' Dr. Gardonne rommelde wat in zijn papieren en citeerde Konzak hardop: '"De meeste psychotherapeuten zijn saaie, obsessieve, depressieve lui die in de hersenen van hun patiënten graven en van hun emoties leven." Hij beschrijft hun morele eigenschappen als volgt, ik citeer uit *The Times*: "De meeste psychotherapeuten zijn onbetrouwbare opportunisten. Ze weten dat er nog nooit iemand is genezen dankzij psychoanalyse. De psychotherapeut streeft naar een volle wachtkamer, de Freud-academici streven naar publicatie van hun artikelen met als enig doel een vaste aanstelling of in ieder geval een bijdrage aan hun pensioen. Zij hebben er dus geen enkel belang bij naar mij te luisteren, laat staan dat ze met mij akkoord zullen gaan."'

Hij keek op uit zijn dossier en vroeg: 'Kate, waarom zou Konzak ze *wel* in vertrouwen nemen? Hij zou onmiddellijk lont ruiken. We hebben iemand nodig van buiten het systeem, iemand die geen belang heeft bij Freuds mogelijke ondergang.' Dr. Gardonne leunde over zijn bureau en keek me recht aan. 'Konzak is op de hoogte van jouw gedegen kennis van Freud. Belangrijker nog, hij wil graag met je van gedachten wisselen. Jouw presentaties en de artikelen die gepubliceerd zijn tijdens je detentieperiode hebben veel stof doen opwaaien in de afgelopen jaren.'

Dat was nieuw voor me. Ik besloot echter niets te laten merken. Gardonne babbelde door. 'In *The Psychoanalytic Monitor* beschreef Konzak jou als een van de grootste kenners van Freud.'

'Dat miezerige rotblad?'

'Kate, we hebben iemand met wie Konzak wil praten, iemand die hij misschien in vertrouwen neemt en die op haar beurt loyaal genoeg is ons te vertellen wat hij heeft gezegd.'

Verbijsterd zei ik: 'Maar u vertrouwt me helemaal niet. U mág me niet eens.'

'Dat is jouw eigen projectie, Kate. Ik heb je gekneusde psyche negen jaar lang bijgestaan en dit is de laatste van een lange reeks zeer zware sessies. Ik heb je altijd graag gemogen en beschouw je als het slachtoffer van je familie. Ik weet dat je me afweert omdat je me niet kunt vertrouwen, aangezien dat nog altijd een risico voor je betekent. De therapie is in die zin succesvol geweest, dat we erin zijn geslaagd enkele van je conflicten op te lossen. Bovendien heb je me je dromen toevertrouwd.'

'Geloofde u die dromen?' Jezus, ik heb er zo'n hekel aan als ik aan het twijfelen word gebracht. Zolang ik Gardonne netjes in een hokje had zitten, tikte mijn leven door. Toegegeven, het ging dan wel in slakkentempo, maar ik zakte in elk geval niet weg in het drijfzand van verraad. Daar wilde ik nooit van mijn leven meer in terechtkomen.

'Kate...' Hij aarzelde. 'Je kent Freud als je broekzak. Ten tweede heb je een uiterst logische geest. En belangrijker nog, hij zal willen praten met iemand die hij hoog acht en aantrekkelijk vindt.'

Ik gaf hem zijn plannetje herzien terug en zei: 'Zo, Pander, u wilt dat ik de hoer speel voor Anders Konzak?'

'Kate, je hebt altijd de neiging gehad de zaken zo onsmakelijk mogelijk voor te stellen. Natuurlijk is het van belang dat Konzak je charmant vindt, anders neemt hij je nooit in vertrouwen.'

Charmant?

'Hij zal van alles op tafel leggen om zijn ego te voeden als een Lothario. Ik heb een gedegen freudiaan nodig die goed bekend is met zijn vroege periode, iemand die Konzak graag mag en die loyaal is ten opzichte van de commissie. Ik ben me ervan bewust dat je niet geheel zonder gebreken bent, maar gezien de inhoud van deze baan ben jij onze beste kandidaat. Kate, dit is de echte wereld. Wat eigenbelang betreft, in feite het belang van de psychotherapeutische gemeenschap als geheel, heb ik klare wijn geschonken. Kunnen we dan nu doorgaan?'

Ik moest wel, anders zou hij denken dat ik zwolg in mijn paranoia. Daarbij klonk het allemaal wel aannemelijk. Ik knikte om aan te geven dat we over konden gaan op de details van de baan.

Dr. Gardonne leunde achterover in zijn stoel. Het was dat ik hem al negen jaar kende, anders zou ik dat glimlachje hebben gemist dat over zijn onschuldige *Mr. Deeds goes to Prison*-gezicht gleed. Hij schoof zijn stoel achteruit, stond op en beende naar zijn dossierkast. Daar bleef hij even dralen, hij was duidelijk de cijfercode kwijt. Ik had hem kunnen vertellen dat het 347 was, de eerste drie cijfers van zijn rijbewijs, maar het leek me beter dat hij zijn sleutel gebruikte. Hij haalde er een brandschone dossiermap uit, ging weer zitten en zei: 'Ter zake. Wat valt er nog te doen aan hetgeen Konzak al naar buiten heeft gebracht? We moeten zorgen dat de schade beperkt blijft. Hij heeft Freuds naam en die van de psychoanalyse als geheel door het slijk gehaald.'

'Nou en? Freud is dood. Je kunt de doden niet belasteren.' Ik stond op en begon te ijsberen voor zijn bureau. Ik trok de ceintuur van mijn gevangenisoverall wat strakker aan en zei: 'Het gaat om de toekomst. We moeten erachter zien te komen wat zijn volgende stap zal zijn. De enige manier om hem in toom te houden is te zorgen dat we hem altijd een stap voor blijven.'

'Konzak zei dat hij op materiaal is gestuit waarmee hij kan bewijzen dat Freud een bedrieger was en dat de psychoanalyse is gebaseerd op leugens.' Hij las weer iets voor van een knipsel en citeerde Konzak: '"Mijn bevindingen zullen de filosofie van de wetenschap op zijn grondvesten doen schudden en de psychoanalyse zal voor altijd hebben afgedaan."'

'Dat is grootspraak. Ik heb al Freuds brieven gelezen. Er staat niets in wat Freud in een kwaad daglicht kan stellen. Ik weet dat Konzak in het artikel in *Metropolitan Life* naar buiten heeft gebracht dat Anna Freud hem vorig jaar nog een stapeltje brieven heeft gegeven die tot dan toe als persoonlijk waren aangemerkt. Maar ze zou nooit iets uit handen geven dat Freud zou kunnen schaden, zeker niet aan iemand die ze nauwelijks kent, zoals Konzak. Ik geloof niet dat dergelijk "bewijsmateriaal" bestaat. Ik denk dat we er snel genoeg achter zijn, omdat hij zegt dat de brieven binnenkort worden gepubliceerd als de nieuwe, ongekuiste editie van de Freud-Fliess-correspondentie.'

'We moeten ook weten of Konzak *in opdracht* werkt of voor zichzelf. Jullie moeten uitzoeken waar hij zijn informatie vandaan heeft.'

Ik rook de bekende lont en vroeg: 'Zei u "jullie"?' Hij keek op van zijn aantekeningen met een gezicht alsof hij me totaal niet kon volgen. Ik liet slechts een fractie van mijn ongerustheid blijken en vroeg: 'Ik neem aan dat ik alleen werk en uitsluitend aan u rapporteer?'

'Dat klopt voor de helft. Je rapporteert uitsluitend aan mij, maar je werkt met iemand samen. Een ex-gedetineerde uit Toronto.'

Wel verdraaid, ik wist dat er een addertje onder het gras zat. 'Een of andere nitwit die ongedekte cheques uitschreef om de auto van haar vriendje af te betalen, zeker?'

'Nee. Hij is al vijftien jaar op vrije voeten. Jack Lawton is privé-detective.' Toen ik niet doorvroeg, ging Gardonne verder. 'Hij heeft vanaf zijn zevende in inrichtingen gezeten. Agressief. Opgepakt voor heroïnehandel, diefstal en noem maar op. Zijn laatste stunt was een gewapende bankoverval, die hem op vijftien jaar kwam te staan.'

In de stilte die daarop volgde hoorde ik de ventilatie aan en weer uit klikken, voordat het kwartje eindelijk viel. Hij stond me inderdaad een voorwaardelijk proefverlof toe, maar tegelijkertijd zette hij een dodelijke val voor me op zodat ik nooit meer op ontslag hoefde te rekenen. Ik werd aan een idioot vastgeketend, waarschijnlijk een XYY-chromosoom (daar zitten gevangenissen vol mee, groot, agressief en met een laag IQ) en we zouden de klus samen moeten klaren. En als het misging, zou ik voor langer de bak in gaan dan de Vogelman van Alcatraz. Ik kneep mijn ogen tot spleetjes om Gardonne een idee te geven waar hij zijn VP in kon steken.

Toen ik mijn stoel achteruitschoof om te vertrekken, wachtte Gardonne even fijntjes af. Hij speelt graag wat met zijn prooi voordat hij hem verslindt. Toen zei hij: 'Ondanks Jacks enigszins extreme achtergrond moet hij wel gezegend zijn met intelligentie en een bijzonder doorzettingsvermogen. Na zijn gevangenisstraf ging hij naar de universiteit, behaalde zijn bul in internationale betrekkingen en werkte op contractbasis voor de CIA, totdat ze een verschil van mening kregen.'

'Misschien was hij Deep Throat wel.'

'Naar ik hoor heeft hij fantastisch werk voor ze verricht, voornamelijk in Europa... prestigeklussen waar niemand anders zijn vingers aan wilde branden. Maar de eerlijkheid gebiedt me je te vertellen dat hij moeilijk met anderen kan samenwerken. Hij kan het ene moment zeer charmant zijn, om het volgende moment uit te barsten in een driftbui. Hij heeft meer tijd in eenzame opsluiting doorgebracht dan welke andere gevangene dan ook.'

'Twee mensen die moeite hebben met teamwerk... een goed plan.'

'Voorzover ik weet heeft hij zijn persoonlijkheid onder controle weten te brengen middels het boeddhisme en allerlei zelfhulp-programma's. De scherpe kantjes zijn eraf.'

'Een bankrover met een mantra... kan het nog erger?'

Hij negeerde mijn woorden, een trekje dat hij door de jaren heen heeft geperfectioneerd en ging verder: 'Jack heeft net als jij zijn detentieperiode benut om zich te ontwikkelen. Hij was echter bij lange na niet zo hoog opgeleid als jij en richtte zich met name op de psychologie. Aangezien hij zoveel tijd in eenzame opsluiting doorbracht, kon hij zijn kennis met niemand delen. Enkele van zijn interpretaties zijn daarom enigszins... orthodox te noemen.'

'Ik werk alleen.'

'Ik vrees dat dat niet tot de mogelijkheden behoort,' zei Gardonne, terwijl hij Jacks gevangenisdossier opende. Het zat aan elkaar geniet met grote industriekrammen. 'Eén raad wat Jack betreft, maak hem niet kwaad. Hij kan meedogenloos zijn.'

'Meedogenloos... wat hebben we nou aan meedogenloos? Waarom hebt u twee mensen nodig om Konzak informatie te ontfutselen? Hij slaat heus wel door.'

'Ten eerste zitten we met een toegewijde freudiaan die een van de meest gerespecteerde functies in het academische wereldje aanneemt om zich vervolgens plotseling tegen Freud te keren. Een intellectueel als jij kan daarmee omgaan.' Gardonne legde zijn handen plat op het vloeiblad en leunde voorover, om met zachte stem verder te gaan. 'Ten tweede heeft Konzak, een betalend lid van onze vereniging, onlangs geklaagd dat hij wordt bedreigd sinds hij antifreudiaanse verklaringen aflegt.'

'En dan zeggen ze dat ík paranoïde ben.'

'Als je voorwaardelijk proefverlof wordt goedgekeurd,' zei hij, terwijl hij enkele formulieren omhooghield, 'zal het onderzoek je naar Wenen brengen, waar de academie zetelt, naar Engeland, waar Freud voor de oorlog naartoe verhuisde en waar, zoals je weet, zijn dochter Anna nog steeds woont en het grootste archief heeft opgezet. Verder ga je naar New York, het hart van de psychoanalyse, en ten slotte naar Canada, Toronto, het Canadese Centrum voor Psychoanalyse en jouw voormalige territorium en mogelijk Montreal, waar Anders Konzak vijftien jaar werkzaam is geweest als hoogleraar Russisch aan McGill University.' Hij sloot Jacks dossier en zei: 'Je kunt niet zonder Jack. Terwijl jij je bekwaamde tot Freud-expert, leerde hij zich staande te houden in talrijke netelige politieke situaties in heel Europa, met name in de landen waar jij naartoe moet.'

'Ik kan me wel voorstellen wat hij deed voor de CIA.'

'Konzak overdrijft waarschijnlijk als hij stelt dat hij met de dood wordt bedreigd, maar je hebt iemand nodig die alle aspecten van de kwestie kan natrekken. Niet alles is per definitie theoretisch. Laten we wel wezen, Kate, je hebt geen ervaring als detective.' Ik kon alleen maar vol afkeer blijven zitten, terwijl hij zijn betoog zelfverzekerd afrondde: 'Als zich ongewenste situaties voordoen, hebben we iemand nodig die dat van kindsbeen af gewend is en instinctief weet hoe hij moet handelen.'

Mijn hoofd tolde. Zelfs Dalton wist dat ik een cel voor mezelf alleen nodig had. Ik was nooit in staat geweest met anderen samen te werken, zelfs niet voordat ik die vermaledijde moord had gepleegd. Nu wilden ze me koppelen aan een driftige ex-gevangene, waarschijnlijk een huurmoordenaar voor de CIA, om achter een freudiaanse clown met een grote bek aan te gaan. Als ik Gardonne ken, kent hij mij ook. Dit is doorgestoken kaart, hij wil dat het mislukt.

Zo kalm mogelijk vroeg ik: 'Als ik dit aanbod afsla, kom ik dan nog steeds in aanmerking voor voorwaardelijke invrijheidstelling?'

'Mijn aanbeveling hangt af van de testen en van wat mij het beste lijkt voor de maatschappij,' antwoordde Gardonne. 'Of je de opdracht aanneemt of niet heeft geen invloed op je kans op voorwaardelijk.'

Ik wist wat testen betekent: de psychiater bepaalt de betekenis van de uitslag. Er zijn duizenden manieren om een inktvlek te interpreteren. Een psychiatrische test is de elektrische stoel die geen verbrande resten achterlaat.

Hij leunde voorover en trok zijn 'ik zal er geen doekjes om winden'-gezicht. 'Kate, ik ben je vader niet, er zijn geen voorwaarden aan verbonden. Ik probeer je te helpen. Ondanks je agressie van de afgelopen negen jaar probeer ik je te helpen om buiten de gevangenis je draai te vinden. Ik verwacht er niets voor terug.'

Ik knikte, ik kon hem niet meer aanhoren. Ik sloot mijn ogen en probeerde toegang te krijgen tot het dossier in mijn hoofd met de titel *Oprechte bezorgdheid van een man,* maar ik kreeg alleen een fout in de programmering. Ik kende hem te lang om hem nu ineens te gaan vertrouwen. Ik had op de harde manier geleerd... het leek voor mij in elk geval zwaarder dan voor de rest van de wereld... wie de touwtjes in handen had. Daar had ik negen jaar de tijd voor gehad.

Ach, wat maakte het verdorie ook uit? 'Ik doe mee. Ik zal er het beste van maken met die klojo van een Jack.'

Toen ik opstond om te vertrekken, kwam Gardonne achter zijn bureau vandaan en schudde me de hand. Ik vind het niet prettig om mensen aan te raken, dus ik probeerde zo snel mogelijk bij de deur te komen, maar ik was net niet snel genoeg.

'Wel, Kate...' zei hij tegen mijn rug. God, ik haat het als een kerel je vertelt dat hij het prettig heeft gevonden om met je samen te werken. Ik sta liever tegenover een vuurpeloton, dan weet ik tenminste precies waar de kogels vandaan komen. Ik begreep dat ik heel onbeleefd moest zijn om te zorgen dat hij van me afbleef, maar ik wist niet wat ik moest zeggen. Hoe onbeleefd kon je zijn?

De seconden tikten voorbij en hij zei: 'Kate, ondanks alles wat er is gebeurd tijdens onze sessies en alle beschermende muren die je om jezelf hebt opgetrokken om je kwetsbaarheid te maskeren, denk ik dat we veel vooruitgang hebben geboekt.'

'Tuurlijk. Na negen jaar is het onmogelijk te ontkennen dat ik veranderd ben en in elk geval *iets* van mezelf heb begrepen. Zelfs een watersalamander zou in negen jaar nog wel iets van zichzelf leren, al zwom hij alleen maar rondjes om zijn plastic palmboom.'

'Misschien heb je gelijk, Kate. Ik heb je altijd bewonderd om je inzicht, in combinatie met je persoonlijke oprechtheid, twee eigenschappen die je goed kunt gebruiken bij deze klus. Ik wil zeker niet met de eer gaan strijken.'

'Dat zeggen mensen altijd voordat ze met de eer gaan strijken.'

'Het enige wat ik kwijt wil is dat slechts weinig psychiaters al die jaren jouw stekeligheden hadden verdragen en de therapie hadden doorgezet.'

De waarheid van die woorden trof me als een mokerslag en ik moest me vasthouden aan de deurpost. Ik hoop dat hij niet zag dat de tranen me in de ogen sprongen. Ik schrok me wezenloos van deze plotselinge golf van emoties. Wat ik ook van hem vond als mens of als psychiater, hij *had* het negen jaar met me uitgehouden. We hadden veel tijd met elkaar doorgebracht. En wat is *bonding* anders dan tijd die je samen doorbrengt? Ik denk dat het nogal stom van me was om te denken dat het me niets deed. De meeste therapeuten zouden me jaren geleden al hebben afgeschreven als hopeloos. Dat zou ik in elk geval wel hebben gedaan.

'Waarom hebt u het volgehouden?' vroeg ik, nog steeds met mijn rug naar hem toe en mijn gezicht naar de deur. Als ik me omdraaide zou ik hem een hand moeten geven of, God bewaar me, een afscheidsknuffel.

'Ik probeerde mijn eigen ego buiten beschouwing te laten en te blijven beseffen dat je vijandigheid een afweermechanisme was... dat je hard nodig had.'

'Kunt u misschien voor één keer in al die negen jaar iets zeggen buiten het therapeutische jargon om?'

In de stilte die de kamer als een deken omhulde, kon ik zijn hersens bijna horen kraken, op zoek naar iets oprechts om te zeggen. Jezus, hij zocht echt naar een antwoord op die retorische vraag. De klank van mijn stem zal me wel verraden hebben. Mijn onbeschoftheid had hem niet om de tuin geleid. Misschien wilde ik echt dat hij iets zei over het feit dat we niet alleen arts en patiënt waren, maar twee mensen, zij het met onvolkomenheden, die bijna tien jaar lang met elkaar opgescheept hadden gezeten. Zouden twee exemplaren van dezelfde soort niet altijd iets voor elkaar gaan voelen in zo'n geval?

Ik kreeg het benauwd toen mijn schrijnende behoefte de kamer vulde als droog ijs. Hij ging weer achter zijn bureau zitten. Zijn ogen brandden door mijn volgens overheidsvoorschriften grijze kloffie om me te dwingen me om te draaien, maar ik dacht er niet over.

Hij moet zijn kaart in de richting van de stalen deur hebben geflitst, want ik hoorde een klik en hij schoof open. Toen ik er doorheen liep, zei hij: 'Kate, we zien elkaar weer terug, maar dan ben ik je psychiater niet meer. Ik zal je missen. Ik heb veel van je geleerd.'

Het elektronische oog in de deur las mijn code en viel met een droge klap achter me dicht.

3

KREUKELS

‘Ik hoop dat het u genoegen doet, in ’t leven teruggeroepen te zijn.’
En het oude antwoord: ‘Ik weet het niet!’
– Charles Dickens, *In Londen en Parijs*

Een uurtje later zat ik in het kantoortje van de ontslagbeambte de formulieren te ondertekenen voor mijn voorwaardelijk proefverlof. Ze droeg zo’n wijde Indiaanse jurk waarvan ze hoopte dat hij decennia van Dunkin’ Donuts camoufleerde. ‘Wel, juffrouw Fitzgerald, u gaat ons verlaten,’ zei ze op die zoetsappige toon van ingestudeerd medeleven. Ze overhandigde me een vacuümgetrokken zak met de kleren die ik droeg toen ik hier bijna tien jaar geleden het met prikkeldraad beveiligde hek binnenkwam.

Toen ik de zak opendeed en mijn kleren bekeek, sloeg het besef dat ik 1971 tot 1981 had overgeslagen me keihard in het gezicht. Ik had geen idee of deze kleding nog wel modieus was of niet. De kans was groot dat alles wat ik had inmiddels al lang uit de mode was. Ik had geen televisie gekeken en geen bezoek ontvangen, maar wel alles gelezen wat er in de buitenwereld gebeurde. Ik wist alles van de Amerikaanse politiek, dat de Amerikanen Vietnam uit gebombardeerd waren en met de staart tussen de benen naar huis waren teruggekropen, zonder gele linten om ze te verwelkomen. Ik had de Pentagon Papers gelezen en zelfs mijn ex-celgenote en al haar vriendinnen, die gewoonlijk alleen hun horoscoop bekeken, lazen alles over Watergate en Nixons aftreden. Ik wist precies wat er allemaal was gebeurd op computergebied, want die bladen las ik ook allemaal. Ik vond microcomputers en floppy's spannender dan welk ander nieuws ook. Ik bedoel, dit was vernieuwender dan de Gütenberg-drukpers. Het eerste wat ik wilde kopen was een personal computer van Apple. Het probleem was dat ik alleen las wat me interesseerde en dingen als mode waren volstrekt langs me heen gegaan.

Ik trok de rok en trui aan die in de zak zaten en mijn rode, hoge gympen. Ik was er niet aan gewend dat iets precies paste en hoewel de tailleband een beetje los zat, voelde ik me als een opgestopte worst in mijn zwarte kokerrok.

De ontslagbeambte kletste erop los terwijl ik me verkleedde. Ik denk dat ze ervan uitging dat als ik al tien jaar geen privacy had gehad, ik dat nu ook niet nodig had. 'We hebben uw familie ingelicht over de datum van uw invrijheidstelling, maar we hebben alleen deze brief ontvangen.' Ik vroeg me af wie ze bedoelde met *familie*. Misschien mijn ouders wel. Ik voelde me slapjes en er dansten donkere vlekken voor mijn ogen toen ik het glanzende papier las. Ik hoopte dat de gevangenisdirecteur ze geen weeïg verzoek had gedaan. Ik vouwde het papier uiteen, net als Julius Caesar wanneer hij een proclamatie las:

Hierbij verzoeken wij u vriendelijk Kate Fitzgerald ervan op de hoogte te brengen dat de huurders van haar appartement drie jaar geleden zijn verhuisd. Haar meubilair staat er nog, haar kleding is opgeborgen in een afgesloten kast in de logeerkamer en overige persoonlijke bezittingen zijn opgeslagen in de kelderruimte van hetzelfde gebouw. De onderhoudskosten zijn voldaan door de beheerder van haar fonds. De hypotheekkosten voor zes jaar zijn overgemaakt op haar vermogensrekening. De sleutel ligt bij het hoofd van de beveiliging van het gebouw.
Hoogachtend,
Andrea Wing, Stagiaire Glory & Glory

Een fractie van een seconde had ik gefantaseerd dat mijn ouders buiten op me zaten te wachten in hun zwarte Lincoln met de verwarmde stoelen.

De ontslagambtenaar legde haar dikke hand met vetkussentjes op de mijne en zei bijna fluisterend met een sissende s: 'Het spijt me dat niemand het nodig heeft gevonden om u te komen halen. Dr. Gardonne zegt dat u naar het zuiden vliegt met Denise Wapasha. Ze moet met de traumahelikopter naar de spoedafdeling verloskunde van Toronto General Hospital.'

Een uur later stond ik op een kale ijsvlakte, die dienstdeed als startbaan. Ik gaf de verpleegkundigen een handje toen ze de kogelronde Denise op haar brancard in het vliegtuig hielpen. Ze was totaal van de wereld. De piloot trok zich van niemand iets aan en zat een beetje aan de knoppen van zijn Learjet voor twaalf personen te prutsen.

Er ging een bewaker met ons mee. Hij zat achter in het vliegtuig met bizarre oordopjes in zijn oren die met dunne draadjes waren verbonden aan een kleine radio of een soort stereoapparaatje. Het was een heel vreemd ding, waarmee hij zichzelf in vrijwillige afzondering plaatste. (Ik verliet de gevangenis en hij ging erin.) Die dingen konden nooit een succes worden. Was Sony vergeten dat mensen sociale wezens zijn? Dat waren ze in elk geval nog wel toen ik tien jaar geleden achter de tralies verdween.

Eenmaal in de lucht zei de piloot: 'Ik doe dit ook niet voor mijn lol op Goede Vrijdag, maar ik krijg een bonus van vijftig procent.' Het vliegtuig ging beangstigend scheef hangen toen hij achterom keek naar Denise en vroeg: 'Wat mankeert haar eigenlijk?'

Aangezien de bewaker hem niet kon horen, haalde ik haar kaart van de brancard, las hem vluchtig door en zei: 'Ze lijdt aan overgewicht, suikerziekte en is zwanger van een tweeling. Ze heeft bloedvergiftiging die ze niet onder controle kunnen krijgen. Ze denken dat de foetussen aan foetaal alcoholsyndroom lijden, want hun hoofdjes zijn nogal klein op de echo.'

'Jezusmaria, ik word doodziek van dit socialistische land. Zelfs de koningin krijgt geen betere medische behandeling dan deze onverantwoordelijke dronken slet. Waarom wordt ze naar Toronto gevlogen voor twee baby's die voor de rest van hun leven door de staat onderhouden moeten worden omdat zij niet van de drank af kon blijven? Hoe is ze in godsnaam aan drank gekomen in de gevangenis? En hoe kon ze daar zwanger worden, nu we het er toch over hebben? Ik kan dit echt niet aan op Goede Vrijdag. Dat is de enige dag per jaar dat ik met mijn vrouw naar de kerk ga.'

Ik wierp een blik op het bleke gezicht van Denise, die voor iedere ademtocht moest vechten. 'Ik geloof dat zij het ook niet echt aankan.'

Toen we de Hudsonbaai over waren en Jamesbaai naderden, vroeg hij me: 'Waar zit je voor?'

'Ik heb mijn man vermoord.'

Dat maakte een eind aan ons gesprek tot de landing op Moosoonee. Ik vroeg of hij moest tanken, maar hij zei dat we moesten overstappen en verdergingen met de helikopter van het kinderziekenhuis. Terwijl twee mannen met Denise bezig waren, liet ik me in mijn stoel vallen en las voor de zoveelste keer de brief die ik uit mijn file had gedownload, de brief die dr. Gardonne had geschreven aan Jack Lawton, mijn veronderstelde gabber. Hij was gedateerd op een week geleden.

Geachte heer Lawton,
We hebben Freud-deskundige Kate Fitzgerald in de arm genomen om uw onderzoek naar de directeur van de Freud-academie, Anders Konzak, te ondersteunen. Terwijl u onderzoekt of hij werkelijk wordt bedreigd en of hij alleen werkt, tracht zij uit te zoeken wat de freudiaanse gemeenschap te wachten staat als en indien Anders Konzak de onverkorte correspondentie tussen Freud en Fliess naar buiten brengt. Dat geeft mijn organisatie van psychoanalytici de tijd maatregelen te treffen om de schade zo beperkt mogelijk te houden.
U wilt ongetwijfeld meer weten over de persoon met wie u zult samenwerken. Kate Fitzgerald is een niet-gegradueerde sta-

tisticus, doctor in de filosofie van de wetenschap en Freud-deskundige uit interesse.

Ik ken Ms. Fitzgerald persoonlijk, aangezien zij negen jaar gedetineerd was in de strafinrichting waar ik werkzaam ben, voor een geweldsmisdrijf van negen jaar geleden, waarover ik uiteraard niet in details kan treden. Zij komt uit een vooraanstaande familie uit Toronto en de zaak is uitgebreid besproken in de media.

Ik ben me ervan bewust dat Ms. Fitzgerald mogelijk een vreemde keus lijkt om met u samen te werken aan deze opdracht. Ik heb haar gekozen omdat ik van mening ben dat haar kennis van Freud ongeëvenaard is, zelfs professor Konzak heeft dat erkend. Hij zal zonder enige twijfel met haar in discussie willen gaan over Freud, omdat zij op dat gebied haar sporen heeft verdiend. Daarnaast bezit zij de fysieke kenmerken die hem zullen aanspreken.

Ik moet u echter waarschuwen dat zij bij tijden uiterst kwetsend kan reageren. Hoe dichter iemand haar nadert, hoe agressiever haar gedrag. Als ze de minste emotionele tegenstrijdigheid of ambiguïteit voelt, haalt ze uit op de klassieke, paranoïde wijze.

Zonder aanmatigend te willen zijn, zou ik u willen adviseren geen enkele emotionele band met haar aan te gaan. Gelukkig is uw reputatie van deskundige professionaliteit u vooruit gesneld. Ik meld u dit uitsluitend aangezien ik verantwoordelijk ben voor haar voorwaardelijk proefverlof. Ik ben van mening dat zij gereed is voor herintrede in de maatschappij, maar haar pathologie kan geactiveerd worden door emotionele betrokkenheid, die zij nog niet kan hanteren. Zij bezit uitstekende kwaliteiten voor deze opdracht, zowel fysiek als mentaal, en we zullen haar persoonlijke tegenstrijdige karaktereigenschappen op de koop toe moeten nemen.

Ik heb voor u beiden reserveringen gemaakt in een hotel in Wenen. Ingesloten vindt u een foto van haar, genomen tijdens haar rechtszaak. Bij eventuele vragen of twijfels over deze sa-

menwerking, kunt u mij schrijven, p/a St. Clair Ave, alstublieft zonder retouradres op de envelop.
Hoogachtend,
Dr. Willard Gardonne

Bedankt voor deze psychologische verkrachting, Gardonne. Dat zal me zeker helpen om een vertrouwensrelatie op te bouwen met iemand die toch al emotioneel gehandicapt is. Nou ja, niet dat één van deze woorden een verrassing voor me was. Ik had alleen op iets anders gehoopt bij een nieuwe start.

Na enkele uren landden we eindelijk op het dak van het kinderziekenhuis in Toronto. De piloot had ze al gewaarschuwd, want Denises bewakingsapparatuur begon waarschuwingsignalen af te geven. Zodra het portier openging, werd ze razendsnel door het traumateam op een brancard gelegd en via de ondergrondse gangen naar het naastgelegen General Hospital gereden.

Niemand trok zich iets van mij aan, dus ik verzamelde mijn spullen en liep via de nooduitgang de verlaten trappen af, de straat op, waar een hele rij taxi's klaarstond. Een daarvan trok op zodra hij mijn koffer zag. Ik zei 'Harbourfront flats' en zweeg vervolgens, volledig overdonderd door het gevoel dat ik ontsnapt was en dat ze elk moment achter me aan konden komen. Ik moest mezelf er constant van overtuigen dat ik vrij was. Niemand zou me als vermist opgeven als ze koppen gingen tellen.

Terwijl we naar het zuiden reden, keek ik uit het raampje naar de ijsviooltjes en hoge varens in de berm. De witte, gele, paarse, bleekoranje en bruine viooltjes met hartjes in verschillende kleuren trilden van geluk op deze koude maar zonnige dag. De varens begroetten het nieuwe jaargetijde met maagdelijk groen, de tint die ze hebben voordat fotosynthese ze donkerder maakt. Ze reageerden op het briesje door elegant met hun gevederde blad te zwaaien, als ballerina's in *Het zwanenmeer.* Hoe kon het bestaan dat ik ze jarenlang voorbij was gereden zonder hun schoonheid op te merken?

De taxichauffeur zat in een getraliede kooi, volledig afgeschermd van zijn passagiers. De klant moest het geld door een speciaal daarvoor bestemde gleuf schuiven. Dat had ik jaren geleden wel eens in New York gezien, maar nog nooit in Canada. De tijden waren zeker veranderd. Ik kreeg plotseling last van claustrofobie en benauwd bedacht ik dat ik het helemaal had gehad met tralies, ik moest eruit. Ik vroeg de chauffeur de taxi in Front Street aan de kant te zetten, betaalde met mijn oude, gekreukte dollarbiljetten en vervolgde mijn weg te voet.

Terwijl ik op mijn dooie gemak voort slenterde, scheen de ondergaande zon zo fel dat ik mijn ogen moest dichtknijpen. Na tien jaar airco en klimaatbeheersing sloeg het briesje van het meer me keihard in mijn gezicht en blies het vocht uit mijn ogen. De zeemeeuwen vlogen venijnig om mijn hoofd. Manische eekhoorns en plunderende honden keken steels mijn richting uit. Eenmaal in het park zag de boomschors er griezelig driedimensionaal uit, vooral nu de Japanse esdoorn van achteren werd belicht, waardoor de kastanjebruine stammen op kloppende aders gingen lijken.

Al die felle kleuren werden me te veel. Ik denk dat de staafjes en kegeltjes in mijn netvlies verschrompeld waren of zich hadden aangepast aan één lichtvariant en weinig variatie in pigment. De oogstoplichten flitsten als de kermis op Coney Island. Uit mijn ooghoeken zag ik vlaggen wapperen van winkels en musea. Hotdogventers stonden onder fel gestreepte parasols en het leek wel of iedereen gekleed ging in lichtgevende lentekleuren. Toronto kwam nog maar net uit de knop, hoewel er nog enkele sneeuwhopen lagen op de parkeerplaatsen. De Hudsonbaai was bij mijn vertrek nog steeds dichtgevroren in een compleet wit landschap... zelfs de beren en de wolven waren wit. Hier liepen honden in alle kleuren en sommige hadden zelfs sjaaltjes om. Overweldigd liep ik haastig door naar mijn flat aan het Ontariomeer. Ik was het zonlicht en de kleuren van de natuur totaal ontwend.

Vlak bij mijn flat zag ik een kledingzaakje, Sportables geheten. De naam kwam me vaag bekend voor. Ik denk dat ik daar vroeger wel eens iets kocht. Over kleren gesproken, wat moest ik aan in Wenen? Deze oude rok en trui en mijn rode, hoge Keds? Wat hing er nog in mijn kast? Ik herinnerde me alleen een spijkerbroek met wijde pijpen, een visserstrui, Roots-schoenen, Kodiak-laarzen en flanellen overhemden. Ik moest naar binnen voor nieuwe kleren. Ik vroeg me af wat vrouwelijke detectives droegen. De enige vrouwelijke detective die ik kon verzinnen was Miss Marple.

Vanwege Goede Vrijdag was het gelukkig niet druk in de winkel. Misschien was ik gewend geraakt aan die gedeprimeerde gezichten in de bak, maar de verkoopster die op me af kwam was angstaanjagender dan de plunderende eekhoorns. Ze had hoog opgetoupeerd haar en deed of ze Anita Bryant was. Ze lachte al haar tanden bloot. 'Wat een heerlijke dag, hè? Eindelijk lente!' Ik knikte instemmend, uit angst dat ze uit elkaar zou barsten van geluk waar ik bij stond. 'Ik heet Brandi, met een *i*. Kan ik je helpen?'

'Ik heb nieuwe kleren nodig. Ik ben...' Ik aarzelde even. 'Ik ben een tijdje weggeweest en heb advies nodig over de kledingstijl in Canada.'

'O, waar ben je geweest?'

'In de buurt van Groenland, bijna tien jaar.'

'Gaaf,' zei ze, en liep naar een van de rekken. 'We zullen zorgen dat je weer helemaal up-to-date bent voor de paasoptocht hier in Toronto. Is het voor je carrière of een gelegenheid?'

'Misschien iets voor mijn werk en iets voor gewoon. Ik heb maat 38.' Ik keek eens om me heen en zag alleen tekenfilmkleren van een ondefinieerbare stof en met schreeuwerige kleuren, perfect voor een tochtje met Starship The Enterprise.

Ik was te moe om nog enig onderscheid te kunnen maken tussen welk artikel dan ook, ik had het gevoel dat er kleurige zevenklappers afgingen in mijn hoofd. Mijn hersenen, met name het deel waarin de informatieverwerking plaatsvindt, bleven hangen bij het laatste ding dat ik had gezien. Alles wat ik had gezien sinds ik de landingsplaats had verlaten werd één grote, kleurige brij. Ik had rust nodig, zwart-wit rust in een afgesloten ruimte.

Brandi leek door te hebben dat er iets mis was met mijn informatieverwerking, want ze zei: 'Je ziet er moe uit. Ga maar vast naar de paskamer, dan zoek ik wel wat combinaties en setjes voor je uit.'

In de paskamer voelde ik me beter op mijn gemak, dat wil zeggen, totdat ik de manshoge spiegel zag. Ik wilde eigenlijk niet kijken, maar net als Narcissus werd mijn blik er naartoe gezogen. Je zou elke dag even in de spiegel moeten kijken, niet eens in de tien jaar, dat is echt niet goed voor je zelfbeeld. Daar stond ik dan, in mijn oude, verschoten ondergoed. Ik zag eruit als een gekookte kip vlak voordat het vlees van het bot valt. Ik was vertrokken toen ik nog maar pas van de universiteit was en kwam een paar jaar voor mijn veertigste terug. Mijn honingblonde haar was flets geworden, net als mijn huid. De puinhoop van mijn leven had me van mijn jeugdige glans beroofd, de blonde schoonheid was vervaagd. Ik hoorde mijn moeder nog zeggen tegen mijn bruinharige zusjes, als ze maar doorzeurden dat ik 'het mooie zusje' was: 'Maak je geen zorgen, blondjes worden sneller oud.'

Toen kwam Brandi de paskamer in met het eerste pak, koningsblauw met enorme gouden knopen. Toen ik het aanhad zag ik eruit als een klein meisje dat zich had verkleed als Margaret Thatcher. De schoudervullingen namen zowat de hele ruimte in beslag. Brandi kwam de paskamer weer in en zei: 'Je hebt eerder maat 36 of zelfs 34, dus je verzuipt erin.'

'Ik denk dat ik wat ben afgevallen.'

'Dat denk ik zeker. Tjonge, ik wou dat ik eens twaalf kilo kwijtraakte zonder er iets voor te hoeven doen.'

Ik keek naar mezelf in dat enorme blauwe clownspak. 'Als dit een carrièrepak is, heb ik er geen nodig. Laten we maar overstappen op gelegenheidskleding, want er zijn vast gelegenheden genoeg.'

Brandi kwam terug met stapels bloesjes in neonkleuren en oversized truien, allemaal van afschuwelijke stoffen. Ze wees naar een fluorescerende groene top: 'Dat zou je geweldig staan met een brede riem en een zwarte legging. Dan maak je het af met beenwarmers en Ugg's. Geweldig.'

Ik trok de strakke, zwarte broek met ritsjes aan de pijpen aan. 'Ik zie eruit als een potlood in de rouw.'

'Je moet het ook accentueren met felle kleuren. Dit is de jaren tachtig. Alles draait om kleur... we bekennen eindelijk kleur. Wij zijn de vrouwen die gezien willen worden, de dagen van de vrouw als behangpapier zijn voorgoed voorbij.'

Ik bedacht dat ik wel meer was dan behang, ik had tenslotte mijn man vermoord. Maar in de jaren tachtig had ik blijkbaar felgekleurde beenwarmers nodig.

'En een spijkerbroek?' vroeg ik hoopvol. 'Worden die nog steeds gedragen?'

Ze knikte, schoot de winkel weer in en kwam terug met een stapel gevlekte jeans die er erger uitzagen dan die oude zwarte rok en trui die ik aanhad toen ik de gevangenis verliet. 'Deze zijn stonewashed, die draagt iedereen tegenwoordig. Er horen jasjes bij die tot over de heupen vallen.'

En zo ging het maar door. Het een was nog erger dan het ander, maar uiteindelijk verliet ik de zaak met twee enorme tassen neonwaanzin, Ugg's, beenwarmers en jeans die eruitzagen of er zoutzuur overheen gesmeten was. Gelukkig kon ik mijn trustfonds gebruiken tot ik mijn eerste cheque kreeg voor mijn werk als freudiaanse detective.

~

Ik liep de hal van mijn appartement binnen en opende de gangkast om mijn schoenen weg te zetten. Daar stond mijn leven, opgeslagen in verhuisdozen. Het eerste wat ik uitpakte was mijn verzameling van LeSportsac. Ik had er een reistas van, verschillende handtassen, een sleutelhouder, portefeuille, paspoorthoesje en beautycase, allemaal van dezelfde paarse stof (ik zei het al, ik houd van complete series). Ik weet niet waarom deze parade van LeSportsac me troost gaf, maar zo ging het.

Ik liep de woonkamer in en vond mijn appartement plotseling enorm groot en verbazingwekkend luxueus. Ik denk dat je in de cel op den duur het bestaan van ramen vergeet. Ik keek uit over het meer en het was niet dichtgevroren... het bewoog. Ik kon niet inschatten hoe dicht ik bij het raam durfde te gaan staan. Ik liep uiterst behoedzaam de keuken in, net Goudhaartje in mijn eigen huis, en raakte plotseling nog verder uit het lood door iets waar ik geen seconde aan had gedacht. Deze ruimte was uitsluitend bedoeld om te koken, te eten en proviand in op te bergen. Ik moest boodschappen doen. Er was niemand meer die voor me kookte. Wat zou dat een ongelooflijke tijdverspilling zijn, driemaal per dag voor het eten zorgen en nog boodschappen moeten doen ook. Geen wonder dat de meeste vrouwen geen tijd hebben om Freud te lezen. Nou ja, God heeft niet voor niets restaurants geschapen. Het had trouwens geen zin om boodschappen te doen, alles zou toch maar bederven als ik in Wenen zat. Daarbij was ik eerlijk gezegd te uitgeput om te gaan eten, ik kon geen mens meer zien. Vrijheid was een uitputtingsslag geworden.

Ik liep mijn slaapkamer in en mijn queensize bed zag eruit als de landingsstrip van het kinderziekenhuis. Ik had hier slechts drie maanden gewoond, samen met mijn man, toen we net terug waren uit Europa, voordat we naar het noorden verhuisden. Ik kon me niet herinneren dat ik de meubels of de gordijnen had gekocht, maar dat moest ik wel gedaan hebben. Wat een ramp. Had ik die maagdenpalmblauwe beddensprei met gigantische stippen van Marimekko gekocht? En dan nog wel met bijpassende gordijnen en behang! In dit geval was ik echt te ver gegaan in mijn hang naar complete series.

Ik sliep zodra mijn hoofd het kussen raakte. Het was naar mijn weten de eerste keer van mijn leven dat ik naar bed ging zonder mijn tanden te poetsen. Terwijl ik weggleed, bedacht ik dat ik had moeten weten dat Gardonne me zo'n rotstreek zou leveren. Hij had me met opzet slechts twaalf uur de tijd gegeven om te decompresseren na tien jaar cel. Hij moet hebben geweten dat ik psychisch compleet in de kreukels zou liggen als ik de volgende dag in Wenen aankwam voor de eerste kennismaking met mijn Neanderthaler van een co-detective.

De volgende morgen op het vliegveld vlogen felgekleurde menselijke wezens alle kanten op, als dolgedraaide mieren die in hun ordelijke colonne waren gestoord. Overvallen door de kakofonie verschool ik me in een slecht verlichte wachtruimte, waar accountmanagers zich lieten vollopen op kosten van de zaak voordat ze aan hun gratis drankjes in het vliegtuig zouden beginnen. Ik liet me op een kruk vallen aan de U-vormige bar die helemaal vol hing met spiegels. Was ik paranoïde of keek iedereen echt naar me?

Ik maande mezelf tot kalmte door een paar keer diep in en uit te ademen en begreep ineens dat iedereen de regel 'geen oogcontact' verbrak, waar ik me afgelopen tien jaar aan had gehouden. Gevangenisetiquette was gebaseerd op het gebrek aan privacy van de instelling. Aangezien we allemaal in getraliede viskommen leefden, onder bewaking van camera's, zorgden mensen voor persoonlijke ruimte door *nooit* oogcontact met iemand te maken, ook al zat je met iemand te praten. Toen mijn ogen aan het donker gewend raakten, zag ik een rij mannen in saaie pakken tegenover me zitten, als kraaien op een telefoondraad. Hun ogen vielen zowat uit hun kassen en ze zaten me van top tot teen op te nemen. Het zweet stond op mijn bovenlip en ik wist dat ik niets zo hard nodig had als het verbreken van dat oogcontact.

Ik besloot veiligheidsmaatregelen te treffen en mezelf te gronden. Ik ging rechtop zitten, keek in de spiegel achter de bar en richtte me op drie mannen met omhoog gekamd haar in diverse lagen... net David Bowie, maar dan zo hoog als Liberace. De twee vrouwen, met een rokerskuchje, naast me droegen hetzelfde soort breedgeschouderde tekenfilmkleding die ik gisteren bij Sportables had gezien. Ik dacht eerst dat ze het figuur hadden van Betty Boop, maar toen begreep ik dat die brede schouders de illusie wekken van een smalle taille. Dat moet Joan Crawford altijd al geweten hebben. Ik dacht dat Brandi niet helemaal goed bij haar hoofd was, daarom had ik al die neonrommel die ik de dag tevoren had gekocht niet meegenomen. Nu zag ik dat ik er volkomen normaal in had uitgezien. Maar wat hebben ze toch met die enorme haardossen?

Ik had gekozen voor het concept van Coco Chanel, 'basiszwart is altijd chic', en droeg de nauwsluitende zwarte broek die ik had gekocht met een zwarte kabeltrui met een boothals die ik in mijn kast was tegengekomen, nog in het plastic van de stomerij. Ik had wel mijn nieuwe suède laarzen aangetrokken, want die zaten heerlijk. Mijn schouderlange haar was slordig opgestoken en de vele slierten die aan de speld waren ontsnapt hingen vochtig in mijn nek. Het was een kwelling om mezelf in die enorme spiegel te zien. Het was gelukkig rookglas, want voor de komende tien jaar had ik genoeg van mezelf gezien in die spiegel in die paskamer. Degene die getint spiegelglas heeft uitgevonden was vast boven de 35, want in deze spiegel kon ik de restanten zien van de vrouw die ooit in de kranten was beschreven als 'een schoonheid met een staalharde blik'.

Mijn blik viel op een vent tegenover me die godzijdank ook alles deed om oogcontact te vermijden. Hij was volledig geconcentreerd op zijn sigaret, alsof het een kwestie van leven of dood was om zijn longen zo vol mogelijk te zuigen. Hij leek niet op zijn plaats in de executive lounge van het vliegveld, want hij droeg een wit T-shirt en jeans, maar zo te zien werkte hij ook niet op de bagageafdeling. Aan de manier waarop hij zijn sigaret rookte zag ik dat hij ooit veel succes had gehad bij de meisjes. Zijn lever was waarschijnlijk net zo gezwollen als zijn ego.

Terwijl ik me op die spiegel in de verte concentreerde, had ik de ober gemist die ongeduldig voor me stond te wachten op mijn bestelling.

'Eh... water, graag,' stamelde ik.

'San Pellegrino dan maar?'

'Gewoon water,' zei ik ongeduldig. Ik vroeg me af of die vent wel Engels verstond.

'Hebt u misschien liever Apollinaris?'

Zegt die vent nou 'water' in verschillende talen? Ik besloot het water maar te laten zitten en nam mijn toevlucht tot een Amerikaanse icoon. 'Doe maar een cola.'

Ik had een stapeltje munten, samen ongeveer een dollar, op de toog gelegd. De ober zette met een klap een cola voor me neer met een schijf citroen erin zo groot als een tand van een tyrannosaurus rex en zei: 'Drie dollar achtentachtig.'

Voor een cola?

Terwijl ik mijn portemonnee opdiepte uit mijn twintig jaar oude tas van LeSportsac, pakte de bartender de munten van de toog en zei: 'Wauw, deze dateert nog van het eeuwfeest. De rode lynx van Alex Colville staat erop. Dat betekent dat hij gemunt is in 1967. Die verzamel ik. Kijk eens even, ze heeft er drie van. Hoe groot is de kans dat je dat tegenkomt? Deze dame weet hoe ze haar centen in haar zak moet houden.'

Een van de mannen aan de andere kant bar zei: 'Tjonge, waar hebt u al die tijd gezeten? Gilligan's Island?'

Verdorie, één dag en ze hadden me al in de smiezen. Ik had dat pak met die schoudervullingen moeten kopen.

'Zet die cola maar op mijn rekening,' zei de vent met het T-shirt. Hij haalde me uit de nesten zonder ook maar één keer mijn kant op te kijken.

Ik had hem misschien moeten bedanken, maar ik wist precies waarom mannen vrouwen drankjes aanbieden, vooral op vliegvelden als ze ver van huis zijn. En dus deed ik net of ik oogkleppen op had en dronk langzaam uit de trog tot we werden omgeroepen.

4

VERLEIDING IN DE LUCHT

Gebrekkig onderdrukte seksualiteit kan een gezin in verwarring brengen; grondig onderdrukt, brengt het de gehele wereld in verwarring.
– Karl Kraus, *Die Fackel*

Terwijl ik net deed of ik geheel verdiept was in mijn *En Route* magazine, zat ik met mijn riem al vast in mijn raamstoel te kijken hoe de andere passagiers de businessclass binnendruppelden. Die vent die mijn cola had betaald, die uitgerangeerde bodybuilder die er nu uitzag als de Pillsbury Doughboy, met een potloodsnorretje à la Dashiell Hammett, maar dan minder zwierig, kwam de cabine binnen met zijn blik op oneindig. Hij hield abrupt halt bij mijn rij, smeet zijn bagage in het vak en plofte naast me neer. Hij vouwde een fotokopie uit van een krantenfoto en begon hem aandachtig te bestuderen. Hij stak een sigaret op en legde zijn lucifer in het asbakje tussen ons in.

Toen ik dacht het ongemerkt te kunnen doen, wierp ik een steelse blik op zijn blaadje. De brutale ogen van een 26-jarige vrouw staarden in zwart-wit terug. Pas toen drong het tot me door hoe ik verouderd was in die tien jaar. Op die foto zag ik eruit als een elegante blondine, maar intussen had ik scherpere trekken, ingevallen wangen en ik was precies een albino-uitvoering van Ichabod Crone in travestie. Jeetje, heb ik wel iets geleerd sinds dat moment tijdens de rechtszitting? Ben ik nu wijzer of alleen maar gebroken? Misschien bedoelen ze dat wel met wijzer. Wie zal het zeggen?

Nu snapte ik waarom die spierbundel geen oogcontact had gemaakt: hij volgde dezelfde gevangenisregels als ik. 'Bedankt voor de cola, Jack,' gokte ik. Het was een stuk makkelijker geweest als Gardonne gewoon had gezegd dat we op dezelfde vlucht zaten.

Hij draaide zich naar me toe en keek me voor het eerst aan. 'Geen dank, Kate, het gaat op de onkostenrekening.'

Ik sloeg mijn boek open, *Ontologie en fylogenie*, en hij pakte het zijne, *Zorgen voor je ziel*. Na ongeveer een halfuur kreeg ik in de gaten dat die vent niet met me wilde kletsen, of hij had last van claustrofobie. Wat bezielde die verdomde Gardonne? Ik zat mooi opgescheept met die griezel met zijn kleine gele tanden, die zo afgesleten waren dat het wel een professionele ijzervreter leek. Echt, in een donker steegje zou ik hem niet graag tegenkomen. Ik moest er maar het beste van zien te maken; misschien wachtte er nog wel een grotere engerd op me in Wenen. Hij is geheel en al verdiept in de grote schoonmaak van zijn ziel. Misschien hoopt hij al die gewapende overvallen uit de hoekjes te kunnen vegen. Ik koos voor een grove benadering en zei: 'Dus jij bent ook een freudiaanse stille?'

'Ik heb nog nooit een freudiaan ontmoet die geen stille was,' antwoordde hij zonder zelfs zijn ogen maar op te slaan.

Daar had ik al helemaal geen zin in. Weer zo'n stuk onbenul in de ontkenningsfase die nog nooit een letter Freud gelezen heeft, of wel gelezen heeft en zo bang is voor zijn eigen onbewuste verlangens dat hij besloten heeft de boodschapper neer te schieten. Godallemachtig zeg, nu zit ik niet alleen met Konzak, maar ook nog met die slappe hap van een Jack. Een adequate narcist en een inadequate narcist.

Eindelijk besloot hij ook iets te doen om het ijs te breken. 'Ken je die Freud-gast, die Konzak?'

'Ik heb hem één keer ontmoet, toen ik vijf jaar geleden een lezing gaf over Freud. Ik heb hem heel kort gesproken in de foyer, na de lezing. Een week later kreeg ik een lovende brief van hem over mijn werk betreffende Freuds weerstandstheorie. Ik denk niet dat hij dat allemaal nog weet.'

'Een blonde moordenares van een meter tachtig onder gewapende escorte die een lezing geeft over Freud op een conferentie voor academici. Ja, dat zal hij wel vergeten zijn,' zei Jack droogjes, terwijl hij keurige aantekeningen maakte in een leren notitieboekje.

'Een achtenzestig,' zei ik.

'Wat schreef Konzak in die brief?'

'Hij deed net of hij me kende, wat nogal vreemd was, want ik kende hem niet beter dan wie ook op die conferentie. Hij refereerde aan "onze" afwijkende mening als "dapper" in de aanwezigheid van de "conservatieve tegenstroom", wat ook belachelijk was, want het was weinig meer dan een verhandeling waarin ik wees op misvattingen in een ander essay. De auteur daarvan schreef me een beleefde brief waarin hij me bedankte voor deze frisse kijk op de zaak.'

'Tien dagen die de wereld schokten.'

'Precies,' beaamde ik.

'Flirtte hij met je, hoopte hij dat correspondentie zou leiden tot bezoekjes op echtparendag?' vroeg hij met zijn mond vol nootjes.

Romantiek was geen seconde bij me opgekomen. Ik was niet het soort vrouw met wie mannen flirten, hoewel ik niet precies wist wat flirten eigenlijk inhield. 'Ik weet het niet. Ik heb zijn brief niet beantwoord en nooit meer iets van hem gehoord.'

'Hoe is hij aan die belangrijke baan gekomen?' informeerde Jack.

'Het is een charmante vent en sommige mensen kicken op aandacht en vleierij.'

'Volgens mijn onderzoek,' zei Jack, terwijl hij door zijn aantekeningen bladerde, 'is hij de geliefde zoon van een Poolse immigrant van de tweede generatie, opgegroeid in Rhode Island. Zijn grootvader zette een import-exportbedrijf op met de Russen en zijn vader breidde de zaak verder uit. Hij heeft miljoenen verdiend aan de verkoop van kunstschatten van vóór de revolutie die hij Rusland uit heeft gesmokkeld. Daarnaast verkocht hij dollars, voordat iedereen in Rusland die gouden handel ontdekte. Voor een extra zakcentje handelde hij ook nog eens in defensiecontracten.'

'Bedoel je dat de Russen tijdens de Koude Oorlog de grondstoffen voor hun raketten van de Verenigde Staten kochten?' vroeg ik.

'Ja. Niet van de regering, maar van Amerikaanse leveranciers die in die handel zaten, staalconcerns en vliegtuigfabrieken en zo. Alle contacten evenals de verscheping liepen via Konzaks handelsmaatschappij. Uiteindelijk betaalden de Russen nog maar zelden hun rekeningen en Konzak senior stapte in de jaren zeventig uit de zaak, voordat heel Rusland in elkaar stortte. Hij bezat miljarden toen hij met pensioen ging. Zijn vrouw stamde uit een oude, chique familie van het soort waarvan de voorouders te traceren zijn tot aan de *Mayflower*.'

'Dus Konzak groeide op in de Amerikaanse droom van Edith Wharton,' zei ik.

'Wie is Edith Wharton?'

'Een Amerikaanse schrijfster van rond de eeuwwisseling die schreef over het leven van de upper ten aan de Oostkust.' Terwijl hij haar naam nauwkeurig noteerde en er een sterretje bij zette, vroeg ik: 'Waarom is hij niet bij zijn vader in de zaak gegaan?'

'Zijn vader kende zijn zoontje te goed, de zaak zou binnen een mum van tijd failliet gegaan zijn. Dus die ouwe schonk de universiteit van Princeton een nieuwe vleugel en zo rolde zoonlief in de Ivy League, om er weer uit te komen als hoogleraar Russische literatuur aan McGill University in Montreal, waar hij uiteindelijk een vaste aanstelling kreeg omdat hij iets meer presteerde dan een amoebe.' Voor het eerst keek Jack op van zijn notitieboekje. 'Ongelooflijk, vind je niet?' Ik denk dat hij aan mijn gezicht kon zien dat ik niet begreep wat er nu zo wonderbaarlijk aan was, dus hij vervolgde: 'Ik bedoel, dat je een vader hebt die je helpt in plaats van je helemaal de vernieling in te helpen.'

'Ik weet niet zeker of deze zoon hier wel zo mee geholpen was, want Konzak schijnt geen idee te hebben van zijn beperkingen.' Terwijl ik dat zei, keek ik omlaag naar Jacks arm en zag een tatoeage met de woorden *Try It.* Ik vroeg me af of dat als aanmoediging of als dreigement was bedoeld. Ik vervolgde: 'Konzak heeft waarschijnlijk vroeg in zijn carrière wat psychobabbels opgepikt. Je kunt een heel eind komen met dat jargon als je in het gevangenissysteem werkt – ik weet niet wat het voor je doet op een faculteit Russisch. Maar ik denk dat je de plank niet ver misslaat wat betreft het Russische amoebewerk, want als hij al iets schreef waren het opgeblazen psychoanalytische verhandelingen over personages uit de Russische literatuur. Je kent dat wel, "Raskolnikov als obsessief-compulsieve persoonlijkheidsstructuur". Sommigen achtten hem briljant, anderen vonden het een oppervlakkige glamourboy. Hij had een arsenaal aan psychoanalytische wapens en werd uiteindelijk zelf een amateur-psychiater.'

'Wat is een *amateur*-psychiater?'

'Een psychoanalyticus die geen arts is.'

'Ik dacht al dat het niks leuks kon zijn,' verzuchtte hij.

'Waarom is hij uit de academische wereld gestapt?' vroeg ik.

'Hij verveelde zich,' antwoordde Jack. 'De jaren zeventig waren opwindend op de universiteit en hij had veel succes bij de vrouwelijke studenten. Toen hield hij het plotseling voor gezien, God weet waarom. Een beetje goochelen met Russische woordjes voor een publiek van aantrekkelijke jonge vrouwen die je op handen dragen lijkt me niet al te vermoeiend.'

'Hij dacht dat hij de nieuwe Freud zou worden,' legde ik uit. 'Wat er *in werkelijkheid* is gebeurd, volgens Dvorah Little's artikel over Konzak in *Metropolitan Life*, is dat hij moest luisteren naar de vrije associatie van enkele hoogleraarvrouwen. Bij hun oeverloze gezwets over echtgenoten die al dan niet in aanmerking kwamen voor een vaste aanstelling en of zoonlief wel op de tandartsenopleiding zou komen moest hij als therapeut zwijgen en de patiënt laten praten – daar was onze blitse Konzak genetisch niet op gebouwd.'

'Ik kan me niet voorstellen dat iedereen in het Freud-wereldje zo stom kon zijn. Hoe flikt die vent dat?'

'Hij stikt van het zelfvertrouwen en het is een knappe man om te zien, type Gatsby, maar dan net niet. Verder is hij sportief, een windsurfer van wereldformaat, hij heeft zelfs meegedaan aan de Amerikaanse kampioenschappen.'

'Ik weet nog wel dat ik vroeger naar het openbare strand ging om te zwemmen en hoe jaloers ik was op die jongens met mahonie speedboten. Het interesseerde ze geen zak als de waterpolitie met boetes dreigde omdat ze te dicht bij de zwemmers aan het waterskiën waren. Ik durf te wedden dat Konzaks pa dat soort dingen ook geamuseerd tolereerde. Als je uit zo'n nest komt, heb je meer mee dan alleen je uiterlijk.' Jack staarde even zwijgend uit het raampje naar de grijze, stoffige wolkenformaties en vervolgde: 'Je wordt er energiek en zorgeloos van. Hij zou er geen moeite mee hebben op zijn eigen zwakheden te wijzen als dat hem geliefd zou maken.'

'Volgens mij veinst hij diepgaande belangstelling voor iedereen die hij spreekt. Misschien voelt hij zich werkelijk bij hen betrokken, lang genoeg om ervoor te zorgen dat ze hem graag mogen. Hij wil aanbeden worden zoals zijn moeder hem aanbad.'

'Hoe weet je dat zijn moeder hem aanbad?' informeerde Jack.

'Tijdens de conferentie viel me op hoe hij zich gedroeg, vooral hoe hij anderen uitdaagde tijdens het vragenkwartiertje. Hij leek zich niet vernederd te voelen als hij ernaast zat en ook de kritiek van anderen deed hem niets. Hij leek er immuun voor te zijn. Dat geldt ook voor de bijtende kritiek van deskundigen op zijn bijdragen in psychoanalytische vakbladen door de jaren heen. Konzaks schriftelijke antwoord is bijna zwierig en hij gaat zelden in op de geuite kritiek.'

'Het lijkt me fantastisch om nooit schaamte te voelen. Dat is net of je vrij van zonden bent. Wat een vrijheid moet dat geven,' zei Jack.

Ik wist niet wat ik daarop moest zeggen, dus hield ik mijn mond maar.

Toen het in-flight entertainmentprogramma een minuut of tien aan de gang was, zei Jack: 'Ik wil graag begrijpen waar iedereen zich zo druk over maakt.' Hij stortte vier zakjes suiker in zijn

Nescafé. 'Al mijn informatie komt uit de krant en uit de serie artikelen in *Metropolitan Life*, dus corrigeer me als ik ergens de mist in ga. In 1895, toen Freuds vrouwelijke patiënten hem vertelden dat ze seksueel misbruikt waren door hun vader, geloofde hij hen en zei: "Wauw, ik heb ontdekt dat plotselinge hysterie bij volwassenen wordt veroorzaakt door incest in de vroege jeugd." Dat noemde hij de verleidingstheorie. Hij hield deze theorie twee jaar vast en besloot in 1897 dat het genoeg was geweest. Toen zei hij: "Hé, wacht eens even! Het bestaat niet dat al deze vrouwelijke patiënten zijn verleid door hun vader. Ik denk dat ze het zich verbeelden. Het is hun fantasie." Toen vroeg Freud zich af waarom zoveel meisjes fantaseerden over incest. Hij was bij toeval op het concept gestuit dat we allemaal een seksueel verlangen koesteren naar de ouder van de andere sekse. Hij besloot dat het oedipuscomplex te noemen. Dat complex is de hoeksteen van de psychoanalyse. Die onbewuste wens maakt mensen neurotisch of hysterisch of wat het ook is dat ze op Freuds divan doet belanden. Dus gaat Freud verder en haalt al deze zogenaamde *fantasieën* naar boven, en als de patiënt maar voldoende versprekingen maakt of voldoende dromen heeft die worden geduid als papa en zijn kleine meid in een man-vrouwrelatie, dan beseft de patiënte dat ze niet *echt* seksueel is misbruikt, ze heeft het zich slechts ingebeeld. Vervolgens realiseert ze zich dat haar seksuele verlangen naar haar vader de fantasie teweeg heeft gebracht die ze eerst aanzag voor een realistische herinnering. Dan staat ze op van de divan en is ze genezen.'

'Konzak ging uit van sociologische informatie, toetste dat aan de huidige normen om het Victoriaanse Wenen te beoordelen, met als doel Freud in een kwaad daglicht te stellen en toen...'

Hij viel me in de rede. 'Het interesseert me geen zak of dat klopt of niet. Zoek dat maar uit met Konzak. Ik wil alleen weten wat hij zegt en wie dat iets uitmaakt.'

Ik gaf hem de vernietigendste blik uit mijn repertoire, waarmee ik duidelijk maakte hoezeer het me speet dat ik een nanoseconde lang had geprobeerd een theoretisch debat aan te gaan met zo'n lompe boer als hij. Toen vervolgde ik: 'Konzak suggereert dat er in 1895 veel meer gevallen van incest waren dan Freud of wie dan ook kon weten en dat veel vrouwen, onder wie een aantal van zijn patiëntes, *daadwerkelijk* seksueel misbruikt waren. Die informatie komt nu pas naar buiten. Konzak stelt dat Freud deze vrouwen uit hun reële werkelijkheid heeft gepraat, waarmee hij ze langzaam tot waanzin heeft gedreven... en wat gebeurt er dan met zijn oedipuscomplex? Dan is het in één klap uit met de hoeksteen van de psychoanalyse.'

'In Freuds theorie wordt de vader, de dader, vrijgesproken en is de dochter, het slachtoffer, schuldig aan onbewuste seksuele verlangens,' zei Jack, terwijl hij nog steeds aantekeningen maakte in zijn notitieboekje. 'Dus, volgens Konzak deed Freud precies hetzelfde als de gemeenschap, hij gaf het slachtoffer de schuld.'

Ik knikte. 'Daarom belt Konzak elke krantenredactie in de stad met de waarschuwing dat alle vrouwen die in therapie zijn geweest van de psychoanalytische lopende band gehaald moeten worden, net als defecte auto's.'

'De Ralph Nader van de psychoanalytische wereld,' zei Jack.

'Konzak kwam met een nieuw concept en ik moet toegeven dat het interessant is. Maar,' weerlegde ik, 'hij wroet naar schandaaltjes in het archief, stelt iedereen met veel bombarie een ontdekking in het vooruitzicht en vervolgens trekt hij alle historische informatie uit zijn verband en brengt Freud naar voren als een snoodaard. Tot dusver is er geen enkel bewijs dat Freud dit *met opzet* heeft gedaan. Konzak heeft gelijk als hij beweert dat Freud waarschijnlijk niet heeft geweten hoe vaak incest in werkelijkheid plaatsvond in die tijd. Klassieke psychoanalytici stellen dat het bij psychoanalyse gaat om de *perceptie* van de realiteit, niet om de realiteit zelf.'

Jack trok zijn wenkbrauwen op. 'Je zei dat er *tot dusver* geen bewijs is. Misschien heeft Konzak belangrijk materiaal gevonden in het archief over Freuds verleidingstheorie, waar jij nog niet van op de hoogte bent.'

'Dat is precies wat hij zelf zegt.'

'Dus als Konzak gelijk heeft, weerlegt hij Freud; als hij het mis heeft, belastert hij hem.'

'De waarheid zal wel ergens in het midden liggen. Misschien waren sommigen van de patiënten van Freud vrouwen met seksuele *herinneringen*, in tegenstelling tot seksuele *fantasieën*, en heeft hij de theorie te snel naar buiten gebracht. Want laten we wel wezen, hoeveel proefpersonen had hij? Tien, misschien twintig op zijn hoogst.'

'Waar het om gaat is...' Jack onderbrak me alweer, 'wie trekt zich dat alles zo aan dat hij Konzak met de dood bedreigt?'

'Ten eerste heeft een op de drie Amerikanen wel eens psychiatrische hulp gezocht. In zo'n periode gaan Freuds ideeën deel uitmaken van je leven en iedereen schept er natuurlijk een boosaardig genoegen in als hij het mis blijkt te hebben. Tijdens de therapie is Freud de vader op een voetstuk en hij is vrij autoritair. Geen wonder dat iedereen die in therapie is geweest zich verkneukelt als ze denken dat ze hem betrapt hebben met zijn hand in de koektrommel van het onbewuste.'

'Of je bent razend, omdat je jaren in therapie bent geweest in de hoop je oedipuscomplex op te lossen en dan kom je er nu achter dat Freud het allemaal verzonnen heeft,' bracht Jack te berde. 'Wat een ongelooflijke tijdverspilling en wat een demagoog.'

'Geen wonder dat de kranten aan de Oostkust het zo breed uitmeten, daar is zo'n beetje iedereen in therapie geweest. Ik wil wedden dat Konzak een flink bedrag heeft opgestreken voor dat interview.'

'Dan verhoogt hij de inzet en zegt dat hij wordt bedreigd. Hij laat de hele wereld denken dat zijn "openbaringen" een kwestie van leven en dood zijn. Hij is de held die strijdt met de vijand ter meerdere eer en glorie van de Waarheid.' Jack rolde met zijn ogen.

'Dezelfde valse voorstelling die hij mij gaf toen ik mijn lezing hield, de rebel met een *cause célèbre*.'

'Ze hadden een vent moeten inhuren die ze konden vertrouwen in plaats van een avonturier. Als we zijn werkelijke vijanden eens bekijken, staan de Freud-academie en de mensen die Konzak hebben aangenomen boven aan de lijst. Vervolgens hebben we al die therapeuten aan Park Avenue die hun brood verdienen door alleen maar "hm-hm" te zeggen,' zei Jack.

'Of iemand die in de schijnwerpers staat en vroeger bij Freud in analyse is geweest en nu bang is dat Konzak zijn dossier heeft gevonden. Wie weet, misschien droeg Edgar J. Hoover bij elke sessie wel een andere petticoat.' Ik weet dat het vergezocht was, maar dat is toch de essentie van een brainstormsessie? 'De andere mogelijkheid is dat Konzak helemaal *niet* wordt bedreigd. Misschien is het gewoon een stunt. Volgens mij is die doodsbedreiging een afleidingsmanoeuvre. Die jongens in New York schrijven over Freuds recente val van zijn voetstuk, maar het gewone volk in provinciaal Amerika vond Freud toch altijd al een idioot. Je kent dat wel, de polymorfe perversiteit van het kind en zo.'

'Ik ben het eens met hartje Amerika,' zei Jack. 'Wat is polymorfe perversiteit? Heb ik iets leuks gemist?'

'Volgens Freud zou een kind dat opgroeit zonder regels van volwassenen bevrediging zoeken met elk lichaamdeel en ook met elk voorwerp, dier of persoon. Hij zegt dat niets pervers is, totdat de gemeenschap het kind vertelt dat het pervers is.'

'Zoals seks met een andere man, een paard, een schoen...'

Ik onderbrak zijn opsomming. 'Laten we zeggen dat een pervers persoon iemand is die weigert zijn kinderlijke polymorfe perversiteit te onderdrukken.'

'Dus mensen houden niet van deze term omdat Freud er eigenlijk mee zegt dat ieder beschaafd mens in feite pervers is, maar dat onderdrukt?'

Ik had geen zin voor Freud in de bres te springen, aangezien Jack duidelijk aangaf het niet te willen horen, dus ik zei: 'Sommigen zien het als egalitair, maar de meesten vinden het beledigend.'

'Begrijp me niet verkeerd, ik ben een groot voorstander van polymorfe perversiteit, altijd geweest. Het probleem met Freud is dat het een boekenwurm was en een moederskindje dat nooit een stap buiten zijn studeerkamer zette. Shit, ik ben opgegroeid op werkboerderijen van de kinderbescherming. Ik zal je dit vertellen, ik heb biseksuele dieren gezien en die boerenkinkels vertelden me al moppen over incest toen ik vijf was. Freud doet verdorie net of biseksualiteit de ontdekking van de eeuw was. Ik weet niet hoe het was in dat vakantiepark van jou, maar in mijn bajes kwam iedereen vroeg of laat met zijn biseksualiteit op de proppen. Na een paar jaar stiftte de helft van die kerels zijn lippen. Weet je waarom ex-gevangenen elkaar nooit opzoeken als ze eenmaal weer buiten staan? Niet omdat ze zich aan de regels houden van hun voorwaardelijk, maar omdat ze alles hebben gedaan wat God verboden heeft. Ik heb het zelf ook gedaan en dat kan me geen reet schelen, want ik weet dat iedereen, in elk geval elke man, het zou doen als hij maar lang genoeg opgesloten zat.'

Na ongeveer een halve minuut zonder enige reactie van mij, ging hij door: 'Het oedipuscomplex! Schei effe uit, zeg. Natuurlijk geilt iedereen op zijn moeder, dat zijn de eerste tieten die je te zien krijgt. Hoezo, briljante ontdekking? Je eerste liefde is het allerbelangrijkst.' Jack begon steeds harder te praten. De zakenman aan de andere kant van het gangpad had het nu opgegeven om net te doen of hij aan zijn onkostenverslag werkte en keek geïnteresseerd toe. 'Ik bedoel, waar gaat dit over? Hoe kan al die onzin, die iedere stommeling die maar een beetje snapt hoe de menselijke natuur in elkaar zit al weet, iemand genezen? Het bewustzijn is een heel spectrum en Freud houdt zich bezig met een fractie daarvan.'

'Je praat een beetje hard,' zei ik, voor het geval hij niet in de gaten had dat hij praktisch zat te schreeuwen. Waar maakte hij zich zo kwaad over? Als hij zich al zo opwindt over een theorie van Freud, is het geen wonder dat hij zo lang in de isoleercel heeft gezeten.

'Nou ja, het is zielloos en oppervlakkig,' mompelde hij toen hij besefte dat iedereen om ons heen zat mee te luisteren. Hij boog zich naar die man van de onkostenrekening aan de overkant en zei: 'Man, als mijn ziel het begeeft, hoef ik niet naar zo'n freudiaanse eikel die er vijf jaar over doet om me te vertellen dat ik zo geil als boter ben en er altijd van heb gedroomd mijn moeder te neuken. De enigen die dat niet weten zijn die jongens op Fifth Avenue.'

Tot mijn verbazing knikte de man in zijn Armani-uitverkoopje en zei: 'Gelijk heb je. En weet je wat dat kost?'

Misschien was die man zo van Jack geschrokken dat hij hem uit pure angst gelijk gaf. De stewardess haastte zich door het gangpad en vroeg: 'Is alles naar wens?'

Nee, niet echt.

De onkostenman bestelde twee whisky's. Eén voor zichzelf en één voor Jack.

Uren later, toen we de landing inzetten boven Wenen, zei Jack kalm, zonder een zweempje schaamte of spijt over de scène die hij had geschopt: 'Jij en ik moeten open kaart spelen. Het maakt niet uit hoe ik over Freud denk en laten we wel wezen, jij bent de expert op dat gebied. Ik ben alleen maar meegestuurd als scherpschutter, mocht de zaak uit de hand lopen. Ik heb mijn tijd uitgezeten aan beide kanten van de wet, dus ik red me overal uit.' Hij boog zich naar me toe om me recht aan te kunnen kijken en ging zo zacht praten dat ik moeite moest doen om te horen wat hij zei. 'Je kunt het met me eens zijn of niet, maar ga me niet vertellen dat ik te hard praat en houd dat denigrerende toontje voor je. Als je me een klootzak vindt, prima, dan zeg je dat, maar als je nog één keer zo uit de hoogte tegen me doet zal ik je laten zien wat een *echte* achterbuurtjongen is. En verder ben je niet de enige die de beschikking heeft gehad over een gevangenisbibliotheek.'

Was ik denigrerend geweest? Ik denk dat zijn perceptie van mijn zogenaamde gruwelijke superioriteit zijn woede heeft opgewekt, die hij vervolgens botvierde op Freud. Zo gelijkmatig en rustig als ik maar kon, antwoordde ik: 'Toen ik ook maar iets opwierp ter verdediging van Freud, zei je als ik me wel herinner dat je hier niet zat om de geldigheid van een freudiaanse theorie te bespreken. Daarna ging je tekeer over de zwakke punten van Freud en wel zo dat het hele vliegtuig mee kon genieten. Mocht je nog eens willekeurige regels willen opstellen, dan zou ik het zeer waarderen als je voortaan zo beleefd zou willen zijn je er zelf ook aan te houden.'

Tot mijn grote verbazing knikte hij en zei: 'Je hebt helemaal gelijk.' Toen ging hij opgewekt verder. 'We hebben twee opdrachten: we moeten uitzoeken welke informatie Konzak heeft over Freud waar iedereen zo bang voor is en uitzoeken wie, als er al iemand is, Konzak voor eeuwig het zwijgen wil opleggen. Qua verdachten hebben we de psychotherapeuten uit New York, een eventuele ontevreden patiënt en Von Enchanhauer, de voormalige directeur die hem heeft aangenomen en zichzelf nu wel voor de kop kan slaan, plus ieder ander die het werkelijk iets uitmaakt als Freud in diskrediet wordt gebracht.'

Ik dacht even na en zei toen: 'Zijn dochter, Anna Freud, woont aan Maresfield Gardens in Londen en wint waarschijnlijk de Nobelprijs voordat ze voorgoed te ruste wordt gelegd in Westminster Abbey, wat nu elk moment kan gebeuren.'

'Ik wist niet dat ze zoveel in de melk te brokkelen had. Was ze close met haar vader?' vroeg hij, terwijl hij weer begon te schrijven.

'Ze is nooit getrouwd geweest en heeft geen kinderen. Ze bleef thuis wonen en wijdde haar leven geheel aan haar vader. Ze bood de Gestapo het hoofd om hem te redden en hield hem later eindeloos in leven toen hij kanker had. Hij is haar levenswerk en ze zal het niet licht opvatten als hij voor joker wordt gezet. Als Konzak in haar eigen huis belastend materiaal over Freud heeft gevonden, wordt ze zo agressief als een moederbeer.'

Jack knikte. 'Was dat het?'

Nou ja, niet helemaal. Ik wilde iets zeggen over Gardonne, maar wist dat hij Jack had geschreven dat ik paranoïde was. Ik besloot het erop te wagen. 'Voor de volledigheid zouden we Gardonne aan de lijst moeten toevoegen.' Jack trok een wenkbrauw op, dus ik ging verder. 'Hij zegt dat hij voor de North-American Psychoanalytic werkt, maar vergeet niet dat hij een reden heeft om twee ex-gedetineerden in te huren. Ik heb geen idee wat zijn agenda is, maar ik wil wedden dat de zaak anders ligt dan hij vertelt.'

'Mijn eerste bankroofmedeplichtige gaf me een simpele regel uit de natuur: een wolf schijt nooit in zijn eigen leefgebied.'

'En dus?'

'Gardonne is onze werkgever. Hij betaalt de rekeningen. Ik stel voor de thuisbasis voorlopig buiten beschouwing te laten.' Hij aarzelde even en schreef toen toch Gardonnes naam onder aan de lijst van verdachten.

Het leek me beter over te stappen op het volgende onderwerp. 'Wat denk je van die bedreigingen?'

'Waarschijnlijk is Konzak bedreigd als voorzorgsmaatregel. Hij heeft echter zo'n beschermd leventje geleid dat hij nergens gevaar in ziet, ook al speelt iemand het nog zo hoog.'

'Ik denk niet dat het me veel moeite zal kosten hem uit te horen,' zei ik.

'Kijk, een man als Freud weet dat hij sterft terwijl de hele wereld toekijkt, dus welke lijken hij ook in de kast heeft – en ik weet zeker dat het er veel zijn, want iedereen heeft wel iets te verbergen – dan heeft hij ze zo diep begraven dat zelfs Sherlock Holmes ze nog niet zou vinden. Uit wat ik van Freud heb gelezen en ik geef toe dat het niet veel is, begrijp ik dat hij zich van boven tot onder en terug heeft ingedekt. Hij heeft het zo uitgewerkt dat niemand kan bewijzen dat hij ongelijk heeft. Als je zijn theorie niet voor waar aanneemt, heeft hij vijftig manieren bedacht om je ongelijk te bewijzen. Dan zit je in de ontkenningsfase, heb je je onbewuste driften niet geaccepteerd of weet ik wat voor flauwekul nog meer. Hij wist zijn voetsporen in de sneeuw briljant uit te wissen. Denk je dat iemand als hij belastende brieven achterlaat in zijn eigen huis om ze door zo'n oetlul als Konzak te laten ontcijferen?'

'Het gaat er niet alleen om hoe goed Freud zijn sporen heeft uitgewist,' zei ik. 'Hij had tijdgenoten, patiënten en studenten. Al deze mensen schreven brieven over hun contacten met hem. Er duiken constant academische brieven op die zaken aan het licht brengen over de grote denkers uit het verleden.'

'Ik vind Freud meer zo'n type die altijd meer van jou weet dan jij van hem,' besloot Jack. 'Uiteindelijk ga je toch dood met je kaken stijf op elkaar.'

Hij sloot zijn notitieboekje.

5

THUIS

Degene die u tot zijn idool verklaart zal u gaan haten zodra hij ontdekt dat u feilbaar bent. Dat zal hij u nooit vergeven. Hij heeft zichzelf bedrogen en geeft u de schuld.
– Elbert Hubbard

Toen ik in Wenen mijn ogen opsloeg, nam ik even rustig de tijd om de Franz Josef-kamer in me op te nemen, die baadde in het botergele zonlicht dat door het venster stroomde. Onderweg naar de badkamer aaide ik liefkozend over de koperen deurknop in bladvorm. Het was zo lang geleden dat ik een voorwerp van pure schoonheid had gezien dat ik het gevoel kreeg dat ik eindelijk ontdooide na mijn decennium in de vrieskou. Ik hield in gedachten dat te snel ontdooien uiterst pijnlijk kan zijn en gepaard gaat met ontstekingen en uiteindelijk afgestorven weefsel. Ik probeerde mezelf ervan te weerhouden te veel tegelijk in me op te zuigen. Ik sloot mijn ogen, maar toen rook ik de bekende geur van het met citroenolie gepoetste Biedermeier-bed die me deed denken aan mijn kinderkamer.

Ik staarde uit het glas-in-loodvenster neer op de levendige Fleishmarkt en dacht aan mijn skivakantie in Oostenrijk en aan mijn vader, die me als kind meenam naar het museum om de Titiaans te bewonderen, terwijl mijn moeder en zussen gingen winkelen, op jacht naar de mooiste tafelkleden. Ik genoot het meest van de Brueghels. Mijn vader, die zelden een impulsaankoop deed, kocht zelfs een puzzel voor me van drieduizend stukjes van mijn favoriete Brueghel, *Triomf van de dood*, en eenmaal thuis deden we er de hele winter over om hem in elkaar te zetten.

Op weg naar de lift om samen met Jack te gaan ontbijten dacht ik terug aan de jaren zestig, toen ik in Engeland studeerde en mijn man in Wenen zat. We spraken af elkaar te ontmoeten in Wenen en ik glimlachte weemoedig toen ik bedacht wat we allemaal hadden gedaan, met ons *Europa voor vijf dollar per dag* in de hand, van het bezichtigen van de recent opgedoken schetsen van Kokoschka tot luisteren naar Yehudi Menuhin die Beethoven speelde in de kerk waar deze zijn vioolconcert schreef.

Toen ik de eetzaal binnenkwam zag ik Jack al zitten, in een sweatshirt met capuchon en zijn lange, in jeans gestoken Clydesdalebenen uitgestrekt onder de tafel. Met zijn natte haar naar achteren gekamd moest ik toegeven dat hij een indrukwekkend profiel had, al was het dan ruw uitgehouwen.

Hij bromde nauwelijks een groet en gooide het menu mijn richting uit. 'Kunnen we geen koffie krijgen in dit mausoleum?'

De diverse soorten koffie waren allemaal naar een variant van het Habsburgse Rijk genoemd, zoals *Josefsplatz*-koffie en *Maria Theresa*-koffie, een hele pagina blauw bloed vol cafeïne.

Terwijl ik het menu doornam, zei Jack: 'In het goeie, ouwe Amerika schenken ze geen *Thomas Jefferson* of *Ben Franklin*. Bestel alsjeblieft een van die kerels en zorg dat het zwarte koffie is.'

'Je kunt het beste een Kurz nemen.' Je hoefde geen detective te zijn om te zien dat hem iets dwarszat. 'Wat is er met je? Een wilde nacht achter de rug?'

'Een tochtje naar de Engelse boekhandel noem ik bepaald niet wild. Tenminste, vroeger niet.'

'O ja, de boekhandel in de Weihburggasse. Die winkel zat er al toen ik nog een kind was. Zocht je een boek over Freud in het Engels of had je iets nieuws nodig om je ziel te reinigen?'

'Niet dat ik van onderwerp wil veranderen, maar...' Hij nam me van top tot teen op en vroeg toen smalend: 'Was je van plan zó naar Konzak te gaan?'

Ik liet mijn hand over mijn lange vlecht glijden en bekeek mijn spijkerbroek, mijn geveterde bergschoenen en mijn wijde visserstrui en zei achteloos: 'Eerlijk gezegd was ik van plan me in plasticfolie, stiletto's en een cowboyhoed te hullen voordat ik naar de academie ga.'

Hij las nog een minuut of twee verder en mompelde toen: 'Het zou mijn slinger niet aanzwengelen.' Hij keek even op. 'Konzak verblijft in een klein flatgebouw om de hoek. Het is eigendom van de Freud-academie, uitsluitend voor gebruik door de directeur als hij in de stad is. Hij zit elke dag tot lunchtijd in het archief.' Hij wenkte de ober om koffie te bestellen en vroeg onbeleefd om een flinke kop en geen vingerhoed.

'Hoe weet je dat allemaal?' vroeg ik.

'Net zoals jij alles weet over Freud, het is mijn werk.' Toen ik hem verbaasd en enigszins ongelovig aankeek, legde hij het kort en bondig uit. 'Ik heb een detectivebureau. Ik heb werknemers. Ze hebben Konzak geschaduwd.' Hij schudde met zijn hoofd, om aan te geven dat hij niet snapte waarom hij was opgezadeld met zo'n stuk onbenul.

'Sorry,' zei ik. Mannen met tatoeages en gele tanden hebben zelden personeel. Dat zei ik echter niet hardop.

Naast de deur van Berggasse 19 hing een kleine, historische plaquette met de mededeling dat Freud hier had gewoond en gewerkt. Ik kreeg een déjà vu. In mijn geest had ik al zo vaak samen met Freud door deze straten gewandeld. Net als het paard van de melkboer wist ik precies waar ik halt moest houden.

Ik had niet verwacht dat ik zenuwachtig zou zijn, maar ik stond met bonzend hart in de foyer. Ik dacht terug aan al die jaren in de gevangenis waarin ik tot in de kleine uurtjes Freud las en me al zijn patiënten voor de geest haalde, aan zijn brieven aan Berlijn waarin hij zijn laatste ontdekkingen uit de doeken deed aan zijn enige collega, Wilhelm Fliess. Ik dacht aan Freuds eigen gebrek aan slaap, toen hij *De droomduiding* schreef, aan zijn eenzaamheid toen hij helemaal alleen aan zijn theorie van het onbewuste werkte, soms maandenlang zonder zijn bevindingen te kunnen delen, en ten slotte aan het moordende schema van twaalf patiënten per dag.

Daar stond ik dan op de drempel, in het besef dat ik een hechte band had gekregen met Freud als mens. Toen ik naar binnen stapte, rustte zijn goedkeurende glimlach op mijn schouders. Ook hij had natuurlijk zijn tekortkomingen (hij gaf zelf toe dat hij nooit had begrepen wat vrouwen wilden, maar dat weet ik zelf niet eens).

Hoewel mijn hart als een dolle tekeerging, verscheen er een onverwachte glimlach op mijn gezicht en ik begreep dat ik niet echt zenuwachtig was, maar vooral opgewonden. Ik liep op de trap van een celgenoot in wiens studeerkamer ik ontelbare denkbeeldige uren had doorgebracht. Ik was altijd bang geweest dat ik dat fantasiehuis dat me jarenlang overeind had gehouden nooit met eigen ogen zou aanschouwen. Het was alsof ik eindelijk thuiskwam.

De kamers waren piepklein. Ik kon me nauwelijks voorstellen dat Freud het grootste deel van zijn volwassen leven in dit psychoanalytische poppenhuis had gewerkt en gewoond en er een gezin had grootgebracht. Hij verliet Wenen pas in 1938, toen hij voor de nazi's naar Engeland vluchtte. Hij was toen al een oude, zieke man, die in een nieuw land met een vreemde taal een nieuw bestaan moest opbouwen.

In de wachtruimte was nauwelijks plaats om je te bewegen. Hij was zo klein dat er alleen een bankje in kon. In Freuds kantoor stond een divan met een schitterend Perzisch kleed en het bureau en de bijzettafeltjes stonden vol antiquiteiten. Via een klein halletje naast hun gezamenlijke wachtruimte kwam je in Anna Freuds werkkamer. Ze had het geluk gehad met haar vader te mogen samenwerken, zij deelde zijn *raison d'être.* Wat uniek om een vader te hebben die op geen enkele, pijnlijke manier teleurstellend was. Ik was diep geroerd en kon mijn tranen nauwelijks bedwingen.

Ik schrok toen er iemand op mijn schouder tikte. Instinctief draaide ik me razendsnel om, klaar voor de aanval. Achter me stond een knappe man, aan de brede schouders en vrijetijdskleding te zien een Amerikaan. Hij droeg een soort vaalblauw poloshirt met een groen krokodilletje op de borst. Het hing over zijn spijkerboek heen en was aan de achterkant iets langer dan aan de voorkant. Zijn smalle heupen kwamen goed uit in zijn Levi's met rechte pijpen. Hij was vast net terug uit een of ander zonnig oord, want zijn blonde leeuwenmanen waren bovenop lichter gekleurd. Vanwege die bruine huidskleur waren de dunne lijntjes rond zijn ogen duidelijk te zien.

'Hi,' zei hij vriendelijk en zelfverzekerd. 'Ik ben Anders Konzak.' Hij leek mijn reactie af te wachten.

Ik dacht dat ik nog precies had geweten hoe hij eruitzag, maar die glimlach was ik vergeten. Net als de meeste mannen werd hij er met de jaren alleen maar aantrekkelijker op. 'O! *De* Anders Konzak. Hoofd van de academie. U hebt de laatste tijd heel wat gratis publiciteit gekregen.'

'Gratis zou ik het niet willen noemen, maar dat is een ander verhaal.' Hij aarzelde even en vervolgde: 'Kate, ik denk dat je me niet herkent, maar we hebben elkaar eerder ontmoet, tijdens een conferentie in Rochester.'

'Maar natuurlijk. Ik *dacht* al dat je er bekend uitzag toen ik je foto zag in de *The Times.*' Ik praatte er snel overheen. 'Ik vind het buitengewoon aangrijpend om hier te zijn.' Ik legde mijn hand op het manuscript van *Studies over hysterie* en vervolgde: 'Ik heb me deze man en zijn huis zo vaak voorgesteld, zijn brieven gelezen... het is fantastisch om het nu allemaal in het echt te zien.'

'Ik weet het, voor mij was het net zo. Slechts weinig mensen hebben het geluk hier naar binnen te mogen.' Hij wachtte even en schudde toen ongelovig zijn hoofd. 'Wauw! Niet te geloven. De vrouw, afkomstig uit een land waar ik net vandaan kom en die ik al jaren dolgraag wil spreken loopt hier zomaar binnen, een vrouw die niet alleen onderzoek doet naar Freud, maar ook nog naar de *vroege* Freud, mijn interessegebied. Over karma gesproken! Je gaat toch wel met me lunchen?'

'Klinkt goed.'

'Dan zie ik je hier, klokslag één uur.'

Ik was blij dat ik geen tijd had verdaan op de school voor detectives. Dit was een eitje.

Zoals afgesproken verscheen Konzak precies om één uur en hij nam me mee naar een klassiek Weens restaurant, het Demel Café. Hij keurde de hostess geen blik waardig en leidde me rechtstreeks naar een tafeltje. 'Ik dacht dat je het wel leuk zou vinden om aan hetzelfde tafeltje te zitten waaraan Freud en Fliess het ontstaan van de theorie van het onbewuste bespraken.'

Ik keek gretig om me heen, in het besef dat ik een moment doorleefde dat ik me al honderdmaal had voorgesteld. In 1895 hechtte niemand enig geloof aan Freud, afgezien van Wilhelm Fliess, ook een neuroloog, die vanuit Berlijn regelmatig naar Wenen kwam om met Freud van gedachten te wisselen. In een poging Konzak duidelijk te maken hoezeer ik het waardeerde dat hij me hier mee naartoe genomen had, zei ik: 'Hun ontmoetingen hebben me jarenlang op de been gehouden. Ik kan haast niet geloven dat ik hier nu echt ben.' Toen zei ik, zo nonchalant als ik maar kon opbrengen: 'Juist omdat ik vooral geïnteresseerd ben in de Freud-Fliess-correspondentie.'

'Die ben ik aan het redigeren! Je hoeft geen seconde meer aan dat onderzoek te werken.'

'Wat bedoel je? De brieven zijn in 1954 gepubliceerd. Kris heeft ze geredigeerd in dat jaar en noemde zijn boek *Aus den Anfängen der Psychoanalyse.*'

'Weet je nog dat Ernst Kris, die tussen twee haakjes slechts de spreekbuis van Anna Freud was, zei dat er enkele brieven ontbraken? Wel, ze ontbraken niet, ze waren *gecastigeerd.*' Hij leunde voorover en fluisterde: 'Ik heb ze.'

'Gezien je woorden in *The Post* nam ik al aan dat je op belangrijke nieuwe informatie was gestuit.'

'Kate, nu ik weet dat je geïnteresseerd bent in de briefwisseling tussen Freud en Fliess, wil ik je wat adviezen geven voordat je aan je onderzoek begint. Wees voorzichtig met wat je zegt in het archief. Wees op je hoede als je om bepaalde documenten vraagt. Anna Freud is de baas en haar ondergeschikten hebben strikte opdracht die brieven en alles wat ermee te maken heeft met hun leven te beschermen. Geloof me, ik heb op de harde manier geleerd dat alle medewerkers slechts werkbijen zijn die om Anna Freud heen gonzen, de bijenkoningin. Ik moet me voorlopig gedeisd houden, want geloof het of niet, als ik in Londen ben, logeer ik bij Anna Freud thuis.'

'Dat meen je niet! Waarom?'

'Je weet natuurlijk dat ze samen met haar ouders naar Londen is verhuisd om aan de nazi's te ontkomen, naar Maresfield Gardens, om precies te zijn. Anna is daar blijven wonen, met dezelfde huishoudster van toen. De meeste collecties liggen daar, dus als directeur van de Freud-academie heb ik mijn eigen vertrekken op de derde verdieping, in wat ooit de personeelskamers waren. Over armoedig gesproken. Ik ben slechts parttime in het museum in Wenen. De beste documenten zijn in Engeland. Als je in Londen bent, moet je absoluut langskomen.'

'Is Anna Freud niet boos over de berichtgeving in de pers?'

'Razend, hoewel ze geen enkel gevoel als zodanig zou herkennen, ook al struikelde ze erover. Ze willen me het liefst ontslaan, maar dat kan pas na de bestuursvergadering van volgende maand. Dan zal ik wel meer mogen inpakken dan mijn emotionele bagage.'

'Dat moet moeilijk voor je zijn,' zei ik begrijpend, terwijl ik probeerde uit te vogelen waar zijn ware wrevel lag.

'Je hebt de vroege werken van Freud gelezen. Je weet waar hij mee te kampen had. Hij groef zijn eigen graf toen hij cocaïne adviseerde voor algemeen gebruik, zonder te weten dat het voor de meeste mensen verslavend was. Hij dacht dat wat voor hem gold, ook voor de rest van de wereld gold.'

'Stel je voor hoe Freud zich gevoeld moet hebben toen zijn beste vriend Fleischl stierf aan de verslaving waarvan hij de aanstichter was. Geen wonder dat hij zich specialiseerde in de schuldgevoelens van anderen,' zei ik. Eigenlijk dacht ik, godallemachtig, die man heeft het onbewuste ontdekt, de droomduiding, het oedipuscomplex en biseksualiteit, om er maar een paar te noemen. Oké, hij wist niets van het bestaan van de addictieve persoonlijkheidstructuur, maar het was 1895, verdorie!

'En alsof dat nog niet voldoende was om hem het gevoel te geven dat hij compleet mislukt was,' zei Konzak, 'sloot hij vriendschap met Fliess, een arts die na een operatie hele rollen verbandgaas in zijn patiënten achterliet en dacht dat het zenuwcentrum van de seksualiteit in de neus zat.'

Een oude ober bracht ons twee kopjes Schale Gold. Konzak legde zijn arm om de schouders van de verschrompelde man. 'Rudolph, herinner je je die postfreudiaanse fuif van vorig jaar? Wat een feest was dat, hè?'

'Nou en of, het beste feest sinds de jaren dertig.' Rudolph straalde toen hij weer weg schuifelde.

'Om even terug te komen op de neus,' vervolgde ik, 'dat is niet zo gek als het klinkt. Ik bedoel, Freud zei dat we in een vroege evolutiefase op handen en voeten liepen en dat de neus een seksueel orgaan was, in die zin dat hij de geur van het vrouwelijke oestrum opving en rook wanneer ze klaar was voor gemeenschap. Dat maakte de neus tot een erogene zone. Kijk maar naar de andere zoogdieren, ze ruiken aan alles als een vorm van een seksueel voorspel.'

'Niemand wil eraan herinnerd worden dat we vroeger op handen en voeten aan elkaars billen roken. Adverteerders zijn altijd de eersten die geld verdienen aan menselijke onderdrukking. Daarom hebben ze intiemspray, deodorant en geurvreters uitgevonden,' zei Anders.

'Fliess zei, in het licht van Darwin, dat de neus een geatrofieerd seksueel orgaan was. Ik bedoel, ik weet dat het nogal bizar is, maar in die context is dat niet zo heel vreemd. In feite hielp Fliess Freud in te zien dat bepaalde erogene zones standaard onderdrukt worden, zo kwam hij bijvoorbeeld op de onbewuste onderdrukking van biseksualiteit.'

Ik moest wel opschieten, voordat we afgeleid zouden worden

door de lunch. Ik vouwde mijn servet uit en leidde de hamvraag zo omzichtig mogelijk in. 'Wat denk jij? Had Freud het de eerste keer juist toen hij zijn verleidingstheorie ontvouwde en ging hij de mist in toen hij de theorie herzag en stelde dat die meisjes de verleiding van hun vader alleen in hun fantasie hadden beleefd?'

'Ja, dat denk ik zeker. Die vrouwen vertelden dat ze verleid waren en Freud koos voor de ontkenning.' Zijn stem steeg een octaaf toen hij zei: 'Ik bedoel, we hebben het hier over de fundamenteel kwetsbare incestoverlevende, die niet meer verantwoordelijk is voor haar slachtofferstatus dan een klein, onschuldig kind. In de wereld volgens Freud waren de vaders onschuldig en de dochters nymfomaan. Daarom moest hij ook zoveel vrouwelijke patiënten zien, want de vaders hadden dat "waanbeeld" niet. *Nou ja zeg.* Laten we wel wezen, Freuds vrouwelijke patiënten genazen nooit.'

'Wie zegt dat?'

'De feiten. Anna O., in werkelijkheid Bertha Pappenheim, eindigde in een kliniek voor geesteszieken toen Freud en Breuer klaar met haar waren. Ze kwam neurotisch binnen en na de therapie van Breuer eindigde ze psychotisch.'

'Als je stelt dat het opgeven van de verleidingstheorie een vergissing was van Freud, denk je dan dat er opzet in het spel was?'

'Zeer zeker, en dat blijkt ook uit de brieven die ik binnenkort ga uitbrengen. Vergeet niet dat een voormalig leerling van Freud, Wilhelm Reich, de *massa* wilde analyseren. Hij weigerde de elite te behandelen waar Freud de kost mee verdiende. Hij zette inloopklinieken op in een poging de theorieën van Freud met die van Marx te combineren. Hij probeerde Freud te vertellen dat incest veel voorkwam onder gewone vrouwen, maar Freud sprak dat tegen en zei dat het voornamelijk voorkwam in de klasse der bedienden.' Toen hij mijn ongelovige blik zag, werd zijn stem schril: 'Ik meen het, *lees* die brieven.'

'Waarom zou Freud het willen ontkennen?' hield ik aan.

'Ten eerste kon hij het zich niet permitteren nog meer kwaad bloed te zetten dan hij al had gedaan. Hij had die cocaïneblunder al op zijn naam staan en wilde niet riskeren dat zijn praktijk leeg zou lopen. Dat zou onvermijdelijk zijn gebeurd als hij de artsen ervan beschuldigde hun dochters te bepotelen. De Weense artsen zouden hem nooit meer één patiënt hebben doorgestuurd. Hij had tante Minna, een vrouw, vijf kinderen en twee paar ouders te onderhouden, hij *moest* zich wel aanpassen aan de heersende mores.'

'Dat is nogal berekenend.'

'Niet alles was bewust. Hij moest zijn onbewuste verlangens naar Anna begraven. Vind je het niet een beetje vreemd dat hij zijn eigen dochter heeft geanalyseerd? Anna was buitengewoon aan hem gehecht, is altijd thuis blijven wonen, werkte met hem samen en bracht de laatste twintig jaar van zijn leven door aan zijn zijde. Toen hij kanker had, was zij zijn verpleegster voor dag en nacht. Freud had weinig zin de schuld van deze hechte band op zich te nemen.

'Hij verbrak zijn vriendschap met Fliess niet omdat hij sponsjes achterliet in de neus van zijn patiënten. In die tijd ging er wel vaker iets mis tijdens een operatie. De ware reden was dat Fliess niet van zijn eigen kind af kon blijven, erover schreef en Freud alle schunnige details van zijn onderzoek uit de doeken deed.'

'Wist Freud dat Fliess zijn eigen kind misbruikte?'

'Fliess vertelde er natuurlijk niet bij dat het om zijn eigen zoon ging, maar Freud wist dat het niemand anders kon zijn. Hij wilde het alleen niet onder ogen zien. Jaren later schreef de zoon van Fliess, Robert, een gerespecteerd psychoanalyticus, over deze incestperiode en noemde zijn vader "psychotisch".'

'Het lijkt me niet gemakkelijk om toe te geven dat je enige supporter in werkelijkheid een psychotische kinderverkrachter was.'

'Precies. O, tussen twee haakjes, houd dat vader-zoonverhaal van Fliess nog even geheim, het komt volgende maand uit.'

'Interessant.'

Die reactie stuwde Anders naar ongekende mededeelzame hoogten.

'Het is een mannentheorie, gesteld door mannelijke therapeuten... al die arme, hysterische meisjes moesten gekalmeerd worden. Waarom zijn er tegenwoordig veel minder hysterici?' Dat was duidelijk een retorische vraag, want Anders orakelde voort. 'Freud *stimuleerde* hysterie bij zijn patiënten. Wat een schitterende, vrouwonvriendelijke theorie waarin alle schuld op de vrouw wordt afgewenteld, die in een poging haar situatie middels analyse in de hand te krijgen langzaam tot hysterie wordt gedreven – of tot waanzin, als je wilt – en dan nogmaals tot slachtoffer wordt gemaakt! Vind jij het ook niet een beetje vreemd dat uit de statistieken blijkt dat eenderde van de mannen op de een of andere manier incest pleegt, terwijl *alle* vrouwen die Freud zag het zich slechts inbeeldden? Ze beeldden het zich niet alleen in, maar volgens hem waren ze zo geobsedeerd door het *idee* dat ze ziek werden van hun *verlangens*.'

Rudolph arriveerde met een stapeltje varkensvlees op een bedje van een soort koeienvlaai en zette de borden zwierig op tafel. Ik bracht snel mijn theorie naar voren, voordat Anders zijn eerste hap kon nemen. 'Ik zie het iets anders. Hysterie is een gevolg van seksuele onderdrukking, die nooit zo extreem is geweest als in het Victoriaanse tijdperk. Daarom zaten de ziekenhuizen vol met hysterische vrouwen. Ik geef toe dat het een door mannen uitgevonden ziekte is, om het zo maar eens te zeggen, maar van een andere makelij. Het was vrouwen niet toegestaan hun seksuele behoeften uit te spreken en de vrouwen die dat te benauwend vonden zochten onbewust een uitweg in hysterie of, zoals Alice, de zus van William James, in zenuwziekte.'

Anders onderbrak me enthousiast. 'Haar dagboeken zijn fascinerend. Alice was stukken intelligenter dan Henry of William James. Ze had geleerd dat seksualiteit verachtelijk was en de enige activiteit die haar werd toegestaan was borduren. Uiteindelijk werd ze zenuwziek en naaide ze zichzelf vast aan de bank, om nooit meer op te staan. Is dat geen onbewuste manier om te zeggen, "als jullie niet willen dat ik een *echt* leven leid, dan leef ik liever helemaal niet?" Het is zelfdestructief, maar de boodschap komt wel over.'

Ik knikte. 'De hysterici uit de negentiende eeuw waren de eerste voorvechtsters van de rechten voor de vrouw, al wisten ze het zelf niet. Elke eeuw biedt de goden van de vooruitgang offergaven aan en de vooruitgang wordt bepaald door degenen die de touwtjes in handen hebben.' Ik kon niet nalaten om eraan toe te voegen: 'Anders, ik denk dat het naïef en historisch onjuist is om te zeggen dat alle hysterie te wijten was aan de onjuiste diagnose van Freud.'

Konzak leunde naar voren, klaar om toe te slaan zodra ik even stopte om adem te halen. 'Natuurlijk. Ik probeer alleen maar te zeggen dat hysterie werd gestimuleerd en zelfs uitgelokt door Freud. Sommige gevallen van hysterie waren het gevolg van seksueel misbruik in de jeugdjaren en niemand wilde met een beschuldigend vingertje naar de mannen wijzen, omdat er zoveel mannen waren die zich schuldig hadden gemaakt aan die verboden gedachten. De mannen deden net of het niet bestond. De reden waarom hysterie zoveel vaker voorkwam bij vrouwen is dat zij de slachtoffers waren van seksueel misbruik in hun jeugd. De machtsstructuur van bourgeois mannen weet hysterie aan de vrouwelijke anatomie. Ik bedoel, *hysteria* is het Griekse woord voor "baarmoeder". De hippocratische hypocrieten kwamen met de idee dat hysterie ontstond omdat de baarmoeder zich naar andere delen van het lichaam verplaatste. Enfin, je kent die verhalen van de zwervende baarmoeders. Het was makkelijker om de vrouwelijke anatomie de schuld te geven dan de slachtofferrol van de vrouw in het gezin. Laten we wel wezen, die arme vrouwen die bij Freud terechtkwamen zijn dubbel verraden: eerst door hun eigen vaders die incest met hen pleegden en vervolgens door hun therapeut en vaderfiguur bij uitstek, Sigmund Freud, die weigerde hen te geloven toen ze hem opbiechtten wat er met hen was gebeurd.'

Anders zat hoog op zijn retorische stokpaardje. De obers en gasten aan de andere tafels begonnen mee te luisteren, niet omdat hij zo luid sprak, maar omdat zijn enthousiasme en sterallure ieders aandacht trok – Elmer Gantry komt naar Wenen.

'Stel het hypothetische geval dat Freud niets wist van seksueel misbruik binnen het gezin en dat hij werkelijk aannam dat deze vrouwen het zich inbeeldden. Zou hij dan niet typisch een man van zijn tijd zijn?' vroeg ik.

'Uit de brieven blijkt heel iets anders. Hij durfde de verleidingstheorie niet bekend te maken aan de gevestigde orde.'

'Welke gevestigde orde?'

'Hij had de aanbevelingen nodig van andere medisch specialisten. Hij kon zich hun afkeuring niet veroorloven. Ik bedoel, je kunt artsen niet zomaar gaan vertellen dat de meesten van hen, of in elk geval sommigen van hen, incest hebben gepleegd. Hij deed biologisch onderzoek tot hij veertig jaar oud was. Daarna blokte hij nog eens tien jaar in zijn eentje psychologie, zonder bij een universiteit te zijn ingeschreven. Hij moest achting zien te verwerven. Dat heeft hij praktisch in die woorden tegen Fliess gezegd. Stel je eens voor, al die arme slachtoffers die op deze manier zijn geanalyseerd! God nog aan toe, als vrouwen die onvruchtbaar zijn geworden door gebruik van het Dalcon-schildje miljoenen opstrijken na een rechtszaak, waarom kunnen de vrouwen die bij Freud en zijn volgelingen in therapie zijn geweest dan geen gigantische rechtszaak beginnen tegen de Freud Foundation of alle verenigingen van psychotherapeuten? Als die psychotherapeuten als groep verzekerd zijn tegen wanpraktijken, kun je ze toch ook als groep aanpakken?'

Anders kwam weer tot rust en ik besefte hoe goed hij de waan van de dag beheerste. Geen wonder dat hij de lieveling was van de pers. Hij kwam op voor vrouwen en de machteloze massa in het algemeen. Daarbij klonk het allemaal erg redelijk. Toch wilde ik eerst die brieven zien, voordat ik er ook maar aan wilde denken dat Freud niet integer was geweest of het zelfs mis had gehad. Daarbij, als je de Victorianen vertelt dat alle kinderen polymorf pervers zijn, vind ik bepaald niet dat je de controverse uit de weg gaat.

Ik wilde Freud niet koste wat kost verdedigen, maar ik wilde wel weten hoe Konzak zijn theorie rechtvaardigde, dus ik vroeg: 'Hoe komt het dan volgens jou dat mensen die vandaag de dag het slachtoffer zijn van incest of andere vormen van seksueel misbruik niet noodzakelijkerwijs aan hysterie lijden? Afhankelijk van de ernst en de vorm van het misbruik lijden ze aan diverse stadia van dissociatieve stoornissen, variërend van milde vormen van geheugenverlies tot meervoudige persoonlijkheden, maar zelden aan hysterie. Als we Freuds ziekteleer onderschrijven, dan is hysterie vandaag de dag een weinig voorkomende diagnose. Emotioneel getraumatiseerde en excessief angstige gevallen zijn er nog steeds in alle soorten en maten, maar de klassieke hysterie zoals Freud die beschreef, de sensorische en motorische stoornissen en het onbewust simuleren van organische aandoeningen, is zeldzaam.'

'Hysterie wordt zelfs niet vermeld in de DSM, de bijbel van de stoornissen,' zei Konzak.

'Ik weet zeker dat je het met me eens zult zijn als ik zeg dat incest tegenwoordig net zo vaak voorkomt als in 1895. Zou hysterie vandaag de dag niet juist vaker moeten voorkomen dan in 1895? En toch komt het minder vaak voor. Het spijt me, Anders, vooral omdat jij deze lunch betaalt, maar daarmee is je belangrijkste argument weerlegd. In de negentiende eeuw was er meer seksuele onderdrukking en meer hysterie. Dat ondersteunt mijn idee dat hysterie het gevolg was van langdurige seksuele onderdrukking en niet van incest.'

'Niet altijd. Vandaag de dag heeft hysterie een ander gezicht. Wat dacht je van de zogenaamde ziekte van de twintigste eeuw, het chronisch vermoeidheidssyndroom en fibromyalgie? Zijn dat geen psychosomatische hysterische ziektebeelden?'

'Wat dacht je van fictieve incestherinneringen?' vroeg ik. 'Terwijl elke journalist hoog opgeeft van je intellectuele werk, beste Anders, staat er niemand op die zegt dat Freud wel eens gelijk kon hebben. Hoe verklaren we al die vrouwen die beweren seksueel misbruikt te zijn door hun vader, waarbij later blijkt dat het allemaal verzonnen is? Ik stel vast dat de pers, *ergo* het grote publiek, de "boze" therapeuten de schuld geeft die de patiënt zover hebben gekregen of gebracht fictieve incestherinneringen op te halen in een ontvankelijke, hypnotische toestand. Niemand die zegt: "Jakkes, misschien had Freud wel gelijk". *Er zijn* vrouwen die zich deze verleiding inbeelden. Dat brengt ons terug bij Freuds idee dat het onbewuste geen verschil maakt tussen werkelijke en ingebeelde handelingen. Op de een of andere manier is Freud uit de kring van opiniemakers gestoten en nu worden het fictieve incestherinneringen genoemd en...'

'Nee toch,' kraaide Anders en keek op zijn horloge. 'Ik moet gaan. We zijn hier al langer dan ik dacht. *Frau* Frakin, de lugubere bibliothecaresse van de Freud-collectie, heeft een stel Engelse trutten uitgenodigd om foto's uit het archief te bewonderen. Ik ben bang dat ze al op me staan te wachten.' Hij stond op, wenkte Rudolph om de rekening en zei tussen neus en lippen door, alsof het de gewoonste zaak van de wereld was: 'We dineren vanavond samen. Ik heb eigenlijk een afspraak met een doodsaaie amice van Conrad von Enchanhauer, ik neem aan dat je al het een en ander hebt gehoord over onze mysterieuze ex-directeur. Ik zal hem afbellen.'

Ik knikte instemmend terwijl hij zijn shillings op tafel smeet. Inwendig glimlachte ik, want ik vond het erg grappig dat ik achter een vent aan moest gaan die me geen seconde alleen liet en geen moment zijn mond hield.

'Ik zie je om acht uur in het Palais Schwarzenberg aan de Schwarzenbergplatz.' Toen hij naar de uitgang liep, draaide hij zich stralend om en riep over zijn schouder: 'Ik heb ervan genoten je te mogen ruiken.'

Nadat ik even naar het museum was gelopen om mijn favoriete Brueghels te bewonderen, keerde ik terug naar mijn kamer, waar ik een kristallen vaas aantrof met kleine, witte bloemetjes erin en twee grote dozen in cadeauverpakking. Op het kaartje stond:

Fräulein Kate,
Bedankt voor een fantastische middag. Ik verheug me op ons gesprek van vanavond. Het is geweldig om een verwante geest te ontmoeten die hetzelfde fascinerende, hoewel esoterische

materiaal heeft bestudeerd waarin ik mezelf heb ondergedompeld. Jij aan de ene kant van de planeet en ik aan de andere. Ik ben blij dat onze werelden elkaar eindelijk raken.
Ik wil niet impertinent zijn met deze cadeautjes, maar ik was vergeten je te vertellen dat in het restaurant 'black tie' kledingvoorschrift is en ik wist niet zeker of je wel iets geschikts bij je hebt.
Met vriendelijke groeten en in geurige fascinatie,
Anders

PS: De bloemen zijn edelweiss, van het Duitse 'edel' *en* 'weiss', *dat wit betekent. De wollige blaadjes en witte kopjes deden me denken aan jouw zachte, porseleinen teint.*

In de eerste doos zat een simpel zijden jurkje van Chanel, met een sensationeel decolleté en kleine knoopjes van dezelfde stof aan de voorkant. In de andere doos zaten zwartkanten kousen, laaggehakte zwarte suède schoenen en een avondtasje bestikt met kraaltjes. Ik streek over de zijden jurk met de amberkleurige voering. Ik stond versteld van de cadeaus en van de perfectie waarmee hij mijn smaak en maten had ingeschat en moest even op het bed gaan zitten om ernaar te kijken. Na een paar minuten vouwde ik alles weer op in de doos om terug te zenden, maar aarzelde toen. Het was tenslotte mijn taak hem te verleiden.

Ik schrok op van een klop op de deur. Om de een of andere reden verwachtte ik Anders en ik was teleurgesteld toen het Jack bleek te zijn. 'O, hoi,' zei ik. Ik had het gevoel dat ik betrapt was, maar ik wist niet waarop.

'Ik ben Konzak gevolgd,' zei hij, met een blik op de doos op mijn bed. 'Heb je enig idee wat die flauwekul heeft gekost?'

'Wat is dit voor spelletje?'

'Alles bij elkaar moest hij 4300 dollar afrekenen. Wat wil die vent? Hij pikt een vrouw op tijdens zijn werk, gaat met haar lunchen en geeft vervolgens een kleine vijfduizend dollar uit om met haar te gaan dineren. Wat klopt er niet in dit plaatje?'

‘Volgens mij kijken we allebei naar een ander plaatje,’ zei ik. ‘Misschien, heel misschien, vindt hij haar aantrekkelijk – aantrekkelijk met een waarde van 4300 dollar in een outfit die jouw slinger niet aanzwengelt. Daarbij is hij multimiljonair, dankzij papa die Russische antiquiteiten omzette in Amerikaanse dollars, dus dit is wisselgeld voor hem. Dat is er mis met jouw plaatje.’

‘Hoe laat ga je eten? En hoe wist hij waar die spullen naartoe moesten?’

‘Acht uur en ik heb geen idee,’ zei ik, terwijl hij de deur uit liep.

~

Toen ik die avond in de spiegel keek, was ik blij met het getinte Weense glas dat mijn gevangenisbleekheid een rozige gloed gaf die ik goed kon gebruiken. Ik draag zelden make-up, maar ik vond dat er wel wat eyeliner en oogschaduw af kon nu hij al die mooie kleren voor me had gekocht. De vrouw in de winkel vroeg of ik glanzende of matte oogschaduw wilde en ik koos voor de glanzende. Als je voor hetzelfde geld kunt glanzen, dan doe je dat toch? Ik kocht zelfs rouge en mascara. Ik wilde niet al te veel de kant van Dolly Parton op gaan, altijd een risico als je blond bent, dus stak ik mijn haar op in een Franse knoet met wat losse plukjes.

Het jurkje bleek wel erg kort te zijn en de kanten kousen deden mijn benen langer lijken dan ik ze ooit had gezien. De schoenen waren iets te klein, maar ik herinnerde me de woorden van mijn moeder tegen mijn zussen als ze klaagden over hun schoenen. ‘Geen betere manier om al je zorgen te vergeten dan een paar knellende schoenen.’ De jurk was bloter dan ik zelf ooit gekocht zou hebben. Niet dat hij ordinair was, maar hij was mij een beetje té spectaculair. Toen ik hem dicht ritste, raakte de onzichtbare rits vast in de voering en zat ik gevangen in een halfopen jurk. Dat had ik weer. Logisch dat ik nooit van die vrouwelijke kleren droeg, zelfs niet voordat ik de gevangenis in draaide. Wat had je nou aan een onzichtbare rits? Moest iedereen soms denken dat die jurk was dichtgenaaid terwijl je hem aanhad? Ik heb nog nooit een gulp gezien met een onzichtbare rits.

Aan de harde tik op de deur hoorde ik dat Jack er was. Ik wierp nog een snelle blik in de spiegel. De vrouw die terugkeek was niet de Kate die ik kende. Maar haar had ik toch al langer gezien dan nodig was. Wat kon het mij ook schelen, het was gewoon werk. Ik weet zeker dat Mata Hari ook speciale feestkleding aantrok als ze naar haar werk moest.

Ik deed de deur open en zei: 'En?' vanonder mijn mascara.

Jack hield zijn hoofd scheef om me te bekijken, maar zei niets. Ik had geen keus en moest zijn hulp wel inroepen voor de rits. Zijn handen waren net zo groot als de mijne, maar dan met ovenwanten aan. Ik had geen idee hoe hij die enorme hand nog achter die rits kon steken. Hij bleek echter verrassend handig te zijn en zijn lange vingers hadden een zekere elegantie.

Toen hij mijn rug aanraakte, maakte ik een sprongetje. Ik schaamde me een beetje voor mijn preutsheid en mompelde iets over zijn koude handen.

Hij wreef ze tegen elkaar en stak toen zijn hand weer in de rug van mijn jurk. Eindelijk zei hij: 'Ik geloof dat ik hem heb.' Hij keek me bezorgd aan. 'Je houdt je rug hol. Adem eens normaal in en uit, dan kunnen we zien of hij het wel houdt.'

Ik liep naar de deur, stopte daar en draaide rond. 'Hoe zie ik eruit?'

'Als de dochter van een rechter op weg naar een feest op de countryclub.'

Hoe wist hij dat mijn vader rechter was? Ik wist heel zeker dat Gardonne er niets over had gezegd in zijn brief. Ik moest zorgen dat ik alles te weten kwam over die malloot van een Jack, zeker nu hij me het gevoel gaf dat ik heel wat meer had laten zien dan wat een kapotte rits kon onthullen.

Het duizelde me nog steeds, maar hij ging maar door over informatie onttrekken aan Konzak. Ik hoorde alleen de laatste paar zinnen. 'Concentreer je niet op de freudiaanse details, maar op de politieke details. Waarom doet hij dit? Waar heeft hij de informatie vandaan?'

'Ik weet wat ik moet vragen,' zei ik.

'Ik zie vooral dat je de slimme juffrouw uithangt in plaats van te doen waar je voor bent ingehuurd. Je kunt beter zorgen dat hij denkt intelligent over te komen en zoveel mogelijk loslaat. Ik weet dat dat tegen je karakter indruist, maar trek je wapenrusting uit en luister naar wat hij zegt.'

'Misschien wil jij die rotjurk aantrekken en het zelf doen?' bitste ik, terwijl ik mijn avondtasje met de kraaltjes dicht klikte.

'Als je vanaf je negende in de gevangenis hebt gezeten, heb je alles al eens aangehad om te zorgen dat je kreeg wat je hebben wilde.' Hij keek op zijn horloge. 'Ik blijf op zodat we het hele verhaal kunnen nalopen als het nog vers in je geheugen ligt. Als je vannacht niet thuiskomt, bel me dan met deze *portable* telefoon. Het nummer staat in het telefoonboek onder San Quentin.' Hij stopte het ding in mijn tasje.

Ik begreep niet precies waar hij me nu voor uitmaakte, maar ik katte: 'Het is duidelijk dat de vrouwen met wie jij omgaat eraan gewend zijn 's morgens thuis te komen met meer dan alleen een portable telefoon in hun tasje.'

'De dochter van de rechter komt thuis met 4300 dollar aan haar lijf. Het enige verschil is de prijs.' Hij grijnsde en sloot de deur.

Ik liep stampend naar de taxiplaats en visualiseerde dat ik mijn woede achterliet op de stoep, een trucje dat ik had geleerd tijdens een cursus woedebeheersing in de gevangenis.

6

WEENSE WALS

Het probleem met woorden is dat je nooit weet in wiens mond ze hebben gezeten.
– Dennis Potter

Eenmaal in de taxi haalde ik het speeltje van Jack te voorschijn. Het zag eruit als R2-D2 zonder pootjes. Er zat niet eens een kabel aan. Wat was dit voor grap? Waar zat dat telefoonboek waar hij het over had? Sinds wanneer maakten ze die dingen? Misschien waren ze wel speciaal ontwikkeld voor detectives. Ik stopte het terug in mijn avondtasje en besloot me er pas in te verdiepen als het nodig was.

Nadat we de drukke ringweg rond Wenen hadden verlaten, sloegen we plotseling een schitterende oprijlaan in tussen weelderige grasvelden en lavendelperken, omzoomd met roze rozen. We reden om een gigantische fontein heen en stopten voor een beeldig barok paleis. Het restaurant bevond zich binnen het Palais Schwarzenberg. De entree werd bewaakt door twee enorme, ijzeren gaslampen. De portier droeg een quasi-militair uniform, misschien wel naar een personage uit een Weense operette, maar hij leek meer op Jimmy de Krekel.

Toen ik naar binnen ging en mijn naam noemde, maakte de kelner een lichte buiging met de woorden dat professor Konzak al was gearriveerd. Hij begeleidde me naar zijn tafel en ik had het gevoel dat iedereen stopte met eten om me te bekijken.

Anders zat achter in de zaal. Hij zag eruit als een jongetje op een debutantenbal. De smoking en het witte, geplooide overhemd stonden hem uitstekend. Hij droeg het nonchalant, maar hij wist dat alle ogen op hem gericht waren toen hij me met een brede grijs begroette. 'Ik wist dat die jurk voor je gemaakt was. Je ziet er verrukkelijk uit.'

'Denk maar niet dat ik ga zeggen dat je dit echt niet had moeten doen,' antwoordde ik.

'Ik zal mijn leven lang niet vergeten wat een entree je maakte in die jurk. Je ziet er zo anders uit. Je zou toch niet zeggen dat...'

'Dat ik een moordenares ben.'

'Eigenlijk wilde ik zeggen dat je niet zou zeggen dat die jurk niet speciaal voor jou ontworpen was.'

'Sorry, ik ben lichtgeraakt op dat punt. Ik ben nog maar net vrij. Jij bent de eerste met wie ik echt praat.' Ik probeerde te glimlachen, terwijl ik mezelf tot kalmte maande. 'Ik vind het fijn dat je me niets hebt gevraagd over het leven in de gevangenis, mijn proefverlof en alle andere voyeuristische nonsens die mensen kunnen zeggen, verpakt in een laagje "human interest".' Ik sloeg mijn ogen neer en zei zo bedeesd als ik kon opbrengen: 'Ik wil er liever niet over praten.'

'Geen probleem, onderwerp gesloten.' Hij ging in één adem door. 'Het is niet te geloven wat mensen van anderen proberen te maken – allemaal gebaseerd op hun eigen behoeften. Ik denk dat die journaliste, Dvorah Little, kwaad was omdat ik geen poging deed haar te versieren en dus verdraaide ze alles zo dat ik naar voren kwam als de eerste de beste imbeciel. Nu beweert ze dat ze de tapes kwijt is. Hoe oud is dat trucje? Ze weet alleen niet dat ik mijn eigen tapes heb. Daar komt ze in de rechtszaal wel achter.'

'Vertel eens,' vroeg ik zo verlegen als ik maar kon, 'ben je echt zo'n casanova als zij beweert?' Ik moest goed in gedachten houden wat Jack had gezegd over de politiek van de kwestie en niet de achterliggende ideeën.

'Ik ben een soort casanova, net zoals jij een soort moordenares bent. Ik hoop dat je het niet erg vindt dat ik er nu toch over begin.'

'Nee hoor, het is goed.' Maar ik vond het vreselijk en dacht dat ik dat dertig seconden geleden ook heel duidelijk had gezegd.

'Het klopt dat ik zelden heb stilgezeten, maar Dvorah insinueerde dat ik de academie in een bordeel wilde veranderen of, gezien de voorkeur van sommige analisten die ik ken, in een badhuis.'

'En?' spoorde ik aan.

'Dat is nooit mijn bedoeling geweest. Het maakte deel uit van haar eigen agenda om mij in diskrediet te brengen. Toegegeven, ik heb haar meer dan voldoende munitie in handen gegeven. Natuurlijk wilde ik die aanstelling binnenslepen en om dat voor elkaar te krijgen moest ik Conrad von Enchanhauer, de voormalige directeur van de academie, en Anna Freud, de ware baas van het spul, op dineetjes trakteren. Zij is een hardere noot om te kraken dan hij, hij was dol op me.'

'Werkelijk?' vroeg ik zo nonchalant mogelijk, terwijl ik de menukaart bestudeerde.

'Het is een beetje moeilijk uit te leggen buiten de context. Daarvoor moet je goed geïntroduceerd zijn in de cultuur van de psychoanalytici. Regel nummer één: mannelijke analytici zijn over het algemeen gecastreerd en de vrouwen zijn seksloze neuroten. Wat hun persoonlijkheidsstructuur betreft zijn psychoanalytici, door de bank genomen, prestatiegerichte controlefreaks, in de grond ongelukkig en met een neiging naar de obsessieve kant van het spectrum.'

'Hoe houd je het anders vol om een uur lang een droom te bespreken?' vroeg ik aanmoedigend. Ik moest toegeven dat Jack gelijk had. Het enige wat ik hoefde te doen was in adoratie toeluisteren, terwijl Anders zijn mond voorbijpraatte. Zo kreeg ik veel meer informatie dan wanneer ik met hem in discussie ging.

'Precies. Ze zijn als de dood om elkaar hun kwetsbaarheid te tonen. Het zijn personages uit een verhaal in de *New Yorker*, waar de scherpe kantjes van af zijn. De enige emoties die ze tonen komen eruit als sarcastische opmerkingen.'

'Dan zul jij wel een frisse wind zijn geweest,' zei ik, terwijl ik dacht dat hij ongeveer zo fris was als een luchtverfrisser met dennengeur in het bos.

'Nou en of. Zowel dr. Von Enchanhauer als Anna Freud had het helemaal gehad met die kleingeestige droogstoppels, maar geen van beiden bezat het temperament om de psychologische strijd aan te gaan, persoonlijk noch schriftelijk.'

'Waren ze niet opgelucht toen jij op het toneel verscheen?'

'Dat heb je goed gezien. Daarbij was ik slim, geïnteresseerd in historisch onderzoek, drietalig en ik koesterde een oprechte bewondering voor Freud. Dat doe ik nog steeds, op een bizarre manier. Ik kreeg een staande ovatie van de New York Psychoanalytic toen ik een lezing gaf over de Wolfman, enkele jaren geleden. Aasden al die therapeuten soms op een verhouding met me? Ik verscheen op het toneel en had precies wat Conrad von Enchanhauer en Anna Freud nodig hadden, een sterke seksuele identiteit. En vervolgens heb ik iedereen tegen me in het harnas gejaagd door de kern van dure psychotherapie bloot te leggen en te laten zien wat ze in werkelijkheid zijn, opportunistische aasgieren.'

'Aasgieren? Hoe bedoel je?'

'Ze voeden zich met het verdriet van anderen in urenlange onbewuste prikkelingen. Die therapeuten kunnen elke vergissing die ze maken op hun patiënten afwentelen, want alles is gebaseerd op de perceptie van de patiënt, nooit op de realiteit.'

'Kun je me een voorbeeld geven?'

'Kijk maar eens naar Freud zelf,' zei hij. 'Hij zou die fout van de verleidingstheorie nooit gemaakt hebben als hij niet de *onbewuste* incesttheorie had laten prevaleren boven de realiteit.'

'Dus dr. Von Enchanhauer en Anna Freud zochten een huurmoordenaar om de academie schoon te vegen en de aasgieren op afstand te houden, maar het was niet de bedoeling dat zij zelf de loop van het geweer tegen hun voorhoofd kregen, laat staan Freud.'

'Daar zit het probleem,' zei Anders. 'Ze kozen voor mij omdat ik ballen heb, maar nu vinden ze dat mijn testosteron met me aan de haal is gegaan.'

'Voelen ze zich verraden?'

'Uiteraard, hoewel ze dat nooit hebben gezegd. Verraad is een gevoel en aan gevoelens doen ze niet. Daar zijn ze veel te neurotisch voor. Toen ik naar Conrad von Enchanhauer stapte met mijn interpretatie van de zaken, zei hij tegen me dat niemand ter wereld zou begrijpen waar ik mee bezig was. Hij bleef steeds dezelfde mantra herhalen, dat wij zijn ingehuurd om Freud toegankelijk te maken, niet om hem kapot te maken.'

'Ik begrijp dat je geen kniebuiging wilde maken in Wenen.'

'Als ik uit was op vergoddelijking in plaats van de intellectuele waarheid, was ik wel naar de katholieke kerk gestapt.'

'Had je dit gevoel al voordat je deze baan aannam?'

'Nee, dat kan natuurlijk niet. Toen had ik het niet gepubliceerde materiaal nog niet gelezen en ook die brieven van Freud nog niet gevonden. De meeste families of hun nazaten waren bereid hun brieven te verkopen, maar ze wachtten af tot Anna naar haar grote divan in de hemel was vertrokken. Ten eerste zou dat de prijs opdrijven. Ten tweede, wie zou ze willen verkopen in de wetenschap dat de brieven waarin Freud goed naar voren komt gepubliceerd worden, terwijl de rest als "persoonlijk" wordt aangemerkt? Toen ik aan het roer kwam te staan, stroomde de informatie binnen als hete lava. Met het gevaar dat ze in rook op zouden gaan. De brieven van Fliess waren een gouden vondst.'

'Trakteerde je ze op dineetjes toen je de documenten al in handen had?' vroeg ik.

'Nee, aanvankelijk niet.' Anders schonk onze wijnglazen bij. 'Je hebt geen idee hoe triest hun levens zijn. Conrad von Enchanhauer heeft nog nooit vijf minuten plezier gehad in zijn leven. Zijn vrouw ziet eruit als een Hummel-beeldje en hij is altijd boete aan het doen voor een of andere ingebeelde zonde. Ik heb simpelweg geweigerd me aan te passen aan al die beperkingen die hij zichzelf had opgelegd. Ik heb hem schreeuwend en schoppend naar het heden getrokken en toen begon hij eindelijk wat op te fleuren.'

'Klinkt als zwaar werk,' zei ik, terwijl ik een slokje wijn nam. Ik wilde niet te veel drinken, maar iets had ik wel nodig om me door mijn rol van het passieve meisje te slaan.

'Fräulein Freud, zoals ze graag door haar beste vrienden genoemd wil worden, had de betere restaurants in Londen nog nooit vanbinnen gezien. Ik zweer het, ik moest haar Londen laten zien alsof ze een toeriste was. Het huis was nog precies zo als op de dag dat Freud stierf. Het was meer een tempel ter meerdere glorie van Freud dan een archief. Ze gaf nooit een feestje en kreeg zelfs nooit vrienden op bezoek. Al haar kleren dateerden nog uit haar tijd in Wenen. Ze stampte rond op Wallabee's en droeg van die halflange vervilte dingen met zilveren knopen die naar de mottenballen roken. Ik nam mijn intrek in een appartement op de derde verdieping dat bij de functie hoorde, maar dat huis was verschrikkelijk deprimerend. De binnenhuisarchitect zal wel een vriendje van dr. Caligari zijn geweest.'

Na een paar uur moest ik toegeven dat, ook al praatte hij alleen over zichzelf, het gesprek geanimeerd was. Toen ze met de desserttrolley langskwamen was ik stomverbaasd: was het al zo laat? Ik snoepte van mijn in chocola gedompelde aardbeien en luisterde naar een violist die Mozart speelde. Het was alleen leuker geweest als hij geen blauwfluwelen slipjas en kniebroek had gedragen, compleet met witte kousen en pruik. Toen we aan de koffie zaten, werd de violist vervangen door een orkest van zeven man.

'Je kunt niet uit Wenen vertrekken zonder gewalst te hebben,' zei Anders en hij schoof zijn stoel naar achteren.

Ik had geen excuus paraat, dus ik stond aarzelend op. Ik was in Wenen en ik moest walsen. Ik vond dansen echter meer iets voor Tina Turner, het was een vorm van intimiteit waar ik de kriebels van kreeg. Dansen is nog potsierlijker dan seks. Bij seks word je tenminste nog geholpen door je hormonen.

Ik stelde het nog een paar minuten uit door te zeggen dat ik mijn neus moest poederen. Niet te geloven, dat zei ik echt, mijn neus poederen. Terwijl ik die kant uit liep, besefte ik dat ik alles goed moest onthouden. Voor de spiegel herhaalde ik bij mezelf alles wat hij had gezegd, tot ik werd onderbroken door een vrouw die haar lippen stond te stiften. Ze had dat agressieve Amerikaanse airtje van 'ik draag makkelijke kleding en gezondheidssandalen of het je bevalt of niet'. Ze sprak me aan via de spiegel, over het lawaai van de handendroger heen. 'Zat u ook niet in dat vliegtuig uit... Toronto?'

'Ja,' antwoordde ik met Canadese terughoudendheid, in de hoop haar af te schrikken. Ze kwam helaas uit Buffalo, dus elke subtiele hint ging aan haar voorbij.

'Die man die u begeleidt is een stuk. Ik wou dat ík alleen reisde.'

'Ja, hij ziet er goed uit nu hij zo bruin is,' gaf ik toe.

'Nee, niet die man van vanavond, die van het vliegtuig. Wat een lijf... en dan die jukbeenderen,' zei ze over haar schouder terwijl ze de zaal weer in liep. 'Zulke deugnieten maken ze vandaag de dag niet meer.'

Anders stond op toen ik bijna bij ons tafeltje was en leidde me naar de dansvloer. Ze hadden me als puber op dansles gedaan om me klaar te stomen voor mijn dansloze tienerjaren. Mijn moeder kon onmogelijk geweten hebben dat ze geen bals gaven in de gevangenis.

Voor een man met zijn reputatie danste Anders verbazingwekkend houterig. Gelukkig zaten we de volgende dans uit en Anders bestelde een cognac. Er kwam een kelner langs met een zilveren brandertje op wielen om het glas te verwarmen. Vervolgens liet Anders de cognac rondwalsen om er omstandig aan te ruiken. Ik wist dat het de hoogste tijd was om te doen waar ik voor was ingehuurd.

'Je hebt heel wat vijanden gemaakt in de wereld van Freud. Misschien zul je nooit meer in Wenen lunchen. Nu zit iedereen in spanning op het puntje van zijn analysedivan om te zien waar je straks weer mee op de proppen komt.'

'Als ik niet zo integer was, had ik goud geld kunnen verdienen aan de New York Psychoanalytic,' zei hij, terwijl hij zijn hand uitstak voor de volgende gehate dans.

In het besef dat ik iets had geraakt, ging ik erop door. 'Hebben ze je geld geboden?'

'In het academische wereldje noemen we dat "een studiebeurs voor het leven".' Zwierend over de dansvloer vervolgde hij: 'Wat dacht je dan? Die saaie pieten van therapeuten staan te trillen in hun Gucci's. Ze verdienen een goede boterham aan Freud. Denk je dat ze van plan zijn ten onder te gaan aan de waarheid? Wat moeten ze dan, in een kartonnen doos gaan wonen? Die mensen weten dat hun praktijk volksverlakkerij is. Kijk maar naar de resultaten van psychoanalyse. Studies wijzen uit dat patiënten er op lange termijn *niet* beter van worden.'

'Interessant. Hoe hebben ze dat gemeten?' Ik wist dat ik me liet afleiden van het onderwerp van zijn vijanden, maar ik wilde geen argwaan wekken. Dat zei ik tenminste tegen mezelf. In feite ben ik echter een methodoloog in hart en nieren.

'Ze hebben de verbetering van de symptomen gemeten. Is de patiënt minder angstig, minder gedeprimeerd enzovoorts nu de patiënt en de verzekeringsmaatschappij vijf jaar lang dagelijks in psychoanalyse hebben geïnvesteerd? Raad eens wat de uitslag was?'

'Geen verbetering van symptomen?'

'Precies. Dan mag je nu raden wat de reactie van de psychotherapeuten was op deze uitkomst.' Hij nam de tijd om mijn antwoord af te wachten. 'Stel je voor! Ze zeiden, slim bedacht, dat de onderzoekers de *verkeerde vragen* hadden gesteld. Ze hadden niet moeten vragen of de patiënten *genezen* waren, maar of ze zichzelf beter kénden dan voor de therapie.'

'Wat een giller. Kwamen ze daarmee weg?'

'Zeker weten. Door de vraag anders te stellen, was de uitslag van het onderzoek veelbelovend en kregen ze meer beurzen, academische aanstellingen en, het belangrijkste van alles, meer geld van de verzekeringsmaatschappijen.'

'*Iedereen* zou zichzelf beter leren kennen als ze een dagboek bijhielden of dagelijks een uur tegen de muur aan zouden praten,' voegde ik eraan toe. 'Je hoeft niet in therapie te gaan om jezelf beter te leren kennen.'

'Niet te geloven dat je dat zegt, want dat is precies wat de tegenstanders van het onderzoek ook beweerden. Om hun standpunt te bewijzen deden ze een experimenteel onderzoek naar vier groepen: de ene groep ging in therapie, de andere hield een dagboek bij, de derde sprak elke dag een uur tegen zichzelf en een werkelijk hilarische groep werkte met een computerprogramma waarbij steeds dezelfde twee vragen werden gesteld: "Wat vond je moeder daarvan?" en: "Vertel me daar eens iets meer over." Het programma was oorspronkelijk voor de grap geschreven door eerstejaarsstudenten van het MIT, het Massachusetts Institute for Technology, maar de mensen stonden in de rij om ermee te mogen werken.'

'Waar werden de beste resultaten mee behaald?'

'Met het MIT-programma. Mensen voelden zich in kortere tijd beter, hun symptomen waren verminderd én ze vonden dat ze zichzelf beter hadden leren kennen.' Anders gooide zijn leeuwenmanen in zijn nek en schaterde het uit. 'Die mensen begaan een moord om te zorgen dat ik mijn mond houd. Denk maar niet dat die geconstipeerde therapeuten de enigen zijn die het in hun broek doen. Dit is geen kattenpis. Het is de onbewuste schatkist van het onbewuste van de afgelopen tweehonderd jaar.'

De kelner kwam op onze lachsalvo's af met de vraag of we misschien nog iets wilden drinken, maar Anders vroeg om de rekening. Ik bood aan hem te delen, maar Anders sloeg mijn aanbod af. 'De academie betaalt. Ik zet het onder de rubriek "vergadering betreffende succesvolle overdracht".' Hij tekende en zei: 'Laten we nog een ommetje maken. Ik wil je dolgraag de Michaelerplatz en de Hofburg laten zien. De winterstallen zijn schitterend verlicht. Geloof me, ik zal je alles laten zien wat de moeite waard is in Wenen. Vergeet de twintigste eeuw en je ziet alleen de achttiende en negentiende eeuw.' Hij switchte moeiteloos van Freud naar de Weense architectuur.

'Dat is vast niet zo moeilijk op dit nachtelijke tijdstip.' Ook overdag had ik er meestal weinig moeite mee de twintigste eeuw te vergeten, maar ik wilde een beetje enthousiast overkomen.

'Als je in Londen bent, zal ik je ook meenemen voor een paar fantastische wandeltochten. Ga je snel omkleden, dan zie ik je straks bij mij thuis, Wipplingerstrasse 8, derde etage. Red je dat in een halfuurtje?'

'Het is al halftwee,' zei ik aarzelender dan ik me voelde, want zijn tong was goed geolied na al die wijn en cognac. Ik had weinig zin in een situatie te belanden waarin ik op de geijkte manier moest terugbetalen voor de jurk en deze avond.

'Nou en? Je bent toch geen Oostenrijkse?' vroeg hij uitdagend.

'Vooruit dan maar.'

We spraken af dat ik naar zijn huis zou komen. We namen vluchtig afscheid en hij zei nog: 'Trek stevige schoenen aan. We gaan wandelen tot het ochtend wordt en die straten met kinderkopjes lopen nogal ongemakkelijk. Bovendien ligt er vaak paardenstront op straat.'

7

EEN FORCEERDE GLIMLACH

> Het is altijd mogelijk een groot aantal mensen in liefde aan elkaar te binden, mits er maar genoeg anderen overblijven op wie zij hun agressie kunnen uitleven.
> – Sigmund Freud, *Het onbehagen in de cultuur*

Nadat ik iets makkelijks had aangetrokken, ging ik Jack nog even lastigvallen in zijn suite. Hij lag op bed Edith Whartons *De jaren van onschuld* te lezen. Ik zette mijn voet op een bijzettafeltje om de veters van mijn schoenen te strikken. 'Ik heb over vijf minuten een afspraak met Anders om een eind te gaan lopen.'

'Waar?'

'Bij hem thuis. Hij zei dat ik stevige schoenen moest aantrekken, dus ik denk dat hij het echt meent.'

Hij knikte op de manier waarop iemand knikt die vindt dat je er zo weinig van begrepen hebt dat het grappig begint te worden. 'De meeste kerels die je tegen tweeën 's nachts uitnodigen voor een bezoekje aan hun flat menen het echt, zoals je zegt.'

Ik strikte mijn veters en zei: 'Waarom zou hij me vragen stevige schoenen aan te trekken als hij iets anders van plan is?'

'Volgens mij is het zo'n type die erop kickt bergschoenen tot het summum van de avond te maken.'

Hij stond op. 'Ik volg je op ongeveer tien minuten afstand en sta buiten bij zijn flat, voor het geval je hulp nodig hebt bij het... wandelen.' Zijn grijns deed me beseffen waarom mensen dingen zeggen als, 'haal die grijs van je gezicht, anders sla ik hem eraf'. Maar hij gunde me de tijd niet er iets van te zeggen.

Hij liep met me mee naar de lift. 'Je kunt beter vast wat trefwoorden opschrijven.'

'Ik zal eraan denken. Hij heeft gedronken, dus ik wil toeslaan terwijl zijn tong nog los zit. Hij zit trouwens zo los, dat hij er bijna uit valt.' Misschien had ik zelf ook een druppeltje te veel op, want toen ik mijn jas dichtknoopte kon ik het niet nalaten om te zeggen: 'Ik kwam een vrouw tegen die bij ons in het vliegtuig zat. Ze vond de man met wie ik was zo'n knappe vent. Ik dacht natuurlijk dat ze het over Konzak had, maar je zult het niet geloven, ze bedoelde jou.'

'Vandaar dat ik er nooit vijf ruggen voor heb neergeteld,' zei hij en bleef recht voor zich uit kijken, in afwachting van de krakkemikkige lift. Hij sloot de ruitvormige liftdeur met de ene hand, stak met de andere een sigaret op en zei: 'Zorg dat je portable telefoon aanstaat. Bel me van de top van de berg als hij meer van je wil dan een beetje jodelen.'

In het Hofburgpark weerkaatsten de gele knoppen van de forsythia het maanlicht en verlichtten het pad, glanzend als goud. Konzaks huis stond in het oude getto van de Judenplatz, waar ooit de joden zaten opgesloten achter hoge hekken, maar de wijk was nu gerenoveerd en zag er Weens chic uit. Er waren denk ik tien appartementen in het gebouw, achter een gigantische dubbele deur die in een halve cirkel opendraaide op ouderwetse, ijzeren scharnieren. Erachter lag een binnenplaats met kinderkopjes en wijnranken, die al minuscule donkerbruine knopjes vertoonden. Een versleten marmeren trappenhuis, verlicht door roestige koperen hanglampen, leidde naar de appartementen.

Op de derde verdieping zag ik licht branden.

Waar was hij? De moed zonk me in de schoenen toen ik bedacht dat hij in zijn kamers op me zat te wachten. Potdorie, hij met zijn stevige schoenen, ik was er echt ingetrapt. Zeker het oudste versiertrucje in de Alpen. Anders zat waarschijnlijk in zijn kamer, poedelnaakt op zijn thermische sokken na en als ik binnenkwam zou hij keihard 'edelweiss' roepen.

Ik begon het koud te krijgen. Het was vroeg in de lente, maar vochtig en mistig. Ik had geen keus, ik moest naar boven. Toen ik de trap op liep en de echo van mijn voetstappen luid door het gebouw galmde, ging ineens het licht op de derde verdieping uit. Ik moest hardop lachen om mijn eigen stommiteit. Hoe had ik Anders' reputatie als rokkenjager ooit zo kunnen onderschatten? Kijk eens wat een werk hij van me had gemaakt. Op één dag had hij me mee uit lunchen en dineren genomen en vijfduizend dollar aan me uitgegeven. En daar klom ik dan de trap omhoog, midden in de nacht en een klein beetje aangeschoten. Strak zegt hij dat hij niet naar beneden is gekomen omdat hij me in zijn slaapkamer wilde laten zien hoe prachtig de schaduw van de goudenregen glansde in het maanlicht of zoiets idioots. Typisch Kate Fitzgerald om dat niet door te hebben. Dat had ik ook met Freud gemeen. Hij had nooit begrepen wat vrouwen wilden, ik had nooit begrepen wat mannen wilden.

Anders had de deur van zijn nest op een kier gelaten. 'Anders?' riep ik en stak mijn hoofd om de hoek van de deur. In het licht van de hal en het maanlicht dat door het raam scheen onderscheidde ik vaag een lamp. Ik struikelde er naartoe en vond met moeite het lichtknopje.

Ik bleek gestruikeld te zijn over Anders' lichaam. Hij lag op zijn rug met wijdopen ogen naar me te staren, zijn gezicht vertrokken in een grimas die op een geforceerde grijns leek. Zijn hoofd was praktisch van zijn romp gesneden, alleen de nekwervels waren nog heel. Het wiebelde als een kerstbal aan een gerafeld lint. Overal zat bloed – op de muren, het lichtknopje en vooral op het tapijt. Als ik liep, maakten mijn schoenen een zuigend geluid.

Plotseling werd alles donker en ik hoorde snelle voetstappen. Jezus, de moordenaar was nog in de kamer, achter de deur. Ik hoorde iets kraken in de gang. Ik rende voorbij het lichaam, maar ik gleed uit en viel. Ik kwam terecht in iets dat verrassend warm en glibberig aanvoelde. Ik hield mijn hand omhoog in het maanlicht om te zien wat het was. Bloed. Ik zat in een enorme plas bloed. Ik voelde het nog warme bloed dwars door mijn sokken heen op mijn benen.

Eindelijk bereikte ik de deur en keek naar buiten. Rechts lag de lege trap die ik net had beklommen. Links zag ik een deur dichtgaan en een schaduw gleed langs het verlichte nooduitgangbordje bij de brandtrap. Ik rende eropaf, greep de deurknop en begreep toen dat hij hem van buitenaf had afgesloten. Ik hoorde voetstappen de trap af rennen. Ik dacht weer aan mijn draagbare portable telefoon en haalde het uit mijn zak, maar ik was de code voor het nummer vergeten. Ik vond het ook zo'n nepperig detectiveding toen ik het kreeg. Ik vloog door het telefoonboek. Wat was het ook weer? Santo Domingo... een gevangenis... San Quentin. De telefoon zat onder het bloed en het kostte me veel moeite de kleine knopjes in te toetsen.

Jack nam zingend op, 'Climb Every Mountain.'

'*Luister naar me.* Anders is dood. Ik heb hem niet aangeraakt, maar zijn hoofd hangt er raar bij en er zit overal bloed. Ik heb eh... ik heb geprobeerd die vent tegen te houden, de moordenaar, weet ik veel. Hij was hier nog toen ik binnenkwam. Hij is ontsnapt via de brandtrap... Jack?' Mijn stem trilde, mijn mond was kurkdroog en ik kon geen zinnig woord meer uitbrengen.

'Ga zitten, waar je ook bent. Als je flauwvalt heeft niemand meer iets aan je.'

Ik gleed langs de gangmuur op de vloer en ademde een paar maal diep in.

'Ik ben bij de ingang. Hij kan niet ver weg zijn, tenzij hij een auto klaar had staan. Ik vind hem wel. Ga weer naar binnen zodra je ertoe in staat bent.'

De adrenaline gierde door mijn lijf, mijn hart bonsde staccato in mijn keel en ik voelde een strak aangetrokken elastieken koord rond mijn borst. Toen ik eindelijk tot iets meer in staat was dan mijn hart vast te houden, koesterde ik maar één hartstochtelijke wens: als de donder terugkeren naar mijn veilige cel en de tralies achter me dichtsmijten.

Ten slotte krabbelde ik overeind en strompelde terug naar de kamer, met achterlating van bloederige voetstappen. Ik weigerde naar Anders om te kijken. Toen ik de badkamerdeur opende, zag ik iets bewegen achter het douchegordijn, een nauwelijks waarneembare trilling. Het was niet bij me opgekomen dat het er meer dan één zou kunnen zijn, of dat er nóg iemand in de flat was. Had Jack daar niet even aan kunnen denken... Jezus!

Ik dwong de ene voet voor de andere en schoof het gordijn opzij. Raapte ik al mijn moed bij elkaar of deed ik gewoon wat ik dacht dat er van me werd verwacht? Misschien is moed niet meer dan de doodsangst van de vernedering. Ik zag alleen een zeepbakje. Misschien was het de tocht van de deur geweest die het gordijn in beweging had gezet. Alle deuren stonden open – van het medicijnkastje, de toilettafel en de andere kast in het kleine halletje. De moordenaar had naar iets gezocht, ook al was hij tevens van plan geweest Anders te vermoorden. Misschien zocht hij iets en kwam Anders op het verkeerde moment thuis.

Ik maakte een sprongetje van schrik toen ik een kast opendeed en een doodsbang wezen ontdekte dat eruitzag als een vervaarlijke rode duivel, van het soort dat zich achter bomen verstopt om ervoor te zorgen dat je nooit spijbelt van de catechismusles. Ik knipperde met mijn ogen en besefte toen dat ik naar mijn eigen bebloede lichaam keek in een manshoge spiegel aan de binnenkant van de kastdeur.

Ik hoorde iets en draaide me vliegensvlug om. Het kwam uit de andere kamer. Een stem fluisterde: 'Hallo? Hallo?' Het werd luider. 'Kate?'

Jack stond in de deuropening van de badkamer en zag me staan, onder het bloed. Hij sloeg zijn arm om me heen en hielp me naar het bed.

'Waar heeft hij je geraakt?' fluisterde hij.

Mijn hoofd voelde zo zwaar aan dat ik niet kon geloven dat ik het zo lang omhoog had weten te houden. Hij belandde op zijn schouder als een bowlingbal. 'Nergens. Ik gleed uit in het bloed toen ik weg wilde rennen. God, ik heb nog nooit zoiets gezien. Jij wel?'

'Nooit. Dit is niet het werk van een professionele killer.' Hij boog zich voorover en bestudeerde Konzak. 'Deze moordenaar is nogal *boos*.' Hij stond hoofdschuddend op en keek me aandachtig aan. 'Gaat het?'

'Jawel. Op de een of andere manier heb ik het gevoel dat het mijn schuld is. Ik had nooit moeten toestemmen zo laat nog naar hem toe te gaan.'

'Dat slaat nergens op. Of iemand wilde niet dat hij met jou sprak, of hij was toch al van plan hem vanavond te vermoorden, zonder te weten dat hij nog een afspraak had met jou. Heb je die vent gezien?'

'Nee. De deur van de brandtrap is van matglas, dus ik zag alleen een silhouet in het rode lampje van de nooduitgang. De deur viel automatisch in het slot toen hij dichtging, of hij sloot hem van buiten af.'

Jack blies de lucht via zijn mondhoeken uit, hij klonk als een blaasbalg. 'Shit. Het is toch verdomme nog aan toe niet te geloven.'

'Heb jij nog iets gezien?'

'Niets. Er scheurde een auto de straat uit en ik was te voet. Hij werkte niet alleen. Iemand heeft die branddeur voor hem opengehouden, of misschien heeft hij er zelf iets tussen gezet. Heb je hem zien bukken?'

'Nee, ik kwam er pas aan toen hij al bijna buiten was.'

'Neem even de tijd om je alles te herinneren wat je is opgevallen. Straks ben je het misschien vergeten.'

'Niets, eigenlijk. Het silhouet was vaag omdat het zo donker was. Wacht eens... ik rook een bekende lucht... het is nu weg. Ik rook het ook bij de nooduitgang toen hij ontsnapte.'

'Aftershave? Sigaar? Pijp?' vroeg Jack.

'Nee, maar een bepaald luchtje van thuis. Ik herinner het me uit mijn kindertijd. Het is nogal uitgesproken.' Ik duwde mijn vingers tegen mijn slapen om die geur te verbinden aan een bepaald woord.

Jack drong aan. 'Je kwam de trap op en toen?'

'Toen ik op de binnenplaats arriveerde brandde het licht, maar later ging het ineens uit. Ik dacht dat Anders een of ander versiertrucje op me los wilde laten als ik die donkere kamer binnenkwam, totdat ik het licht aandeed. Ik denk dat de moordenaar al die tijd achter die deur stond. Hij draaide het licht uit met de knop aan de muur en nam de benen. Ik had hem nog kunnen hebben, als ik niet in dat bloed was uitgegleden of als de nooduitgang niet op slot had gezeten.'

'Laten we even nadenken,' zei Jack, terwijl we naar de bende om ons heen staarden.

'Ik heb nog nooit zoveel bloed gezien,' zei ik, en probeerde de pijpen van mijn spijkerbroek van mijn benen te trekken. Ik kreeg het koud nu het bloed afkoelde.

'Als je een slagader raakt, spuit het eruit,' zei Jack en hij stak een sigaret op, terwijl hij door de kamer ijsbeerde. Hij blies de rook langzaam uit.

'Moeten we de politie niet bellen?'

'Dat kan niet. We zijn twee ex-gedetineerden met een dood lichaam in een vreemd land.'

Ik moest toegeven dat dat een netelige situatie was.

'We zullen zelf op zoek moeten naar de moordenaar. Als we hem vinden, dragen we hem wel over aan Gardonne of aan de politie.'

'Ik ben het laatst met hem gezien.'

'Niemand weet wie je bent.'

'Ik ben bij het archief geweest, heb met hem geluncht en vervolgens gedineerd. Allemaal openbare gelegenheden.'

'Nou en? Je bent gewoon een van de vele grietjes, hij had er drie, vier per week. Niemand weet hoe je heet. De politie gaat op zoek naar een inbreker, niet naar een blonde freudiaan.'

Zijn ogen schoten door de kamer. 'We moeten zorgen dat het er hier uitziet als een uit de hand gelopen inbraak, we nemen zijn paspoort, portefeuille en nog wat waardevolle spullen mee.' Hij keek op zijn horloge. 'We moeten hier weg zijn voordat het licht wordt. Dat geeft ons maximaal vier uur om de tapes te zoeken en alle documenten te lezen die we niet mee kunnen nemen.' Hij las de angst in mijn ogen en zei: 'Het zal wel even duren voor ze het lijk vinden. En morgenmiddag zitten we toch al in Londen,' en hij klopte op de tickets in zijn borstzak.

Ergens in de krochten van mijn geest wist ik dat ik zwaar in de puree zat. Om niet in paniek te raken zei ik tegen mezelf dat dit precies het scenario was waar Jack zich uit zou weten te redden. Het was allemaal veel te ingewikkeld geworden om de machtsstrijd met hem voort te zetten.

De vragen kwamen als duikbommen bij me op. Ik was al bang voor hun schaduw. Zorgt Jack voor een alibi, mocht ik er een nodig hebben? Zal Gardonne me steunen? Hoe erg klinkt het als ik pas een week vrij ben en nu al weer betrokken ben bij een moord? De paniek sijpelde mijn lichaam binnen als gesmolten staal. Ik probeerde het de baas te blijven, maar het verspreidde zich van de ene cel naar de andere en ik voelde de hitte ervan branden. Ik hoopte dat het een beschermende laag om mijn hart zou vormen zodra het was afgekoeld. Ik moest dat spervuur van vragen een halt toeroepen, mezelf weer in bedwang krijgen of anders zou ik te veel in paniek raken om door te gaan. Ik kon maar het beste aannemen dat we de moordenaar zouden vinden als ik Jacks instructies opvolgde. God weet dat ik de judaskus van mijn man uit mijn geheugen had gewist en daarna mijn vaders kille afstandelijkheid tijdens de rechtszaak. Gardonne had ik nooit vertrouwd, maar meer kon ik echt niet hebben. Het was genoeg geweest. Nog één druppel verraad en ik knapte.

Jack leek totaal niet onder de indruk te zijn. 'Ze zochten hier iets,' zei hij, terwijl hij Anders op zijn zij schoof en zijn portefeuille rolde.

Toen Anders' arm op de grond smakte, kon ik alleen nog maar denken: God zij geloofd voor bloedstolling.

'Hij zocht de tapes van Anders. Wat had hij nou ook weer opgenomen, hij heeft het me gezegd.' Ik leunde tegen de muur, sloot mijn ogen en probeerde in mijn hoofd af te spelen wat hij allemaal had gezegd in het restaurant.

'Hij zei dat Dvorah Little het interview met hem had opgenomen en hem heeft belasterd met onjuiste uitspraken in een tijdschriftartikel. Anders klaagde haar aan wegens smaad, maar ze zei dat ze de tapes was kwijtgeraakt. Hij zei dat hij zich geen zorgen maakte over de rechtszaak, omdat hij zelf ook tapes had.'

'Wist Dvorah Little dat hij het gesprek opnam?'

'Ik denk van niet, maar ik weet het niet zeker.' Toen ik mijn ogen weer opende en de afgrijselijke scène van die kamer weer voor mij opdoemde, voelde ik het brandend maagzuur opkomen dat je krijgt als je te veel koffie hebt gedronken en te weinig hebt gegeten.

Jack trok een wenkbrauw op. 'Zorg maar dat je je dat gesprek aan tafel woord voor woord herinnert. Het was zijn laatste avondmaal.'

'Ik herinner het me in elk geval beter dan hij,' zei ik, terwijl ik op Anders neerkeek. Nu zijn gezicht uitdrukkingloos was, viel me op dat hij lang niet zo aantrekkelijk was als iedereen dacht. De helft van zijn charme zat hem in zijn energieke zelfverzekerdheid die mensen aantrok als een magneet. Zonder die kwaliteiten was het een doodgewone blonde veertiger die al begon af te takelen.

Zijn onschuld trof me diep. Hij had geen idee hoe hij de woede van anderen moest inschatten, omdat hij zich altijd geliefd had gevoeld. Hij nam aan dat ze hem zagen als schrander en intelligent, zij het wat onstuimig. Zijn veilige troon was nooit bedreigd geweest en hij kon zich niet voorstellen dat hij zich ooit wanhopig zou voelen.

Jack haalde zijn zakken leeg en vond een doosje TicTacs, een pakje papieren zakdoekjes en een opgevouwen stukje geel papier, netjes afgesneden in een rechthoek van tien bij zes centimeter. In het midden stond in een keurig handschrift met zwarte markeerstift de volgende tekst geschreven:

het is the name game

We haalden allebei onze schouders op, we hadden geen idee wat het betekende.

Nadat ik iedere vierkante centimeter van de woonkamer en de kast had doorzocht, ging ik terug naar de slaapkamer, waar Jack met zijn voeten omhoog achter Anders' bureau zat, met een berg correspondentie voor zich. Alles wat hij al had doorgenomen lag op een grote stapel naast hem, met allemaal van die gele papiertjes ertussen.

Hij lette nauwelijks op me toen ik de stapel doorkeek en mompelde: 'Anders heeft verschillende dreigbrieven ontvangen. Vooral deze klinkt geniepig.' Hij was geschreven op hetzelfde gele papier als de vorige:

alleen de sterksten overleven

'Toen Darwin het zei, klonk het lang zo dreigend niet.'

Ik dacht even na. 'Nee, Darwin heeft het nooit gezegd. Herbert Spencer heeft het bedacht en daarna is het door negentiende-eeuwse kapitalisten overgenomen om alles te rechtvaardigen, van kinderarbeid tot gevangenisstraf voor schuldenaars.'

'Ik weet niet hoe het daar bij jou was, maar bij mij werd het aangehaald door de gemeenste misdadigers om alle rotstreken te rechtvaardigen die ze maar uithaalden.'

'Logisch dat Darwin een onbekende ziekte kreeg,' zei ik hoofdschuddend.

'Ik zou er ook doodziek van worden als mijn theorie werd gebruikt als semi-wetenschappelijke rechtvaardiging voor de grote jongens om de kleintjes uit te zuigen,' reageerde Jack.

'Natuurlijk. Waarom denk je dat de *Oorsprong van soorten* zo'n bestseller is geworden... omdat iedereen zo dol op insecten was? Het liet elke schoorsteen in Engeland branden als een fakkel.'

'Dus dit versje,' zei hij en hield het gele papiertje omhoog, 'kan een dreigbrief zijn, of simpelweg iemand die Darwin aanhaalt, zij het foutief, of beide.' Hij plakte er een fluorescerend briefje op met de letters *N.B.*

Ik bladerde wat door Anders' oude dagboeken en stopte bij een vreemd geel stukje papier, net zoiets als de briefjes die Jack gebruikte om bepaalde pagina's te markeren. 'Zijn die vreemde gele plakpapiertjes alleen in Europa te koop?'

'Nee, hoor,' antwoordde hij. 'Deze heb ik in Toronto gekocht, ze zijn overal te koop. Het zijn Post-Its.'

28 oktober 1980

Heb de beroemde, geniale moordenares Kate Fitzgerald ontmoet, afkomstig uit een bekend nest in Toronto. Vader – beroemde rechter – toonaangevende intellectueel in strafrecht. Nooit iemand ontmoet die criminelen bestudeerde en er zelf geen was. Meestal hebben ze het lef niet om een echte crimineel te worden, dus bestuderen ze ze of ze flikflooien in de rechtszaal om ze vrij te krijgen. Slimme psychopaten worden strafrechters of advocaten, de domme worden gewoon crimineel. Wat zou een 'autoriteit' op het gebied van strafrecht anders kunnen produceren dan een crimineel? Ze heeft geen draad van papa's keurige dekmantel heel gelaten, ik vind het te gek.

Ze druipt van de aristocratische elegantie, maar dat doet niets af aan haar fantastische kont en benen die tot de hemel reiken, waar zelfs die lompe Birkenstocks niets aan afdoen, en pronte tieten. Als ik dat nou eens mocht bekijken in een sexy zwart jurkje met zwartkanten kousen, dan trek ik haar dat wel weer uit... mag ze alleen die kousen aanhouden. Ik zou wel zorgen dat ze haar seksualiteit ontdekte, enkel en alleen voor mij. Voor de rest van de wereld blijft ze haar jeans en geruite overhemden dragen. Het zou iedereen opvallen hoe ze speciaal voor mij verandert, terwijl ze er voor de rest van de mensheid als een pot blijft uitzien. Wat een natte droom!

Ze gaf vandaag een lezing aan het Toronto Instituut voor Psychotherapeuten en andere idioten (onder gewapend escorte, met een dagpas). Wat zou dat met je doen? Waarschijnlijk niet zo gek veel meer, gepokt en gemazeld als ze is door haar nucleaire familie.

Fitzgerald maakte gehakt van die branieschopper van een dr. Blasser, die stelde dat de freudiaanse theorie in feite een weten-

schap is. Terwijl ze de vloer aanveegde met die lul (een kort bezempje, vrees ik), attendeerde Kate Fitzgerald hem erop dat een theorie pas als wetenschap kan worden aangemerkt als hij bewezen en weerlegd kan worden. Freud is niet te weerleggen. Degenen die daar een poging toe doen verzetten zich slechts tegen zijn theorie, om met de wijze woorden van de heren psychoanalytici te spreken. Bij welke wetenschap worden degenen die de theorie aan de kaak stellen de non-wetenschappers of de ketters? Schiet nou toch op!

Ik kon haar voorbeeld van de bloedzuigers in de negentiende eeuw wel waarderen. Artsen hadden potten met bloedzuigers bij zich om het 'zieke' bloed eruit te laten zuigen, ter genezing van de patiënt. Gek genoeg werd er nooit iemand beter (doet dat niet denken aan de psychoanalytische theorie?), maar dat viel niet te bewijzen. Je kon alleen zeggen dat het bij een bepaalde patiënt niet werkte; of het is de patiënt die zich verzet tegen de bloedzuigers, of de familie heeft de patiënt opgezet tegen bloedzuigen. Het werkte niet, jammer, je bent te oud voor de bloedzuigmethode.

Blasser zat met kromme tenen toen ze het onderwerp frenologie aansneed. Franz Gall en al die andere idioten geloofden dat ze aan de hand van de maat van de bulten op de schedel, met name de medulla oblongata, iemands IQ konden bepalen. Het is niet veel gekker dan de methoden die ze vandaag de dag hanteren. Toen de frenologen hoorden dat Descartes' schedel hem tot een idioot zou bombarderen, zeiden ze simpelweg: nou ja, hij is altijd overschat. (Ik moet die argumenten onthouden voor wanneer die eikels mij niet-wetenschappelijk noemen.)

Fitzgerald nam de tijd om vragen te beantwoorden, maar weigerde lid te worden van de Toronto Psychoanalytic-kudde toen ze haar een lidmaatschap aanboden. De reden was wat flauwekul over niet objectief kunnen zijn in samenwerkingsverband. Zeker paranoïde. Is prima in een rigide structuur, maar stort in elkaar zodra ze buiten is (waar de echte vijanden zitten), zoals die moordenaar Norman Mailer bepleitte.

Werd voorwaardelijk vrijgesproken en vermoordde op de derde dag een serveerster. Daar had hij ook een goede reden voor... dat zouden ze op alle personeelstrainingen van de Pizza Hut moeten voorlezen: ze had de bestelling van iemand anders eerst gebracht, terwijl hij veel eerder had besteld. Dat is toch genoeg om nooit meer iets anders te willen dan zelfbediening!
Fitzgeralds misdaad was interessant. Een beetje vaag, hier en daar. Ik geloof dat ze zei dat ze haar man had vermoord uit medelijden, of anders was het zelfverdediging of zo. Misschien had hij wel gezegd dat hij eerst haar wilde vermoorden en dan zichzelf, het gewone melodramatische werk in een depressie. Manlief had echter brieven rondgestuurd waarin hij schreef dat ze van plan was hem te vermoorden. Zijn manier om de politie te waarschuwen, maar die liet hem rustig verrekken. Ik kan me haar wel voorstellen, ze was doodziek van die zeurkous en schoot hem neer, zoals een normaal mens een muizenval zou zetten... ze zijn van harte welkom, maar komen er nooit meer uit.
De moraal van dit verhaal: monogamie is dodelijk.
Ze bedierf het voor zichzelf tijdens de rechtszaak. Toen zijn ouders huilend hun verhaal deden, zat zij te gapen. Haar ouders sloegen de beslissende nagel in haar doodskist. Waarom zou een jury je geloven als je eigen ouders je laten zakken? Geen financiële steun, ze moest het hebben van rechtsbijstand. De pers heeft het gegeven dat haar ouders haar haar rechten ontnamen breed uitgemeten. Ouders zeggen altijd: 'Als je in de fout gaat, moet je niet bij mij komen uithuilen!' Meestal menen ze er niets van, maar de Fitzgeraldjes wel.
Iedereen is dol op moordenaars. Zij hebben het lef om te doen waar de rest van ons alleen maar over fantaseert. De beschaving heeft lafaards van ons gemaakt. We moesten onze instincten wegmoffelen, behalve dan de instincten die de beschaving vooruithelpen. Wat een keurslijf! Waar is verdomme de nobele wilde gebleven? Waarom mogen alle andere zoogdieren elkaar afmaken voor een wip? Ze moeten wel, want anders kunnen ze

hun genen niet doorgeven. Chuck Darwin had dat goed in de gaten. Seks en agressie zijn twee kanten van dezelfde medaille. Hoe agressiever je bent, hoe meer seks je krijgt. (Vraag maar eens aan een geile walrus hoe hij aan al die littekens komt.) Van mensen wordt verwacht dat ze sublimeren door naar worstelwedstrijden te gaan of pornofilms te kijken, of tranentrekkers of wat dan ook. Geen wonder dat er miljarden worden verdiend aan de porno-industrie. Freud zegt dat we in ons primaire proces geen onderscheid maken tussen goed en slecht, we willen alleen onze instincten volgen. We zijn geboren om te doden. Ik bedoel, waarom zouden we anders zo geïnteresseerd zijn in moordenaars? Dat is ook het mooie van oorlog, dan mogen we doden voor een goede zaak.
Als een vrouw een moord pleegt, weet je meteen dat ze sexy is. Fantasie – wees de man die de feeks weet te temmen. Daar zit heel wat mannelijke kracht in. Ik zou best door Kate Fitzgerald doodgeschoten willen worden. Wat is er nu aan om een vrouw vijf minuten te neuken en haar vast te pinnen? Wat mij betreft is dat meer iets voor tseetseevliegen. Ik houd wel van een pittig wijf. Als haar moordenaarsinstinct al zo ontwikkeld is, hoe zal haar seksuele instinct dan wel niet zijn?

Jack zat me aandachtig te bestuderen. 'Tjonge!' Ik liet de lucht ontsnappen die ik al die tijd had ingehouden. 'Volgens mij heeft hij iemand gevonden die zijn agressieve instincten niet sublimeerde.'

Als het gros van de mannelijke homo sapiens er zo over denkt, mag het een wonder heten dat er niet meer seks- en geweldsmisdrijven worden gepleegd. Beschaving moet wel een sterke macht zijn om al dit soort dingen onder de dekens te houden. Of misschien is het er allemaal wel, in afgezwakte vorm, en snap ik het gewoon niet, zoals sommige mensen geen jota snappen van wiskunde. Als ik er alleen al aan denk hoe infantiel ik al dat geroddel van mijn moeder en zussen altijd vond. Nu begrijp ik dat het hun manier was om een beetje stoom af te blazen, zodat het deksel er niet af zou vliegen. Zelf heb ik maar meteen voor moord gekozen. Volgens mij had ík nou juist weer wel wat sublimatie kunnen gebruiken. Nou ja, laten we het daar maar niet meer over hebben. Ik leg mijn onbegrip over Anders gewoon op de stapel onbegrip over andere mensen die er al ligt. Ik dacht echt dat hij me wilde spreken over Freud. Logisch dat Jack me uitlachte.

'Kijk even naar die bladzijde een eindje verderop, waar ook een Post-It op zit. Die dateert van een maand of zes later.' Hij zag mijn aarzelende blik en voegde eraan toe: 'Niet alles gaat over jou, hoor.'

10 april 1981

Ik kreeg vandaag weer een tip van die paranoïde figuur. Ik krijg de zenuwen van hem, hij zit me constant achter de vodden. Ik moet er snel iets aan doen. Ik snap niet waar hij zo moeilijk over doet. Naar het Princeton Centre voor gevorderde studies is hij nooit geweest. Er is een groot verschil tussen paranoïde overpeinzingen en een goed doordachte theorie. Ik heb deze paranoïde strohalm tot een gouden wetenschappelijke theorie gesponnen. Maar dat ziet hij natuurlijk niet.

'Iemand heeft Konzak van info voorzien en krijgt er geen erkenning voor,' zei ik.

'Interessant, hè? Tussen twee haakjes, we hebben nog maar een uurtje voordat het licht wordt. We nemen het dagboek en die twee maffe gele memo's mee. Laat de rest maar liggen. Ik heb zijn Rolex en zijn walkman meegenomen, dus het ziet eruit als roof.'

Voordat we Konzaks appartement verlieten, sleepte Jack zijn lichaam naar de badkamer en smeet het in de badkuip. Ik wierp een blik in de gangspiegel. Nu het bloed was opgedroogd zag ik er niet meer uit als de duivel, maar meer als een roestige IJzeren Man. De mooie blondine was verdwenen, vervangen door een vermoeide vrouw van een zekere leeftijd met nog een restje glitter op haar oogleden.

Uitgeput slopen we door de smalle Weense straten terug naar

ons hotel. De stad was magisch toen het ochtendlicht de daken goud kleurde. Zonder andere mensen om ons af te leiden stond de St. Stephen's kathedraal ons toe te stralen in al zijn gotische pracht. Hij was geteisterd door blikseminslag, aardbevingen en mensen. De Russen staken hem in 1945 nog in brand. Dit wonderbaarlijke gebouw was sinds 1450 herhaaldelijk opnieuw verrezen uit zijn eigen puin. Ergens in de muren zitten zelfs twee Turkse kanonskogels verstopt. Hoe rot ik me ook voelde, ik probeerde eraan te denken dat ook hij zijn slechte dagen had gekend en nog steeds overeind stond.

Volgens Jack moesten we eerst een warme douche nemen en dan een paar uur gaan slapen voordat we weer konden nadenken. Hij voerde aan dat het een grote vergissing was om belangrijke plannen te maken na een traumatische ervaring. Ik was niet volledig van de wereld, maar ik had het gevoel of mijn neurale activiteit niet meer zo actief was, net als zo'n EEG-apparaat op de intensive care dat alleen nog maar een rechte lijn laat zien als de patiënt is overleden. Ik had ooit geleerd dat dieren na een traumatische ervaring uren of zelfs dagen doodstil blijven zitten. Het schijnt het beste te zijn om een winterslaap te houden of zelfs ronduit catatonisch te worden totdat het gevaar is geweken, als je wilt overleven. Ik vond het zelf bijna niet te geloven dat ik, hoe ik ook mijn best deed tot het tegendeel, mezelf voelde wegzakken alsof iemand een heel infuus valium in me leegpompte.

Eenmaal in de hotellobby kreeg ik nauwelijks nog een voet vooruit. In de fitnessruimte van het hotel moest ik me van Jack helemaal uitkleden, tot en met mijn schoenen, zodat hij de boel kon weggooien. Daarna mocht ik naar mijn kamer, in een badjas met het hotellogo erop. Toen ik hem vroeg wat hij met mijn spullen ging doen, zei hij dat het beter was als ik dat niet wist, voor het geval ik ooit ondervraagd zou worden.

Jack had voor de zoveelste keer gelijk. Na een douche en een paar uur slaap was de mist in mijn hoofd geheel en al opgetrokken. Toen er werd aangeklopt, schoot ik weer in mijn badjas en kroop naar de deur. Met een brede grijns en de woorden 'met de complimenten van de onkostenrekening' gooide hij een tas met een complete kledingwinkel erin op mijn bed. Ik haalde er een zwarte spijkerbroek uit van Ralph Lauren, extra lang, een zwarte, kasjmieren v-halstrui, een donkergrijs T-shirt en drie paar sokken, thermisch, katoen en kasjmier. Niet verkeerd.

Toen ik helemaal in het nieuw uit de badkamer kwam, opende ik de andere tas en trof een paar gympen aan, knalblauw met gele strepen. 'Wie koopt er nou zoiets? Wat staat erop? "Sneldrogende Gore-Tex?" Ze zien eruit als de vlag van Bosnië! Hebben ze soms geen leren schoenen in Oostenrijk? Wat klikten die nazi's dan tegen elkaar als ze de groet uitbrachten, Gore-Tex? Wat droeg mevrouw Von Trapp toen ze de bergen in trok om aan de nazi's te ontsnappen? Gore-Tex?'

'We leven in 1982. Sinds Madame Bovary draagt niemand meer leren bergschoenen.'

Toen Jack en ik over de Hoher Markt liepen om te gaan lunchen, stond ik plotseling stil en zei: 'Ik hoor Haydn.'

'Dat komt van de stress.'

'O ja? Kijk eens omhoog.' We zagen het beroemde Ankeruhr dat een brug vormde tussen twee gebouwen en waar om het hele uur een beeld van een historisch personage op ware grootte op passende muziek voorbij paradeerde. We hadden geluk, het was twaalf uur en ze kwamen alle twaalf in processie naar buiten om zich voor te stellen.

'Het is net een stel verdachten op een rij,' zei Jack lachend.

Na die sneer van Jack, toen ik nog zo beïnvloedbaar was als de pest in mijn posttraumatisch stresssyndroom, kregen de levensgrote historische beelden inderdaad alle sinistere kenmerken van een rij verdachten van moord. Toen Marcus Aurelius langzaam langs het raam op de brug verscheen en naar buiten schoof om ons te begroeten, zei ik: 'Daar hebben we Conrad von Enchanhauer, hoofdverdachte, zeer gerespecteerd freudiaans therapeut, schrijver en denker. Duitse Jood die de oorlog overleefde en met de vrouw trouwde die hem liet onderduiken. Hij heeft Freud zelfs nog gekend en is bij hem in analyse geweest. Hij zit zo dicht bij de bron als maar mogelijk is, want hij is een van de weinige vertrouwelingen van Anna Freud. Hij vond een gewillig oor in James Strachey, de vertaler van de verzamelde werken van Freud in 23 delen. We hebben het hier over de man die tientallen jaren de functie van directeur van de Freud-academie bekleedde, totdat hij te oud werd en Anders Konzak aanwees als zijn opvolger.'

'Ik hoop niet dat dat een van zijn betere beslissingen is geweest,' vulde Jack aan.

'Konzak zei dat Conrad von Enchanhauer "dol" op hem was. Ik citeer.'

'Sommige mensen smijten met dat soort woorden alsof ze in een praatprogramma zitten. Jij bent er een tijdje uit geweest, maar in de afgelopen tien jaar zijn mensen met kooswoordjes gaan strooien alsof het confetti is. Maar,' gaf hij toe, 'het is een interessante woordkeuze.'

Terwijl we pal voor de klok op de volgende verdachte stonden te wachten, vroeg Jack: 'Hoe wist je dat dat Marcus Aurelius was?'

'Ik ben hier jaren geleden al eens geweest. Maar ik weet vooral hoe Marcus Aurelius eruitzag omdat mijn vader me eens een poster van hem heeft gegeven voor boven mijn bed. Er stond een citaat op uit zijn *Zelfbespiegelingen*: "Als je 's morgens vroeg niet uit je bed kunt komen, bedenk dan: ik sta op om mijn taak als mens te vervullen."'

'Was dat bedoeld ter inspiratie?'

De met goudfiligraan bewerkte klokkenpoorten gingen weer open. Ditmaal dansten koning Rudolf en zijn gemalin Anna von Hohenberg voorbij. 'Dat is natuurlijk Anna Freud, aan de hand van haar vader. Laten we niet vergeten dat Konzak haar vader belasterde, de man die ze aanbad. Ze heeft de nazi's het hoofd geboden voor papalief.'

Ze werden vervangen door keizerin Maria Theresa in haar mooiste gewaad, in gezelschap van keizer Franz I. 'En daar hebben we Dvorah Little die de Strasse oversteekt om niemand minder dan Konzak zelf te interviewen. Konzak klaagde haar aan wegens smaad voor haar artikel over hem in de *Metropolitan Life*. Ik denk dat de hemel neerdaalde op juffertje Little want, zoals Konzak zei, ze kwam met de stomste excuses en zei dat ze de tapes was "verloren". Konzak zou echter zijn eigen tapes hebben, wat dat ook moge betekenen. Ze zat in de nesten voor miljoenen, tenzij Konzak voortijdig zou gaan hemelen.'

Toen kwam er een vreemd klein mannetje naar buiten voor zijn dagelijkse ommetje, ik denk dat het de dichter Walter von der Vogelweide was. 'Vreemde snuiter,' zei Jack, 'zelfs voor een vent van honderd jaar geleden.'

'Laten we de gevoelige geleerde niet vergeten, mogelijk paranoïde of zelfs compleet gek die een spelletje speelt. Ik weet er het fijne niet van, maar de verwijzing in Konzaks dagboek naar "paranoïde overpeinzingen" en de gele memo's met "het is the name game" en "alleen de sterksten overleven" zijn een soort code. Ik vermoed dat de "paranoïde overpeinzingen" en de gele briefjes naar een en dezelfde persoon leiden. Ik heb ooit eens ergens gelezen dat paranoïde mensen vaak op een rare manier papier uitknippen voor bizarre doeleinden. Wist je dat?'

'Jij bent de deskundige op paranoiagebied,' antwoordde hij.

Ik dacht even na en opperde: 'Misschien zijn de teksten op die gele briefjes gewoon de naam van een café of zo. Daar zou ik beginnen, als ik jou was. Misschien is er wel een café The Name Game in Londen, New York, Toronto, Wenen of zelfs Rhode Island, waar Konzak vandaan komt. Eerlijk gezegd heb ik er mijn twijfels over. Mensen scheuren eerder luciferboekjes of bierviltjes kapot om de naam van een bar te noteren.'

'Dat lijkt mij ook. Ik heb nog nooit een mooie vrouw in een kroeg ontmoet die zei: "Even wachten, hoor. Ik moet een stuk papier van tien bij zes centimeter knippen om je nummer te noteren."'

'Dat bedoel ik. Obsessieve karakterstructuren pikken geen mensen op in bars.'

'Tenzij dat nou juist hun obsessie is,' zei Jack grijnzend.

Intussen kroop keizer Maximiliaan voorbij. Jack was er intussen helemaal in en zei: 'Dappere Dodo hier vertegenwoordigt een groep "verontruste burgers". Het zou me niet verbazen als dit alles veel grootschaliger is dan één maniakale moord.'

Dat wilde ik wel geloven. 'Misschien zijn er een paar hoge jongens in Washington bij Freud in analyse geweest en willen ze niet dat hun dossiers bekendgemaakt worden.'

'Ja, zoals die vent, Thomas Eagleton, die begin jaren zeventig ongeveer vijf minuten in de race zat voor het vice-presidentschap, totdat bekend werd dat hij ooit in behandeling was geweest voor een depressie. Niemand wil een vent aan de rode telefoon die ooit elektroshocks heeft ondergaan.'

'Hoe weet je dat nu weer?' vroeg ik verbaasd.

'Het nieuws is een van mijn vele verslavingen.' Hij zweeg even en vervolgde toen: 'We moeten behoedzaam te werk gaan. Freud is in 1939 gestorven, dat is ruim veertig jaar geleden.'

'Hoe oud zijn Bush, Reagan, Chip O'Neill en Ted Kennedy? Sommigen van hen waren veertig jaar geleden toch zeker volwassen. Als zij bij Freud in analyse zijn geweest, of Konzak heeft materiaal over hen gevonden, dan zouden ze hem onverwijld het zwijgen opleggen en het een freudiaanse vergissing noemen.'

'En al die mensen die bij Anna Freud in analyse zijn geweest? Dat is een heel andere generatie. Misschien een kind van rijke, beroemde ouders dat inmiddels volwassen is en niet wil dat het wereldnieuws wordt dat hij zo graag op mama's hoge hakken rond wiebelde,' bedacht Jack.

'Nog even daargelaten dat Konzak naïef genoeg was om ze te laten wéten wat hij naar buiten zou brengen,' zei ik.

'Naïef genoeg of ronduit stom.'

Karel de Grote sloot de rij, klaar voor de strijd. Zijn fantastisch bewerkte houten troepen volgden hem trouw. 'Daar hebben we Gardonne en de North-American Psychoanalytic Society. Konzak suggereerde tijdens het diner dat ze hadden geprobeerd hem om te kopen. Hij zei dat ze het een "studiebeurs voor het leven" noemden. Ik denk dat hij hun aanbod om drie redenen heeft afgeslagen: ten eerste zei hij dat hij te integer was om een academische afkoopsom aan te nemen en vreemd genoeg denk ik dat dat wel klopt. Ten tweede zou hij het me nooit verteld hebben als hij het wel had aangenomen. Ten derde heeft hij geen geld of baan nodig. Het is geen goed idee om iemand om te kopen met iets wat hij niet nodig heeft.'

Jack vroeg: 'Denk je dat Gardonne zijn chantagepogingen alleen uitvoerde of sprak hij voor de vereniging als geheel?' Toen ik mijn schouders ophaalde, vervolgde hij: 'Ik betwijfel of Gardonne Konzak het zwijgen op wilde leggen. Per slot van rekening heeft hij ons juist ingehuurd om hem aan het praten te krijgen.'

'Wie weet heeft hij mij wel uitgekozen om te zien of Konzak bereid was ons iets te vertellen, omdat Gardonne wist dat hij me de mond kon snoeren.' Jack keek me ongelovig aan. 'En jij bent ook een ex-gedetineerde die zijn halve leven achter de tralies heeft doorgebracht en gemakkelijk afgekocht kan worden. En als hij je niet kan afkopen, weet hij vast nog wel het een en ander van je uit je gevangenistijd.'

'Denk je heus?' vroeg Jack, zonder ook maar enige emotionele betrokkenheid te tonen.

'Ik heb geen flauw idee wat jij zou doen en dat kan me ook niet schelen, ik zeg alleen hoe berekenend Gardonne kan zijn. Vergis je niet, hij heeft niet voor niets twee ex-gedetineerden uitgezocht. Dat is heus niet omdat hij een fan is van John Howard. Gardonne houdt zich uitsluitend en alleen met Gardonne bezig.'

'Ik luister,' zei hij, terwijl hij zijn ogen op de deuren gericht hield om niets van de volgende historische figuur te missen. 'Wat een klok, zeg. Dat iemand die levensgrote beelden heeft uitgesneden en een mechanisme heeft ontwikkeld dat de hele boel op gang houdt en nog de tijd aangeeft ook.' Hij schudde bewonderend zijn hoofd en keek aandachtig naar de beelden die langs paradeerden op de maat van de muziek van Beethoven, die zijn meesterwerk een paar straten hier vandaan schreef.

'Gardonne staat niet boven chantage, hij heeft alleen een conservatievere aanpak gekozen. Voordat hij een hoop geld neertelt, wil hij niet alleen weten wat Konzak weet, maar ook wat hij wel of niet aan de grote klok wil hangen.'

'Wat denk je dat Gardonne van plan was als hij er eenmaal achter was welke informatie je uit Konzak kon trekken?'

'Chantage. Misschien zelfs moord, al klinkt dat nog zo vergezocht,' antwoordde ik.

'Ik heb hier en daar wel eens een moordenaar ontmoet. Hij lijkt me niet het type.'

'Geloof me nou maar, hij is niet bang voor onplezierige klusjes, hij delegeert ze alleen aan mensen die ervoor geleerd hebben.'

'Een huurmoordenaar?'

'Bingo.'

'Als het een huurmoordenaar was geweest, was Konzak wel wat netter de pijp uitgegaan. Overdrijf je niet een beetje?'

'Ik weet dat het zo overkomt, maar stel dat ik gisteravond tegen je had gezegd dat ik niet met Konzak uit eten wilde omdat ik dacht dat hij het eind van de avond niet zou halen? Dat had ook reuze overdreven geklonken.'

'Waarom zou Gardonne ons inhuren om onderzoek te doen naar Konzak om hem dan op de eerste dag te laten vermoorden?' vroeg Jack traag, alsof hij wilde aftasten hoe ver mijn paranoia ging.

Ik wist dat ik een groot risico nam als ik doorging. Als ik hem vertelde wat ik werkelijk dacht, zou hij denken dat ik absoluut in de paranoiavleugel thuishoorde. Per slot van rekening had Gardonne hem in zijn brief gewaarschuwd dat ik in geval van emotionele stress sneller in de paranoia wegzakte dan de seriemoordenaar Son of Sam.

Ik besloot het te riskeren. 'Gardonne heeft geprobeerd Konzak met zwijggeld af te kopen, zonder resultaat. Wat moest hij toen doen? Misschien regelde hij een huurmoordenaar en speelde hij het zo dat hij ons de schuld kon geven, of liever gezegd mij, de laatste persoon die hem in leven heeft gezien. Vreemd dat het precies is gebeurd op de avond dat wij samen waren.'

Jack knikte, maar aan zijn gezicht was niets af te lezen. Hij stond met zijn benen als boomstammen stevig op de stoep, zijn armen over zijn brede borst gekruist. We wachtten zwijgend af tot de volgende verdachte de klok uit wandelde. Met een sigarettenpeuk in zijn mondhoek mompelde hij: 'Dit soort financiële intriges waar drie partijen bij betrokken zijn is een soort ethisch drijfzand. Je moet niet alleen zorgen dat je zelf buiten schot blijft, maar je moet uitkijken voor de ethiek van de klant. Je kunt je zonder het te weten in een hoop wespennesten steken.'

'Ik snap ook niet dat jij altijd doet wat je klant wil,' zei ik.

'Ik weet wat ze willen en ook al ben ik het er niet altijd mee eens, ik houd er geen verborgen agenda op na. Ik heb geen zin om zonder het te weten medeplichtig te zijn aan Gardonnes misdaad, als die er al is,' zei Jack, terwijl hij zijn nek masseerde.

'Zijn we volgens de wet dan medeplichtig?'

'Dat hangt van veel dingen af. Mag ik je iets vragen? Waarom heb je deze klus geaccepteerd als je Gardonne niet vertrouwt?'

'Als ik hem niet had "geaccepteerd" zoals jij zo eufemistisch stelt, zou hij mijn voorwaardelijk proefverlof en uiteindelijk mijn invrijheidstelling hebben geweigerd.'

'Zei hij dat dan?' vroeg hij op een toon waaruit ik opmaakte dat hij me nu werkelijk verdacht van de paranoia waarvoor hij in de brief was gewaarschuwd.

'Hij zei het niet, maar liet het duidelijk merken. Hij is veel te slim om zo'n bedreiging openlijk uit te spreken.' Ik wist dat ik pathetisch en zelfs paranoïde overkwam, want ik kon niets hard maken.

De klok zweeg. Alle beelden waren weer terug in hun hok en de deuren vielen dicht.

DEEL II

FIJN PORSELEIN

8

TICKET TO RYDE

Come... to the Isle of Wight;
Where, far from noise and smoke of town...
You'll have no scandal while you dine,
But honest talk and wholesome wine,
And only hear the magpie gossip
Garrulous under a roof of pine.
– Alfred Tennyson, 'To the Rev. F. D. Maurice'

Jack en ik stapten aan boord van het eerste vliegtuig uit Wenen en vertrokken opgelucht naar Londen, waar het wemelde van de verdachten. Freuds trouwe archivaris, dr. Conrad von Enchanhauer, stond boven aan de lijst. Vervolgens kwam Freuds dochter Anna, nog altijd woonachtig in het oude familiehuis, waar ook het grootste Freud-archief zich bevond.

De stewardess, verkleed als Mary Poppins, reikte me een *London Times* aan. Ik kon mijn ogen niet geloven toen ik op de voorpagina het derde fragment vond uit Dvorahs artikel, onder de volgende kop:

ANDERS KONZAK, DE BLITSE DIRECTEUR VAN DE FREUD-ACADEMIE, BESCHOUWT ZIJN EIGEN TALLOZE GEVALLEN VAN ONTROUW ALS EEN ZIEKTE

Ik vond het schokkend om in de tegenwoordige tijd over hem te lezen. Ik stootte Jack aan en wees op de kop. 'Hoe kan het toch dat die man zo'n sensatie teweegbrengt?'

'Als je een boekje opendoet over Freud en tegelijkertijd seks hebt met duizenden vrouwen... ík vind het ook wel boeiend.' Hij wees op de kop in de *Tribune.* 'Hier staat het ook in, minstens zo uitgebreid.'

'Volgens mij zat zijn macht over anderen hem in de kunst ze te overladen met onbeperkte adoratie of wat ze ook nodig hadden, tot ze eraan verslaafd waren geraakt en alle aandacht dubbel en dwars teruggaven. Het is een contract met de duivel in de vorm van Eros, geen wonder dat hij pijlen gebruikt. Toen ik met Konzak danste, begreep ik dat het niets te maken had met seks. Die seksuele veroveringen zijn slechts een manier om zijn successen aan af te meten.' Jack keek niet op van zijn krant, dus ik vroeg nadrukkelijk: 'Snap je wat ik bedoel?'

'Ik weet meer van seks dan jij van Freud,' zei hij zonder op te kijken van de sportpagina.

'Ik had het niet over jóuw seksuele escapades. Ik probeer alleen maar te begrijpen waarom iemand met de intellectuele bagage van een Von Enchanhauer zegt dat hij "dol is" op zo'n lichtgewicht als Konzak.'

Jack haalde slechts zijn schouders op. Toen opende hij een map met het etiket *Von E.* en las hardop voor: 'Onze brave doctor is getrouwd met Sofia von Enchanhauer, een grande dame in de Oostenrijkse aristocratie. Haar vader was een van de machtigste fabrikanten in Europa en de familie bezit tot op de dag van vandaag grote stukken grond in Wenen, Berlijn en New York. Conrad von Enchanhauer was een Jood, zij was het toonbeeld van de blakende nazi-jugend. Haar familie was het er niet mee eens, maar trok later bij. Ze hebben twee kinderen, allebei wereldcupzeilers.'

'Zeilen is niet de geijkte sport voor kinderen van overlevenden. Ze voelen zich al bedreigd genoeg op het land,' zei ik bedachtzaam.

'Het zijn denk ik niet hun Joodse genen die zeilen.'

Eenmaal boven Heathrow, vingen we door het wolkendek heen af en toe een glimp op van de lappendeken van perfect geploegde akkers en meteen voelde ik mijn oude liefde voor Engeland weer opborrelen, dat speciale gevoel dat we reserveren voor de plek waar we woonden toen we rond de twintig waren, in een tijd waarin er uitsluitend uitdagingen in het verschiet lagen en falen slechts voor anderen was bestemd. De jaren die ik gelukkig en wel verscholen in Oxford had doorgebracht, nog onbezoedeld door de familieschaduw, spoelden over me heen. Ik dacht met weemoed terug aan de lome uren onder de balken van een pub, waar we discussieerden toen ideeën ons nog de hele nacht wakker konden houden, aan de tweedehands boekwinkels in smalle, bochtige straatjes waar ik uren kon rondneuzen en ik riep uitbundig uit: 'Vind je Engeland ook niet fantastisch?'

'Mij te ouderwets en benepen. Ik heb liever de Westkust van Canada. Ik houd niet zo van glooiende heuvels. Geef mij de ruige Rockies maar.'

Nadat hij zijn koffer had uitgepakt in de aangrenzende kamer, klopte Jack op de deur. Ik was nog bezig mijn haar uit de vlecht te halen. Zijn eerste nieuwtje was dat we Anna Freud net hadden gemist. Ze was op reis om lezingen te geven en fondsen te werven voor haar kliniek in Hampstead. Ze werd pas over twee dagen terug verwacht. Om dit staaltje gedegen detectivewerk af te ronden wist hij nog te vertellen dat Conrad von Enchanhauer ook niet in zijn Londense huis in Kensington verbleef, maar in zijn stenen cottage op het eiland Wight.

Is het niet de bedoeling dat detectives van tevoren uitzoeken of mensen wel thuis zijn, in plaats van eerst de oceaan over te vliegen? Maar het waren Gardonnes centen, niet de mijne, dus ik zei: 'Geen probleem. Ik ken Wight, het is maar een paar uur reizen hier vandaan, iets ten zuiden van de kust van Portsmouth. Het is er schitterend en de hei en de wilde narcissen zullen al wel in bloei staan, omdat het zo zuidelijk ligt. Ik hoop niet dat het er nog te vroeg voor is. Koop straks even een paar goede wandelschoenen in Londen, dan nemen we de trein naar Portsmouth en stappen daar over op de ferry naar Ryde. We ondervragen Von Enchanhauer en dan zijn we op tijd terug in Londen om Anna op de korrel te nemen.'

'Je bent verslaafd aan wandelschoenen,' verzuchtte hij.

Terwijl ik mijn koffer uitpakte werd ik zo vrolijk bij de gedachte aan wilde bloemen en de zeelucht die ons te wachten stond, dat ik spontaan *Ticket to Ride* begon te zingen. Jack viel in met de tweede stem. Ik vroeg me af hoe hij in vredesnaam had geleerd de tweede stem te zingen in eenzame opsluiting. 'De Von E'tjes zullen wel een ligplaats hebben in Cowes. Dat is een beroemde jachthaven. Ze zijn natuurlijk bij iedere wedstrijd van de jongens present.'

'Hoe zou hun jacht heten? De Freudiaanse Sloep?'

'Afgemeerd aan de Freudiaanse Uitglijder.' Ik ging verder met uitpakken. 'Cowes ligt maar een halfuurtje van het vasteland, maar het is te vol en "ons kent ons" naar mijn smaak. Het zuidwesten van het eiland is nog landelijk en ongerept.'

'Spaar me dat gezeik over rieten daken en kleine ruitjes.'

'Sorry, het is San Quentin niet. Je zult het moeten doen met een ruige kustlijn, glanzend witte kalkrotsen, hondskruid en de zeewind die de bloemengeur mijlenver verspreidt.'

'Ik weet niet of ik dat wel kan aankan.'

'Ik zal je laten zien waar Tennyson *In memoriam* schreef.'

'Ik kan niet wachten.'

'We logeren in Shandy's Manor. Dat huis staat er al eeuwen. Het is voor het laatst verbouwd in de negentiende eeuw, toen ze er een landelijk hotel van maakten. Ik zal kamers voor ons boeken in de meest inspirerende suites, de Lord Tennyson en de Keats. In de kamers liggen exemplaren van de werken die ze daar hebben geschreven, met alle doorgestreepte woorden en aantekeningen er nog in. Ik heb ooit eens in de kamer gelogeerd waar Keats tijdens een stormachtige dag uit het raam keek en schreef:

It keeps eternal whisperings around
Desolate shores and with its mighty swell
Gluts twice ten thousand caverns...

'Over tienduizend gesproken,' interrumpeerde Jack, 'het lijkt me het beste dat ik Gardonne laat weten dat we naar Ryde rijden, voor het geval er nóg iemand zijn hoofd verliest.'

'Wat zei Gardonne toen je hem vertelde dat Konzak is gaan hemelen? Ik wed dat hij nog niet met zijn ogen heeft geknipperd.'

'Ik heb een bericht gestuurd naar zijn kantoor. Ik ben niet in details getreden. Voor het geval er een kern van waarheid zit in jouw vermoedens over hem, wil ik niet dat mijn boodschap straks dienstdoet als bewijsstuk A. Ik heb hem gevraagd me te antwoorden via mijn kantoor en beloofd weer contact met hem op te nemen zodra ik in Londen was. Ik heb geschreven dat ik ervan uitging dat hij wilde dat we ons onderzoek naar de mogelijke publicaties van Konzak voortzetten, omdat het misschien al bij de uitgever ligt, evenals ons onderzoek naar de moordenaar. Als hij wil dat we nu stoppen, kan hij ons daarvan in Londen verwittigen en ronden we het af.'

'Denk je dat hij wil dat we doorgaan?'

'Geen idee. Ik weet alleen dat ik mijn daggeld plus onkosten vang tot op de dag dat iemand me zegt dat ik moet stoppen.'

We stonden aan dek toen de ferry aanmeerde in de haven van het eiland Wight en bemerkten de daling in temperatuur meteen. De lucht smaakte zilt en fris. De winterharde flora was eraan gewend de eilandwind het hoofd te bieden, met als resultaat dat de hei paarser was dan op het vasteland en de sleutelbloemen geler. De natuur leek te hebben besloten dat je het verdiende in volle glorie in je eigen schoonheid te mogen schitteren als je weer en wind wist te trotseren. We reden langs weggetjes die zo smal waren dat we op een gegeven moment moesten uitstappen om de bloeiende struiken opzij te duwen om de borden te kunnen lezen.

De herberg was nog mooier dan ik me herinnerde. De enorme

boogramen en rijk bewerkte kozijnen vormden een lijst rond een uitzicht op rododendrons zo hoog als wilgen, doorgebogen onder het gewicht van de regendruppels en vol met dikke trossen dieprode bloesem. Ik was nog maar pas uit mijn betonnen cel en genoot van deze heerlijke kamer en kleedkamer, waar ik alle ruimte had voor mijn spullen. Ik krulde mezelf op in de kersenroze kussens op de vensterbank en liet mijn ogen over het landschap dwalen, met een exemplaar van Tennyson op mijn schoot. In alle kamers lagen dichtbundels in plaats van die eeuwige bijbel in drie talen.

Jack belde. 'Ik heb beneden een tafel gereserveerd, maar het is jasje-dasje, dus jij moet ook iets nets aan.'

'Sorry, dat was ik vergeten. Het toeristenseizoen is nog niet begonnen, dus we zouden ergens anders heen kunnen gaan. Als je wilt, kunnen we nog wel een uurtje verder rijden. Dat mag jij dan doen, want ik heb geen zin om in het donker over die smalle weggetjes te rijden, en dan nog aan de linkerkant ook.'

'Wat vind je?' drong hij aan.

'Ik heb alleen dat zwarte jurkje van Konzak,' zei ik aarzelend. Ik keek er niet echt naar uit om dat nog eens aan te trekken.

'Nou, trek aan, dan. Ik heb trek.'

Ik was er even stil van, toen ik hem beneden in de lobby zag staan. Hij droeg een zacht, moskleurig kostuum van Italiaanse snit met een zwarte coltrui. Voor het eerst schonk hij me een warme glimlach. Hij liep naar me toe en nam me hoffelijk bij de arm. Terwijl we stonden te wachten tot de maître d'hôtel ons naar onze tafel begeleidde zei hij: 'We moeten even pauze nemen, anders zien we straks door de bomen het bos niet meer. Vanavond nemen we vrij.'

Mijn blik gleed over de lege, vorstelijke eetzaal. Net als de narcissen waren we twee weken te vroeg voor de officiële start van het seizoen. De maître d'hôtel gaf aan dat we zelf mochten kiezen waar we wilden zitten en ik koos een rond tafeltje in een alkoof met hoge boogramen en gedrapeerde zijden, crèmekleurige gordijnen. Aan weerszijden van het raam stonden twee goud met marmeren consoletafels met enorme kandelaars erop. Het kaarslicht werd weerkaatst in metershoge spiegels in vergulde lijsten. Het flakkerende licht danste door de ruimte en tegen de wanden, bespikkeld met geel, abrikoos en grijs. Een kom blauwe druifjes sierde het hagelwitte damasten tafellaken. Achter Jacks stoel brandde het vuur in een hoge, zandstenen open haard. Hij zag er middeleeuws uit, met een reliëf van St. Joris en de draak, maar de William Morris-tegeltjes eromheen dateerden uit de negentiende eeuw. De open haard was groter dan Jack, maar het waren vooral de metershoge vuurbokken die hem voor het eerst sinds ik hem zag in het niet deden verzinken.

Toen de kelner onze wijnglazen had gevuld uit een karaf van Waterford-kristal, hief Jack het glas om een toost uit te brengen: 'Op een avondje vrij van werk en wederzijdse kritiek.'

Ik was helemaal ondersteboven van de schoonheid, het briljante architectonische ontwerp van James Adam. Hoewel ik hier decennia geleden was geweest met mijn ouders en zussen had ik, net als alle tieners, weinig aandacht gehad voor het hotel zelf. Ik was vooral bezig met de vraag waar ik een hamburger met friet kon krijgen en of ik er wel kon paardrijden. Vandaag vond ik het magisch. Misschien kwam het omdat de gevangenis en al die eentonige vernederingen plotseling zo ver weg leken. Ik keek Jack aan en begreep dat hij wist wat ik dacht, want hij had hetzelfde meegemaakt.

Er was iets in me gevaren dat ik niet kende. De ruimte leek wel betoverd en Jack, nota bene Jack, zag er ongelooflijk knap en aantrekkelijk uit in zijn hoge leunstoel. Het haardvuur achter hem tekende schaduwen op zijn scherpe trekken. Ik had nog nooit iemand ontmoet die zo kon veranderen in een andere omgeving.

In het maanlicht zag de paarse wisteria eruit alsof de takken in zilver waren gedompeld. We nipten beiden aan onze wijn. Hij zat achterovergeleund in zijn stoel te roken. De stilte was kameraadschappelijk en totaal niet ongemakkelijk. De ober vroeg of we de menukaart al wilden inzien, maar ook Jack wilde van het moment genieten en zei dat we nog even wilden wachten.

Misschien was het de combinatie van de wijn, de schok van Konzaks dood, de terugkeer naar het land waar ik zo onbezorgd had geleefd en de jurk, of misschien was het omdat Jack me bij de arm had genomen na zoveel jaren zonder menselijke aanraking, maar ik voelde iets smelten binnen in me. Ik vertelde hem hoe mooi ik de ruimte vond en dat ik het zo geweldig vond dat Tennyson in deze herberg zijn beroemde gedicht *Maud* had geschreven en de inspiratie ervoor misschien wel kreeg in ditzelfde zitje, aan ditzelfde raam.

'Fijn dat je hier kamers hebt geboekt. Het is leuk om je zo gelukkig te zien.'

'Vind jij het dan niet mooi?'

'Jawel. Maar het is vooral leuk om het door jouw ogen te bekijken. Ik vind het geweldig dat je alles weet over tegeltjes en lijstwerk en wat waar is gemaakt, zoals dat blauwe glas uit Bristol en zo. Ik reis veel op andermans kosten, maar ik kijk nooit ergens naar, behalve misschien naar het nummer van mijn ondergrondse parkeerplaats. Nu alles tot leven komt als jij erover vertelt, besef ik pas dat er heel wat meer te zien is dan ik wist. Het is wel eens goed om mensen te ontmoeten met een andere achtergrond, want dan leer je de dingen te bekijken met een andere blik.'

'We hebben ook een heel stuk geschiedenis gemeen,' zei ik.

'Natuurlijk, maar jou sloten ze pas op toen je al gevormd en volwassen was. Ik ken weinig meer dan de gevangenis. En hoe ik ook mijn best doe, ik heb geen idee waar de afgelopen vijftien jaar zijn gebleven. Ik heb nog steeds het gevoel dat ik nog maar pas uit de lik kom. Die vier jaar aan de universiteit herinner ik me levendig, maar de rest is vaag en onwezenlijk. Mijn flat in Toronto betekent weinig meer voor me dan mijn cel in de gevangenis.'

'Hoe oud was je toen je voor het eerst werd opgepakt?'

'Heel jong, acht, negen jaar. Maar daarvoor was er ook al het een en ander gebeurd. Mijn moeder was een Italiaanse immigrante. Ze werd zwanger op haar vijftiende. Mijn vader is wel met haar getrouwd, maar nam de kuierlatten nog voordat ik kon praten. Op haar zestiende had mijn moeder twee kinderen en dronk ze haar maaltijden, zonder ooit haar peuk neer te leggen. Toen ik vijf was, jatte ik al voedsel voor mij en mijn zusje van vier. Mijn moeder gaf ons pindakaas, maar mijn zusje was er allergisch voor en het scheelde weinig of ze was gestorven. Uiteindelijk is ze toch doodgegaan, aan een overdosis, dus misschien had ik haar twintig rotjaren kunnen besparen en haar gewoon pinda's moeten laten eten.'

'Ben je in de gevangenis beland wegens diefstal?'

'Nee, ik was een voortreffelijke dief. Mijn zusje en ik deden het samen. Zij stond op de uitkijk. Ze had de blonde krullen van mijn Duitse vader en het kwam nooit bij iemand op wat ze daar werkelijk stond te doen. Mijn moeder zei dat ze moest werken en ons niet langer kon houden. Om haar niet helemaal af te vallen moet ik toegeven dat dat net was voordat de kinderbescherming zich ermee ging bemoeien. Dus dumpte ze ons in pleeggezinnen, maar we liepen steeds weg, terug naar huis... je kent dat wel, we volgden de broodkruimels, maar het liep niet zo af als bij Hans en Grietje. Uiteindelijk zei ze dat ze ons niet aankon, dus kreeg ik het etiket "recalcitrant" opgeplakt en werd mijn zusje "onhandelbaar". Ze stopten me in wat toen een tuchtschool heette, een jeugdgevangenis.

Ik moest en zou eruit. Op mijn negende stak ik een lege schuur op het terrein in de fik. Ik dacht dat ze me daarna wel naar huis zouden sturen, of anders zou mijn moeder wel inzien dat ik echt naar huis wilde. Maar het gevolg was dat ze me tussen de volwassenen opsloten.'

'Waarom hebben ze je zo lang vastgehouden?'

'Ik kocht mezelf in. Ik was het enige kind in de gevangenis en deed wat jij deed voor je vader. Ik koos de meest gerespecteerde leden van de gevangenispopulatie. Degenen die zich min of meer als vaders gedroegen en me lieten zien hoe het daar in zijn werk ging werden mijn familie. Ze pasten op me. Dat had ik nooit gekend. Ik wilde dat ze trots op me waren. Ik ging steeds verder en zat vaker in eenzame opsluiting dan wie dan ook. Toen stapte ik over op het grotere werk, drugshandel, bankovervallen... ik dacht dat ik het neusje van de zalm was, op weg naar de top. Het kwam niet eens bij me op dat het ook wel eens anders kon uitpakken.'

'Kwam je moeder je wel eens opzoeken?'

'Nooit. Bij mijn zus is ze ook nooit geweest. We leken op mijn vader en ze had een bloedhekel aan hem. Op haar vijfentwintigste is ze voor de tweede maal getrouwd en met die man kreeg ze nog drie kinderen. Ze was nog steeds knettergek en zo vals als een slang, maar ze was volwassen geworden en had genoeg geleerd om te begrijpen dat ze het met ons had verknald. Maar ja, je kunt het haar nauwelijks kwalijk nemen, ze was zelf nog een kind, ze was pas vijftien. Ze wilde mij en mijn zusje niet meer zien, want ze wilde niet aan haar verleden herinnerd worden en we zouden wel eens een slechte invloed kunnen hebben op haar nieuwe, suffe, maar welopgevoede kinderen en haar echtgenoot, een gevangenisbewaker nota bene. Wij waren het levende bewijs dat ze een wilde meid was geweest in haar tienerjaren.'

'Wat is er met je zus gebeurd?'

'Ik heb haar aan de heroïne geholpen. Ik spoot zelf ook. Zei tegen haar dat het hielp tegen de pijn. Ze was dood voor haar twintigste.'

'Wat een triest verhaal.'

'Ik heb me eruit gevochten.'

'Was Gardonne jouw zielenknijper?'

'Nee, ik werd als non-coöperatief aangemerkt. Om dat te bereiken hoef je alleen maar een paar bureaus van zielenknijpers om te gooien. Daarbij is hij altijd meer geïnteresseerd geweest in het type beursfraudejongen.'

'Hoe hebben jullie elkaar leren kennen?'

'Ze nemen alle gevangenen een soort IQ-test af, omdat ze willen weten voor welk gevangeniswerk je geschikt bent. Mijn score stond hem wel aan, dus hij koos mij als spreekbuis voor een of ander televisieprogramma waar hij aan meewerkte. Ik ging akkoord, want het was beter dan al die andere flauwekul die ze organiseerden. Het was in de beginperiode van mijn carrière en eerlijk gezegd heeft hij me nooit slecht behandeld.'

Tijdens het eten spraken we met ware galgenhumor over de gevangenis en alles wat erbij hoorde. Hij brulde van het lachen toen ik hem vertelde dat ik de computer had gekraakt, alle dossiers las en er af en toe iets aan toevoegde, al naargelang ik zo'n gevangene mocht of niet.

Tijdens het dessert moest ik zo lachen om de verhalen over de streken die hij uithaalde op de luchtplaats, dat mijn haarklem losschoot en mijn haar in mijn gezicht viel. Hij pakte een haarstreng en schoof hem met een teder gebaar achter mijn oor. 'Je ziet er schitterend uit bij kaarslicht.' Hij zei het kalm, zonder enig blijk van emotie, en ik wist me geen raad. Mijn gezicht begon te gloeien en ik voelde mijn hals rood worden. Ik kon geen woord uitbrengen, in de zekere wetenschap dat ik bloosde zoals alleen een blondine met blauwe ogen dat kan, een dieprode kleur die over je hele gezicht trekt.

Toen ik opkeek omdat de ober onze borden weghaalde, ving ik een glimp op van iets bij de entree van de eetzaal waarvan ik hoopte dat het een geestverschijning was. Gardonne! Ik zond Jack een ongelovige blik. Zijn ogen stonden weer staalhard en zeiden dat het moment van even daarvoor verstreken was en misschien zelfs nooit had plaatsgevonden.

Hij glimlachte met het nauwelijks waarneembare knikje van de detective, stond op, schudde dr. Gardonne de hand en nodigde hem uit te gaan zitten, waarmee hij alles wat hij met mij had gedeeld als broodkruimels van tafel veegde.

Dr. Gardonne vond het niet nodig ons uit te leggen waarom hij de halve wereld over had gereisd om hier op dit eiland te belanden. Zoals gewoonlijk was hij degene die de stilte verbrak. 'Kate, je ziet er schitterend uit.' Hij zweeg even, wat heel ongebruikelijk was voor zijn doen. 'Opvallend vrolijk, gezien de omstandigheden.' Ik staarde hem aan en voelde me met de seconde minder vrolijk worden. 'Ik weet dat je hard hebt gewerkt en ben blij te zien dat jullie de tijd hebben gevonden om je te vermaken.'

Ik voelde me betrapt en kon mezelf wel schieten voor mijn emotionele naaktheid. Ik wierp een steelse blik op Jack, die totaal niet van slag leek te zijn.

Met mij kwam hij nergens, dus Gardonne wendde zich tot Jack. 'Ik heb je bericht over Anders Konzak ontvangen... wat een drama. Ik begrijp waarom je niet naar de politie bent gegaan, maar het plaatst ons wel in een ongemakkelijke positie.' Hij voelde de kilte aan tafel en zei: 'Ik woonde een conferentie bij van het Tavistock Institute in Londen, over de schizoïde persoonlijkheidsstructuur, en besloot dat ik beter de trein kon pakken om jullie persoonlijk te spreken. Hoe minder er op papier staat, hoe beter.'

'Ik begrijp je bezorgdheid,' zei Jack. 'We hebben een stevig lijstje verdachten en zijn er redelijk van overtuigd dat we dit binnen afzienbare tijd kunnen oplossen. Zodra we de moordenaar in het vizier hebben zullen we je waarschuwen en kunnen we besluiten wanneer en in hoeverre we de politie op de hoogte stellen.'

Gardonne sprak met een stem die ik nog nooit eerder van hem had gehoord, zonder enige intonatie. 'Jack, dat neemt mijn zorgen niet weg.'

'Ik weet dat Kate het laatst met hem is gezien en dat jij haar hebt ingehuurd, wat betekent dat jij erbij betrokken bent. Je hoeft je echter minder zorgen te maken dan je denkt. Niemand weet hoe ze heet. Ik denk dat het wel even duurt voordat ze zijn lichaam vinden. Hij mag dan een bekende persoonlijkheid zijn, maar hij had geen vaste woon- of verblijfplaats. Als zijn post zich ophoopt in Wenen, zullen ze simpelweg aannemen dat hij in Engeland is. Uiteindelijk zal de stank wel in de hal te ruiken zijn, maar het zal je verbazen hoe lang dat duurt. Hij ligt in de badkamer en het raampje staat open. Alles is onder controle.'

Gardonne verplaatste zijn dreigende blik naar mij. 'Zoals gewoonlijk ben je kort van stof.' Ik bleef kort van stof, maar hij natuurlijk niet. 'Kate, het spijt me enorm dat ik je betrokken heb in wat ik dacht dat een intellectuele uitdaging zou zijn, maar is uitgelopen in een horrorfilm. Dit is wel het laatste wat je kunt gebruiken op zo'n kwetsbaar moment in je terugkeer naar een vrij leven. Ik ben deels gekomen om te zien of ik je misschien kon helpen en om je te vertellen dat je eruit mag stappen, als je dat liever wilt.'

'Ik trek het wel.'

Duidelijk gefrustreerd over mijn lauwe reactie, zei hij: 'We moeten uiterst voorzichtig zijn. Het is de pure realiteit dat ik je heb je ingehuurd om een onderzoek in te stellen naar een man die op de eerste dag van het onderzoek werd vermoord. Uiteraard wil ik het liefst dat mijn naam erbuiten wordt gehouden. Ik begrijp dat dat misschien niet mogelijk is en ik wil absoluut voorkomen dat je iets illegaals zou doen. Kate, ik zou het zeer waarderen als je je medewerking zou willen verlenen aan dit redelijk oprechte verzoek.' Hij legde zijn armen op tafel op de bekende 'laten we klare taal spreken'-manier. 'Ik heb gehoord wat Jack heeft gezegd. Maar hoe luidt je verhaal als je werkelijk door de politie als verdachte wordt gezien?'

Jack onderbrak hem. 'Ik kan altijd zeggen dat ze op mijn kamer was ten tijde van de moord. Jouw naam hoeft nooit genoemd te worden. Ze kunnen het nooit natrekken, want je betaalt contant.'

Gardonne leunde weer achterover in zijn stoel. Zijn taak was volbracht. Hij schonk zich nog wat wijn in en vroeg: 'Wat vond je van Konzak?'

'Een lichtgewicht met meer ego dan hersens. Dom was hij echter niet en hij wist mensen ondanks zichzelf informatie te ontfutselen. Zijn gebrek aan discretie had een verfrissende oprechtheid.'

'Hoe zit het met zijn boek? Ik neem aan dat dat postuum zal worden uitgebracht?'

'Voor zover ik het begrijp, is het boek nogal vaag. Zodra we terug zijn, na het vraaggesprek met Von Enchanhauer, ga ik in het Londense archief op zoek naar het manuscript. Ik weet niet of het al bij de uitgever ligt. Konzak zei er wel iets over en ik kreeg de indruk dat het pas over een paar maanden wordt uitgebracht.'

'Wat staat erin?' vroeg Gardonne.

'Het schijnt een nieuwe editie te zijn van Freuds briefwisseling met Wilhelm Fliess. Enkele jaren geleden is er een gekuiste editie van deze briefwisseling uitgebracht, inclusief verklarende teksten. Het werd het eerste deel van de standaardeditie van Freuds verzamelde werken. Konzak zegt dat het tijd wordt voor een nieuwe editie, omdat hij meer brieven heeft gevonden en over informatie beschikt die de correspondentie in een nieuw licht plaatst. Uit wat hij mij heeft verteld krijg ik de indruk dat hij zijn beste pijlen al heeft verschoten in *The Washington Post.* Ik verwacht dat zijn verklaringen slechts simplistische interpretaties van Freuds drijfveren zullen zijn, en die hebben weinig meer waarde dan een ouijabord.'

'Denk je dat hij ermee wegkomt?'

'Ik weet zeker dat hij, met zijn energie en overtuigingskracht, een hele talkshow had kunnen vullen, maar als "boek van openbaringen" wordt het wel wat magertjes, vrees ik, de historische context nog daargelaten. Hij kan zich geen voorstelling maken van een tijdperk waarin hij niet zelf heeft geleefd. Als het boek uitkomt worden zijn intellectuele goudklompjes tot intellectueel stro gesponnen en vlucht zijn publiek als kerkratten alle kanten uit. Er is meer nodig om een boek te ondersteunen dan de rebellie van een puber.'

'Dus volgens jou hoeven we ons weinig zorgen te maken of en wanneer het boek postuum wordt uitgebracht?'

'Als je Freud eenmaal hebt gelezen, weet je dat hij zelf aan meer onzekere factoren heeft gedacht dan zijn critici willen toegeven. Wat hij in het ene deel niet dichttimmert, vermeldt hij in een voetnoot in een andere uitgave van veertien jaar later. Ik weet zeker dat Konzak precies wist hoe hij aan informatie moest komen, maar Freud was slimmer.'

'Dank je, Kate. Ik wist dat ik de juiste persoon had uitgekozen voor deze klus. Ik ben blij dat we het hierover eens zijn, want er ligt nog een hoop werk in het verschiet en we hebben te weinig tijd om ons te laten hinderen door loyaliteitsconflicten.'

Wat een afschrikwekkend idee. Ik wist nog uit te brengen: 'Het is een gelukkig toeval dat uw wens Konzak naar een intellectuele woestenij te sturen zo keurig is afgehandeld.'

Ik was godzijdank niet meer verplicht vijftig minuten lang naar Gardonne te luisteren, dus ik pakte mijn handtas en stond op. 'Ik sta om vijf uur op om te joggen. Dat kan ik voor het eerst weer buiten op de hei doen, dus ik wens jullie een goede nacht.'

Gardonne stond beleefd op en schudde me de hand, maar Jack bleef zitten en knikte me alleen afwezig toe.

Niemand nam op toen ik de receptie belde om te vragen of ze me op tijd wilden wekken. Het sfeertje is goed in die historische herbergen, maar van service hebben ze nog nooit gehoord, net als in de rest van Engeland, mopperde ik toen ik weer naar beneden stommelde.

Ik stond in de lobby op de overwerkte eigenaar te wachten, die duidelijk vond dat hij zich buiten het seizoen de luxe van slaap kon permitteren. Aan zijn dure accent te horen beschouwde hij zijn gasten als lastige indringers in zijn waardige stulpje, maar hij had bakzeil gehaald en zich aangesloten bij de National Trust toen hij doorkreeg dat íemand die schandalig hoge belastingen moest betalen. Ik zag dat er maar drie van de veertien sleutels in gebruik waren, dus dat waren Jack, Gardonne en ik. Toen de eigenaar zijn gastenboek controleerde om te zien of er nog kamers vrij waren, had dat veel weg van een scène uit een slechte klucht. Hij deed net of hij reuze zijn best deed nog een plaatsje voor ons te vinden in de herberg, zonder ons rechtstreeks naar de stal te verwijzen.

De salon waarin thans de receptie was gevestigd was een soort uitbouw van een grote, met oude plavuizen betegelde hal die op een paar enorme blauw met witte Chinese gemberpotten na leeg was. De kleine bar, oorspronkelijk waarschijnlijk een studeerkamer of kleine salon, was gevestigd in eenzelfde soort uitbouw aan de andere kant van de hal. Ik stond bij de receptie en hoorde de stem van Gardonne als een psychiatrische misthoorn door de lege ruimte echoën. Toen ik me voetje voor voetje naar de hal bewoog, begreep ik dat Gardonne en Jack alleen in de bar zaten en van drankjes werden voorzien door de jonge barkeeper, die tevens fungeerde als piccolo. Ik glipte de hal in en liep op mijn tenen over de plavuizen, in het besef dat ik praktisch alleen was in dat grote herenhuis en naar genoegen voor luistervink kon spelen.

Toen ik dichterbij sloop, hoorde ik Gardonne zeggen: 'Zonder al te veel te willen zeggen waarmee ik onze vertrouwelijkheid kan schaden, ken ik Kate vrij goed. Ik ben tenslotte bijna tien jaar lang haar therapeut geweest.' Jack antwoordde met wat onduidelijk gemompel, maar Gardonne toeterde verder. 'Ik wil je waarschuwen dat ze nogal paranoïde kan worden als ze geconfronteerd wordt met emotionele aandacht. Ze staat bekend om een hoge mate van decompensatie...'

'Ja, dokter, laat dat jargon maar achterwege, als je wilt.'

'Sorry.' Dr. Gardonne ging verder om het uit te leggen. 'Ze kan het contact met de werkelijkheid verliezen. Ze is als gevaarlijk aangemerkt, zelfs binnen het milieu van de gevangenis.' Het bleef even stil, ik denk dat ze allebei een paar slokken namen. 'Ze is in eenzame opsluiting geplaatst nadat ze een mes had getrokken en een vrouw in haar cellenblok zo had toegetakeld dat ze naar de ziekenboeg moest.'

Jezus, dat hij dat ouwe liedje nu weer opdreunde. Alsof Jack ook maar met zijn ogen zal knipperen bij zo'n verhaaltje voor het slapengaan. Jacks stem klonk gedempt, dus ik schoof langs de muur om dichter bij de bar te komen, maar ik hoorde nog steeds alleen de stem van Gardonne. 'Jack, ik vind dat ik eerlijk tegen je moet zijn. Ik ben hier naartoe gekomen om je te vragen of Kate iets te maken heeft gehad met die moord.'

'Dat is wel door me heen gegaan, ja. Ik zou wel gek moeten zijn als dat niet zo was. Ik durf te wedden dat Konzak al buiten bewustzijn was gebracht, met een verdovingspistool of gif, voordat zijn keel werd doorgesneden. Kate kan hem vergiftigd hebben in het restaurant, waar de borden vervolgens door een krachtige afwasmachine zijn gehaald, dus daar zijn geen sporen van te vinden. Konzak heeft het nog gehaald tot zijn flat. Ze kwam terug naar het hotel om zich te verkleden, omdat ze wist dat het op een gevecht zou uitdraaien en dat niet zou redden met hakken aan. Haar aanwezigheid in mijn kamer zou haar een alibi verschaffen. Ze kon altijd zeggen dat hij vermoord was terwijl zij zich verkleedde. Ze ging naar Konzaks flat, trof hem half bewusteloos aan, sneed hem de keel door, klikte het mes weer in, zo'n kleintje dat ze vaak de gevangenis in weten te smokkelen, smeet de boel wat door elkaar om het eruit te laten zien als inbraak en belde toen mij. Ze had er alleen niet op gerekend dat ik haar zo dicht op de hielen zat dat ze haar bebloede kleding niet kon uittrekken. Ze zei dat ze over het lichaam was gestruikeld en dat de moordenaar ontsnapt was via de brandtrap. Maar ik was er nog geen twee minuten later en er was niemand te zien.'

'Mijn god! Waarom zou ze dat gedaan hebben?'

'Ze heeft al eerder een moord gepleegd. Als mannen te dichtbij komen en haar vertrouwen beschamen, kan ze haar hoofd kwijtraken en weer overgaan tot moord. Wie zal het zeggen? Jij bent de zielenknijper.'

Ik hield mezelf nauwelijks staande. Ik keek om me heen en vond een nis in de lobby, bestemd voor een standbeeld... op dat moment was ik weinig meer dan dat. Ik kroop erin, verschool me achter een pot uit de Ming-dynastie en zocht steun bij het blauw bewerkte deksel.

'Ik dacht dat deze opdracht weinig meer inhield dan een intellectuele taak die haar op het lijf was geschreven. Mijn wens om haar te helpen overschaduwde mijn beoordelingsvermogen. Ik had mijn motieven duidelijker moeten analyseren.' Hij bestelde nog een Glenfiddich. 'Weet Kate dat je denkt dat zij het heeft gedaan?'

'Dat zei ik niet. Je vroeg me of ze op de verdachtenlijst stond. Het zou dom zijn om haar niet als zodanig te beschouwen. Ze was de laatste die hem nog levend heeft gezien en ze heeft een verleden. Het probleem is dat ze geen motief heeft.'

'Je hebt het motief zojuist toegelicht.'

'Dat kan een motief zijn, maar helemaal sluitend is het niet. Ik denk niet dat Konzak haar ook maar enigszins emotioneel raakte. Ze had het naar haar zin en voelde zich gevleid, dat wel, maar hij heeft geen moment op de juiste knoppen gedrukt.' Gardonne moet hem vragend hebben aangekeken, want Jack zei met een uitdagende sneer. 'Jij weet wat *decompensatie* betekent, van harte gefeliciteerd, maar ík weet verdomme wanneer een vrouw werkelijk door een man wordt geraakt.'

Het bleef lang stil, tot Gardonne uit een ander vaatje begon te tappen. 'Het is een uitstekende actrice. Mensen zonder geweten worden zelden verraden door angst gerelateerd aan schuld, omdat ze geen schuld voelen. Daarom zijn ze zo overtuigend.'

Zonder geweten? Wel verdraaid. Ik liet mijn gezicht tegen het koele porselein rusten.

'Als ze zo'n geweldig acteertalent zou hebben, zoals jij beweert, dan had ze het wel wat beter gedaan toen we hem vonden.'

Gardonne is totaal niet bezig uit te vissen of ik hem vermoord heb, hij probeert me te beschuldigen of anders probeert hij Jack bang te maken om hem ervan te weerhouden een alliantie met me te vormen tegen hem. Ik vroeg me af wat ik in godsnaam over Gardonne kon uitvinden als Jack en ik ons met zijn tweeën tegen hem zouden keren. Het scheelde weinig of Gardonne beschuldigde me van moord. Jezus, ik kon maar beter zorgen dat ik erachter kwam wat zijn verborgen motieven waren, anders kwam ik nog in een vreemd land op het strafbankje te zitten. Ik kroop zo dicht als ik kon naar de deur, zonder me door mijn schaduw te laten verraden, om Jacks antwoord te horen, maar hij bleef zwijgen.

Gardonne zei aarzelend: 'Ik wil niet indiscreet zijn.'

'Moet je ook niet doen,' zei Jack en ik hoorde de ijsblokjes in zijn glas tinkelen.

'Mag ik je iets vragen?' Jack zei geen woord. 'Voel je je aangetrokken tot Kate?'

Ik wilde weghollen, maar ik stond als vastgenageld.

'Een wat oudere, magere ex-gedetineerde die zichzelf beschouwt als een intellectueel hoeft niet te verwachten dat ze mijn pik uit mijn zak krijgt of me afleidt van mijn werk.'

Gardonne liet het er niet bij zitten. 'Er zijn mannen die geilen op intelligente vrouwen.'

'O ja? Waarom zetten ze Madame Curie dan niet in de *Playboy*?'

Ik draaide me op mijn hielen om en liep op mijn tenen over de stenen vloer, als de muizen in *De notenkraker* die beseffen dat er een einde is gekomen aan de korte nacht waarin ze tot leven mochten komen. Ik vluchtte de brede trappen op, vrezend dat ik niet op weg was naar het paleis van de goede fee, maar naar een huis van een totaal andere orde.

Nadat ik mijn deur stevig op slot had gedraaid, wachtte ik op de tranen. Er kwam er niet één. Ik denk dat mensen alleen huilen van verdriet, niet als ze zijn leeggezogen. Ik was weer helemaal terug bij af.

Ik vroeg me af waarom ik me zo door Jack had laten inpalmen. Christus, zelfs zijn tanden zagen er versleten uit. Hij had een soort metamorfose ondergaan, waardoor het leek of hij aantrekkelijk was, knap zelfs, mannelijk in de zin dat hij niets meer hoefde te bewijzen. Hij had zijn eigen hel beleefd en zanikte er niet over, dat schiep een band. Nou ja, geen echte band, meer een gedeelde ervaring. Hij was vast een geboren psychopaat en deed niets anders dan mij manipuleren. Maar volgens Gardonne ben ík een psychopaat, misschien schept dat ook wel een band.

Als ik mezelf niet als de sodemieter hervond en de strijd aanbond met die twee kerels, zou ik eindigen in de gevangenis met de tekst: 'Ik wíst dat ik erin werd geluisd, maar ik klampte me vast aan dat sprankje hoop dat ze heel misschien toch aan mijn kant stonden.'

Het eerste wat je moet doen als je voelt dat je beduveld wordt is dat je moet onthouden dat je voor jezelf werkt. Wie kun je anders nog vertrouwen?

Ik moest naar Gardonnes kamer om te zien of ik iets kon vinden dat me een aanwijzing gaf. Ik sloop weer naar beneden en terwijl Jack en Gardonne nog steeds aan de bar zaten te rebbelen, kroop ik achter de balie en haalde Gardonnes sleutel van de haak.

Ik voelde me eerder een detective dan een echte inbreker toen ik Gardonnes deur opende met de grote, ouderwetse sleutel. De kamer rook precies als zijn kantoor, een combinatie van pijptabak, gestoomde kleren en schoenpoets. Hij had zo'n kledingpers besteld en zijn Brooks Brothers zat er al netjes in.

Ik rommelde wat in zijn toilettas en vond zijn tonic voor de actieve man van Clinique. In zijn koffer zaten de gewone saaie sokken, ondergoed en psychologische vakbladen, waarvan hij hoopte dat zijn naam in een van de voetnoten zou staan. Hij had een leren naaigarnituurtje, het soort hebbedingetje dat ze verkopen bij de betere herenzaak in de week voor vaderdag. Ik ritste het open en vond een roestige medaille of insigne, vastgepind in de zwarte satijnvoering. Als hij al iets ouds had, was het meestal opgepoetst. Dit zag eruit als rommel, te verroest om te lezen. Ik speldde het vast aan de zoom van mijn jurk, in de hoop het later wat te kunnen schoonmaken. Er stond een telefoonnummer op het notitieblaadje naast zijn bed, dus dat schreef ik op en toen glipte ik de kamer weer uit om Gardonnes sleutel beneden terug achter de receptiebalie te hangen.

Ik wilde net mijn eigen kamer weer binnengaan toen Gardonne de gang in liep. 'Hallo, Kate, ik ben blij dat ik je even alleen tref.' Hij keek de lege gang door en aarzelde even. Ik geloof niet dat ik hem ooit zo zenuwachtig heb zien doen. 'Kate... Kate... ik wil geen vertrouwelijke informatie doorspelen, maar voor je eigen veiligheid vind ik dat je moet weten dat Jack een oversekst roofdier is.'

'Alsjeblieft zeg, wie niet? Lees Darwin, ga naar een kroeg voor alleenstaanden.'

Toen mijn deur voor zijn neus dicht sloeg, hoorde ik hem op het nippertje met zijn krakende stem fluisteren: 'Vraag je maar eens af waarom hij zo vaak in eenzame opsluiting heeft gezeten.'

De deur viel automatisch in het slot. Ik leunde ertegenaan, in het besef dat we alle drie ons zware geschut in stelling hadden gebracht.

Nadat ik het medaillon met tandpasta had gepoetst, kwamen de woorden *Woudloper van het Jaar* te voorschijn. Aan de andere kant stonden kleinere letters, die lastiger te ontcijferen waren. Ten slotte, met wat hulp van mijn nagellakremover, las ik *Onondaga Groep No 189*.

Ik schrok op toen er op de deur werd geklopt. Ik gooide het stukje metaal snel in een la en riep: 'Wie is daar?'

'Tennyson.' Hij voelde aan de deur. 'Ik ben het, Jack. Ik wil even afspreken voor morgen.'

Ik trok de badjas aan over mijn jurk, opende de deur en negeerde hem verder. Ik borstelde mijn haar uit voor de spiegel.

Jack struinde naar binnen met zijn zelfverzekerde, sexy loopje en zond me zijn stralende glimlach.

'Bewaar die grijns maar voor je paaldanseressen.'

Hij raakte geen seconde van slag en knikte. Jack beheerste de locomotie van de amoebe tot in de perfectie, als hij tegen iets aan botste, kon hij moeiteloos van richting veranderen. 'Prima,' zei hij, terwijl hij weer naar de deur liep. 'We moeten morgen om acht uur weg als we op tijd bij Conrad von Enchanhauer willen zijn. Ik zie je na het ontbijt.' Hij deed de deur stevig achter zich dicht.

9

ENGELS LANDHUIS

Het Ik is niet de baas in zijn eigen huis.
– Sigmund Freud, *Een moeilijkheid in de psychoanalyse*

Zwijgend reden we naar de cottage van Von Enchanhauer. Toen we een zijweggetje op reden, zei Jack: 'Ik heb Von Enchanhauer bericht dat Konzak bedreigd is en dat we ingehuurd zijn door de psychoanalytische taakgroep om een onderzoek in te stellen. Omdat dit soort kerels pas in de houding gaat staan als er letters achter je naam staan, heb ik Gardonne opdracht gegeven hem een briefje te sturen op officieel papier van het genootschap om hem te bedanken voor zijn medewerking.'

'Hij zal heus wel weten dat hij tot de verdachten behoort. Ik bedoel maar, we zijn tenslotte allemaal verdachten.'

'O,' zei Jack, zonder enige waarneembare gezichtsuitdrukking. 'Ik wist niet dat ik nu ook al op de verdachtenlijst stond.'

'Echt niet? Het zou toch heel goed mogelijk zijn dat Gardonne jou heeft ingehuurd om Konzak uit de weg te ruimen? Jij rent naar Konzaks appartement terwijl ik er rustig naartoe loop, vermoordt hem even, je bent tenslotte tweemaal zo groot als hij, vlucht via de brandtrap en wacht tot ik je bel. Een perfecte manier om mij erin te luizen. Gardonne en jij geven mij de schuld, want ik ben het laatst met hem gezien op de dag van de moord en toevallig ben ik al eens eerder veroordeeld voor moord. Als ik me wel herinner was het jouw idee om de politie niet te waarschuwen.'

'Kan.' Hij knikte, terwijl hij de aansteker aanknipte.

'Het verbaast me dat je je kunt vinden in de intellectuele fantasieën van een wat oudere, magere ex-gedetineerde,' zei ik.

Jack knikte, om aan te geven dat hij begreep waar die verandering in sfeer zo plotseling vandaan was gekomen.

We reden zwijgend verder over de kalkrotsen, met uitzicht op Tennyson Down. Na een poosje zei hij: 'Ik vroeg me af waarom Gardonnes emotionele nadruk op jou werd gelegd en niet op Konzak, toen ik alleen met hem in de bar zat.'

'Misschien maakt hij zich zenuwachtig dat hij een ex-patiënt heeft ingehuurd, wat in tegenstrijd is met de gedragscode voor een psychiater, en zweet hij nu peentjes,' opperde ik.

Hij leunde achterover en liet de rook langzaam via zijn neusgaten ontsnappen. Hij zag eruit als een bijna uitgedoofde draak. Toen zei hij: 'Jij bent een lastig portret, maar Gardonne heeft je altijd alleen behandeld. Of hij heeft iets te verbergen en probeert het via de verdeel-en-heerstechniek, of hij is romantisch betrokken en is nu bang dat hij je kwijtraakt.'

Ik wist dat de romantische invalshoek mijlenver uit de richting was, dus ik zei snel: 'Hij heeft al die negen jaar nooit persoonlijke interesse getoond.'

'Misschien merkte je het gewoon niet.'

'Zoiets weet je toch altijd?' vroeg ik.

'Niet als dat gedeelte in je hersenen geatrofieerd is of als je het liever niet wilt weten. Ik heb het gevoel dat je geen idee hebt hoe mensen over je denken, hetgeen voor zover ik het kan overzien de basis is van veel van je problemen.'

'Ik ben al voorzien van een slechte psychiater, dank je wel.'

Het was stil in de auto en we hoorden de struiken langs de smalle weg tegen de ramen schrapen. Ik voelde me trillerig en had een smaak in mijn mond alsof ik met aluminiumfolie had ontbeten.

'Ik weet niet of je de rest van het gesprek ook hebt afgeluisterd, maar zodra ik jou beschreef als onaantrekkelijk, in gevangenisjargon, keerde hij terug naar de details van de zaak en leek hij minder geagiteerd.'

'Dan heeft het goed gewerkt.' Ik kon niet nalaten eraan toe te voegen, op de toon van een wetenschappelijk laboratoriumverslag: 'Nooit geweten dat mannen hun pik in hun zak staken. Wat een plek.' Toen we de laatste bocht namen, merkte ik nog op: 'Ik begrijp dat je eenzame opsluiting krijgt als je hem er te vaak uit haalt.'

Jack knikte tevreden, alsof ik precies zei wat hij had verwacht. 'Je kunt zo ver gaan als je maar wilt, ik ben dat station al gepasseerd en heb mijn schaamte achtergelaten op het perron.' Hij nam nog een laatste trekje van zijn sigaret en drukte hem uit in de asbak. 'Ik heb je gisteravond het een en ander verteld over mijn leven, omdat het slechts feiten zijn. Wat mij betreft is er geen enkel gevoel van schaamte meer aan verbonden.'

Toen we verder reden langs velden met paarsbloeiende heide, had ik het knagende gevoel dat ik hem graag wilde geloven. Ik wist dat ik er beter aan deed mijn afweermechanismen op te poetsen. In dit stadium hing er veel te veel van af, het risico was te groot. Ik was niet van plan me door Gardonne of Jack buitenspel te laten zetten.

Von Enchanhauers 'cottage' was meer een Engels landhuis, opgetrokken uit eeuwenoude veldsteen, met boogramen half verscholen onder de clematis. De dikke rietlaag van het dak liet de ronde koekoekvensters nauwelijks vrij. We werden binnengelaten door een huishoudster met een schort voor, een schril contrast met de pracht en praal van haar omgeving. In haar lange oranje jasschort, glimmend van het vuil dat er nooit meer uitgewassen kon worden, zag ze eruit als een uitgeholde pompoen waar alleen nog maar een waxinelichtje in hoefde. Haar accent was afkomstig uit een van die Balkanlanden die constant hun grenzen verleggen.

Ze liet ons binnen met de woorden dat dr. Von Enchanhauer 'zo beneden' zou komen. Ze mompelde nogmaals 'zo beneden' en liep toen achterwaarts de hal uit.

Dr. Von Enchanhauer kwam glimlachend de kamer in. Hij maakte een lichte buiging naar mij en schudde Jack de hand. Hij was oud en had een verweerd gezicht. Zijn gedrag was enigszins overdreven, als een parodie op de oudere, Joodse freudiaanse intellectueel die de hele dag achter een bureau zit om dikke, duistere boekdelen uit te pluizen. Jack wilde hem onze introductiebrieven laten zien, maar de professor zei met een zwaar, Oostenrijks accent: 'Dat is niet nodig, meneer Lawton. Wilt u misschien een kopje thee voordat we beginnen?'

Jack sloeg het af. Ik wist dat ik dat ook zou moeten doen, want accepteren zou Von Enchanhauer veranderen in gastheer in plaats van verdachte. Maar ik was er doodziek van Jacks privé-detectivespel mee te spelen, dus ik zei: 'Earl Grey, alstublieft.'

De thee werd binnengebracht door Tefonia, ditmaal in een schoon jasschort. Het zat in een schoonheid van een handbeschilderde theepot, met een deksel in de vorm van een keramische slak en een paddenstoel als handvat. De damp ontsnapte via de voelsprieten van de slak. 'O, wat een beeld van een hyperventilerende slak is dat. Is het Royal Copenhagen?'

Hij knikte glimlachend.

'Ik zag uw porseleinverzameling in de kast. En dan die grote Wedgwood-stukken aan de wand! De Engelse landelijke tuin en de pagode vormen een schitterende mix. Dat Chinese oranje geeft een magnifieke *touch*. Ik heb nooit geweten dat Wedgwood dergelijke geraffineerde stukken maakte.'

'De familie Wedgwood was een van de meest invloedrijke families in Engeland, op velerlei gebied,' zei hij nogal afstandelijk.

'Een markante familie,' zei ik, terwijl ik nog steeds naar zijn porseleinverzameling keek. 'Ze gaven het startsein voor de industriële revolutie en hadden geld genoeg om alles eruit te halen wat erin zat. Ze legden hun eigen spoorbaan aan om hun aardewerk te vervoeren. Bent u wel eens in het Wedgwood Museum in Stoke-on-Trent in Staffordhire geweest? Ik durf te wedden dat de curator er alles voor zou geven om dit porselein te mogen lenen voor een expositie.'

'Hoe bent u geïnteresseerd geraakt in Wedgwood?' vroeg hij.

'In een vorig leven kwam ik ze toevallig tegen, toen ik filosofie van de wetenschap studeerde en promoveerde op het latere werk van Darwin. U bent er vast wel van op de hoogte dat twee generaties Wedgwoods getrouwd zijn met hun buren, de Darwins. Charles Darwins moeder en zijn vrouw waren beiden Wedgwoods. Als de Wedgwoodjes niet zo onmetelijk rijk waren geweest, had Charles Darwin misschien een echte baan moeten zoeken en dan had hij nooit de tijd gehad om zijn evolutietheorie te perfectioneren.'

'De combinatie van rijkdom en genialiteit in die familie heeft voor een bijzonder nageslacht gezorgd. U weet vast wel dat Francis Galton, de grote statisticus, een neef was van de Wedgwoods en de Darwins,' zei hij.

'Ik weet het. Ik vind het geweldig hoe hij mensen ronselde op kermissen om deel te nemen aan zijn onderzoeken, in een tent nog wel. Toch kwam hij op het verschijnsel "regressie naar het gemiddelde" en een tiental andere statistische hoogstandjes.'

We spraken nog geruime tijd over porselein en hij vertelde me dat hij in zijn huis in Londen een verzameling Worcester, Derby, Coalport en Spode had. Ik had een rare kronkel in mijn hersenen die dol was op antiek fijn porselein. Zelfs toen ik nog een klein meisje was, was ik al helemaal verrukt van poppentheeserviesjes. Meestal gooide ik de poppen aan de kant en speelde alleen met het theeserviesje. Von Enchanhauer bezat een schitterende collectie... en dan was dit nog maar het zomerhuis.

Jack zat er verloren bij tijdens dit gesprek over porselein; hij werd door ons beiden genegeerd. Ik was trots op mezelf dat ik iemand zo goed uit mijn hoofd kon zetten als ik mijn best ervoor deed. Sommige mensen kunnen koken, andere kunnen naaien, mijn specialiteit was bedreigende mensen weg te branden als wratten op mijn psyche.

Ten slotte verbrak Jack het Wedgwood-onderonsje met de subtiliteit van een mokerslag. 'Dr. Von Enchanhauer, u bent er wellicht van op de hoogte dat Anders Konzak wordt bedreigd met de dood?'

'Ja, dat heeft Anders me verteld. Hij wil nog wel eens overdrijven, dus ik moet toegeven dat ik er weinig aandacht aan heb geschonken. Nu u een onderzoek instelt, zal ik mijn mening bijstellen.' Hij keek van Jack naar mij en vroeg: 'Is er iets dat ik niet weet?'

'We weten niet wat u weet,' zei ik.

'Touché,' zei de professor. 'Anders vertelde me dat hij dreigbrieven heeft ontvangen.'

'Heeft hij ooit gezegd wie hij ervan verdacht?'

'Hij denkt dat veel mensen waanzinnig jaloers op hem zijn,' antwoordde dr. Von Enchanhauer glimlachend, alsof hij dat een aandoenlijk trekje vond.

'Zijn ze dat ook?' vroeg Jack.

'Voor zover ik weet niet.'

'Waarom zou iemand hem kwaad willen doen?'

'Anders heeft er zelf geen idee van hoe hij met mensen kan sollen. Hij weet dat hij vijanden heeft, maar hij heeft geen idee hoe dat komt of hoezeer ze hem haten.'

'Maakt u zelf deel uit van dat legertje vijanden?' vroeg Jack.

Na een langdurig stilzwijgen waarbij hij zijn hoofd ietwat scheef hield koos hij zijn woorden met zorg. 'Ik ben teleurgesteld in hem en woedend op mezelf. Het is net een speelse jonge hond en hij heeft geen idee dat hij anderen last bezorgt. Ik had deze kant van hem moeten zien, maar dat is niet gebeurd. Ik was geheel en al in zijn ban.'

'Kunt u daar iets meer over zeggen?' Ik schrok me lam toen ik mezelf die gehate zin van Gardonne hoorde uitspreken.

'Eens kijken. Hij komt volstrekt oprecht over. Hij is altijd enthousiast en met hem in de buurt is het leven nooit saai. Hij ziet overal de waarheid en de schoonheid van in. Het probleem is dat hij zijn eigen waarheid heeft gecreëerd om vervolgens de schoonheid ervan te bewonderen. Ik heb jarenlang gezocht naar de juiste persoon om de academie te runnen. Ik had iemand nodig met intellectuele diepgang, een toegewijde freudiaan. Hij bezat alle kwaliteiten en de nodige achtergrondkennis. Hij was een analyticus die ook in staat was tot onderzoek en hij sprak diverse talen. Ik had verwacht dat hij zich met zijn aangeboren enthousiasme op de taak zou storten. Jammer genoeg bleek de uitkomst niet gelijk te zijn aan de som der delen.'

'Denkt u dat hij gelijk heeft over Freud?' vroeg ik.

'Dat is een ingewikkelde vraag. Ik denk dat Anders streefde naar roem, maar onderweg besloot dat notoir wellicht beter bij hem paste. Zijn onbewuste hang naar erkenning was groter dan zijn hang naar de waarheid. Hij broedde theorieën uit die hem tot een non-conformist bombardeerden en trachtte deze theorieën te staven aan de hand van Freud. Jammer genoeg wordt waarheid precies andersom achterhaald.'

Hoewel dr. Von Enchanhauer geen enkele onjuistheid te berde had gebracht, in feite was ik het zelfs met hem eens, moest ik hem in het nauw drijven. Ik dook in de kern van het debat. 'Konzaks hoofdargument is tot dusver dat Freud zijn verleidingstheorie, die hij tussen 1895 en 1897 stelde, nooit had moeten loslaten. We weten beiden dat hij de theorie aanhing dat de oorzaak van hysterie lag in verleiding in de jeugdjaren of, zoals we het vandaag de dag zouden stellen, als je als kind slachtoffer bent geweest van incest, is de kans groot dat je op latere leeftijd hysterisch wordt.' Ik begon te ijsberen met mijn handen op de rug en probeerde te bedenken wat de beste manier was om deze kwestie te bespreken, zonder neerbuigend te zijn tegen de man die alle details misschien beter wist dan ik. 'In 1897 veranderde Freud echter van mening. Hij zei dat hij het mis had gehad toen hij stelde dat vaders hun dochters misbruikten. Volgens Freud had hij de seksuele fantasieën over de vader van de patiënt aangezien voor werkelijke verleiding of incest en was hij bij toeval op het oedipuscomplex gestuit.' Ik liep naar de open haard en steunde met mijn elleboog op de schoorsteenmantel. 'Ik wil u graag twee vragen stellen. Ten eerste, denkt u dat Konzak gelijk heeft als hij stelt dat Freud zich vergiste toen hij de verleidingstheorie liet varen? Ten tweede, denkt u dat Freud de theorie liet varen omdat hij op een andere, diepere theorie stuitte waarmee hij deze kon vervangen of liet hij de theorie uit eigenbelang varen, zoals Konzak suggereert?'

Jack vond het nodig mijn betoog toe te lichten. 'Freud wist dat hij de keurige artsen die hem patiënten doorverwezen niet kon ontmaskeren als incestplegende vaders, want dan kon hij het verder wel schudden. Met eigenbelang suggereerde Konzak dat Freud wist waar zijn boterham werd besmeerd. Hij moest geld verdienen en dus liet hij de pappies rustig doorgaan met het bepotelen van hun dochters.'

Ik zond Jack een dodelijk blik om aan te geven dat hij zijn grove babbels voor zich moest houden. Hij deed het alleen omdat hij de theoretische details van Freud niet kende en geen snars verstand had van Engels porselein. Er was niemand die dat van hem verwachtte. Ik begon door te krijgen dat hij als hij zich onzeker voelde, wat meestal te maken had met klasse of opleiding, in de aanval ging en zo vulgair deed als hij dacht dat iedereen was. Datzelfde had hij in het vliegtuig gedaan en in de eetzaal in Wenen, toen hij niet wist welke koffie hij moest bestellen. Christenenzielen, nu zat ik opgescheept met een ex-gedetineerde die me er misschien probeerde in te luizen en die ook nog veranderde in een lompe boer als hij zich onzeker voelde.

Dr. Von Enchanhauer negeerde Jack en leek totaal niet van de wijs gebracht door mijn vragen. Hij staarde diep in gedachten verzonken naar het balkenplafond. Het was duidelijk geen man voor spontane reacties of ondoordachte ideeën. Ik had ruim de tijd om zijn gezicht te bestuderen, dat op de een of andere manier niet helemaal niet klopte. Zijn haarlijn was kaarsrecht en zijn neus zag eruit of hij hem van Pinokkio had geleend. Niet dat hij zo lang was, maar hij paste niet bij de rest van zijn gezicht. Ik vroeg me af of het Jack was opgevallen hoe vreemd hij eruitzag, alsof iemand hem op een pijnbank in de kelder had uitgerekt.

Hij begon langzaam. 'Als iemand, met name een groot denker, een theorie laat varen, betekent dat volgens mij niet dat de theorie onjuist is geweest. De theorie wordt niet vervangen omdat hij totaal niet klopt, maar omdat de gegevens minder goed kloppen dan die van een andere, betere theorie. Toen Freud afstand deed van zijn verleidingstheorie, ontbrak het hem aan werkelijke gevallen van incest binnen zijn patiëntengroep. Dat is betreurenswaardiger voor de patiënten dan voor de toekomst van de psychoanalyse. Het is nooit wenselijk de realiteit van een patiënt te ontkennen. Hij had slechts weinig proefpersonen, hooguit twaalf of vijftien, en redelijk homogeen, in de zin dat het voornamelijk Joodse vrouwen waren uit de bourgeoisie. Waarschijnlijk kwam incest in die dagen vaker voor dan hij dacht. Of het net zoveel voorkwam als vandaag de dag betwijfel ik, voornamelijk onder die specifieke patiëntengroepering.

Misschien zouden we ons beter kunnen afvragen wat er gebeurd zou zijn als hij zijn verleidingstheorie níet had laten varen. Hij is misschien een gezinshervormer geworden, maar daarin lag zijn interesse noch zijn kracht. Als hij de verleidingstheorie had behouden, zou hij nooit verder zijn gegaan en had hij misschien nooit datgene ontdekt wat postuum wordt aangemerkt als zijn grootste bijdrage aan de wereld, namelijk het onbewuste. Freud zei dat hij aan de hand van de verleidingsfantasieën van zijn patiënten naar het onbewuste werd geleid. De fantasieën waren het onbewuste dat zich naar het bewuste leven drong, wat de oorzaak was van de ziekte. Hysterici kunnen het zichzelf heel moeilijk maken, omdat ze geloven dat ze geen seksuele of boze gedachten mogen hebben. Mensen reageren op hun *perceptie* van de realiteit, niet op de realiteit zelf. Door de seksuele fantasieën over de vaderfiguur van deze vrouwen te traceren opende de deur zich niet alleen naar het onbewuste, maar ook naar aanverwante processen zoals droomduiding, afweermechanismen en de hele grondslag van de dieptepsychologie zoals we die vandaag de dag kennen.'

Hij stopte even, nam een slokje thee en ging verder. 'Nu denk ik dat Konzak nooit iets van de psychoanalyse heeft begrepen. Het gaat erom hoe iemand zijn onbewuste behoeften in balans weet te brengen of leert ze te accepteren. Het gaat niet om de tegenslagen of de vernederingen in het dagelijks leven. Uiteraard gebeuren er verschrikkelijke dingen in het dagelijks leven en moeten we daarmee zien te leren leven, maar dat is niet de taak van de psychoanalyse. Konzak heeft het niet mis en hij liegt ook niet, maar hij verwacht iets van de psychoanalyse waar het niet voor is bedoeld.

Freud is nooit in geluk geïnteresseerd geweest. Hij zei dat iemand middels analyse kon verwachten een staat van hysterische misère te veranderen in gewoon ongeluk. Freud ontdekte in de menselijke natuur een reeks dierlijke driften en impulsen die onderdrukt werden door een meedogenloze leermeester, het superego. De strijd in de psychoanalyse wordt geleverd binnen het individu, niet tussen het individu en de gemeenschap.' Hij wierp een blik op Jacks gefronste voorhoofd en zei: 'Konzak stapte in een auto en verwachtte dat hij zou vliegen. Toen dat niet lukte, werd hij boos. Maar als je wilt vliegen, moet je een vliegtuig nemen.'

Ik knikte, met de bedoeling hem aan te sporen. Het bleef lang stil en ik hoopte dat hij de draad weer zou oppakken.

'Juffrouw Fitzgerald, uw tweede vraag is veel gemakkelijker te beantwoorden. Ik denk niet dat Freud de verleidingstheorie opgaf uit eigenbelang. Als hij uitsluitend geïnteresseerd was geweest in zijn carrière, zou hij zijn theorie niet hebben vervangen door een theorie die de gemeenschap evenzeer schokte als de eerste. Hij stelde dat alle kinderen polymorf pervers waren en dat onze onbewuste geest een eeuwig kokend vat was van seks en agressie. Vandaag de dag lijkt dat misschien niet zo bijzonder, maar u leeft in het postfreudiaanse tijdperk. Als Freud geïntroduceerd wilde worden bij de aartshertogin, zou hij deze theorie, een schandaal in de Victoriaanse tijd in Wenen, nooit gelanceerd hebben. Als Freud zo opportunistisch was als Konzak stelt, zou hij zijn Joodse identiteit hebben opgegeven, iets wat vaak werd gedaan om een universitaire of publieke aanstelling te bemachtigen. Dan had hij een rijk huwelijk gesloten, vriendschap gesloten met de welgestelden om cliënten te werven en gekozen voor de thans in onbruik geraakte behandelingsmethoden van zijn tijd. Geen van die dingen heeft hij gedaan. Daarom zie ik niets van het opportunisme waar Anders zo zelfverzekerd naar verwijst.'

'Alleen wolven zien wolven achter elke boom,' merkte Jack op.

'Dat is een trieste maar scherpzinnige opmerking, vrees ik, meneer Lawton.'

'Dus afgezien van enkele theoretische geschilpunten, zijn Konzak en u het niet eens over het karakter van Freud.' Jack opende zijn spiraalschriftje weer. 'Zoals ik het bekijk, zagen u en Konzak allebei uzelf in Freud.'

'Dank u, meneer Lawton. Hij schonk Jack voor het eerst een glimlach. 'Dat beschouw ik als een compliment.' Hij zette zijn kop en schotel neer, schoof naar de rand van zijn oorfauteuil en zei, met meer nadruk dan in zijn eerdere betoog: 'Ik twijfel er niet aan dat Freud zijn theorie bij tijd en wijle aan zijn patiënten oplegde. Het zou niet menselijk zijn geweest als hij dat niet had gedaan. Als Freud echter de man was geweest zoals Konzak stelt, had hij nooit zoveel ontdekkingen kunnen doen. Hij was een wetenschapper die verschillende theorieën en technieken toetste en vervolgens toepaste wat naar zijn mening het beste werkte. Hij schreef mensen die hem na stonden regelmatig over zijn twijfels aan zichzelf en uitte zijn frustratie over het gebrek aan nauwkeurigheid in de analytische theorievorming. Hij, net als wij allen die de analytische methode hebben toegepast, zou het graag anders zien. Wij zijn geen historici of sociologen, maar wij, de analytici, moeten wachten tot de geest ons zijn eigen kronkelige route laat zien, zonder onze eigen realiteit te projecteren. Psychoanalyse is de studie van de onbewuste geest, niet de praktische therapie van maatschappelijk werk.'

'Denkt u dan dat Konzak niet liegt, maar niets begrijpt van psychoanalyse?' vertaalde Jack hardop, terwijl hij weer iets opschreef.

'Ik zou zeggen dat Konzak niet liegt over bepaalde feiten, maar dat hij zich bezondigt aan presentisme, hij beoordeelt het verleden aan de hand van huidige criteria. Ten tweede is Freud nooit hypocriet geweest. Hij stelde de polymorfe perversiteit van het kind aan de kaak in de Victoriaanse tijd; is dat niet voldoende bewijs voor zijn hang naar de waarheid?'

'Goed punt. Dat was een staaltje van tegen de stroom in zwemmen.'

'Absoluut. Ik voel me verantwoordelijk voor deze publieke vernedering. Ik hoop slechts dat Anna Freud het me kan vergeven. Ik ben bij Freud in analyse geweest en heb het gevoel dat ik mijn leven aan hem te danken heb. Ik weet dat het een man van eer was en een genie. En toch ben ik degene die dit heeft laten gebeuren.'

'Waarom?' vroeg ik, zonder acht te slaan op zijn wanhoopskreet om begrip.

'Juffrouw Fitzgerald, bent u ooit door iemand bedot terwijl u meende dat u objectief was, maar vanwege uw eigen geestelijke armoede van het moment zag u niet de persoon zelf, maar slechts een projectie van uw eigen behoefte?'

Zijn vraag trof me met de kracht van een psychologische stengun. Ik kon geen vin meer verroeren en werd geheel in beslag genomen door een reeks beelden. In de eerste was ik ongeveer vijf jaar oud en liep ik op een zonnige dag aan de hand van mijn vader langs de Precambrian Shield in Ontario's Bruce Peninsula. Ik rook de wilde prei en zuring en voelde het water van de rotsen druppelen toen we een salamander bestudeerden in het kalksteen en hij me uitlegde wat het fossilisatieproces was.

Op het volgende plaatje ben ik eerstejaarsstudente en sta ik 's avonds laat naast mijn man in de computerzaal van de faculteit wetenschappen. Hij sorteert mijn ponskaarten om ze aan het woest brommende IBM-monster te voeden, dat zo groot was als een flinke kamer.

Het duidelijkste beeld van allemaal is dat van mij in mijn gevangeniscel in de stille uren van de nacht, terwijl ik mijn lichtblauwe uitgave van de verzamelde werken van Freud zit te lezen. Freud en ik hakten met zijn tweeën het onkruid van het onbewuste weg.

Plotseling kreeg ik een déjà vu. Had ik Freud overschat, hem op een voetstuk geplaatst, evenals mijn vader en mijn echtgenoot? Hadden ze me alle drie verleid? Wat vernederend om toe te kijken hoe deze stereotiepe filmhelden achter elkaar in het zand beten. Ik dacht niet dat ik de innerlijke kracht bezat om nog een verpletterende teleurstelling aan te kunnen.

'Kate?' spoorde Jack aan.

Ik knipperde de beelden weg en probeerde me weer op de kamer te concentreren. Hoe lang was ik van de wereld geweest door de vraag van Von E? Ik trok alle flarden die er nog resteerden in mijn linker hersenhelft weer bij elkaar en zocht een uitvlucht in de truc van elke interviewer die betrapt wordt: 'Dr. Von Enchanhauer, we zijn hier niet om mijn behoeften te bespreken, maar de uwe.'

'Ik heb geprobeerd ze te analyseren. Ik denk dat de jaren waarin ik ondergedoken heb gezeten en de oorlog mijn vreugde en spontaniteit hebben doen verschrompelen en Anders Konzak heeft genoeg voor twee. Hij leidt een betoverend leven en als het je lukt je een plaatsje te veroveren onder zijn paraplu deelt hij ruimhartig zijn versie van waarheid en schoonheid met je. Hij is altijd gelukkig en vindt degenen die zijn theorieën onder het vergrootglas leggen, op zoek naar feitelijke ondersteuning, saai en vervelend. Ik verlangde ernaar de klok terug te zetten, iets terug te vinden in zijn zorgeloze eigenliefde.'

Jack wachtte even voordat hij zijn volgende vraag stelde. 'Voordat we weggaan, zou ik u willen vragen wie u als zijn vijanden zou aanmerken.'

'Konzaks vijanden? Ik kan niemand bedenken die gevaarlijk zou kunnen zijn.'

'Laat ons maar beslissen of iemand gevaarlijk kan zijn of niet.'

'Ik denk dat ik mezelf boven aan de lijst zou zetten. Ik ben door hem verleid voor de ogen van de hele freudiaanse gemeenschap en vervolgens voor die van de hele wereld, met dank aan de media. Mijn slechte beoordelingsvermogen is "buiten gehangen om te drogen" zoals de voorzitter van de New York Psychoanalytic Association zo bondig wist te stellen. Vervolgens hebben we Anna Freud. Ze geeft niet mij de schuld, maar Anders. Zij ziet het vooral als een daad van verraad, meer dan ik. Ik zie het meer als een misvatting. Anna is een ruimhartig mens en ze zegt dat het leven te kort is voor een vendetta. Konzaks ware aard zal ooit naar buiten komen, dat is een kwestie van afwachten. Ik wilde een artikel schrijven voor de pers om de kwestie recht te zetten, maar ze wist me ervan te overtuigen dat haar vader het genegeerd zou hebben.

Ze heeft de kwestie alweer achter zich gelaten en werkt aan een nieuw boek over afweermechanismen. Uiteraard is zij nooit zo in de ban van Anders geweest als ik.' Hij staarde naar de bodem van zijn lege theekopje. 'Ze heeft hem op mijn advies aangenomen.'

'En de volgende?' Jack gaf hem geen moment rust.

'De New York Psychoanalytic Association. Ze zijn minder vergevingsgezind en minder geestelijk gezond dan Anna Freud. Ze zouden hun patiëntenbestand kwijtraken als Freud in diskrediet werd gebracht. Deze groep wordt aangevoerd door een zekere dr. Gardonne. Hij heeft me meerdere malen gebeld.'

'We stellen reeds een onderzoek naar hem in,' zei Jack met een blik naar mij om me het zwijgen op te leggen.

'En dan nog Dvorah Little. Ze heeft heel wat te verliezen als het tot een rechtszaak komt. Het is een journaliste uit New York, die door Anders wordt aangeklaagd wegens smaad of zoiets. Ze...' Hij keek op toen hij de aanwezigheid van een andere persoon in de kamer bemerkte. In de deuropening stond een dame, waarschijnlijk zijn vrouw Sofia, te twijfelen of ze verder zou komen of niet. 'Ach, lieverd. Kom binnen en maak kennis met mijn gasten.'

Ze was lang en statig en moest in haar jonge jaren heel mooi zijn geweest. Ze droeg haar lichtgrijze haar in een wrong en zag eruit als een ijsprinses, hoewel ze totaal niet hooghartig keek. Konzak zat er compleet naast toen hij haar beschreef als een Hummelbeeldje. Ik denk dat ze hem uit haar wereld heeft bevroren toen ze zag dat hij Von Enchanhauer trachtte te verleiden met het oog op die felbegeerde directeurspost. Konzak voelde haar minachting niet en verkoos haar te zien als een levenloos stuk porselein.

De doctor was een paar centimeter kleiner dan zijn Duitse echtgenote. Ze keek langs hem heen en was zeer afstandelijk bij onze kennismaking. 'Lieverd, dit zijn enkele deskundigen die een onderzoek instellen naar Anders Konzak,' zei de professor.

Ze glimlachte terwijl ze ons de hand schudde. 'Is het daar niet wat te laat voor?'

'Anders schijnt te beweren dat hij wordt bedreigd.'

'Door wie?'

‘Ze zijn hier om dat uit te zoeken,’ zei hij zonder een spoortje ongeduld.

‘Ach, natuurlijk.’

‘Ik heb net een lijstje mensen opgenoemd die ik als verdachte zou aanmerken,’ vertelde hij zijn vrouw.

‘Als verdachte nog wel. Dat klinkt wel heel Amerikaans,’ zei ze in het afgemeten Engels dat ze waarschijnlijk als kind in Duitsland van een privé-leraar had geleerd.

Jack wierp me een blik toe om aan te geven dat het gesprek beëindigd was.

Toen de huishoudster onze jassen haalde, slenterde ik naar de schoorsteenmantel en bekeek de ingelijste foto’s van twee prinselijke jongemannen. Ze stonden tegen de mast van een jacht geleund, achter een oudere vrouw die wat angstig op de boeg zat. ‘Ach, zijn dit misschien uw zoons, in gezelschap van Anna Freud?’ Een van de twee hield een zilveren beker omhoog. ‘Wat een knappe jongens. Ze zien er energiek uit. En wat een schitterende boot. Is dat mahonie?’

‘Ja, behalve de romp, die was eiken. Jammer genoeg hebben ze hem ingeruild voor een lichter exemplaar, om wedstrijd te zeilen,’ zei mevrouw Von Enchanhauer.

‘Wat lachen ze vrolijk. Op wie lijken ze?’ Ik deed een stapje terug en bekeek de foto aandachtig. ‘Ik zie geen gelijkenis met u of uw man.’

Mevrouw Von Enchanhauer deed een stapje dichterbij en keek stralend naar de foto. Ze was duidelijk dol op haar zoons. ‘Ik vind altijd dat ze op mijn man lijken,’ zei ze vol moedertrots.

‘Werkelijk, lieverd, straks denken onze gasten nog dat je gestoord bent. De jongens zijn lang en slank en ik ben klein en donker. De vrouwen zijn dol op hen en ik heb nooit bekendgestaan om mijn aantrekkingskracht.’

Sofia keek recht voor zich uit, alsof haar man niets had gezegd. Jack en Von Enchanhauer liepen alvast naar de auto en zij en ik volgden hen langzaam, druk verwikkeld in een gesprek over porselein. Toen ze mijn belangstelling voor porselein ontdekte, zei ze warm: 'Ik had geen idee dat jonge mensen het nog leuk vonden om dit soort dingen te verzamelen.'

Als je stokoud bent zoals zij, zal iemand van rond de veertig wel piepjong lijken. 'Ik hou van gebruiksvoorwerpen die ook nog mooi zijn.' Ik zei iets over de theekop die op haar schoorsteenmantel stond, kobaltblauw met goud. Het oortje had de vorm van twee verstrengelde reigershalzen met hun kopjes aan weerskanten van het oor gevlijd.

'Dan moet u ons echt eens komen opzoeken in Londen om onze Rosenthal-verzameling te bekijken. Ik denk dat u een liefhebber bent van Rosenthal, waarbij de schoonheid vooral in de belijning ligt.'

Jack tikte me op de arm. 'We moeten echt zorgen dat we Londen bereiken voordat de rotondes vastdraaien.'

Mannelijke detectives begrijpen duidelijk niet dat mensen meer loslaten als ze ergens enthousiast over zijn. Als vrouwen dezelfde belangstelling delen, zijn ze geneigd van alles met elkaar te bespreken. Toen Jack de auto startte en ik mijn gordel omdeed, boog Sofia zich naar het raampje en zei: 'Thuis in Londen heb ik enkele Wedgwood-stukken die zijn vervaardigd in opdracht van een Russische graaf die een duizenddelig servies bestelde met op elk stuk een ander Engels landschapstafereel. U bent van harte welkom om eens te komen kijken.' Ze richtte zich weer op en zei over de auto tegen haar man, alsof het haar eerder was ontschoten: 'O, Conrad, heb je ze wel verteld over die irritante man waar Anders die rare briefjes van kreeg... je weet wel, dat Amerikaanse zwerverstype?'

'Ach nee, ik denk niet dat dat iets was, lieverd,' antwoordde haar man. 'Gewoon zo'n freudiaanse wetenschapper die eigenlijk tot de patiënten behoort.'

Jack zette de motor weer af. 'Hoe heette hij?'

'Hij had een beetje een circusachtige naam,' aarzelde ze. 'Vond je ook niet, schat?'

'Het klonk een beetje Italiaans,' erkende dr. Von Enchanhauer. 'Hij is bij geen enkel instituut aangesloten. Het is eigenlijk een soort detective, zou je kunnen zeggen. Hij aasde op Anders' functie van directeur en heeft af en toe gebeld en berichten achtergelaten. Anders is natuurlijk in iedereen geïnteresseerd en dit was een boeiende man.'

'Heeft professor Konzak het niet over hem gehad?' informeerde Sofia.

'Nee,' zei ik. 'Wilt u me bellen als u zich zijn naam weer herinnert? Waar belde hij vandaan?'

'Hij heeft ons niet gebeld, hij belde professor Konzak.' Sofia von Enchanhauer keek haar echtgenoot recht aan, pas voor de tweede maal gedurende het gehele onderhoud. 'Weet je nog dat professor Konzak hem na hun eerste kennismaking bestempelde als een genie, maar... misschien niet helemaal goed?'

Conrad von Enchanhauer stond even met zijn ogen te knipperen en zei toen: 'Ja, dat herinner ik me nog wel, maar er is geen enkele reden waarom hij Anders zou bedreigen. Ik denk dat meneer Lawton en juffrouw Fitzgerald van mij wilden weten wie geïrriteerd zou kunnen zijn of wie hem zou kunnen bedreigen.' Hij wendde zich tot Jack. 'Mevrouw Von Enchanhauer heeft gelijk. Anders weet wel hoe hij heet. Als hij niet geheel in evenwicht is, kan hij zijn eigen waanbeelden hebben. Ik vermoed dat iedereen die aan waandenkbeelden lijdt, in potentie gevaarlijk kan zijn.'

'Dat hangt van het waandenkbeeld af,' zei Jack via het raampje. Toen zette hij de auto in zijn achteruit en spoot de lange, kronkelige oprit af. 'Jezus, bij iedere bocht moet ik me concentreren om te bedenken aan welke kant van de weg ik uit wil komen. Laten we regelrecht naar de boot rijden. Ik rij, jij pakt het klembord en schrijft alles op wat er is gezegd. Het is belangrijk dat we alles hebben. Je zult versteld staan wat we allemaal al vergeten zijn tegen de tijd dat we bij de ferry aankomen.' Hij hield even zijn mond om een sigaret aan te steken en ik legde het klembord op mijn knieën. 'Wat denk je ervan?'

'De huishoudster is zo oud als het huis zelf en ziet eruit alsof er niemand thuis is.'

'Die boerentypes hebben het nu eenmaal niet zo op autoriteiten,' zei Jack.

'In Engeland wel,' betoogde ik. 'Elke autoriteit wordt met respect bejegend.'

'Maar het is geen Engelse, hoewel ik haar accent niet kan plaatsen. Ze is geen Duitse en ook geen Oostenrijkse. Haar klinkers hebben ook niets van een Romaanse tongval. De woorden komen er staccato uit, het klinkt Oost-Europees.'

'Het viel me op dat de doctor de deur uit liep om thee te bestellen. Tefonia kwam niet naar binnen om te vragen of we misschien iets wilden drinken. Ik denk dat Sofia naar de keuken is gegaan om te zeggen dat ze een ander schort moest aantrekken en zich gedeisd moest houden. Die hulp zal wel iets weten. Denk je dat we terug moeten gaan om haar te ondervragen als de Von E.'s terug zijn naar Londen?'

'Toe nou toch, ze keek volkomen uitdrukkingsloos, zelfs voor een Britse. Daarbij zal ze wel met ze meegaan.'

Ik keek hem aan en vroeg ongelovig: 'Zag je dan niet dat ze niet helemaal bij de tijd is? Er is iets niet in orde met haar. Ze herhaalt zinnen, een soort echolalie of napraterij.'

'Is me niet opgevallen, niet opgevallen,' mompelde Jack in een autistische cadans.

'En ze trok pas een ander schort aan toen iemand in de keuken haar zei dat ze dat moest doen.'

'Misschien is het gewoon een domme roddervos. Geen zeldzame combinatie, als ik mijn jeugd bekijk. Volgens mij herhaalde ze gewoon alles wat de Von Enchanhauers zeiden.'

Ik schreef als een dolle en dacht intussen hardop na. 'Die verzameling Engels porselein behoort tot de beste van de wereld. Dat bureau van gebogen mahonie was magnifiek.'

'En dus?' vroeg Jack.

'Waarom doen een Europese Jood en een geïmporteerde Duitse zo hun best om de Britse authenticiteit te kopiëren? Vanwaar al die moeite? Toen jij in Wenen was, koesterde je toen de hartstochtelijke wens naar huis te gaan en alles opnieuw in te richten met Biedermeier, om daar vervolgens in te gaan zitten jodelen met een lederhosen aan je kont?'

'Ik had wel heel veel zin zo'n groen vilthoedje te kopen, je weet wel, met van die minischeerkwastjes eraan.' We reden in de motregen en staarden naar de reflectoren in het wegdek. 'Zo'n lederhosen hoefde ik er echter niet bij, daar zitten veel te kleine zakken in.'

Ik schudde mijn hoofd alleen maar. 'Als iemand zo wanhopig probeert een identiteit na te bootsen, is dat meestal omdat hij zijn eigen identiteit wil verhullen.'

'Dus als ze bierkroezen van Schultz zouden verzamelen, hadden ze geen identiteitsproblemen?'

'Je snapt het niet,' zei ik, terwijl ik naarstig doorschreef. 'En dan die Conrad von Enchanhauer, de lelijkste man sinds Quasimodo. Hij was volledig buiten proportie. Zijn lijf paste niet bij zijn kop. Die doorschijnende huid met dat rare haar.'

'Hoezo raar?'

'Zag je dan niet dat hij eruitziet als een Ken-pop op leeftijd?'

'Nee, niet echt.'

'Zijn haar zit in plukjes en loopt in een kaarsrechte lijn langs zijn voorhoofd en nek.'

'Wat voor plukjes?'

'Alsof er een heleboel haartjes tegelijk in één gaatje zijn gestopt. Het is een kruising tussen kunstgras en tapijt voor binnen en voor buiten.' Jack negeerde me, maar ik ging rustig door. 'Zijn Pinokkio-neus staat vrijwel los van zijn gezicht, net alsof hij erop is geplakt met klei. De rest van zijn trekken zijn verfijnd, maar hij heeft een dikke, grove neus. Zijn hele gezicht ziet eruit alsof iemand het doormidden heeft gesneden en weer in elkaar heeft gezet, maar een stukje heeft vergeten.'

'Wat zeg je nou?' Jack klonk nu eerder geïrriteerd dan ongelovig.

'Net een CT-scan. Ze hebben één van die schijfjes op de vloer van de afdeling radiologie laten vallen en de boel zo weer in elkaar gezet, zonder te zien dat er iets miste. Zag je dat dan niet?'

'Dat er iets was achtergelaten op de afdeling radiologie? Nee, ik moet toegeven dat dat ontbrekende stukje leven me is ontgaan,' mopperde Jack.

'Als je me wat langer kent, zul je wel merken dat ik de absolute koningin ben als het gaat om deformaties. Ik zie altijd alles... schele ogen en wandelende nieren spot ik van kilometers afstand.'

'Wanneer zou ze aan de feiten toekomen?' vroeg Jack zich hardop af.

'Stil, ik probeer me iets te herinneren.' Ik schreef snel nog iets op. 'Ik werk als volgt. Ik schrijf alles op en lees de informatie later terug, dan stuit ik vanzelf op aanwijzingen.'

'Je hebt een sluitend systeem na al die jaren in het vak, hoor ik.'

Ik hoorde hem niet eens, ik probeerde zo snel mogelijk te schrijven om mijn hersenen bij te houden. Ik keek op. 'Feiten. Wat zijn feiten anders dan dingen die je opvallen en opschrijft? Cicero's opinies zijn de feiten van vandaag. Wetenschappelijke feiten veranderen als het tijd is voor verandering, niet omdat de feiten niet kloppen... ze zijn alleen niet langer bruikbaar.'

'Dat klinkt als de feiten uit *Ladies Home Journal,* maar ga vooral door.' Hij klonk zo afwezig dat ik me afvroeg hoe hij nog kon praten.

'Von E. was gekleed als de perfecte Engelse landheer in zijn geruite overhemd, afgezien van één klein dingetje,' kondigde ik aan.

'Ik geef het op.'

'Zijn mouwen waren te lang. Waarom?' vroeg ik.

'Jij bent de koningin van de afwijkingen.'

'Omdat hij een litteken heeft op die arm. Wat het ook is, ik kan je wel vertellen dat hij het probeerde te verbergen. Hij dronk zijn thee op een onhandige manier, opdat zijn mouw niet omhoog zou kruipen. Maar toen ik hem zo krachtig de hand schudde, kon hij het niet verbergen. Ik heb het gezien.'

'Littekens verbergen betekent niets,' zei Jack.

Ik negeerde hem. 'Weet je dat er geen haar groeit op littekenweefsel?'

'Ja, hoor.' Hij wees op een litteken op zijn wenkbrauw.

'Hij heeft zwart krulhaar en zijn littekenweefsel is niet lichter van kleur dan zijn huid. Raar, vind je niet? Donkere mensen hebben lichter gekleurd littekenweefsel. En het is nog vreemder dat er haartjes groeien op zijn littekens.'

'Nou en? Dan heeft hij een behaard litteken.'

Ik liet me niet uit het veld slaan. 'En verder was het overduidelijk dat hij zijn vrouw er niet bij wilde hebben. Hij stond op toen ze de kamer binnenkwam en zat op hete kolen om haar of ons zo snel mogelijk naar buiten te werken.'

'Ja, dat was inderdaad raar,' gaf hij toe.

'Dan gaan we nu over op de feiten.' Ik sloeg een bladzijde om.

'Laten we dat doen, ja.'

'Toen Von E. in alle rust zijn antwoorden kon voorbereiden, kwam hij diplomatiek en eerlijk over. Maar hoe meer ik met Sofia sprak, de ijskoningin die smolt tijdens ons porseleinen tête-à-tête, hoe zenuwachtiger hij werd.'

'En gelijk had hij. Zij bracht ineens die Italiaanse circusartiest naar voren. Heel vreemd dat hij zijn mond erover had gehouden. Hoewel hij er niet heet of koud van werd toen zij hem ter sprake bracht. Hij deed hem simpelweg af als een gek.'

'Dat doen psychiaters altijd als ze heet én koud worden. En een gek hoeft niet dom te zijn.'

Jack was in de gevangenis net zoveel gekken tegengekomen als ik en knikte heftig. 'Er zat vaak een kern van waarheid in hun waanzin. Als je de waanzin even opzij zette, school er vaak een intelligent mens achter, slimmer dan de bewakers.'

'Precies,' zei ik. 'De staf besloot erbij te zijn... hoe dom was dat?'

Hij knikte instemmend, schakelde terug en reed de snelweg op. 'En dan de volgende belangrijke vergissing. Toen de Italiaanse circusclown eenmaal was genoemd, waarom zei Von E. toen niet "vraag het maar aan Anders", net zoals Sofia deed?'

'Nu wil je dat ik zeg "omdat hij wist dat Konzak dood is". Het spijt me, maar ik zie het anders. Volgens mij ging hij ervan uit dat we Konzak al hadden ondervraagd en dat we alleen maar kwamen om te zien wat híj zou zeggen. Ik ben het echter met je eens dat je dat moet onderstrepen. Ben je nu klaar?'

'Nee.' Ik zat nog steeds te schrijven. 'Vervolgens keek Sofia naar de foto van haar kinderen, die er tussen twee haakjes uitzien als de archetypische nazi-*jugend*. De jongens lijken sprekend op elkaar, maar niet op haar. Zij heeft een hoog, smal voorhoofd, de hunne zijn breed. Ze zei dat ze op haar man leken. Dat was om twee redenen eigenaardig. Ten eerste zijn ze lang, blond en gespierd en zien ze eruit als de Arische droom. Hun vader is typisch Joods. Die jongens lijken voor geen meter op hem.'

'Je klampt je vast aan een strohalm,' zei Jack.

'Genetisch gezien kunnen die kinderen ook op hun achteroom lijken. Dat komt wel vaker voor. Maar het malle is dat toen Sofia zei dat ze op haar man leken, er eindelijk een spoortje warmte op haar gezicht te lezen viel en ze een zachte blik wierp op haar echtgenoot. Dat was de eerste keer in dat gesprek dat ze ook maar even naar hem keek.'

'Mensen die al vijftig jaar samen getrouwd zijn, staren elkaar niet meer zo vaak in de ogen, in elk geval niet in de huwelijken die ik heb gezien. Het kan er natuurlijk aan liggen dat ik aan de minder romantische kant van het leven ben opgegroeid.'

'Dat is wel waar. Maar het bijzondere was dat hij zei dat we nog zouden denken dat ze *gestoord* was. Een vreemde uitdrukking, helemaal voor iemand die over zijn vrouw spreekt als "mevrouw Von Enchanhauer". Ook zij schrok ervan, maar ze herstelde zich snel. Als Konzak die uitdrukking *gestoord* zou gebruiken, zou ik er niet zoveel achter zoeken. Maar het was geen woord dat zij regelmatig uit zijn mond hoorde. Psychiaters hebben een reikwijdte van A naar B. *Gestoord* als aanduiding voor zijn vrouw ligt ver buiten zijn obsessieve speelveld. En waarom zouden we denken dat ze gestoord zou zijn als ze haar man terugziet in haar zoons? Het was niet meer dan de heftige ontkenning waar mensen naar teruggrijpen als ze bang zijn of iets te verbergen hebben. Oei, ik denk dat de Joodse man iets te heftig protesteert.' Al schrijvend praatte ik door: 'Von E. scoorde goed bij alles wat hij had kunnen voorbereiden en minder goed op het spontane vlak. Hij was oorspronkelijk van plan ons in Londen te ontvangen, terwijl zijn vrouw nog op het platteland verbleef, dat weet ik vrijwel zeker. Het was een goed idee om hem van zijn stuk te brengen en hem hier op het eiland Wight op te zoeken.' Ik brak mijn speech af. 'Jouw beurt.'

'Dat was het wel zo ongeveer. De hoofdzaken zijn de Italiaanse circusartiest en de foto van de zoons. Het viel me ook op dat mevrouw Von E. de goede doctor op handen draagt en dat ze een saai leventje leiden. De rest is amateurswerk, als je het mij vraagt.'

Ik denk dat hij doorhad hoe neerbuigend hij klonk en het daarom meteen probeerde goed te breien. 'Ik bedoel dat ik alleen die twee aanwijzingen kan natrekken. We zoeken uit wie die kinderen zijn, of liever gezegd, van wie ze zijn, en wie die Italiaanse clown is. Haarplukjes zijn lastig na te trekken. Waar wil je dat ik naartoe ga? Mattel?'

Terwijl we een lijstje maakten van wat we allemaal moesten natrekken, zei Jack: 'We moeten vanaf nu snel handelen . Konzaks lijk wordt zo rot als dat van John Brown en het zal niet lang meer duren of hij wordt gevonden.'

We namen de laatste rotonde en reden in volle vaart naar de bootterminal.

10

FREUD IN DE KOELKAST

Ik zou mij erin verheugen indien zij [Anna Freud] spoedig een reden vond de innige band met haar oude vader in te ruilen voor een bestendiger genegenheid.
– Sigmund Freud

Aangekomen bij Maresfield Gardens 19 staarde ik uit het autoraampje naar het lugubere huis waarin Freud had gewoond en uiteindelijk een afschuwelijke dood stierf aan een kaakcarcinoom. De uitvinder van de gesprekstherapie stierf aan kanker in mond en kaak, een letterlijke vorm van je tong verliezen. Freud zou daar veel aandacht aan hebben besteed als het een patiënt van hem was overkomen in plaats van hemzelf.

Zijn dochter Anna was sinds zijn dood alleen achtergebleven in dat huis en had in een deel ervan, de ruimten bestemd voor psychoanalyse, een museum ingericht. Hoewel ik ervan uit was gegaan dat Konzak lichtelijk overdreef, stond ik verbluft van zijn accurate beschrijving van de somberheid die het huis uitstraalde. Het onkruid tierde welig tussen de klinkers, de struiken waren ver uitgeschoten en hier en daar groeiden plukken gras uit de verder kale grond. In de schaduw was de grond gaan schimmelen en overal stonden paddenstoelen, de enige overlevenden in deze verzuurde grond.

Jack drukte verscheidene malen op de bel, totdat een Germaans uitziende huishoudster in een zwart uniform met een wit schortje de deur opende. De hal was donker en de glanzend bruine lambrisering vertoonde barstjes in de lak. Het tapijt zag eruit alsof het voor het laatst was gestofzuigd in de tijd van Franz Josef.

'Fräulein Freud verwacht u in de studeerkamer,' zei ze. Ze bewoog alleen haar onderkaak als ze sprak, net als de pop van een buikspreker.

De studeerkamer zag er tenminste uit alsof hij werkelijk werd gebruikt. De schitterende glas-in-loodramen reikten van vloer tot plafond. Een kleine, strenge vrouw legde haar pen neer, stond op en reikte ons de hand over het bureau, waarop stapels boeken lagen, allemaal voorzien van die futuristische Post-Its.

Ze droeg een eenvoudig wollen pakje, een witte blouse, dikke kousen die om haar enkels lubberden en Hush Puppies. Haar van nature krullende haar was slordig bij elkaar gebonden in een grijze knoet. Haar gezicht had een schitterende beenderstructuur en haar doordringende, heldergroene ogen staken scherp af tegen haar bleke, doorschijnende huid.

Ze nodigde ons uit plaats te nemen op de twee metalen kantoorstoelen voor haar bureau. Ze ging weer op haar draaistoel achter het gigantische mahonie bureau zitten, vouwde haar handen en vroeg met een zwaar Weens accent: 'Wat kan ik voor u doen?'

'We willen u graag enkele vragen stellen omtrent Anders Konzak.'

Anna Freud keek ons aan en wachtte op de vragen. Met haar zakelijke optreden gaf ze te kennen dat ze bereid was haar medewerking te verlenen, maar dat haast geboden was want ze had nog meer te doen.

'Als ik het wel heb, is Anders Konzak de huidige directeur van de Freud-academie?' vroeg ik.

'Dat klopt,' zei ze, en wachtte tot ik mijn volgende vraag stelde.

'Toen ik Konzak vorige week sprak, zei hij dat hij verwachtte uit zijn functie ontheven te worden, zodra het bestuur bij elkaar zou komen voor de maandelijkse vergadering.'

'Dat is mogelijk. Dat zou u aan de bestuursleden zelf moeten vragen.'

'Laten we er geen doekjes om winden, Fräulein Freud. U komt op me over als een no-nonsense vrouw en wat dat betreft behoren we tot hetzelfde type. Konzak beweert dat hij wordt bedreigd. We zijn ingehuurd om die bedreigingen na te trekken,' zei Jack.

'Wel?' vroeg ze uitnodigend.

'Ik kan me voorstellen dat Konzaks aanval op Sigmund Freud u diep heeft geraakt, vooral omdat u degene bent geweest die hem heeft aangenomen.' Ik wist dat Anna hem niet had aangenomen, maar ik wilde haar van haar apropos brengen.

'U hebt me hiermee een aantal vragen tegelijk gesteld,' zei ze. 'Ik zal proberen ze afzonderlijk te beantwoorden. Ik was zeer zeker van streek na professor Konzaks blitzkrieg jegens mijn vader. Mijn verontrusting werd echter afgezwakt door twee dingen. Ten eerste ben ik gewend aan kritiek. Zo lang ik me kan herinneren is mijn vader door praktisch de gehele beschaafde wereld aangevallen over zijn werk. In 1938 ben ik 23 uur lang door de Gestapo ondervraagd, dus ik heb geleerd mijn verwachtingen niet te hoog te stellen. Ik calculeer moeilijkheden bij voorbaat in, met als gevolg dat ik minder van streek raak dan normaal het geval zou zijn als deze zich dan ook daadwerkelijk voordoen.' Ze kwam achter haar bureau vandaan, keek Jack recht aan en vervolgde: 'De tweede reden waarom ik niet al te zeer van streek raakte, was het feit dat ik professor Konzak niet zo goed kende. Ik vrees dat ik, evenals mijn vader, weinig enthousiasme kan opbrengen voor dat soort Amerikaanse onbehouwenheid. Ik ben nooit een groot voorstander geweest van de aanstelling van professor Konzak. Dr. Von Enchanhauer was echter van mening dat hij de juiste persoon was voor deze post. Aangezien ik me voornamelijk bezighoud met lesgeven, schrijven en mijn praktijk, ben ik bang dat het overgrote deel van de administratie op hem neerkwam. Hij wilde wat respijt en zag in professor Konzak een intelligente, energieke persoon met een grote liefde voor Freud. Uitsluitend wat het laatste punt betreft, was ik het met hem eens.' Anna Freud sprak met dezelfde precisie waarin ze schreef. Ondanks haar zware accent, haperde ze geen moment en hoefde ze niet naar woorden te zoeken in het Engels. Het kostte me geen enkele moeite haar te begrijpen, wat Konzak betrof waren we het volkomen met elkaar eens.

'Ja. Dr. Von Enchanhauer vertelde ons al dat het een kwestie was van zijn slechte beoordelingsvermogen. Konzak woont hier echter, dus ik ga ervan uit dat u hem beter kent dan de andere bestuursleden.'

'Het komt voor dat we samen dineren, op de avonden dat Elsa kookt, maar zeer sporadisch. Hij is vaak 's avonds op pad voor zijn werk, evenals ik. Ik werk vaak tot laat door en gebruik dan een koude maaltijd in mijn werkkamer. Zijn appartement heeft een eigen opgang. Ik meen dat hij momenteel niet in de stad is.'

'Dr. Gardonne heeft een vrijwaring verkregen van Anders Konzak om ons toegang te verlenen tot zijn appartement,' zei Jack. Hij rommelde in zijn verkreukelde dossiermap, op zoek naar het document.

'Dat is niet nodig. U mag er een kijkje nemen wanneer u maar wilt. Ik zal Elsa vragen u te begeleiden.' Anna liep al in de richting van de deur.

'Dank u, dat zullen we straks zeker doen.' Jack gaf duidelijk te kennen dat hij nog lang niet van zins was te vertrekken. Hij beende naar een alkoof in haar kantoor die kennelijk in gebruik was als ruimte voor speltherapie. Er lagen speelgoed en spelletjes en er stonden een boerderij, een groot poppenhuis en een kinderbureautje met stoeltjes. Jack dook meteen op de gele Tonka vrachtautootjes op de plank en begon ze heen en weer te rollen. 'Wauw, wat een heerlijke kamer. Kijk al dat speelgoed eens, Kate.' Hij keek Anna stralend aan. 'U werkt natuurlijk regelmatig met kinderen.'

'Ik zie dat u weinig moeite hebt met uw mannelijke identiteit,' zei Anna Freud glimlachend.

Jack bracht de lift van het Fisher-Price benzinestation in beweging en vroeg intussen door. 'U geeft toe dat de mogelijkheid bestaat dat Konzak na de volgende bestuursvergadering zijn congé krijgt. Wat heeft hij gedaan dat zo aanstootgevend is?'

'Ik heb nog geen tijd gehad een en ander uitgebreid te bespreken met de andere bestuursleden. Wel ben ik in de gelegenheid geweest de brieven en verhandelingen te bekijken die hij volgende maand wil uitgeven en ik ben van mening dat hij bepaalde zaken onjuist heeft geïnterpreteerd. Ik verkeer in de veronderstelling dat professor Konzak zijn theorie verdedigde door bepaalde feiten uit de context te halen. Hij adviseerde zijn lezers, of misschien zou ik moeten zeggen zijn publiek, om zich pas een mening te vormen na publicatie van de brieven, waarna men zijn inzichten zou onderschrijven. Slechts de serieuze geleerden zullen deze brieven na publicatie werkelijk lezen. Wat de rest van de wereld betreft is het leed al geleden. Alle kranten en tijdschriften hebben artikelen geschreven zonder de feiten om een en ander te onderbouwen af te wachten. Iedereen die ooit in psychoanalyse is geweest of op enige wijze in therapie is geweest wil Freud graag op fouten betrappen.'

'Waarom?'

'Omdat ze daar stiekem van genieten,' antwoordde ze. 'Omdat Freud ook hen als het ware heeft betrapt. Slechts een klein aantal respectabele vakbladen zou een artikel plaatsen dat wetenschappelijk belasterend is. Ze zouden wachten tot de publicatie van de brieven, professor Konzaks verhandeling aan drie respectabele deskundigen op dit gebied laten lezen en hun deskundige mening afwachten alvorens over te gaan tot publicatie. Eventuele discussiepunten in het artikel zouden standaard voorzien worden van tegenbewijzen of de vermelding in een voorwoord van de uitgever dat de bevindingen door diverse vooraanstaande deskundigen op dat gebied niet worden onderschreven. De kranten vinden het echter de normaalste zaak van de wereld deze theorie naar buiten te brengen zonder enig bewijsmateriaal en niemand noemt dat smaad.'

'Ik denk dat *The Washington Post* ervan uitging dat de directeur van de Freud-academie een betrouwbare bron was. Ik bedoel, het is niet bepaald Charles Manson,' merkte Jack op.

'Hoe kan het nu toch dat dit gebeurt met zo'n indrukwekkend personage als Freud?' vroeg ik, werkelijk ontsteld. Nu we toch in de speelhoek zaten, kon ik net zo goed even met de grote houten blokken aan de gang gaan.

'Freud is vaak het slachtoffer van minder nauwkeurig kritisch onderzoek, omdat zijn inzichten zo bedreigend zijn. Onbewust zien mensen graag dat hij in diskrediet wordt gebracht. Niemand is immuun voor de motieven van het onbewuste, zelfs de hoofdredacteur van *The Washington Post* niet.'

'Over laster gesproken, wat vond u van de serie artikelen van Dvorah Little over Anders Konzak in *Metropolitan Life*?'

'Dat leidde uiteraard tot een hevige concurrentiestrijd met de Britse roddelpers. Ik had geen idee of de laster afkomstig was van Dvorah Little of van Anders Konzak. Hij bleef beweren dat ze zijn woorden had verdraaid. Ik moet erkennen dat hij zijn bedenkingen over haar had, nog voordat het artikel verscheen. Hier aan tafel noemde hij haar een keer "veelvraat Dvorah" en beschreef hij haar interviewtechniek als enigszins provocerend.'

'Wat bedoelde hij daarmee?' Typisch Jack om zijn klauwen weer in de sensatie te zetten.

'Dat heb ik niet gevraagd.'

'Denkt u dat Konzak uw vaders werk ten aanzien van de verleidingstheorie verkeerd heeft geïnterpreteerd?' vroeg ik.

'Die vraag vereist een lang en ingewikkeld antwoord, waar ik nu niet op in wil gaan. U begon met mij te vragen wie professor Konzak eventueel bedreigd zou kunnen hebben en ik heb geen idee. Hij heeft vijanden in alle rangen en standen, van in de steek gelaten geliefden tot professoren Russische literatuur. Iemand die zich niet verdiept in het effect dat hij heeft op mensen maakt gemakkelijk vijanden.'

'Beschouwt u Konzak als een psychopaat?' vroeg ik.

'Nee, een psychopaat manipuleert uitsluitend voor eigen gewin. Konzak verdedigt datgene wat hij beschouwt als de waarheid.'

'Denkt u dat hij geheimen zal onthullen die iemand ernstig kunnen schaden?' drong ik aan.

'Nee. Dergelijk materiaal zou ik hem nooit ter hand hebben gesteld. Er staat niets in die brieven dat iemand kan schaden, zeker niet iemand die nog in leven is. De brieven van Wilhelm Fliess onthullen de weinig wetenschappelijke aard van zijn werk, maar dat is reeds goed gedocumenteerd. Fliess' roem is enkel en alleen gebaseerd op zijn vriendschap met mijn vader. Ik heb Fliess' zoon er reeds over gesproken en hem de nog niet gepubliceerde brieven laten zien. Hij zag niets wat zijn vader verder kon schaden, buiten hetgeen jaren geleden al aan het licht was gekomen toen Kris de geselecteerde brieven redigeerde en Strachey ze opnam in de verzamelde werken van Freud.'

'Fliess!' interrumpeerde Jack, zonder zijn pret te verhullen. 'Is dat de vader of grootvader van Heidi Fliess, die prostituee uit Hollywood?'

'Madame, meen ik,' corrigeerde Anna Freud.

'Ik volg haar carrière al jaren,' zei Jack enthousiast en parkeerde intussen een aantal autootjes op het dak van het benzinestation. Ik zond hem een vernietigende blik, waarop hij reageerde: 'Nou, dat vrouwtje had anders wel gevoel voor zaken.' Aangezien Anna noch ik zijn enthousiasme ook maar enigszins deelde, moest hij wel van tactiek veranderen. 'Oké. Kent u misschien een Amerikaan van Italiaanse afkomst, een soort hippie of vrije geest, die met Konzak correspondeerde?'

'Hoe heet hij?'

'Dat weten we niet. Zijn naam heeft iets met het circus te maken.'

Ze dacht even na. 'Nee, ik kan niemand bedenken die aan die beschrijving voldoet. Wel kan ik u zeggen dat professor Konzak wereldwijd vrienden had in alle geledingen. Toen hij hier introk, duurde het twee weken voordat zijn telefoon was aangesloten en maakte hij zolang gebruik van de mijne. Hij werd gebeld door kelners, ambassadeurs, academici op alle gebied, van Russische literatuur tot vrouwenstudies, Finse metselaars, schaakmeesters uit IJsland, Amerikaanse jazzmuzikanten en Australische windsurfers. Het zou me zeker niet verbazen als hij een Italiaans-Amerikaanse vriend had bij het circus.'

Jack zond me een blik van 'wegwezen hier', toen ik de laatste hand legde aan mijn blokkentoren. Ik zei tegen Anna: 'We zouden graag even een kijkje willen nemen in Konzaks kamers. Daarna zullen we u niet meer storen en de huishoudster vragen ons uit te laten.'

Anna zat intussen op een schommelstoel achter ons en klingelde met een belletje dat eruitzag als een klokje voor in de kerstboom. In afwachting van de huishoudster knielden Anna en Jack naast mijn houten bouwwerk. Anna zei glimlachend: 'Aha, juffrouw Fitzgerald. Ik zie dat ook u weinig moeite heeft met uw seksuele identiteit.'

'Mis,' zei Jack.

We moesten alle drie lachen, maar Anna bekeek mijn blokkenbouwwerk nog eens goed en zei: 'U hebt een huis gebouwd, dat doen de meeste meisjes. Mannen bouwen structuren met open ruimten en vrouwen sluiten hun ruimten af. Het valt me echter op dat u vier ingangen hebt aangebracht in plaats van één. Ik neem aan dat u te maken hebt gehad met beperkende maatregelen of opsluiting.'

Voordat ik iets kon zeggen kwam de huishoudster binnen en leidde ons resoluut de kamer uit... veel efficiënter dan ze de rest van het huis aanveegde. Ze was van plan ons regelrecht naar de voordeur te brengen, dus Jack herinnerde haar eraan dat we eerst naar Konzaks vertrekken wilden. 'Dat weet ik,' snauwde ze, en stommelde voor ons uit de donkere trap op.

Op de derde verdieping kwamen verschillende gesloten deuren uit. Het leek meer op een pension dan op een woonhuis. Ze opende een van de deuren met een sleutel die ze uit haar schortzak haalde.

'Het moet wel moeilijk voor u zijn dat Konzak hier woont, met alles wat er is gebeurd,' deed ik een poging.

'Hij is nu wat meer op zichzelf, hè?' antwoordde Elsa tevreden.

'Bent u niet blij dat u iemand hebt om voor te koken?' Ik gokte op het vrouwen onder elkaar babbeltje.

'Hij kan anders aardig goed klagen, hoor. Te veel rood vlees, te vaak lamsbout en overal moest groente bij. Hij heeft me heel wat extra werk bezorgd.' Ze leek blij te zijn met een luisterend oor. 'Hij trok altijd alles uit de kast en liet het zomaar liggen, dan kon ik het weer opruimen. Buiten deze muren was hij misschien charmant, maar ik zag hem heel anders, hoor. Al die dingen te vertellen over *Herr* Freud, dat is toch een schande. Ik heb professor Freud mijn hele leven gekend en mij vraagt niemand iets, maar zo'n omhooggevallen gladjanus uit Amerika vragen ze het hemd van het lijf. Mensen geloven wat ze willen geloven, zeg ik altijd maar.'

'We zullen het u laten weten als we vertrekken,' zei Jack, terwijl hij de deur sloot.

'Best hoor.' Ze draaide zich abrupt om en stommelde de trap weer af. Ik dacht dat we nog heel wat meer uit haar hadden kunnen krijgen als Jack haar niet had onderbroken, maar besloot er geen punt van te maken.

We doorzochten Konzaks kamers, maar kwamen niets ongebruikelijks tegen, totdat Jack in een la rommelde en er iets uit viste, zorgvuldig verpakt in geel papier. Het bleek een sleutelhanger te zijn met een miniatuur 45-toerenplaatje eraan. Op het plaatje stond *The Name Game*. We keken elkaar verheugd aan, bingo!

'Dat stond ook op dat gele stukje papier dat Konzak in zijn zak had. Dat had hij bij zich toen hij werd vermoord,' riep ik uit.

'Niet zo hard,' waarschuwde Jack. 'Daar stond op "het is the name game", maar je hebt gelijk, het moet hetzelfde zijn.'

'Jij zou toch nog uitzoeken of het een kroeg was of een boek of zoiets?' hielp ik hem herinneren.

'Een kroeg was het in elk geval niet...'

'Wacht eens even. Nu ik *The Name Game* zie staan op dat 45-toerenplaatje, weet ik ineens weer dat het een hitje was in de jaren zestig.'

'Dat ken ik niet. Hoe ging dat?'

'Het had een algoritme waarmee zelfs de allerstomste oen een rijmpje kon maken op iemands naam.'

'Zing het nou maar gewoon en houd je commentaar even voor je.' Hij trok Konzaks kast open en voelde in de zakken van al zijn jasjes.

'We zongen het altijd op paardrijkamp. Je knipte met je vingers en zong de naam van je vriendinnen en het moest altijd rijmen: '*De eerste letter is een J, de laatste is een K, hij heeft een lekker bekkie en zijn naam is Jackie.*'

'Tjee, ik ben een complete cultuurschat kwijtgeraakt toen ik dat liedje vergat.' Jack pakte een vel papier uit Konzaks bakje 'ingekomen post'. 'Hier heb ik een hele waslijst aan vragen van zijn uitgever in New York. We zullen hem bellen zodra we daar zijn,' zei Jack en noteerde het nummer.

'Dit is zijn echte sleutelhanger. Van zeehondenleer, net als zijn portefeuille. Dat is meer zijn pakkie-an.'

We hoorden Elsa door de gang stampen. Ik vroeg fluisterend: 'Waarom maakt ze zo'n herrie als ze loopt? En ze heeft van die rare schoenen aan, zelfs voor Duitse begrippen. Het lijken wel golfclubs met veters aan de zijkant.'

'Ze heeft een horrelvoet, juffrouw koningin van de deformaties.'

Toen ik de deur opende om weg te gaan, keek ze me zenuwachtig aan en zei dat ze bang was geweest dat ze ons niet zou horen roepen als we klaar waren.

'Professor Konzak wordt door de pers afgeschilderd als nogal een rokkenjager. Denkt u dat dat waar is?' Ik volgde haar naar beneden en probeerde het nog maar eens met mijn meiden onder elkaar benadering.

'Ik bemoei me niet met andermans zaken. Wat mensen achter gesloten deuren doen moeten ze zelf weten.'

Op weg naar de auto zei Jack: 'Elsa is een schatje.'

'Waarom ga je niet eens naar een bijeenkomst van de Britse huishoudstervereniging? Als ze allemaal zo zijn als Elsa en die Tefonia van de Von Enchanhauertjes kan dat een hele belevenis zijn. Het is me een stel apart.'

'Bij hen vergeleken zijn gevangenbewaarsters pin-upgirls,' beaamde Jack.

'Haar accent is een interessante combinatie van Oostenrijkse plattelandsvrouw en Cockney keelklanken. Vreemd dat iemand haar zo lang in dienst houdt. Ze is duidelijk niet aangenomen vanwege haar geweldige huishoudelijke kwaliteiten. Ik dacht dat Duitsers hun Meissen-beeldjes schoonmaakten met wattenstaafjes. Dat stereotype is duidelijk de wereld in geholpen door iemand die Elsa nooit had ontmoet.'

'Het zal haar persoonlijke warmte wel zijn,' zei Jack, terwijl hij de sigaret opstak waar hij al uren naar snakte.

'Hoeveel huishoudsters zijn er die de boel niet schoonhouden, constant klagen en of dat nog niet genoeg is ook nog eens weigeren over Konzaks ontelbare escapades te roddelen?'

'Eén, Elsa. Of was dat een strikvraag?'

Eenmaal veilig in de auto met mijn pen in de aanslag, keek ik Jack verwachtingsvol aan. 'Jouw beurt.'

Hij startte de auto en zei: 'Anna is moeilijk te doorgronden. Sterk, verstandig. Dat hele verraad van Anders lijkt haar nauwelijks te deren. Maar ja, zij heeft hem dan ook niet aangesteld, dat heeft Conrad von Enchanhauer gedaan. Ze heeft er uit beleefdheid mee ingestemd en nu zegt ze: "Heb ik het niet gezegd?" Professor blotebillengezicht Von Enchanhauer heeft dat bevestigd. Ze heeft echter één grote fout gemaakt.'

'Dat kun je wel stellen!' knikte ik.

'Konzak *had* vrienden. Interessant gebruik van de verleden tijd,' zei Jack, terwijl hij rookkringen blies.

'Precies. Maar misschien bedoelde ze dat hij nu geen vrienden meer heeft en niet dat hij niet langer onder ons is.'

'Kan zijn,' gaf Jack toe.

'Onverstoorbaar was ze wel, maar ja. Ze is ondervraagd door de Gestapo, daarbij vergeleken zijn wij Knabbel en Babbel.'

Jack knikte eensgezind. 'Al was je niet door de Gestapo ondervraagd, dan nog komen we over als Knabbel en Babbel.'

'Waar ik wel benieuwd naar ben,' vroeg ik, 'is waarom je die Italiaanse Amerikaan ter sprake bracht.'

'Ik wilde zien hoe ze daarop zou reageren, maar haar reactie kwam redelijk normaal op me over. Ik vond het wel interessant dat ze niet vroeg: "Waarom vraagt u dat niet aan Konzak?" Maar het kan ook zijn dat ze ons niet wilde vertellen hoe we ons werk moesten doen. Ze leek niet zo'n band met Konzak te hebben als Von Enchanhauer.'

'Daar zou ik niet al te veel belang aan hechten. Konzak valt haar vader aan, die haar hele leven was. Haar leven eindigde op de dag dat hij stierf. Het huis zag eruit als dat van Miss Havisham. Alleen de studeerkamer leek nog enigszins te leven. Dr. Von Enchanhauer is tenminste nog getrouwd en heeft kinderen, bij haar is op het moment dat haar vader stierf de klok stilgezet.'

'Zeg je nu dat alleenstaande vrouwen verdacht zijn?' Hij nam me aandachtig op. 'In dat geval hoeven we niet verder te zoeken.'

'Nee, het gaat er niet om dat ze alleen is, het gaat erom dat ze aseksueel is. Ook in die speelhoek was het eerste wat ze zowel in jou als in mij constateerde onze seksuele of sekse-identiteit.'

'Ik neusde daar wat rond om te zien of ze defensief zou reageren als ik haar grenzen overtrad, maar dat deed ze niet. Ik dacht trouwens dat dat grappig was bedoeld.'

'Lees Freud na over de psychopathologie van de humor,' zei ik. Ik wist dat ik te ver was gegaan en vroeg: 'Vind je ook niet dat ze totaal geen sex-appeal heeft?'

'Is ze daarom een moordenares?'

Ik keek op van mijn klembord en snauwde: 'Nee, hoor. Als dat zo zou zijn, hoefden we ook niet verder te zoeken. Ik schrijf alleen mijn indrukken op.'

'Is dat "veelvraat Dvorah"-gedoe je nog opgevallen?'

'Ik denk dat ze ons graag wilde laten weten dat Konzak Dvorah niet mocht en akelige dingen over haar had gezegd.'

'Ik weet niet of ik het woord "graag" zou gebruiken.'

'Dat is het enige wat ze erover heeft gezegd.'

'Dat is waar. Jij mag dan alles weten van freudiaanse verspre-kingen, maar ik weet alles van kattende wijven. Die stijve hark van een Anna Freud kon het niet nalaten ons te vertellen dat Anders Konzak niets in Dvorah Little zag. Waarom denk je dat ze dat zei, als je dan zo slim bent?'

'Ik zou het niet weten, maar je zit er echt mijlenver naast. Je hebt veel te veel in bordelen rondgehangen.'

We reden een minuut of twintig zwijgend door het drukke Londense verkeer en ik dacht aan het landschap op het eiland Wight en de klotsende golven aan Freshwater Bay, waar Tennyson schreef:

Sunset and evening star
And one clear call for me!
And may there be no moaning of the bar
When I put out to sea.

Wat moet het een heerlijk gevoel zijn om iets tot stand te hebben gebracht, of om alleen maar de zandbank te horen 'klagen' als je zeewaarts koerst. Misschien gaat het niet zozeer om het tot stand brengen, als wel om het verkrijgen van rust. Ten slotte vroeg ik Jack: 'Vind je ook niet dat het rustige, regelmatige leven van Anna Freud te benijden is?'

'Ik vind eerder dat ze een dood en benepen leventje leidt. Ze is er altijd goed in geweest de scepter te zwaaien over haar eigen wereldje, wat weinig meer inhield dan het manipuleren van woorden die ze verdedigt en bijschaaft. Ze is nooit met wat voor werkelijkheid dan ook geconfronteerd en heeft nooit enig risico hoeven nemen.'

'De eerste persoon die in psychoanalyse is geweest en door de Gestapo aan de tand is gevoeld heeft toch zeker wel in de werkelijkheid geleefd.'

'Geen van beide was een risico of een eigen keus. Ze moest wel. Het echte leven houdt in dat je keuzes maakt om je wereld te verruimen. Het is niet zo moeilijk een serene indruk te wekken als je je wereld klein genoeg hebt gemaakt om altijd alles onder controle te kunnen houden.'

'Wie ben jij dan wel? Meneertje Praatgraag? Meneertje Stop-de-wereld, ik-wil-eraf?'

'Ik wist niet dat we het over míjn leven hadden. Ik probeerde je vraag te beantwoorden. Je hoeft Anna Freud niet te verdedigen, ik val haar niet aan. Ik zeg alleen wat ik van haar leven vind, oftewel, wat mijn perceptie is van haar leven.'

Ik knikte.

Aangemoedigd door mijn inschikkelijkheid zei hij: 'Ik bedoel alleen maar, die vrouw schreef over afweermechanismen bij kinderen. Als iemand daar zijn levenswerk van maakt heeft ze heel wat te verdedigen. Jung heeft gelijk over die freudianen. Hij stelt dat ze eeuwig doorzaniken over seks, oedipuscomplexen en al die onzin meer. Terwijl Freud opgroeide met neurotische, gladde stadsjongens die zich bewogen in zeldzaam geworden intellectuele kringen, afgesneden van de natuur, leefde Jung te midden van de Zwitserse boeren. Jung had geen ongelijk toen hij Freud voor preuts uitmaakte. Freud had een goede boterham aan alles wat hij onderdrukte en toen hij er eindelijk achter kwam wat elke arbeider, gevangene en vrachtwagenchauffeur van Königsberg tot Kalamazoo al honderd jaar wist, noemde hij dat een ontdekking.' Hij schreeuwde de zinnen eruit, schakelde als een dolle en vervloekte elke automobilist op de snelweg. 'Hoezo is incest altijd zo verschrikkelijk? Volgens Jung heeft het een diep religieus aspect.'

Ik had absoluut geen zin om deze porseleinkast aan een nader onderzoek te onderwerpen, dus hield ik braaf mijn mond en na een minuut of tien pakte hij de draad weer op alsof er nooit een stilte was gevallen. 'Ik weet nog dat ik voor het eerst en het laatst bij mijn vader was, ik was een jaar of vijf. De kinderbescherming wist hem te traceren toen mijn moeder in de dronkemanscel was beland. Zijn vriendin zoog me af in de badkuip. Dat was het enige fijne moment dat ik me kan herinneren uit mijn hele jeugd. Ik had het gevoel dat ze echt van me hield en dat was een heerlijk gevoel.'

Jack gebruikte Jung op dezelfde manier waarop Konzak Freud gebruikte, om aan zijn eigen behoefte te voldoen. Ik denk dat hij gewoon weigerde de slachtofferrol te spelen. Ik wilde hem wijzen op de hoeren, die bijna allemaal het slachtoffer zijn van incest of van een andere vorm van seksueel misbruik in hun jeugd. Ze spelen hun verleden steeds opnieuw na en ik heb niet het gevoel dat ze het beschouwen als een religieus ritueel. Zijn plotselinge impulsieve woede kwam uit het niets op. Als hij al zo kwaad kon worden over weinig meer dan een idee op zijn tweeënveertigste, terwijl zijn testosterongehalte al tanende was, kon ik me wel voorstellen waartoe hij in staat was geweest op zijn achttiende, toen hij de tralies verboog en het uitschreeuwde door de lege gangen.

Ik wachtte nog een kwartiertje tot hij niet meer paars zag en zijn ademhaling weer normaal klonk, voordat ik zelfs maar zijn kant op keek. Ik besloot het over een andere boeg te gooien. 'We moeten allereerst maar eens op zoek gaan naar onze Italiaanse circusartiest.'

'Daar ben ik al mee bezig. We landen morgenochtend op La Guardia,' zei hij, alsof er geen vuiltje aan de lucht was. 'Ik heb kamers geboekt in het Plaza, dus we kunnen de hele troep psychoanalytici en Dvorah Little in stijl aan de tand voelen.'

11

BLIK OP DE SKYLINE

Dat is de vreugde die mijn eerzucht vindt.
– John Milton, *Het paradijs verloren*

New York is magisch. Vanuit mijn kamer in het Plaza keek ik uit op Central Park en de maagdelijk witte kersenbloesems op de paden, alsof de natuur confetti had gestrooid om de lente feestelijk in te luiden. New York is niet kapot te krijgen; daklozen, geweld, fraude en straatroof, alles kan tegen de stad samenspannen, maar klein krijgen ze haar nooit. Het is net zo'n wiebelpoppetje dat heen en weer schudt maar altijd weer overeind komt, tot je hem opnieuw een zetje geeft.

Jaren geleden logeerde ik in precies dezelfde suite, toen mijn vader zijn gezin meenam op wat hij noemde 'ons jaarlijkse educatieve hapje uit de Big Apple'. Bij het gebouw van de Verenigde Naties vond ik eigenlijk alleen de vlaggen leuk. Ik genoot altijd het meest van het Guggenheim, het museum dat eruitzag als een mierennest waar de medewerkers koptelefoons droegen, en de beurs, die door mijn vader als een voorbeeld van Amerikaanse hebzucht werd genoemd. Met een beschuldigend vingertje naar de mannen die schreeuwend op de vloer stonden te gebaren en witte stroken papier ophielden, zei hij dat dit de zoons waren van de mannen die in 1929 van het Empire State Building waren gesprongen. Mijn vader stond kennelijk boven dit vulgaire gekrakeel, want hij investeerde uitsluitend in bedrijven waarbij het nooit fout kon gaan.

Ik wandelde met mijn vader door Central Park, waar we op weg naar het drinkfonteintje naar het snelschaken keken en naar de zwarte man die in een groen clownspak op zijn handen liep. Mijn levendigste herinnering is dat mijn vader me bij de hand hield als we door de stad slenterden. Hij vermeldde er echter snel bij dat hij mijn handje zo stevig vasthield omdat New York een gevaarlijke stad was, waartegen hij me moest beschermen.

Na ons dagje *sightseeing* spraken we af met mijn moeder en zussen bij de Russian Tea Room, zodat ze voordat we naar het theater gingen nog even konden bijkomen van een hectisch dagje winkelen. Mijn vader vertelde mijn oudere zussen uitgebreid wat we die dag hadden geleerd, terwijl zij hun hersencellen verbrandden bij Bergdorf. Mijn vader deed net of mijn moeder mijn zussen had meegenomen naar de Bowery in plaats van Bonwit en gaf in bedekte termen te kennen dat hun uiteindelijke morele en intellectuele verdorvenheid op een kwade dag zwaar op haar geweten zou drukken. Ze nam deze last opgewekt op haar schouders en opende stoïcijns alle tasjes, maakte het gekleurde vloeipapier los en liet zien wat ze gekocht hadden. Ik heb me wel eens afgevraagd of ze hem later in haar leven ooit heeft ingepeperd dat ík degene was die moordenares werd, terwijl mijn zussen braaf zijn getrouwd en altijd zijn blijven winkelen. Ik denk het eigenlijk niet. Daar was ze de vrouw niet naar.

Ik legde mijn hand op het cilinderbureau dat ik zo graag opende en weer sloot, maar vandaag bleef het halverwege hangen en kon ik niet bij het postpapier waar ik vroeger met zoveel plezier op schreef. De suite bestond uit een zitkamer en een slaapkamer. De kamers waren opgeknapt sinds ik hier voor het laatst was geweest, de twee bedden waren vervangen door een kingsize bed en de sprei had hetzelfde patroon als het behang en de gordijnen van Brunswick & Fils. De jacuzzi kon zich meten met die in het tijdschrift *Bride's*. Het bed was al opgeslagen en er lag een chocoladetruffel in cellofaan op het kussen. Ik had gedacht dat ik zou zwelgen van genot in deze kamer die ik me zo goed herinnerde, maar om de een of andere reden voelde het net of ik in de meubelshowroom van Ethan Allen was.

De telefoon ging. Toen ik opnam, half en half in de verwachting dat het Jack zou zijn, kreeg ik dr. Gardonne aan de lijn.

'Kate?'

'Spreekt u mee.'

'Hoe is het met je?'

'Niet slecht. We hebben zowel Anna Freud als Von Enchanhauer gesproken. Ze kwamen redelijk clean over, maar hebben weinig losgelaten. We moeten een grondig onderzoek naar ze laten instellen. Zij is gewiekster dan hij, maar ze voeren iets in hun schild.'

'Wordt voor gezorgd. Jack heeft er al een van zijn mannetjes op gezet.'

'Een of andere Italiaans-Amerikaanse malloot schijnt bij het archief te hebben rondgehangen. Misschien is hij degene die Konzak dreigbrieven heeft gestuurd. Om de een of andere reden heeft Von Enchanhauer hem verzwegen.'

'De naam van een Italiaanse clown... Jack heeft iemand opdracht gegeven naar hem op zoek te gaan. Hij laat de nieuwsbrieven en mailinglijsten natrekken van alle psychoanalytische genootschappen. Ook de twee of drie grote bibliotheken met interbibliothecair leenverkeer en vroege werken van Freud worden in de gaten gehouden. Hij zou zijn materiaal via een van deze kanalen moeten bestellen. Jack checkt alle mailingregistraties voor conferenties en congressen voor psychoanalytici op Italiaanse namen, evenals alle brieven aan de redactie van de kranten waarin wordt gerefereerd aan Konzaks artikel.' Gardonne ratelde maar door. 'Hij vist alle Italiaanse namen eruit. Volgens Jack komt die naam wel bovendrijven in de interbibliothecaire uitleenlijsten. Jack heeft gelijk als hij zegt dat een paranoïde persoonlijkheidsstructuur zich meestal buiten de grote steden ophoudt. Hij stelt tevens een onderzoek in naar alle plaatsen waar die sleutelhangers met dat plaatje zijn verkocht, evenals dat specifieke gele gelinieerde papier.'

Waar vond Jack de tijd om dat allemaal te doen?

'Er was ook een bizar geel briefje waarop stond: "Alleen de sterksten overleven"', voegde ik eraan toe.

'Inderdaad. Jack denkt dat het iets te maken heeft met Darwin. Hij heeft alle Visa-afschriften en cheques laten natrekken van iedereen die het afgelopen halfjaar Darwin-parafernalia heeft gekocht in Toronto, New York, Londen of Wenen... waar zit Jack trouwens?'

'Geen idee. We gaan later op de dag naar Dvorah Little.'

'Jack zei dat hij al een privé-detective achter haar aan heeft gestuurd toen jullie nog in Europa waren. O, voor ik het vergeet, Jack vertelde me dat je het vraaggesprek met Anna Freud en Von Enchanhauer zo geweldig hebt gedaan. Heel slim om mevrouw Von Enchanhauer af te leiden met dat porseleinverhaal. Het schijnt dat je goed werk hebt verricht.'

Heeft Jack dat gezegd?

'Een nieuwe dag, een nieuwe dollar,' zoals mijn ex-kamergenote placht te zeggen. Ze zat alleen in een andere branche. Ik zei 'over en sluiten' en hing op.

Waar zat Jack eigenlijk, verdorie? Ik beende door de kamer in een poging hem uit mijn hoofd te zetten. Ik kon er maar beter van uitgaan dat hij me belazerde toen hij zei dat hij in mijn onschuld geloofde. Wat kan het mij schelen of een of andere getatoeëerde bankrover die tandenstokers als eetgerei gebruikt denkt dat ik onschuldig ben? Ik werd betaald om na te denken over Freud. Als ik de verschrikkingen van de gevangenis uit mijn kop kon zetten, kon ik die vermaledijde Jack ook uit mijn kop zetten. Maar om de een of andere reden kroop hij steeds weer terug in mijn gedachten. Zijn gezicht was vloeibaar geworden als kwik en gleed onder alle deuren van de verkeerde hersencellen door. Ik probeerde wanhopig het tegen te houden, maar hoe meer ik trachtte het te pakken te krijgen, hoe meer het zich opdeelde en vermenigvuldigde.

Toen ik mijn hartslag controleerde voor een rondje joggen in Central Park werd er op de deur geklopt. Daar stond Jack, in zijn joggingshort en een hemd. Wat ik had aangezien voor vetrollen bleken dikke spierbundels te zijn rond zijn borstkas, armen en benen.

'Ik ben mijn tandpasta vergeten,' zei hij en liep de kamer in, terwijl ik mijn spieren rekte. Onderweg naar buiten liep hij weer langs me heen, zonder een woord te zeggen. Hij wapperde alleen met de tandpasta voor mijn neus (niet dat hij daar zoveel van nodig zou hebben). Nadat de deur weer achter hem dicht was gevallen, controleerde ik opnieuw mijn hartslag. Die was zo hoog alsof ik al aan het trainen was. Ik denk dat Descartes dát bedoelde met die kwestie tussen lichaam en geest.

Bij de lift liep ik hem weer tegen het lijf: 'Ik hoop niet dat je denkt dat we met z'n tweeën gaan joggen. Met al die teer in je longen houd je me nog niet bij in de lift.' Hij haalde zijn schouders op en dribbelde vast wat op de plaats.

We zoefden zwijgend naar beneden en staken de weg over naar het park. Het was een zonnige dag in New York. Zo heeft iedereen New York het liefst, op de eerste officiële lentedag waarop iedereen zich letterlijk lichter voelt en al die zware winterjassen thuis mogen blijven. Het gras smeekte om weer groen te mogen worden en de bloesems zwaaiden aan de bomen. Vaders speelden buiten met hun zoontjes, die Yankee-petjes droegen met knalrode plastic kleppen. Kinderen leerden fietsen op hun glimmende nieuwe fietsjes en slingerden dwars door picknickende stelletjes heen, met hun zwoegende ouders ernaast. Toen ik mijn snelheid opvoerde kon ik niet verhinderen dat ik Jack glimlachend aankeek, omdat ik wist dat hij net als ik genoot van buitenlucht en beweging. We renden samen op met lange passen in perfecte harmonie, als de ex-gedetineerden Carlsberg-Clydesdale in Central Park. We liepen twee keer zo snel als het ritme van het Zuid-Amerikaanse kwartet dat onder de brug stond te spelen met hun rare houten fluiten en kleurige puntmutsen.

Na ongeveer een halfuur was ik in de wolken van vreugde. We passeerden de zwarte streetdancers die voor het museum hun woeste bewegingen uitvoerden op de schallende muziek uit hun gettoblasters. Zelfs de lijmsnuivers hadden hun plastic zakjes voor vandaag aan de kant geschoven en zaten op het gras frisse lucht te snuiven. Jack hield vijf lange vingers in de lucht en ik wist dat hij bedoelde nog vijf minuten op volle snelheid, voordat we een pauze namen voor spieroefeningen. In de verte zag ik een sneeuwhek, dat ze hadden laten staan om het nieuw ingezaaide gras te beschermen, en ik gebaarde dat ik eroverheen wilde springen om nog even door te gaan. We sprongen tegelijkertijd en kwamen terecht op het buitenveld van een Lubavitcher baseballwedstrijd. Hun bepruikte echtgenotes aan de zijlijn klapten voor ons toen we naar ze zwaaiden, zonder ook maar een seconde snelheid te verminderen. Zelfs de aan crack verslaafde dichters die hun werk aan de man brachten op vodjes smerig papier deden een stapje achteruit toen we voorbij draafden. Niemand die ik kende had me ooit bij kunnen houden en Jack was niet eens buiten adem. Ik kon het niet helpen, maar ik vond dat zijn manier van joggen bij zijn persoonlijkheid paste: krachtig, soepel en sneller dan je zou denken.

Na drie kwartier ving Jack mijn blik en wees op zijn horloge. We deden onze rekoefeningen onder een rij paarsbloeiende judasbomen. We grepen onze enkels vast, strekten onze benen en staken onze billen in de lucht, terwijl we elkaar aankeken... twee paarden die eindelijk de stal uit mochten.

Dorstig slenterden we naar een karretje in de buurt van Washington Square dat slush-puppy's verkocht. We keken hoe een travestiet met grote ogen, verkleed als Marilyn Monroe, een baby bewonderde in een Engelse kinderwagen, met een zakelijke moeder erachter. Jack keek me aan en hield zijn slush-puppy in de lucht, om een toost uit te brengen op een zeldzaam maar mooi moment, toen alles op het eiland Manhattan in perfecte harmonie was.

Toen we een uur later in de hal van Dvorah Littles gebouw aan Fifth Avenue op de lift stonden te wachten, vroeg ik Jack of ik iets moest weten over het ophanden zijnde interview. Hij stapte de lift in en zei: 'Daar heb ik wel een ideetje over, maar dat bewaar ik voor mijn paaldanseressen.'

De oude portier met zijn rode neus stopte een piepkleine kryptonietachtige sleutel in een knop van de lift waar *P* op stond. De dubbele deuren gingen open in de hal van het penthouse, een ware ode aan vierkante meters. Hij zei: 'Dit is ooit gebruikt als de set voor een film van William Powell en Myrna Loy. Dat waren andere tijden.'

Een zwarte werkster met vlechtjes, een Calvin Klein T-shirt en een hoop spatses vroeg: 'Voor wie komt u?'

'Voor Miss Little, kleine. Ze verwacht ons,' antwoordde Jack.

De werkster zei: 'Kijk maar uit wie je klein noemt, Mr. Big.' Ze liet haar centrale stofzuigerslang uit haar handen glippen en riep bij de wenteltrap naar boven: 'Dvorah, je hebt bezoek. Ik denk van het Leger des Heils of zoiets.'

'Dank je, Delphinia. Neem jij maar even pauze. Ik geloof dat net een van je lievelingsprogramma's begint.'

Dvorah paradeerde de trap af op een manier waar Loretta Young een puntje aan kon zuigen. Ze verzette haar schoenen maat schuit elegant van trede naar trede, gekleed in een zwart broekpak dat bedoeld was om haar wagneriaanse postuur af te kleden. Haar botstructuur was zodanig dat ze, hoe ze ook zou afvallen, altijd de schouders van Rosey Grier zou houden. Haar grote zilveren oorhangers in combinatie met haar voorliefde voor zwart, haar verstandige designerschoenen en haar haar dat, hoewel zorgvuldig gekapt, toch een Virginia Woolf-achtige academische zorgeloosheid uitstraalde, schreeuwden haar lidmaatschap van het psychoanalytische wereldje uit. Ik vermoedde dat ze oorspronkelijk uit Brooklyn kwam en een poging tot een metamorfose had gewaagd, maar zelfs het beste broekpak van Pennington kreeg haar de Brooklyn Bridge niet over.

Terwijl ze de trap af denderde en naar ons glimlachte, werd ik kortstondig verblind door de zilveren bandjes om haar tanden. Wie neemt er nou nog een beugel op zijn veertigste? Ik denk iemand die altijd al een beugel wilde hebben, maar wier ouders het zich niet konden veroorloven of altijd tegen haar zeiden: 'Waarom zouden we? Je lacht toch nooit.'

Dvorah begon met ons te vertellen dat ze voor een deadline zat. Ze had gehoopt meer tijd voor ons te kunnen vrijmaken, maar helaas, ze lag achter op haar schema en had niet meer dan een kwartier. Razendsnel, voordat we ook maar iets konden zeggen, voegde ze eraan toe: 'Zijn jullie familie van elkaar? Jullie zien er zo bekend uit.'

'We zijn een eeneiige tweeling. Ik ben degene met de moedervlek,' pareerde Jack. 'Als ik het wel heb, hebt u een exposé geschreven' – Jack sprak het uit zonder accent – 'voor *Metropolitan Life* over Anders Konzak en zijn problemen met de Freud-academie en doet hij u nu een rechtszaak aan wegens smaad.'

'Het is een akelige toestand.' Ze rolde veelbetekenend met haar ogen.

'Klopt het dat u elk gesprek hebt opgenomen en dat u de tapes bent kwijtgeraakt?'

'Tot dusver klopt alles,' erkende ze.

'Zijn ze gestolen?'

'Ik zou het niet weten. Misschien ben ik ze wel gewoon kwijt. Ik wilde maar dat ik ze nog had, dan was ik van al dat juridische gedonder af. Het kost belachelijk veel tijd en die advocaten kosten een godsvermogen.'

'Denkt u dat Konzak werkelijk iets heeft van belang, intellectueel of anders gezien, dat in dat boek naar buiten wordt gebracht?' vroeg ik.

'Ik denk dat hij bluft. Maar ik had ook nooit gedacht dat hij me een rechtszaak zou aandoen nadat ik letterlijk had opgeschreven wat hij zei, dus wat weet ik ervan?'

'Dat artikel dat u over hem hebt geschreven heeft hem op de lijst bekende landgenoten gezet en heeft hem zijn kwartiertje roem bezorgd, maar' – Jack zweeg even om het te benadrukken – 'het heeft hem ook zijn baan gekost.'

'*Neem me even niet kwalijk, zeg!* Híj was degene die de publicatie lanceerde van, ik citeer...' Dvorah tekende accenten in de lucht met smaakvol gelakte klauwen... ' "de complete briefwisseling tussen Freud en Fliess, voorzien van aantekeningen die Freud in een kwaad daglicht stellen", niet ik. Ik citeerde alleen wat híj zei. Ik ben niet degene die een interview heeft afgelegd bij *The Washington*

Post, waarin hij de vloer aanveegt met Freud. Dat heeft híj gedaan.'

Jack ging nog even door. 'Wist u dat Konzak met de dood is bedreigd?'

'Nee, maar dat verbaast me niets,' zei ze.

'U zou uiteraard baat hebben bij de dood van Konzak.'

'Evenals de rest van de wereld.'

Tijdens de ondervraging kuierde Jack wat door haar appartement en mompelde iets over het schitterende uitzicht. 'Wat een gaaf flatje. Dat uitzicht over het park en dan die schitterende daktuin... wauw! Ik wed dat uw ouders dolblij waren toen u hiernaartoe verhuisde, na die gribus op de vijfde verdieping in de Lower East Side.'

'Als ik van tevoren had geweten dat ik voor zulke hoge juridische kosten kwam te staan, had ik het nooit gekocht.'

'U moet wel buitengewoon gunstig belegd hebben om u dit te kunnen permitteren,' zei Jack, en wandelde van kamer naar kamer. 'Kate, kom gauw kijken, een zonneterras. Zou je er geen moord voor doen om hier 's morgens te ontbijten? Is het te gek of niet?'

'Jammer dat het nog zo vroeg in het jaar is, u zou genoten hebben van de bloeiende planten op het terras,' zei Dvorah.

'Wie is uw beleggingsadviseur? U kunt zich zoiets toch niet veroorloven van dat schamele loon van een freelance journaliste?' Dvorah deed net of ze lachte door haar hoofd in haar nek te gooien. 'Nee, werkelijk,' ging Jack bloedserieus door, 'waar doet u het allemaal van?'

Ik begon het een beetje gênant te vinden. Geen wonder dat Dvorahs *joie de vivre*, toch al niet oprecht, begon weg te sijpelen.

'Hoor eens, jongen. Als je het over Konzaks vijanden wilt hebben vind ik het prima, maar ik ben geen bijstandsmoeder die je in een hoek kunt drijven. En ik hoef jou, een of andere schlemiel uit Nergenshuizen, ingehuurd door het genootschap van psychoanalytici om zich in te dekken, al helemaal niet te vertellen wie mijn adviseur is of wat ik voor wat dan ook heb betaald,' snauwde ze.

'Klopt helemaal, behalve dat ik geen schlemiel ben. Want ik

weet dat u geen adviseur hebt. U investeert helemaal nergens in en op een erfenisje hoeft u ook niet te rekenen. Uw ouders wonen in Levittown. Op uw belastingaangifte van het afgelopen jaar wordt geen enkele melding gemaakt van investeringen. U hebt dit penthouse cash betaald in een onderhandse verkoop, elf maanden geleden. Een vreemde actie als de rentevoet van de bank lager is dan de inflatie. Hebt u soms geld over of zo?'

'Mijn financiën gaan je geen donder aan.'

'Ik vind ze toch wel interessant. Vier maanden na uw interview met Konzak was u plotseling één miljoen dollar in contanten rijker.'

'Dus wat denk je dan nu, Einstein? Dat Konzak me één miljoen heeft betaald om rottigheid over hem te schrijven in een tijdschrift?'

Het werd me ineens heel duidelijk waarom Gardonne Jack had ingehuurd. Hij had een netwerk van speurneuzen met tentakels die in elke stronthoop konden dringen en de hand wisten te leggen op elk 'brokje informatie' zoals ze bij de CIA zo eufemistisch zeggen. Jack had niet stilgezeten in de gevangenis en wist precies hoe hij zijn smokkelwaar van de zwarte markt moest zien te krijgen. En wat is informatie anders dan verbale smokkelwaar?

'Wel eens gehoord van een Canadese psychiater met de naam Gardonne?' vroeg hij.

'Nee.'

'Vreemd.' Hij zweeg even. 'Ik vrees dat u lijdt aan het obsessief-compulsief syndroom, want u hebt zijn nummer het afgelopen halfjaar minstens eenmaal per maand gebeld.'

Ik deed ook maar eens een duit in het zakje. 'Dan lijdt u aan hetzelfde syndroom als dr. Gardonne. Misschien lijdt u beiden aan het syndroom van Tourette en hebt u allebei dezelfde symptomatische tic door steeds elkaars telefoonnummer te draaien. Uw nummer stond op een aantekenblokje dat op het eiland Wight naast het bed van dr. Gardonne lag.'

Dvorah zeeg ineen op haar suède loveseat met dikke sierkussens van ruwe zijde en slaakte een diepe zucht om te erkennen dat ze verslagen was. Ze keek naar het plafond en zei: 'Sleep me maar voor de rechter. En wat dan nog, als ik een affaire met hem heb? Ik ben vast niet de eerste werkende vrouw in New York die het aanlegt met een getrouwde man. Het is misschien een tikje ranzig, maar nauwelijks de moeite van een onderzoek waard.'

Ik kon me niet voorstellen dat Gardonne een affaire zou beginnen met deze Kate Smith look-alike. Seks was voor hem trouwens geen onderhandelingsmiddel. Dat soort dingen weet je gewoon als je iemand al negen jaar kent.

'Kate, je kijkt bedenkelijk,' zei Jack op vrolijke toon. 'Zal ik jou eens wat vertellen, Dvorah? Ik ben even geschokt als Kate. We zouden jullie geen van beiden ooit verdenken van seksuele uitglijders. In razend tempo omhoogvallen ligt meer in jullie lijn.'

Dvorah begon nu echt kwaad te worden en probeerde er iets tussen te krijgen. 'Kijk eens even...' maar Jack gaf haar de kans niet.

'We hebben goed gekeken en stuitten op de volgende samenloop van omstandigheden. Ten eerste ben je een arme journaliste. Ten tweede neem je Anders Konzak een interview af, waarop je de tapes kwijtraakt en een rechtszaak aan je broek krijgt. Ten derde heb je intensief contact met Gardonne, seksueel of anderszins. Ten vierde bulk je plotseling van de centen. Genoeg om je van de East Side naar de West Side van de stad te lanceren. Dit is een puntjestekening waarin de puntjes niet met elkaar verbonden kunnen worden. Ik noem de omstandigheden, maar het woord "samenloop" suggereert dat ze op de een of andere manier met elkaar in verband staan.' Intussen slenterde hij nog steeds door de serre en stond af en toe stil om aan de kruiden en planten te ruiken.

'Ik weet niet hoe dat zit op die ijsvlakte in de toendra, waar meer rendieren rondlopen dan mensen, maar hier in de Verenigde Staten van Amerika schrikken we niet zo van een toevallige samenloop van omstandigheden,' antwoordde Dvorah.

'Dat is waar ook. Jullie New Yorkers zijn gewend aan een uitgebalanceerd rechtssysteem, jullie willen verbanden zien. Prima.' Zijn stem schoot een octaaf omhoog en elk woord kwam eruit als een projectiel. 'Je hebt Konzak een interview afgenomen en stuitte op belastende informatie die Gardonne persoonlijk kon schaden. Je was bereid de tapes kwijt te raken die Gardonne schade konden berokkenen, als de brave dokter met wat dubbeltjes over de brug wilde komen... flink wat dubbeltjes, aan je nieuwe stulpje te zien. Waar ik vandaan kom, in het noordelijke niemandsland, noemen ze dat chantage.'

'Belachelijk. Maar om je spelletje even mee te spelen, wat heb jij ermee te maken? In mijn kringen heet zoiets een zakelijke transactie. Ook al zou Gardonne me betaald hebben voor die tape, dan is dat onze zaak en onze zaak alleen.' Ze klonk verveeld, zelfs voor een New Yorker. Toen niemand antwoord gaf, ging ze verder. 'Mag ik zo brutaal zijn om te vragen wat mijn motief is geweest?'

'Zeker, gelijk heb je. Wat het ook was dat Konzak je had verteld over Gardonne, je moest ervoor zorgen dat niemand anders het te horen kreeg. Hoe kun je iemand chanteren als iedereen het geheim toch al kent? Stel dat het geheim uitlekte naar *The Washington Post*? Eens even zien. Hoe kun je Gardonne geld uit de zak kloppen met de garantie dat Konzak zijn mond houdt? Bingo... Konzak wordt voor eeuwig het zwijgen opgelegd.'

'Heb ik iets gemist?' Ze had haar geamuseerde toontje nog steeds niet laten varen, maar moeite kostte het wel. 'Kom je me arresteren of zo?'

'Nee, hoor. Je vroeg hoe de omstandigheden precies met elkaar verbonden waren, dat heb ik je nu haarfijn uitgelegd, dunkt me.'

'Ik begrijp dat je een en ander verkeerd hebt geïnterpreteerd. Het is echter een uiterst onplezierig misverstand.'

Jack liet haar niet uitpraten. 'Nu ik je heb ontmoet, begrijp ik dat je Konzak met het grootste gemak kon uitschakelen. Je hoefde alleen maar je hele gewicht erop te zetten en je knieën licht te buigen.'

Haar brave meisjesgezicht betrok en in haar stem was geen spoortje van verveling meer te horen toen ze schreeuwde: 'Eruit of ik bel de portier.'

'Kate, ze belt de portier.'

'Nee, niet de portier!' smeekte ik.

'Je hoeft hier niet terug te komen zonder een bevel tot huiszoeking of een arrestatiebevel of wat het ook is dat jullie klootzakken nodig hebben om aan de slag te gaan.' Ze stormde door de hal naar de lift en sprak door een glimmend koperen intercom. 'Rodriguez, mijn gasten vertrekken. Het zijn vertegenwoordigers en ik heb geen interesse in hun waren.'

'Ik moet nog even naar de twaalfde en dan kom ik eraan, Miss Little,' klonk het door de intercom.

'Interessant. Als je een vrouw van moord beschuldigt geeft ze geen krimp, maar als je zegt dat ze een hele hotemetoot is, gooit ze je de deur uit,' zei Jack toen we naar de lift liepen. Het woord *moord* bleef in de lucht hangen als een luchtverfrisser. Dvorah wendde zich tot mij. 'Je kunt me geloven of niet, maar ik vind Anders Konzak een charmante man. Als hij weer opduikt, wil je hem dan zeggen dat het me spijt dat ik zijn charisma niet meer naar voren heb gebracht in mijn artikel? Nu we in een rechtszaak zijn verwikkeld, mag ik geen contact meer met hem hebben.'

Jack liep vlak achter ons en stak zijn neus er weer tussen. 'Dat zal hem verbazen, hoewel ik vrijwel zeker weet dat zijn charmes beter uitkwamen in het Danube Hotel dan in het artikel.' En hij vervolgde langs zijn neus weg: 'Dat gold zeker voor zijn kwaliteiten op ander gebied.'

Ze reageerde meteen. 'Dat is zeer zeker waar. Anders had groot gelijk toen hij zei dat er te veel ruis was in het Demel Café. De kwaliteit van de geluidsbanden uit het hotel was aanmerkelijk beter.'

'Tjonge, nog ruis ook. Vandaar al dat lawaai. En dat ontbijtje voor twee was lief van hem, na al dat nachtelijke gebabbel. Geen wonder dat je zoveel sinaasappelsap hebt besteld, je moet wel uitgedroogd zijn geweest.'

'Ik heb 58 uur tape opgenomen. Wanneer of waar dat was doet niet ter zake. 58 uur is heel lang.'

'Dan weten we in elk geval dat hij niet voortijdig klaarkwam.' Jack leek echt blij voor haar.

Ze glimlachte en keek naar het rode lichtje van de lift dat langs de nummers omhoog kroop. 'Leuk geprobeerd, jongen.'

'We weten dat de tapes verdwenen zijn en we weten ook dat Konzak zijn eigen tapes heeft. Of in elk geval heeft gehad. Konzak heeft het gehijg en gekreun in die kamer opgenomen. We vonden dat gehijg vooral interessant vanuit antropologisch oogpunt. Er is zelfs even gespeculeerd dat jij dat wilde kind was dat opgevoed was door de wolven, een soort Dvorah de Wolfsvrouw... of kunnen we beter Wolfsmens m/v zeggen? Jullie moeten jullie oorsprong maar uitzoeken in de rechtszaal, want die tapes worden toegestaan als bewijsmateriaal in je grote lasterzaak.'

'Ik denk dat ik beter weet dan jij wat er is opgenomen. Waarom zou Konzak me meenemen naar zijn kamer, me... verleiden en het dan opnemen?'

'Als troef achter de hand, om wat druk uit te kunnen oefenen in het irreële geval dat je hem onjuist zou citeren of misschien zelfs de tapes zou verliezen. Laten we wel wezen, Konzak is geen genie, maar hij is schrander genoeg om precies te weten hoe zijn tegenstanders het spel zullen spelen. Tenslotte is dat zijn vakgebied.' Jack haalde een minicassette uit zijn zak en stak een sigaret op.

'Hoe weet ik of je de waarheid spreekt?' Ze sprak nog steeds alsof ze op een cocktailparty stond.

'Kate, wat wil jij vandaag horen? Dat gedeelte over die hoge hakken of mijn favoriete stukje, over de moderne techniek? Je weet wel, als professor Konzak zegt dat zijn geest een computer is en dan zegt Miss Little: "Ik heb het vooral op je hardware voorzien." '

'Veel beter dan software,' knikte ik instemmend.

Er verschenen wat druppeltjes op haar gelaserde bovenlip.

De art-decoliftdeuren zwaaiden open, Jack sprong erin en ik stapte achter hem aan. 'Doei,' zei Jack nonchalant. 'Niet vergeten, My Girl Friday, denk aan de koppen: "Konzak verbreekt zijn eigen record met verovering." In het artikel kunnen we dan het volgende lezen: "Konzak klaagt zijn laatste verovering aan, een zekere Dvorah Little, in een lasterzaak waarbij een miljoenenbedrag gemoeid is. Zij voert aan dat ze de tapes van het interview is verloren, maar hij is minder slordig geweest. Op bewijsstuk A, opgenomen in Konzaks slaapkamer om halfdrie 's morgens, is wolfsgehuil te horen, snelle danspassen op hoge hakken en een technische discussie met betrekking tot Konzaks software."'

'Maak je niet dik, meid, het publiek is nooit in dat soort dingen geïnteresseerd,' zei ik geruststellend. Ik begon er ook in te komen. De deuren sloten zich en we daalden af in geamuseerd stilzwijgen. Toen de lift bijna op de begane grond was aangeland, blafte Dvorahs stem zonder haar Brooklynse afkomst te verloochenen statisch door de intercom: 'Rodriguez, breng die vertegenwoordigers alsjeblieft terug naar boven.'

'We gaan scoren. Ze kon onze software niet weerstaan.' Jack gaf me een high-five.

We krabbelden de lift weer uit en zagen Dvorahs gezicht, waar alle bloed uit was weggetrokken. We volgden haar naar haar hightech werkkamer, zo'n superruimte met ingebouwde dossierkasten waar de laden geruisloos uit te voorschijn zoeven en met perfecte belichting boven een ruim bemeten bureau en in haar ingebouwde boekenkasten. Eén wand bestond uitsluitend uit glas, met een geweldig uitzicht op de skyline van New York.

Ze pikte een sigaret uit Jacks pakje en keek recht voor zich uit. 'Dit is een akelige toestand, maar ik moet er maar het beste van zien te maken. Ik ben bereid alles eerlijk te vertellen, in ruil voor die tape.'

'Voordat we de tape overhandigen, checken we de informatie.' Jack ging onuitgenodigd in een leren stoel zitten. 'Wat is jouw relatie tot Gardonne?'

Ze ademde diep in, liep naar het raam, zette haar handen plat op de ruit en mompelde, zonder haar ogen van de skyline af te wenden: 'Toen ik als kind samen met mijn ouders in dat piepkleine, benauwde huisje woonde, luisterde ik vaak naar *Rhapsody in blue* en dan keek ik verlangend naar de platenhoes. Er stond een plaatje op van precies deze skyline. Ik was vastbesloten dat uitzicht op een dag te hebben.' Een traan bedierf haar make-up. 'Ik heb er niet zo lang van kunnen genieten als ik had gehoopt, maar ja...'

Toen ze zich omdraaide en ons aankeek, met doorgelopen mascara en uitgezakt haar, zag ik dat meisje dat op de middelbare school met de gymleraar moest dansen omdat niemand anders haar vroeg tijdens de dansles.

Kennelijk pikte ook Jack dat holle gevoel van falen op, want er klonk meer medelijden in zijn stem toen hij zei: 'Laten we er even voor gaan zitten en dit zo snel mogelijk afhandelen, zonder flauwekul van wie dan ook. Nogmaals, wat is jouw relatie tot Gardonne?'

'Ik heb hem een paar maanden na het interview met Konzak leren kennen.'

'Hoe ging dat in zijn werk?'

'Tijdens het interview vertelde ik terloops dat de North-American Psychoanalytic onlangs iemand uit Toronto had aangesteld als lid van de ethiekcommissie. Het was niet meer dan een losse babbel tijdens de lunch. Aangezien Konzak afkomstig was uit Montreal en daar werkzaam was als psychoanalyticus, vroeg ik hem of hij het nieuwe Canadese bestuurslid kende, een zekere dr. Gardonne uit Toronto, die volgens de geruchtenmachine heel wat in zijn mars had. Konzak zei lachend dat hij wel eens van hem had gehoord en dat het het toppunt van ironie was dat een onethisch man als hij hoofd zou worden van de ethiekcommissie. Net Roy Cohn, die in de tijd van McCarthy nog in de kast zat en homoseksuelen veroordeelde. Het leven dat een slecht kunstwerk imiteert. Je kunt je wel voorstellen dat Konzak er niet meer over ophield.'

'Wat had Gardonne voor immoreels op zijn geweten?' vroeg Jack.

'Hij had vertrouwelijke informatie van een patiënt gebruikt voor eigen gewin. In de jaren zeventig had hij de minister van Natuur en Recreatie van Ontario als patiënt, of in elk geval iemand die die portefeuille had of hoe dat ook zit in Canada. De minister was een rechtschapen man die in therapie ging vanwege een angstneurose. Tijdens de therapie vertelde de minister Gardonne dat de besluitvorming met betrekking tot het eigendom van de Toronto Eilanden hem angst inboezemde. Het betrof vier eilanden op een kleine vijf kilometer van de stad met een slechte veerbootverbinding. Deze eilanden werden rond de eeuwwisseling veelal gebruikt voor zomerhuizen. De regering kocht de eilanden in de jaren vijftig en verpachtte de grond en de huizen met een vijfjarige verlenging, tot ze hadden besloten wat ze ermee zouden gaan doen. De meeste huizen waren jarenlang verwaarloosd en werden voor een schijntje verpacht aan wat door de jaren heen was uitgegroeid tot een artiestenkolonie. Er lag een regeringsvoorstel om het bestemmingsplan van de eilanden te wijzigen, aangezien de regering ze toch al in bezit had. Het plan was er een enorm recreatiegebied van te maken, de eilanden met elkaar te verbinden en een weg aan te leggen die ze zou verbinden met het vasteland. De minister wilde er echter liever een natuurgebied van maken voor vogelliefhebbers, dat alleen per boot bereikbaar zou zijn. Hij wilde de eilanden autovrij houden, opdat mensen er heerlijk konden fietsen.

Er was maar één winkeltje per eiland, meestal een klein buurtwinkeltje dat werd gerund door ex-hippies, veelal Amerikaanse ontduikers van de dienstplicht die na de Vietnamoorlog waren blijven hangen. Het voorstel van het stadsbestuur van Toronto was dat de eigenaren van de huidige faciliteiten als eerste in aanmerking kwamen voor een vergunning voor het nog te bouwen recreatiepark. Met de plannen voor een weg en nieuwe voorzieningen zouden de eilanden 's winters duizenden langlaufers aantrekken en 's zomers eens zoveel watersporters en bezoekers van het amusementspark.

'De minister had Gardonne nog niet toevertrouwd hoe vreselijk hij het vond dat handjevol eilandbewoners hun grond af te nemen, of Gardonne sloop bij de divan weg en kocht zoveel mogelijk voorzieningen op het eiland op, voordat de overname bekend werd gemaakt. Ik hoef jullie niet te vertellen dat hij alles opkocht voor een habbekrats, met dank aan de erfenis van zijn vrouw.'

'Die restaurants zijn een goudmijn. Volgens mij worden ze gerund door Helen of Troy Concessions,' zei Jack. 'Ik ga daar 's zomers wel eens vissen op het meer. Helen of Troy heeft het monopolie, dus je bent gedwongen om veel te dure kleffe broodjes te kopen.'

'Helen of Troy is een holdingbedrijf van Gardonne,' antwoordde Dvorah.

'Hoe is Konzak aan die informatie gekomen?' vroeg ik haar.

'Door stom toeval. Ongeveer vijf jaar nadat de minister zijn therapie bij Gardonne had afgerond, werd hij nog steeds geplaagd door paniekaanvallen.'

'Hoe bestaat het!' Ik keek Jack steels aan.

'De minister was inmiddels overgeplaatst naar Montreal. Zijn dochter was eerstejaarsstudente aan McGill en volgde een college van Konzak, "Nabokov en Psychoanalyse". Ze besprak haar vaders angsten met hem en Konzak, niet gehinderd door enig gevoel van bescheidenheid, schijnt gezegd te hebben, "stuur hem maar naar me toe, ik kan hem wel helpen".'

'Alsof hij nog niet genoeg had aan een angstneurose, kreeg hij eerst Gardonne en vervolgens Konzak om hem zogenaamd te helpen.' Jack schudde meewarig zijn hoofd.

'Toen hij bij Konzak in therapie was sprak de minister over gesjoemel op regeringsniveau. Hij vroeg Konzak waarom hij zich concentreerde op zijn jeugd in plaats van op zijn huidige zakelijke transacties, zoals dr. Gardonne, zijn vorige therapeut, had gedaan.'

Jack zei: 'Dus zelfs Konzak wist één en één bij elkaar op te tellen.'

'Konzak vroeg wat de minister Gardonne had verteld en kwam al snel te weten dat de therapie plaatsvond ten tijde van de transactie van de Toronto Eilanden. Hij kwam erachter dat Helen of Troy Concessions een schijnorganisatie was, gerund door Gardonne.'

'Waarom heeft Konzak indertijd niets gedaan aan het onethische gedrag van Gardonne?' vroeg Jack.

'Het sop was de kool niet waard,' antwoordde Dvorah. 'De minister kwam plotseling te overlijden aan een slagadergezwel. Voor Konzak was Gardonne weinig meer dan een waardeloze, saaie therapeut die op een smerige manier zijn centen verdiende in een saai stadje. Dat verschilde weinig van wat hij altijd al had vermoed van analytici in het algemeen.'

'Konzak houdt meer van roem dan van rechtvaardigheid,' knikte ik instemmend.

'Anders vertelde me deze hele geschiedenis als een vette roddel. Het is nooit bij hem opgekomen, of anders kon het hem niet schelen, dat ik Gardonnes carrière kon ruïneren als ik het verder zou vertellen.'

Terwijl Dvorah nog een sigaret opstak, vervolgde Jack haar verhaal. 'Maar jij, de als altijd opportunistische gastvrouw, besefte terdege het belang van dit stukje informatie als chantagemiddel en je had alles opgenomen. In tegenstelling tot Konzak was jij niet rijk of gevierd. Je probeerde het hoofd boven water te houden met lange, intellectuele exposés over vrijwel onbekende vrouwelijke fotografen. Je werk werd redelijk gewaardeerd, maar je verdiende nog minder dan een winkeljuffrouw. Je verhuisde van zolderkamertje naar souterrain, totdat je besloot dat het nu afgelopen moest zijn met het gesjouw met die boodschappen vijf trappen omhoog en dat je er geen zin meer in had elke vrijdagavond de lucht van andermans *gefilte fisj* te moeten opsnuiven. Je besloot die tape voor een lieve som aan Gardonne te verkopen en stak het geld meteen in deze *Thin Man* filmset, voordat hij de cheque kon blokkeren of zijn geld het land uit kon sluizen.'

Dvorah inhaleerde de rook met getuite lippen, maar leek in de verste verte niet op Simone Signoret. 'Gardonne speelde open kaart met me. Ik zei dat ik alles wist over het eiland en dat ik geld nodig had. Hij was van streek, maar betaalde binnen een week en zei dat hij er eigenhandig voor zou zorgen dat Konzak geen Tet-offensief tegen hem zou beramen.'

Jack stond op. 'Dvorah, liefje, we gaan.'

Toen we voor de tweede maal die middag naar de lift liepen, vroeg Dvorah smekend aan Jack: 'Wat gaat er met me gebeuren?'

'Chantage is een misdrijf, schat, zelfs in New York.'

Ze herstelde zich snel toen ze door kreeg dat slijmen haar niet veel verder zou brengen. 'Mag ik je mijn visie geven op dit misdrijf, zoals jij het stelt?'

'Ja, hoor.' Ik heb nog nooit iemand meegemaakt die zo nonchalant kan doen als Jack.

'Gardonne is niet helemaal eerlijk geweest en heeft de regering van Ontario opgelicht. Dat is niets anders dan belastingontduiking. Ik bedoel maar, het is een licht misdrijf. Ik heb mijn graantje meegepikt, omdat ik op het juiste moment op de juiste plaats was.' Ze drukte op het liftknopje en ging verder. 'Dacht je soms dat omkoopsommen geen dagelijkse kost waren in de journalistiek, met name in de onderzoeksjournalistiek?' In haar hoop de jury gunstig te stemmen, dreef ze de zaak nog verder door. 'Je dacht toch niet dat Deep Throat gratis en voor niks heeft doorgeslagen?'

Jack is en blijft een bloedhond. Hij zei kalmpjes: 'Ik heb het al eerder gezegd, Dvorah, het zou hier wel eens om drie misdrijven kunnen gaan. Ik zal het voor je spellen. A, chantage; B, Konzak is bedreigd; C, Konzak wordt vermist.'

'Jezus zeg, ik heb echt geen idee wat er met hem is gebeurd.' Ze stak de ene sigaret met de andere aan. 'Ik wou dat ik nog lekker rustig op mijn zolderkamertje zat.' Ze steunde haar hoofd in haar handen en mompelde: 'Mijn fantasie is een beetje met me op de loop gegaan.'

'Laat ik je dit zeggen, Dvorah,' zei Jack. 'Het zal er een stuk beter voor je uitzien als je Gardonne nooit meer ziet of spreekt. Vertel hem maar niet dat je ons hebt geïnformeerd over die eilandenkwestie.'

'Ik zweer je dat ik dat nooit zal doen.' Ze keek naar de grond.

'Als je Gardonne belt, zullen wij dat meteen weten en wordt de politie sneller op de hoogte gebracht dan jij kunt zeggen, "Dvorah Little gaat de lik in".'

Toen de lift bovenkwam zei ze: 'Ik heb mijn medewerking verleend? Mag ik de tape?'

Jack sloeg zijn arm om haar heen en hield de tape in zijn andere hand. 'Ik wil je helpen de verleiding te weerstaan. Lucifer kent vele gedaanten, dus ik houd de tape voorlopig bij me, om er zeker van te zijn dat je Gardonne niet gaat bellen in de nabije toekomst.'

'Wanneer geef je me de tape?'

'Zodra we Konzak levend en wel gevonden hebben. Dat zal wel niet zo heel lang meer duren.'

Eenmaal in de lift glimlachten we elkaar tevreden toe en zeiden geen woord tot we in de naastgelegen delicatessenzaak op de vinyl banken in de alkoof gleden en koffie met wat lekkers hadden besteld.

'Jack, er lag helemaal geen tape bij Konzak, tenzij de moordenaar hem te pakken heeft gekregen. We hebben alles overhoop gehaald. Waar heb je die info vandaan?'

'Het was maar een gok. Mijn assistent heeft iedereen ondervraagd die in dat hotel van Konzak logeerde in de nacht van het "breng geest en lichaam samen"-interview. De man in de suite onder die van hem had constant geklikklak van hoge hakken gehoord. Hij heeft om drie uur 's nachts de receptie gebeld en een klacht ingediend die, dankzij de obsessieve punctualiteit van de Oostenrijkers, netjes is genoteerd opdat de ochtendploeg de problemen kon oplossen.

Verder hebben we iedereen ondervraagd die Konzak in Wenen kende. We troffen een ober bij Demel die vertelde dat hij en Konzak heel wat avondjes samen hadden doorgebracht om vrouwen op te pikken en hun eerdere seksuele escapades te bespreken. Tussen de duizend-en-één dikke lulverhalen over Weense juffers en wat ze wérkelijk doen met hun blonde vlechten, had Konzak ooit eens verteld dat hij geïnterviewd was door een journaliste die zijn lul hardware noemde of zulke onzin meer. Ik heb alle interviews met hem van het afgelopen jaar gelezen, en slechts drie daarvan zijn afgenomen door vrouwelijke journalisten. De klacht over de hoge hakken kwam overeen met een van de interviewdata van Dvorah. Dus ik wist dat ik een vlijmscherpe kans maakte van drie op één dat ik raak schoot.'

'Goed gedaan, Kimo Sabe.' Ik leunde over de tafel heen om hem de hand te schudden.

Hij knikte en zei: 'Je had gelijk, Gardonne is precies zoals je zei. Het kan zijn dat hij je heeft ingehuurd om te zien of Konzak de klok zou luiden over de eilandenfraude tijdens jullie interview. Als Konzak babbelde, zou jij het weer aan Gardonne overbrieven en dan wist hij dat Konzak meer was dan een enfant terrible. Je zou hem vertellen wat Konzak had gezegd, maar voor de rest zou je het voor je houden, want Gardonne had je in zijn macht. Hij zou je zonder pardon je voorwaardelijk weigeren.'

Ik knikte opgelucht. Toen Jack een reuzenhap nam van zijn broodje pastrami, vroeg ik: 'Waarom neem je niet meteen een shot cholesterol?'

'Dat kan ik niet opvoeren op mijn onkostenrekening.'

'Wat denk je? Heeft Dvorah of Gardonne Konzak vermoord?'

'Ik denk dat Dvorah de waarheid vertelt. Ze heeft geen idee dat Konzak naar de academie in de hemel is vertrokken. Ze heeft zich op dat chantageakkefietje geworpen en kreeg waarschijnlijk meer dan ze had gehoopt. Slimme tante, afgestudeerd aan de achterbuurtschool voor wetenschappen. Ze wilde een stukje van de taart en niemand gaf haar meer dan de kruimeltjes. De ambitie groeide als ijsbloemen op de ruiten tot ze niet meer naar buiten kon kijken. Ze heeft zich laten meeslepen door haar dromen over martini's aan het strand en bokkensprongen met knappe mannen, maar ik denk niet dat ze daar nou meteen een moord voor zou doen. Volgens mij heeft ze die onzin over Konzak geschreven omdat hij "speelde met haar gevoelens". Heb je dat zielige moment gemist toen ze je vroeg Konzak te vertellen dat ze hem zo'n charmante man vond? Ze komt veel te kort,' zei Jack, met zijn mond vol koolsalade, 'maar is veel te beladen met schuldgevoel om Konzak te kunnen doden.'

'Gardonne?' informeerde ik.

'Ik heb heel wat moordenaars ontmoet, maar ik denk ook niet dat hij er een is. Dat wil niet zeggen dat het geen leugenachtige, gluiperige, psychopathische eikel is.'

'Hoeveel moordenaars uit betere kringen ken je precies?'

'Eén. Ze zit tegenover me,' antwoordde hij tussen twee happen door.

Het was duidelijk. Als ik maar even iets zei over het klassenverschil tussen ons, kreeg ik het dubbel en dwars terug. 'Hoe heb ik het kunnen vragen?' Ik zweeg. Jezus, ik was glad vergeten dat ik iemand had vermoord. Na al die jaren, bewust of onbewust, zag ik mezelf nog steeds niet als een moordenares. Ik was niet van plan me van mijn stuk te laten brengen door mijn eigen verdrongen ellende en ging erop door. 'Ik denk niet dat hij iemand met blote handen zou vermoorden, zijn nagels zijn te netjes gemanicuurd.' Ik nam nog een slok van mijn inmiddels lauwe koffie. 'Maar hij zou zomaar de telefoon kunnen pakken en iemand opdracht geven het te doen, zo makkelijk alsof hij een pizza bestelde.'

'Een huurmoordenaar?' Hij strooide een ontstellende hoeveelheid zout op zijn pastrami.

'Dat noemen we delegeren,' antwoordde ik.

'Daar heb je gelijk in, maar hij heeft geen motief. Rijk is hij al. Konzak had er totaal geen belang bij Gardonne erbij te lappen. Hij flapte het er alleen per ongeluk uit omdat Dvorah zijn naam noemde. Konzak wilde alleen Freud aan de schandpaal nagelen. Ik denk niet dat Gardonne aan grootheidswaanzin lijdt. Er is niemand die hem ook maar een blik waardig keurt, een kleine jongen uit Toronto, en over een paar maanden zal niemand meer enige aandacht schenken aan Konzak. Ik ben het eerder eens met het freudiaanse contingent dat denkt dat Konzak snel oud nieuws zal zijn als hij in zijn eigen fantasieën verstrikt raakt.'

'Volgens mij zie je het verkeerd, zowel wat Konzak als wat Gardonne betreft.' Ik hield twee vingers in de lucht. 'Konzak gaat ten onder omdat hij als onevenwichtig wordt beschouwd. Maar in feite is hij zo rechtdoorzee als wat. Het is net een jonge hond waarvan iedereen dacht dat het een jachthond was. Dat is niet zijn schuld. Als je hem aan de leugendetector zet, komt hij er puntgaaf onder vandaan.'

'Dat was er één,' zei Jack.

'Ten tweede is Gardonne meedogenlozer dan je denkt. Natuurlijk heeft hij geld, maar we weten niet hoeveel. Hij had in elk geval niet zoveel dat hij niet naar meer verlangde en zich verrijkte in dat eilandenschandaal. Hij had mazzel met Dvorah, in wie hij zijn morele gelijke ontmoette. Het enige wat hij hoefde te doen was haar zwijggeld te betalen. Aangezien Konzak de belastende informatie aan Dvorah heeft verteld, en we weten allebei dat het een ongelooflijke kletsmajoor was, dan zou hij het net zo goed aan iemand anders kunnen vertellen. Wat gebeurt er als de volgende aan wie hij het vertelt Gardonne verraadt bij de ethiekcommissie? Dan raakt Gardonne zijn vergunning kwijt en hij wordt vernederd ten overstaan van collega's en de golfclub. Als Konzak netjes onder de groene zoden ligt, hoeft hij zich geen zorgen meer te maken over zijn publieke schande. Hij wil groen licht van oud geld en neemt geen enkel risico. Hij doet een beetje wanhopig over zijn klasse en status. Hij speelt zijn rol iets te goed.'

'Jij bent beter op de hoogte van al die sociale mores.' Hij sprak het uit als *moors*. 'Voor mij staat dat ver van mijn bed.'

'Dat is niet te merken aan je vocabulaire,' merkte ik op.

'Aan jouw manieren is niet te merken dat je iemand hebt vermoord.' Hij nam nog een slok koffie. 'Behalve dan aan de manier waarop je me nu aankijkt. Eigenlijk voel ik me gevleid dat je iets zegt over mijn vocabulaire. Ik zat al zo jong achter de tralies dat ik nauwelijks naar school ben geweest. Het enige wat ik had was pornoboekjes, die ik jatte van de oudere gevangenen. Ik raakte verslaafd aan die vuiligheid en las het van voor naar achter en terug. Later ging ik over op porno van hogere kwaliteit, zoals Henry Miller, dat soort dingen. Telkens wanneer Miller of Lawrence een andere schrijver noemden, haalde ik iets van die auteur uit de bibliotheek. Ik heb heel wat gelezen.'

'Begreep je alle woorden wel?'

'Ik hield een schriftje bij. Ik had er 26. Als ik een woord tegenkwam dat ik niet kende, schreef ik het op, met de zin waar het in stond erbij. Als ik datzelfde woord dan nog eens tegenkwam, probeerde ik uit de context op te maken wat het betekende en schreef dat op. Op een dag kwam er een mennonietenpater bij me op bezoek met de bedoeling me te bekeren. Hij zag mijn woordenschriftjes, zoals ik ze noemde, en wees me op het bestaan van woordenboeken. Dat maakte het een stuk gemakkelijker voor me. Ik was twaalf en zou elk boek gebruiken waar het woord "lul" in stond. Ik was verbluft toen het er inderdaad in stond en heb er sindsdien mijn persoonlijke bijbel van gemaakt.'

'Heb je altijd van taal gehouden?'

'Nee, maar ik kwam erachter dat ik redelijk kon schrijven en dat meisjes dol waren op mijn brieven, terugschreven en zelfs op bezoek kwamen. Ik was maar in één ding geïnteresseerd in die tijd, meiden, dus ik perfectioneerde mijn schrijfkunst. Daar heb je woorden voor nodig. Toen de andere jongens in de gaten kregen wat een geile post ik kreeg, gingen ze me betalen om van die brieven te schrijven waar vrouwen zo dol op zijn. Je kent dat wel, suikerzoete erotica.'

Vandaar dat hij zoveel woorden verkeerd uitsprak en dat er wat vreemde lacunes (hij zou het uitspreken met een zachte k) in zijn kennis zaten.

Ik keek hem aan en begreep dat hij me dit had verteld omdat hij wist dat hij te ver was gegaan door weer over mijn vonnis voor moord te gaan zeiken. De meeste mensen zouden hun excuses aanbieden in zo'n geval of er nooit over beginnen, maar als Jack te ver was gegaan kwam hij altijd met een of andere waarheid over zichzelf op de proppen. Ik moest maar hopen dat hij me vaak zou kwetsen, want dat was mijn enige kans meer over hem te weten te komen. Om de een of andere reden vond ik het uitermate boeiend om meer over hem te horen. Tot het moment dat hij al zijn fiches heeft verspeeld en ik alles over hem weet wat er te weten valt.

Hij wenkte om de rekening: 'Nu we dit over Gardonne weten, moeten we onze plannen bijstellen. Hij is slechts zijdelings geïnteresseerd in psychoanalyse en laster jegens Freud. Het komt gerechtvaardigd over, omdat hij aan het hoofd staat van de Psychoanalytic Association. Hij koos jou om te zien of Konzak een aantrekkelijke vrouw uit Toronto zou vertellen van zijn eilandenstaaltje. Het moest een vrouw uit Toronto zijn en het moest iemand zijn die hij in zijn macht had. Jij was de perfecte kandidate... afgezien van dat aantrekkelijke, dan.' Jack gleed de alkoof uit.

Toen we bij de kassa stonden te wachten, zei ik: 'Dat hele bezoekje van hem aan het eiland Wight was niet zozeer freudiaanse diplomatie als wel een manier om ons van elkaar te vervreemden.'

'Waarom is dat zo belangrijk voor hem?'

'Als wij de koppen bij elkaar steken kan het wel eens bij ons opkomen een onderzoek naar hem in te stellen. Of nog erger, als hij probeert me er aan het eind in te luizen en mij die moord in de schoenen te schuiven, dan wil hij niet dat jij loyaliteitsgevoelens jegens mij koestert. Loyaliteit voor mij is per definitie loyaliteit tegen hem.'

'Het heeft anders goed gewerkt,' zei hij vrolijk. Maar hij werd algauw weer ernstig. 'Er ligt een heel ravijn tussen chantage en moord. Ik ben bereid hem als verdachte op de lijst zetten, maar dan wel helemaal onderaan. Als hij hoger op de lijst zou staan, had hij Konzak wel vermoord vóórdat hij Dvorah zoveel geld had betaald. Maar ik zal een paar speurneuzen op Gardonne zetten en dan zullen we wel zien wat er uit zijn verleden gekropen komt.'

Ik kende Gardonnes ijzersterke kameleonkwaliteiten te goed, dus ik waarschuwde: 'Daar kun je dan maar beter je beste bloedhonden op zetten.'

'Ik ben nooit gevallen voor zijn John Wayne psychiatrische dappere dodo-act, maar laten we even niet uit het oog verliezen waar het hier werkelijk om gaat. Gardonne is relatief onbelangrijk voor de reden waarom we zijn ingehuurd. Oké, hij is een van de verdachten, maar we zijn hier om de onderste steen van dat hele freudiaanse kaartenhuis boven te halen... dat tussen twee haakjes op de breuklijn staat van een stijgende schaal van Richter.'

Ik keek hem vragend aan.

'Ik zal mijn prioriteiten in het kort weergeven. Ten eerste zijn we ingehuurd om uit te zoeken waarom Konzak zich tegen Freud heeft gekeerd. Ten tweede moeten we erachter zien te komen waar hij zijn informatie vandaan heeft of van wie. Ten derde zitten we met een moordzaak die we als de donder moeten oplossen want, als de zaak wordt overgedragen aan de politie, hangen wij ervoor. We moeten de eerste twee kwesties uitzoeken om de derde op te lossen. En ten vierde weten we dat Gardonne op de een of andere manier bij de hele zaak betrokken is, maar toch ga ik allereerst mijn prioriteiten uitwerken en uiteindelijk, in het geval dat we er niet meer omheen kunnen dat Gardonne een van de hoofdverdachten is, pakken we dat aan. Tot dan zet ik hem niet boven aan mijn lijst.'

Toen ik eenmaal had gehoord dat Jack Gardonne maar bijzaak vond, of in elk geval geen prioriteit, wist ik dat ik mijn mond moest houden over het padvindersinsigne dat ik had gevonden tijdens mijn inbraak in Gardonnes kamer op het eiland Wight. Het was me niet ontgaan dat Jack allerlei informatie had over Dvorah die hij niet vooraf met me had gedeeld. Ik wist zeker dat Gardonne veel meer was dan een psychologische poseur. Hij gebruikte me niet alleen, het was zeer waarschijnlijk dat hij me de moord op Konzak in de schoenen probeerde te schuiven. Ik moest op de een of andere manier zorgen dat ik mezelf overeind hield. De kern van de zaak was dat ik totaal niet wist aan welke kant Jack werkelijk stond. Het zou best kunnen dat hij met Gardonne onder een hoedje speelde om mij erin te luizen. Ik kon dat Onondaga-insigne maar beter voor mezelf houden tot ik tijd had om in mijn eentje een onderzoekje in te stellen naar Gardonne. Hij was veel te pienter, of te sluw, voor de meeste detectives.

In de draaideur van de delicatessenzaak hield Jack twee vliegtickets omhoog en trok een clownsgezicht. Op straat vroeg ik hoopvol: 'De Italiaans-Amerikaanse circusclown?' en griste de tickets uit zijn hand, waar met grote rode letters 'Toronto' op stond.

'Ene Robert Bozzetelli is in het bezit van een lidmaatschapskaart voor de Robarts bibliotheek van de universiteit van Toronto. Hij is goed bekend bij de bibliothecaris biomedica die verantwoordelijk is voor de collectie boeken over psychoanalyse. Hij leent boeken over de vroege periode van Freud en heeft via de interbibliothecaire uitleenservice de oorspronkelijke, Duitse briefwisseling tussen Freud en Fliess opgevraagd. Kort gezegd heeft hij wereldwijd meer esoterische freudiana geleend dan welke professor waar dan ook.'

'Een Italiaanse clown. Wie heeft er een detective nodig? We vinden hem meteen, want dat is de enige man in heel Toronto met een vrolijk gezicht.'

12

EEN SPECTACULAIRE SPEURNEUS

Onschuld kent geen schaamte.
– Jean-Jacques Rousseau

Jack en ik landden in Toronto voor de eerste etappe van wat later bekend werd als de Italiaanse clownsodyssee. Ik was blij dat ik weer op vertrouwd grondgebied stond, ook al wist ik hoe giftig die grond kon zijn. Gelukkig maken Canadezen over het algemeen jacht op andere diersoorten dan zijzelf, behalve ik dan, natuurlijk.

De taxichauffeur, een rasta uit St. Vincent met dreadlocks die eruitzagen alsof de kat een haarbal te veel had uitgespuwd, vroeg waar we heen wilden. Hij keek op het velletje papier dat Jack hem overhandigde en produceerde een brede glimlach, waarbij twee snijtanden met diamantjes bloot kwamen. Toen ik over de stoel naar voren leunde, zag ik dat hij een T-shirt droeg met de opdruk *Mijn baas is een Joodse timmerman.*

'Ja, man. Dat is in het centrum, een zijstraat van Queen Street, vlak bij Bellwoods Park.'

'Is dat de Queen Street stripperszone?' vroeg Jack.

'Helemaal, jochie.' Hij bulderde van het lachen.

Jack en ik begrepen niet wat er nu zo grappig aan was, maar we werden er wel vrolijk van.

'Wat is dat dan voor buurt, Queen bij Bellwoods Park?' vroeg ik.

'Een hoop blanke drugsverslaafden en punkers die in de buurt van Parkdale kamers huren. Een paar van die artistieke jongens.' Hij keek nog eens op het papiertje. 'Crawford 303. Daar valt het allemaal te beleven. Als je echt iets van de stad wilt zien, moet je daar wezen.'

We reden door een lommerrijke laan met oude, Victoriaanse huizen die nu vrijwel allemaal in gebruik waren als pension en de taxi stopte voor een mottig voortuintje. In het midden stond een vreemd beeld dat iets wetenschappelijks had, een soort zelfgemaakt Stonehenge dat geen enkele schaduw wierp. Misschien wist deze jongen meer over tijd dan wij.

Jack en ik haalden allebei diep adem toen we het verwaarloosde pad op liepen. We klauterden voorzichtig het trapje op, want er ontbraken een paar planken. Op de veranda stond een stevig opgevulde bank, bezaaid met foldertjes, die duidelijk dienstdeed als tuinmeubilair. Er hing een bordje op de voordeur, waarop met gotische letters stond:

Colporteurs welkom –
Maak er een boeiend verhaal van

Er deed niemand open toen ik klopte, maar ik hoorde de gezusters McGarrigle 'Talk to Me of Mendocino' uit een cassettedeck blèren, dus ik deed kordaat de deur open. 'Ik voel me net Goudhaartje,' fluisterde ik tegen Jack.

'Bij de politie noemen ze dit inbraak en huisvredebreuk,' zei Jack toen we op onze tenen door de smalle gang liepen die vol fietsen stond en waar een verschaalde kooklucht hing, een mix van alles tussen curry en speklapjes. We volgden de muziek naar een ruime, ouderwetse keuken. Een meisje of vrouw leunde tegen het gevlekte formica aanrecht en schonk thee uit een schitterende raku aardewerk pot. Ze was gekleed in een versie van Hare Krishna- c.q. new age-gewaad. Toen ik haar beter bekeek bedacht ik dat ze er niet uitzag alsof ze lid van een van die clubs was, maar eerder of ze deze décontracté-look helemaal uit zichzelf had verzonnen. Ze had een bleke huid, alsof ze geen daglicht meer had gezien sinds de vorige eclips. Vanonder haar witte tulband bengelden opvallende oorhangers aan nog net zichtbare oorlelletjes. Aan het ene hing een lammetje aan wat normaal gesproken het oorstekertje was. Aan een dun kettinkje hing een lamsboutje. Aan haar andere oor hing een koe met een hamburger eronder. Onder de dunne wijde broek ging een soepel, slank figuur schuil en ze droeg Birkenstocks met kerstsokken, met op de ene voet een rendier en op de andere de tekst 'Merry Christmoose' met hulst eromheen. Afgezien van haar oorbellen en sokken was ze geheel in het wit gekleed.

Een Oost-Indiër die zo te zien nog niet zo lang in het land was, stond aan het fornuis in een grote pan soep te roeren. De Canadese vrouw met de tulband liep naar de keukentafel, liet zich op een stoel vallen en klaagde tegen de man dat ze geen cent meer kreeg van de bijstand en dat ze zeker wist dat zij als sieradenmaakster werd gediscrimineerd.

'Hoi, hoe gaat ie?' riep Jack vrolijk vanuit de deuropening, alsof hij hier dagelijks over de vloer kwam. De beide keukenbewoners leken totaal niet verrast ons daar te zien staan. 'We hebben geklopt, maar er deed niemand open.' Ze glimlachten allebei, alsof het de normaalste zaak van de wereld was dat mensen zomaar hun huis binnenwandelden. Misschien is dat wel zo onder kamerbewoners.

'Kennen jullie misschien een zekere Robert Bozzetelli?' probeerde ik.

De vrouw met de tulband dacht minstens een volle minuut na voordat ze zei: 'Nee. Het klinkt of hij gelazer heeft met een dealer.'

'Nee hoor, we willen hem graag spreken over zijn werk,' zei ik.

'We kennen hem niet. Spijt me zeer,' zei de man.

Op dat moment stapte een Canadese indiaan met een lange, donkere vlecht en gekleed in een blauw Levi's-shirt en spijkerbroek de keuken in. Ik zou durven zweren dat het een Cree was. (Als je maar lang genoeg in een Canadese gevangenis zit, leer je de verschillende stammen vanzelf onderscheiden.) Hij negeerde ons en zei tegen de vrouw met de tulband: 'Ze bedoelen Bozo, je weet wel, die in het souterrain woont.'

'O, Bózo,' zei de vrouw met een plotselinge blik van herkenning. 'Ja, die gaat veel met de Magiër om.'

'Wie is de Magiër?' vroeg Jack.

'Dat is een beroepsmagiër. Je weet wel, hij verhuurt zichzelf als magiër voor feestjes en zo.'

'Een magiër is voor de Engelsen als een goeroe voor de Indiërs of een medicijnman voor de Cree,' legde de indiaan behulpzaam uit.

'Ja,' knikte de Indiër instemmend. Hij bleef ijverig in zijn pan roeren.

'Shawna, ik heb Bozo al zo'n anderhalve dag niet meer gezien, jij wel?' vroeg de indiaan.

'Nee, maar als hij aan het werk is, zit hij vaak dagen achter elkaar te typen, totdat hij helemaal stuk zit. Hij is wel eens vier kilo afgevallen terwijl hij aan een essay werkte.'

'Wat schrijft hij zoal?' informeerde ik.

'Nou ja, hij noemt zichzelf een freudiaanse detective.'

'Wat is het voor iemand?' vroeg Jack.

'Heftig, heel heftig. Je moet hem echt niks vragen als je slecht in je tijd zit,' antwoordde de indiaan.

'Werkt hij?' vroeg Jack.

'Ja, in een platenzaak waar ze gouwe ouwe verkopen, het heet...' haar stem haperde. 'Goud van Oud of zoiets.'

'Jezus, Shawna!' De indiaan sloeg met zijn vuist op het aanrecht. 'Het heet het Vinyl Museum.'

'Kalm effe, Edgar. Dan heet het toch zo? Moet ik mezelf nu aan de hoogste totempaal hangen of zo? Schei uit, zeg.'

De Indiër keek alsof hij totaal niet snapte wat er allemaal gebeurde, maar hij probeerde behulpzaam te zijn en wees ons de trap naar het souterrain.

We krabbelden de smalle, krakende treden af en kwamen terecht in het vreemdste decor dat ik ooit had gezien. Het was zo'n oude kelder die in geen honderd jaar was opgeknapt. In een van de hoeken stond een grote olietank, met in het midden van de ruimte een gigantische octopus van een oven. Aan alle met isolatietape omwikkelde tentakels hing wasgoed te drogen. De wanden waren van boven tot onder betimmerd met boekenplanken van onbewerkt en half verrot hout, ongetwijfeld verzameld op bouwplaatsen en vuilnisbelten. De planken werden gesteund door bakstenen die uit de muur waren gevallen of er misschien zelfs uit waren gebikt, aangezien er grote gaten in de muur zaten, waar je de ruwe aarde dwars doorheen zag. De planken stonden van de vloer tot aan het plafond vol boeken, veel daarvan met papiertjes erin. Ik trok een van die papiertjes uit Freuds *Zur Psychopathologie des Alltagslebens.* Er stond in grote, kinderlijke rode drukletters op:

is dat zo, vriend?

Ik stopte het zorgvuldig weer terug en pakte een ander papiertje uit een van de werken van Darwin. Er stond:

zeg waar het op staat, broeder!

De kelderbewoner had zo te zien geen ruimte meer voor zijn boeken en was begonnen ze op te stapelen op de vloer, op krantenpapier. De hele vloer was bedekt met oude covers van *New York Times Magazine.* Ze waren net als tegels tegen elkaar aan gelegd en vervolgens op de vloer gelijmd en gelakt. Het kleurenpatroon was werkelijk schitterend, een collage van eigentijds nieuws als welkome afwisseling van het voddenkleed. Sommige planken waren voorzien van indexkaarten met de namen van diverse organisaties erop: *American Psychoanalytic, New York Psychoanalytic.* Op een ervan stond *Idioten.* Bij nadere inspectie lagen daar essays van Sulloway, Lacan en Konzak. Ik keek Jack aan en knikte om aan te geven dat we op de juiste plek waren beland.

Hij had de ruimte in kamertjes verdeeld met stapels boeken die bijna tot de pijpleidingen aan het plafond reikten. In feite was het hele appartement een doolhof van boeken, wonderlijker dan welk landschap ook uit *Alice in Wonderland.* In een van de ruimten of kamers stond een eenpersoonsbed, netjes opgemaakt met een dekbed en met een schemerlamp ernaast. Naast de oven stonden rijen groenteblikken opgesteld, met gaatjes in de bovenkant geprikt. Ik knielde om er eentje aan te raken, hij voelde warm aan. Om de hoek van een boekenmuur bevond zich de woonkamer, met een oude bank, een stoel en een leeslamp boven een tafel met een vinyl blad. Toen we verder door de doolhof dwaalden, kwamen we nog een soort bureau tegen, een oude deur op twee roestige dossierkasten met dubbele laden.

Er bewoog iets. Ik deed een sprong achteruit. Aan het bureau zat een man, met zijn rug naar ons toe. Hij draaide rond op de wieltjes van zijn oude, leren bureaustoel en zei: 'Hallo, ik ben Bozo, freudiaanse detective, geheel tot uw dienst.'

Het was een iel mannetje met een lange, rossige paardenstaart en een gezicht vol sproeten. Hij droeg een opoebrilletje en zijn haar zat vast met een haarspeld in de vorm van een hondenkoekje. Zijn verschoten jeans en flanellen overhemd met een juichende Roy Rogers erop met een lasso, waren schoon en gestreken. Hij leek rond de vijfendertig, maar kon ook ouder zijn. Met sproeten is dat altijd moeilijk te zeggen, mensen met sproeten zien er altijd uit als Tom Sawyer of een van zijn vriendjes.

Er klonk een zachte stem van boven aan de trap. 'Buzzy Beer, lieverd?'

'Ja, Shawna,' zei Bozo geduldig.

'Bozo, mijn lieve Bozootje?'

'Ja, Shawna?' Hij liep naar de trap en blikte omhoog.

'Je hebt gasten. Zal ik ze naar beneden sturen?'

'Dank je. Ik geloof dat ze me al gevonden hebben.'

'No problemo. Fijn dat ik kon helpen.'

Het leken Ozzie en Harriet wel, zo beleefd als ze deden. Het kwam heel onwezenlijk op me over dat mensen zo hoffelijk met elkaar omgingen. Ik denk dat ik gewend was geraakt aan het gevangenisleven, waar iedereen door de bank genomen buitengewoon onhebbelijk tegen elkaar doet. Toen ik pas in de gevangenis zat, was ik geschokt door dat respectloze, botte gedrag, maar intussen was ik kennelijk zo afgestompt dat ik schrok als mensen goede manieren hadden.

Jack rolde met zijn ogen, als om te zeggen wat een mafkikker die vrouw was. Het was zeker al tien minuten geleden dat we naar de kelder waren afgedaald.

'Iets te veel xanax, lieve Shawna,' mompelde Bozo. Toen keek hij op, alsof hij verbaasd was dat we er nog steeds waren. 'Waarmee kan ik jullie van dienst zijn?'

Ik zond Jack een blik van 'dit handel ik af'. Ik kreeg opeens een lumineus idee en hield Jack aan zijn arm tegen. Ik trok hem letterlijk achteruit.

'We vertegenwoordigen een zekere weldoener die voorlopig anoniem wil blijven,' zëi ik.

'John Beresford Tipton?' vroeg Bozo.

'Wie zeg je?' vroeg ik.

'Die vent van de miljoen dollar, de anonieme schenker uit dat televisieprogramma in de jaren vijftig.' Jack geloofde gewoon niet dat ik er nog nooit van had gehoord. 'Ik hoopte altijd dat hij bij mij aan de deur zou kloppen, maar meestal was het de politie.'

'O,' zei ik. Ik mocht nooit televisie kijken. Mijn vader zei altijd dat je hersenen ervan gingen rotten. Maar deze rare snuiter en die bajesklant hadden zoveel televisie gekeken als ze maar wilden en dom waren ze er geen van beiden van geworden. Het leek me het beste om maar gewoon door te gaan. 'We hebben je research gelezen met betrekking tot je freudiaanse detectivewerk.'

'Waar?'

'Dr. Von Enchanhauer heeft ons enkele van je artikelen gegeven,' bedacht ik ter plekke.

'Hoe bestaat het! Ik had nooit durven dromen dat hij en public naar mij zou verwijzen. Ik dacht dat ik zijn id was.'

'We werken voor een uitgeverij, die pas met naam en toenaam genoemd zal worden als je belangstelling hebt voor de deal die we je willen voorstellen.' Jack keek me aan met een blik van 'als je maar zorgt dat je weet waar je mee bezig bent'. Ik liet me niet uit het veld slaan. 'We willen graag dat je jouw versie geeft van een

Freud-biografie. We denken dat ons lezerspubliek zo langzamerhand wel toe is aan een andere kijk op Freud, zoals die van jou.' Ik kreeg geen enkele reactie, dus ik ploeterde voort. 'Je bent een gedegen wetenschapper die iets nieuws te zeggen heeft. We zijn bereid je een ruim voorschot te geven en verder per hoofdstuk uit te betalen, mits je instemt met publicatie in een aantal bladen tegelijk.'

'Net zoals *Schetsen van Boz* van Dickens?'

'Precies.'

'Tja. In lang vervlogen tijden was ik een jonge aardbewoner vol vertrouwen, maar ik heb op de harde manier geleerd me aan geen enkele groepering te verbinden, aangezien de ideologie van zo'n groepering op een verraderlijke manier naar binnen sijpelt en langzaam maar zeker de waarheid vertroebelt.' Met een elegante armzwaai vestigde hij de aandacht op zijn ondergrondse boekendoolhof. 'Wellicht kun je uit mijn nederige stulpje opmaken dat ik financiële maatregelen heb moeten treffen. Ik verkeer in de hachelijke positie waarin ik graag wil publiceren, maar het moet doen zonder de steun van een weldoener. Kijk eens naar die arme jongen van een Konzak. Hij moet op zijn tenen het partijbeleid volgen, want anders hakken Anna Freud of Von E. zijn piemel eraf. In feite ligt hij op ditzelfde moment al bloot op het hakblok.'

'Beschouw je Konzak als iemand die op het juiste spoor zit in zijn zoektocht naar de waarheid, maar de mond wordt gesnoerd door het freudiaanse establishment?' vroeg ik.

'Dat hem de mond wordt gesnoerd staat vast, maar dat geldt eveneens voor andere hondsdolle dieren met schuim om de bek. Wat hij te melden had was uiteraard weinig meer dan gebazel. Hij zit er niet helemaal naast, maar hij heeft niets tussen zijn oren zitten en laat zich leiden door zijn geslachtsklieren. Derhalve komen er slechts sensationele trivialiteiten uit zijn pen.'

'Dus je kent Konzak?'

'Ik heb hem een paar maal ontmoet.' Hij sloeg enkele boeken dicht die opengeslagen op zijn bureau lagen.

'Wat vind je van hem?'

'Dat is algemeen bekend. Ik heb een artikel geschreven van 71 pagina's lang over de onjuistheden in zijn werk.' Hij kwam plotseling in actie, bewoog zijn voeten zijwaarts als een krab en scheurde met stoel en al een gang door en de hoek om, zette zijn voeten met een klap weer neer om af te remmen voor een van zijn verrotte boekenplanken. Hij trok een dik pak bijeengebonden papier uit een stapel, met de titel: "Een komedie van onjuistheden of de freudiaanse vergissing; de enige sluier die Konzak niet heeft opgelicht".

'Het spijt me dat ik iets in rekening moet brengen voor mijn geschriften, maar ik reken alleen iets voor het kopiëren en een bijdrage aan de kantoorkosten. Dat wordt dan zes dollar tachtig.'

Ik bood aan kopieën te kopen van al zijn werk tot nu toe. Bozo leek nauwelijks gevleid of zelfs maar verbaasd te zijn, maar scharrelde beleefd door zijn doolhof, ging af en toe op een bierkrat staan en trok allerlei papieren van de planken. Aan het eind zette hij een stapel handgebonden papier van een halve meter voor mijn neus en zei: 'Alsjeblieft, een ware Toren van Babel.'

'Geen slecht idee om intellectueel onafhankelijk te blijven. Dat maakt je tot een freudiaans ondernemer.'

'Het is de enige manier om oprecht te kunnen blijven. De meeste privé-detectives werken met een onkostenrekening die door hun opdrachtgever wordt voldaan. Dat werkt uiteraard corrumperend.'

'Dat ben ik helemaal met je eens,' zei ik met een schuine blik op Jack.

'Ik zou het liefst helemaal niets in rekening willen brengen, maar helaas zit de mens van nature anders in elkaar.'

'Zou het niet gemakkelijker zijn op zoek te gaan naar een uitgeverij die je voor je werk zou betalen? Dan regelen zij alle rompslomp van kantoorwerk en distributie en jij kunt je op je intellectuele werk concentreren. Ze hebben complete marketingafdelingen voor promotiecampagnes en andere hondenklussen.'

'Klopt, maar dan zit je weer met dat nare R-woord.'

Ik dacht even na en vroeg toen: 'Redacteuren?'

'Goed geraden. Geef de dame een sigaar, want soms is een sigaar gewoon een sigaar.'

'En dus?' vroeg ik. 'Ze komen toch alleen met suggesties?'

'Ha! Lees zo'n contract maar eens door. Ze mogen een publicatie inkorten, "leesbaarder" maken, de tekst "vereenvoudigen" of "toegankelijker" maken of zorgen dat het "een breder publiek" bereikt. Dat zijn allemaal eufemismen voor het verwerken van voedzaam intellectueel werk tot vezelloze pap. Ken je die beknopte romans van *Reader's Digest*? Ik heb doelbewust voor deze stijl van leven gekozen. Ik houd me verre van affiliatie. Iedere keer dat ik het wel doe, wordt een deel van me met huid en haar verslonden.'

Ik knikte instemmend. 'Dat ken ik wel. Ik heb me ook vaak genoeg als een menselijk lichaam zonder ziel gevoeld.'

'Als ik de MIT had afgemaakt, had ik kunnen eindigen als "wetenschapper", om de term maar eens non-conformistisch te gebruiken. Daar zijn ze echter uitsluitend geïnteresseerd in het bewijzen van hypothesen. Je krijgt geen doctorstitel als je ergens het *tegendeel* van bewijst. Dat is opportunistische wetenschap. Dat bereidt mensen voor op een baan in de farmaceutische industrie of erger nog, aan de universiteit. Iemand wordt luchtvaartingenieur en moet aantonen dat ruimtereizen goed zijn, dat zich in overheidstermen vertaalt als "het geld van de belastingbetaler waardig", of anders is de ingenieur zijn baan kwijt. Hoogleraren jagen hun studenten erdoor om de overheidssubsidie per student op te kunnen strijken. Het schijnt dat het herhalen van een onderzoek de makkelijkste weg is naar een doctorstitel. Stel je voor dat Einstein dat had gedaan, dan leden we nu nog steeds onder de fysica van Newton. Hij had een kantoorbaan op een patentbureau om uit de klauwen van het systeem te blijven.'

Ik was het helemaal met Bozo eens. 'Weet je wat G.E. Moore heeft gezegd over Wittgensteins doctorsproefschrift? "Heren van de commissie, dit proefschrift is zonder meer het werk van een genie en ik meen zelfs dat het mogelijk voldoet aan de eisen van deze universiteit voor het behalen van het doctoraat."'

'Precies wat ik bedoel,' bulderde Bozo en stootte met zijn vuist in de lucht. 'Ik werk twee dagen in de week in een platenzaak, ik leef zuinig en heb meer intellectuele vrijheid, de enige vrijheid die ertoe doet, dan de president-directeur van General Motors.'

Jack knikte instemmend en zond me een blik waarmee hij wilde zeggen dat ik dat hele uitgeverijscenario had uitgebroed zonder met hem te overleggen, dus dat ik nu maar moest zien hoe ik me eruit redde.

'Laten we een hapje gaan eten, dan kunnen we verder praten,' opperde ik om tijd te winnen. 'Mogen Jack en ik je uitnodigen voor een avondje Queen Street? Misschien speelt er wel ergens een goede jazzband. We zouden je graag willen overhalen om dat boek met ons te doen, maar als het niet lukt, pech gehad. Ik zou graag meer willen horen over je huidige onderzoek.'

'Klinkt goed, maar dit is een soort commune en ik ben vanavond aan de beurt om te koken. Waarom blijven jullie niet hier voor de vegetarische curry, dan kunnen we na het eten naar een concert. Het jazzwereldje komt toch altijd pas laat tot leven.'

'Ik ben dol op curry,' zei ik.

'Shawna maakt het dessert en Edgar is verantwoordelijk voor de voorbereidingen.'

'Dat is je ware teamwork.'

Jack vroeg nonchalant: 'Bozo, heb je misschien een telefoonboek en een stukje papier voor me? Ik wil even het nummer opzoeken van een jazzclub, dan reserveer ik vast.'

'Ja, hoor.' Bozo toverde een geel stukje papier te voorschijn, keurig bijgesneden in een rechthoek van tien bij zes centimeter.

Jack hield het gele papiertje in de lucht en zei: 'Kate, we zouden onze oude A4-tjes moeten bewaren om ze in stukjes te snijden, net als deze.'

'Ja, baas,' aapte ik de stem van Rochester na.

Bozo reageerde lachend op mijn vrolijke bui. 'Hoor, Shawna luidt de etensbel.'

De hoge stem die van boven aan de trap klonk kon van niemand anders zijn dan van Shawna.

'Etenstijd, Buzzy Beer.'

Bozo liep naar de trap en riep naar boven: 'Edgar, we hebben vanavond twee gasten voor het diner. Er is genoeg curry, dus doe alleen wat extra yoghurt bij de raita en doe er twee chapati's bij.'

'Maak je geen zorgen, Bozo,' antwoordde Shawna. 'Hari moest op familiebezoek voor een moslimgebed of zo.' Het bleef even stil, maar we hoorden de indiaan op de achtergrond iets mompelen en ze riep: 'Ik bedoel iets hindoes.'

Jack slaakte een diepe zucht, waarmee hij aangaf dat hij nog liever in de riolen van Calcutta zou gaan eten. Ik keek terug met een blik van 'houd op met dat kieskeurige gezeur en gedraag je'. Ik wilde zoveel mogelijk uit Bozo zien te halen, de leverancier van de gele wijsheden van tien bij zes, en toeslaan zolang we nog konden profiteren van Bozo's verbazing.

Voordat we aan tafel gingen stelde Bozo ons voor. De vrouw in het wit was Shawna Barker; de Oost-Indiër heette Hari Persad en stond op het punt de deur uit te gaan en de indiaan heette Edgar Vierbaans-Snelweg. Toen we onze plaatsen kregen toegewezen, want geloof het of niet, Bozo had een tafelschikking gemaakt, stormde een man met donkere krullen de voordeur binnen en beende de keuken in. 'Daar is hij dan, de enige echte, De Magiër!' riep Bozo bij wijze van introductie.

'Is het *De* Magiër of gewoon Magiër?' vroeg ik.

Jack keek me aan met een blik van 'houd je nou op of niet?'

'Uiterst opmerkzaam van je zowel de voornaam als de achternaam op te merken,' zei De Magiër. 'In mijn paspoort staat inderdaad *De* Magiër. Bij minder formele gelegenheden word ik echter zelden met De Magiër aangesproken. Vrijwel niemand noemt me De. Evenals Cher en Jezus heb ik gekozen voor slechts één naam.' Hij hijgde nog na van de haast en zei tegen de groep in het algemeen: 'Het spijt me dat ik aan de late kant ben.'

Pas nadat iedereen hem had verzekerd dat het geen enkel probleem was wendde hij zich tot Bozo: 'Moet je horen. Ik ben net even langs CBC gegaan en de producent vertelde dat het radioprogramma *Ideas* eventueel bereid is een driedelige serie te wijden aan mijn beschouwingen over Darwin. Ik leg ze een samenvatting voor met de titel *De moraal van Darwin: op het scherpst van de snede*,' zei hij en lachte zijn gele tanden bloot. Hij was onopvallend gekleed in een zwart T-shirt en een zwarte spijkerbroek. Op de borst van zijn T-shirt stond met grote letters *Toeteren als je in magie gelooft.*

'Magiër, deze lui willen mijn visie over Freud gaan uitgeven.'

'Interessant.' De Magiër schepte zijn bord op. 'Hadden we die route niet al eens eerder links laten liggen?'

'Dat is precies wat ik zojuist heb getracht duidelijk te maken.' Bozo keek me aan en vroeg: 'Vinden jullie het erg als we met z'n allen naar die jazzclub gaan?'

'Het zal ons een genoegen zijn,' zei Jack.

'Hotdog,' piepte Shawna. 'Laten we naar Aardvark gaan.'

'Daar ontbreekt het aan een noodzakelijke voorwaarde voor jazz, namelijk een band,' zei De Magiër.

'Wat is het toch heerlijk om een wetenschapper in huis te hebben, Magi,' snorde ze tevreden. Ze had een manier van praten die grensde aan zelfspot en tegelijkertijd op de een of andere manier betoverend was.

Bij mijn eerste hap vegetarische curry kon ik bijna niet geloven hoe lekker het was. Jack was net even eerder dan ik en riep luidkeels dat het verrukkelijk smaakte.

'Verse koriander met een mespuntje asafetida, dat is de truc,' antwoordde Bozo trots. 'Ik eet 's avonds met de groep, maar de rest van de dag eet ik alleen. Ik maak meestal een paar gaten in een blik, gooi dat in de oven en haal het er met een tang weer uit. Het is belangrijk dat je je leven niet laat beheersen door allerlei kleine routines. Ik vind het niet erg om samen te dineren, maar als je dat driemaal per dag gaat doen neemt je fysieke behoefte de macht over.'

Shawna zette bij wijze van dessert een schaal carrés op tafel, waarschijnlijk brownies, met antieke bordjes van Wedgwood, volgens mij de Black Asiatic Pheasant, en zei: 'Ik hou niet van walnoten, omdat ze eruitzien als kleine walgelijke hersentjes, daarom heb ik er andere noten in verwerkt. Jullie knabbelaartjes moeten raden welke dat zijn.'

De carrés waren heerlijk en smaakten een beetje naar chocoladecake. Jack waagde een poging. 'Pecannoten?'

'Goed! Tjonge, jij bent er eentje van de eerste hap is een daalder waard.' Shawna babbelde met een stem vol bewonderende spot door. 'Dan mag jij vanavond met me dansen.'

Dit Wedgwood aardewerk is schitterend,' zei ik tegen Shawna. Ik hief het bordje omhoog naar het licht. 'Aan de kleur te zien moet het wel heel oud zijn, 1770 misschien wel?'

'Shawna is een ware utilist en eet graag van mijn Wedgwood verzameling. Kate, je bent zeer accuraat wat de datering betreft,' erkende De Magiër. 'Deze kleur is in 1773 geperfectioneerd door Edward Singer.'

'Dat moet zijn geweest nadat de fabriek naar Etruria is verhuisd.'

'Wauw, je hebt gelijk. Nog in datzelfde jaar.'

Jack trok een wenkbrauw omhoog en keek me aan als om te zeggen dat hij geen flauw idee had hoe zo'n type als De Magiër aan dit porselein kwam en hoe ik iets wist van het glazuurproces en de datering ervan. Ik seinde terug dat het op mij niet vreemder overkwam dan een vent die overdag Darwin-kenner was en 's avonds magiër.

Toen ze de porseleinen schatten voorzichtig weer opborg, zei Shawna: 'Laten we naar de Aardvark gaan.'

'Shawna, heb je soms een gat in je hersenen waar je geheugen hoort te zitten? Daar hebben ze geen band.' Edgar herhaalde het nog eens. 'Kun je liplezen? *Geen band!*'

'O ja, dat zei je al. De Kit Kat dan maar?' stelde ze voor.

'Te klein.'

'De Bamboo dan?'

'Te groot, te veel kabaal en te weinig jazz, maar het komt in de buurt. Volgens mij speelt I want to shoot Ted Kennedy daar vanavond,' zei De Magiër.

'Nee, dat is veranderd. Het zijn de Anna Bananas geworden.' Edgar keek op van zijn *Now*-magazine.'

Plotseling opende De Magiër zijn mond en spuwde vuur door de kamer.

'Iets te heet gegeten, Magiër?' informeerde Bozo.

'Hij legt een tabletje onder zijn tong en steekt het aan door het tegen zijn gehemelte aan te wrijven.' Het kon Edgar duidelijk niet boeien.

'Ik vind het toch zo enig als je dat doet, Magiër,' kirde Shawna. Marilyn Monroe had heel wat kunnen leren van Shawna's kwijnende intonatie.

'Shawna, jij mag het dan enig vinden, maar ik heb geen zin om als een stuk houtskool te eindigen. Bewaar dat maar voor die lullige feestjes van je in de buitenwijken. En het is nog hartstikke slecht voor je tanden ook. Kom op, jongens, we gaan.' Edgar gaf het goede voorbeeld en stond van tafel op.

13

HET WITTE KONIJN

De theorie bepaalt de observatie.
– Albert Einstein

In de Bamboo Club droeg elke serveerster een ander kostuumpje. Die van ons had een T-shirt aan met de tekst *Niet zomaar een verwelkte bloem* en ze had het geheel afgemaakt met een klep van McDonald's. Ze had haar rijk gevulde lichaam in een paarse legging gehesen en zag eruit als een wandelende aubergine. 'Hallo Musketiers, alles kits?'

'Dit is Daphne, mijn zielsverwante,' zei Shawna ter kennismaking. 'En dit is Jack. En eh, o ja, Kate, zijn werkmaatje. Hé, dat is wel een leuke naam voor een nieuwe roze balpen met glitters.'

Ik begon me ineens nogal raar te voelen, bij gebrek aan een beter woord. Ik weet niet waarom, maar op de een of andere manier klonk de muziek heel anders dan anders. Misschien lag het wel aan mij, hoor. Meestal was muziek een soort behang voor me, maar nu voelde ik het door mijn hele lichaam, mijn hart sloeg op de maat van het ritme van de drums en ik hoorde elk instrument afzonderlijk. De dansers zagen eruit of ze in een caleidoscoop zaten die ik zelf tegen het licht hield. De felle Frida Kahlo-kleuren dansten om me heen, als de papieren draken van het Chinese nieuwjaar. Ik denk dat ik weer overvallen werd door zo'n gedepriveerd gevangenismoment, waarin alles wat je lange tijd niet hebt gezien of gehoord wordt uitvergroot in kleur, volume, energie en, het beste van alles, plezier. Ik keek om me heen en voelde me op een onverklaarbare manier geneigd iedereen met wie ik was aardig te vinden. Je hoefde geen detective te zijn om te weten dat het vreemde snuiters waren, maar ik had het in lang niet zo naar mijn zin gehad.

Ik mengde me weer in het gesprek. Ik had het vreemde gevoel dat ik in- en uitzoomde. Meestal was ik superalert. Niet dat ik ooit begreep waar het precies over ging, maar luisteren deed ik altijd. Nu gebeurde er zoveel tegelijk dat mijn hersens het knopje selectieve aandacht hadden uitgezet. Misschien bedoelden ze dit wel met hun verhalen over reïntegratie in de maatschappij, die momenten waarin je uit je persoonlijkheid stapt waar ze het over hebben in die besprekingen vlak voordat je de gevangenis uit mag.

Daphne kwam naar ons toe, kwakte een schaaltje chips op tafel en plofte in een stoel. Ik ben nooit zo dol op junkfood, maar die chips zagen er heerlijk uit. Ik stak er eentje in mijn mond. Ik was verbluft toen hij langs mijn keel schoot als een scheermes, de zoutkristallen voelden aan of ze zo groot waren als dobbelstenen. Ik stikte zowat in dat chipje en Shawna smaalde: 'Ze zijn niet eens met barbecuesmaak.'

Mensen gingen de dansvloer op, maar niemand danste met iemand, ze improviseerden maar wat à la Isadora Duncan. Ik ging meedoen en om de een of andere reden vond ik het totaal niet gênant om me zo te bewegen. Het was veel prettiger dan met een partner te dansen.

Toen ik weer ging zitten, riep ik enthousiast uit: 'In je eentje dansen is te gek.'

'Dat is de enige manier die er is,' zei Bozo. 'Anders heb je al die tralala over wie leidt, wanneer je moet stoppen, met wie je verder nog wilt dansen en noem maar op. Kijk maar naar primitieve stammen, die dansen ook nooit met partners.'

'Dus jij hebt het niet zo op partners?'

'Nee, niet echt. Mensen zijn alleen maar bij elkaar om zich voort te planten, wat volgens mij zwaar wordt overschat.'

‘Heb je het over de daad zelf of over het produceren van nageslacht?’ vroeg ik.

‘Beide. Ik bedoel, het is toch eigenlijk het summum van een compromis? Jij doet je best om hem te laten communiceren en hij doet zijn best om jou tussen de lakens te krijgen. Lees Darwin er maar op na. Daar staat het allemaal in. Magiër is een darwinist, hij schrijft voor *The Evolutionary News*.’

‘Hebben ze nieuws dan? Ik dacht dat er maar eens in de twee miljoen jaar nieuws was.’

‘Ja, daarom heeft hij er ook een bijbaantje bij als magiër,’ zei Bozo.

De Magiër plofte op een stoel, buiten adem na een magische uitvoering van de watusi. Toen hij zijn naam hoorde noemen, mengde hij zich in ons gesprek. ‘Weet je, ik ben dol op Chuck, maar hij had geen lef. Hij kon het niet aan de waarheid te vertellen, zorgde dat hij ziek werd en gaf vervolgens de eeuw waarin hij leefde de schuld van zijn lafheid.’ De Magiër gaf een persiflage weg van Darwins Britse accent van de hogere klasse. ‘“Ach, die arme kerels kunnen het niet aan.” Freud was natuurlijk een stuk armoediger, maar hij had heel wat meer lef dan Chuck. Darwin gooide het allemaal op de vogeltjes en baande zich toen een weg omhoog naar de mensen. Tegen de tijd dat hij de ladder van Linnaeus was opgeklommen... of afgedaald, dat kan ook... en homo sapiens had bereikt, had hij zijn hersens er al uitgespuwd. Letterlijk. En toen...’

Ik was zo enthousiast dat ik hem bij de arm greep. ‘Ik weet precíes wat je bedoelt. Darwin is tijdens zijn hele carrière ziek geweest. Ik bedoel, hij gaf dertig jaar lang dagelijks over. Sommige wetenschappers nemen aan dat hij aan een tropische ziekte leed, opgedaan toen hij de wereld rondreisde op de Beagle. Er is geen dokter ooit achter gekomen wat hij had. Ik ben het met je eens dat zijn aandoening waarschijnlijk psychosomatisch is geweest. Hij durfde de aanhangers van het scheppingsverhaal niet het hoofd te bieden. Het is toch wel ironisch te noemen dat het een man die wars was van controverse is gelukt het wereldbeeld te veranderen. Het gevolg was echter wel dat hij ziek werd van al het tumult dat hij had veroorzaakt. Toen hij eenmaal toe was aan de emoties van het menselijk ras, wist hij dat hij de storm niet zou kunnen doorstaan.'

Ons gesprek werd onderbroken door de milde, maar indringende klanken van een saxofoon. De muziek klonk mooier dan een ode aan een nachtegaal. Ik keek naar het podium en mijn mond viel open, want daar stond Jack. Met Germaanse precisie wist hij iedere toon loepzuiver uit de saxofoon te toveren, maar zijn Italiaanse temperament gaf elke noot een warme, sensuele klank. Zijn manier van spelen was in feite een microkosmos van zijn persoonlijkheid, wat eerlijk gezegd dicht in de buurt kwam van een perfect combo, als je tenminste bereid was die hele berg ziekelijke trekjes van hem over het hoofd te zien. Ik moest echter toegeven dat die berg vandaag niet onoverkomelijk leek, het leek meer op een mierenhoop.

Ik was duidelijk niet de enige die in de ban was van de muziek, want iedereen op de dansvloer ging pal voor het podium staan om naar hem te luisteren. Ik kon merken dat hij naar twintig jaar arrangementen van Coltrane had geluisterd toen hij 'Night in Tunesia' begon te blazen. Bij de eerste tonen van 'Smoke Gets in Your Eyes' begon iedereen te klappen. Wat deed Jack verdomme op dat podium?

Het was snikheet in de Bamboo, want het zat nu echt bomvol. Jack had zijn shirt uitgetrokken en toonde zijn machtige schouders in zijn Stanley Kowalski-hemdje. Mijn geest produceerde een uitvergrote foto van Jack, joggend in Central Park. Ik vroeg me af waarom ik dat type altijd als de Brutus had beschouwd. Nu ik toekeek hoe het zweet langs Jacks hals sijpelde en het podiumlicht zijn spierbundels vanuit verschillende hoeken belichtte, begreep ik waarom Olijfje zo haar best deed. Mijn hele lichaam kwam tot leven en liet me in één helder verlicht moment weten dat ik mijn hersens te veel had gebruikt en mijn lijf had laten inslapen.

Toen de set voorbij was, keken we elkaar recht in de ogen. Ik voelde mijn bloed als een hele kolonie spinnen langs mijn benen omhoog vloeien en mijn hart bonsde als een heimachine. Had iedereen dat gehoord? Dat zou een heel nieuwe betekenis geven aan 'laat je hart spreken'.

Mijn hart ging zo tekeer dat ik dacht dat ik louvredeurtjes had in plaats van hartkleppen, dus ik kreunde tegen Shawna: 'God, ik geloof dat ik een hartaanval krijg.'

'O, echt? Dan moet je een cola-light nemen.' Shawna brulde naar Daphne: 'Overdosis. Geef haar even een cola-light.'

Overdosis. Het kwartje begon te vallen. 'Wat zat er in die brownie?' bracht ik hijgend uit.

'Een mix van coke en hasj. En ik laat de pecannoten marineren in een brouwseltje van mezelf. De Magiër noemt het sluipende chocola. Ik noem het brownie-bommen, want ze werken een beetje als duikbommen, ze nemen je te grazen als je er het minst op verdacht bent. Je moet dat speedy gevoel gewoon negeren, het gaat zo over. De buitenkant gaat eerst, weet je, net als het suikerlaagje van een gombal.'

Nu ik eenmaal wist dat ik geen hartaanval kreeg, kon ik me ontspannen en ik liet me gaan. Ik vroeg Shawna: 'Zijn al die kerels hier een stuk of heeft het alleen dat effect op míjn erogene zones?'

'Hèhè! Waarom denk je dat mensen drugs gebruiken? Dan ziet iedereen er toch beter uit?'

'En de muziek klinkt zo helder.'

'Waarom denk je dat Gracy Slick een wit konijn had?' Shawna tikte op mijn hoofd, om aan te geven hoe dom ik was. Intussen lag iedereen dubbel van het lachen.

Zelfs Daphne, de serveerster, zei: 'Kijk eens aan, Dorothy is terug uit Kansas.'

Ik vond wel dat ik ze ergens op moest wijzen. 'Maar jongens, voordat we het vergeten, dat witte konijn kan als een verslaving uit de hoge hoed komen voordat je "klein geel pilletje" hebt gezegd.'

'Drugs zijn niet verslavend. Sommige persoonlijkheden neigen naar verslaving en andere niet.' Bozo kwam net de dansvloer af, waar hij Dorothy Hamill had nagedaan zonder schaatsen. 'Kijk maar naar Freud.'

'Voordat we verder gaan over Freud, heb ik even wat frisse lucht nodig. Mijn ogen doen ontzettend pijn van de rook. Bozo,' vroeg ik, 'wil je heel even met me mee naar buiten om wat frisse uitlaatgassen op te snuiven?' Als hij over Freud begon, zou ik wel eens belangrijke informatie los kunnen krijgen en ik wist dat ik rust nodig had en wat frisse lucht om weer helder te kunnen nadenken.

'Ja, het is hier soms wat benauwd. Kom, we gaan naar de bar op het dak. Het is te vroeg in het seizoen, dus hij is nog niet open, maar ze laten de barkrukken altijd staan.'

Op het dak bevond zich een dakterras met een enorme bar. De barkrukken lagen aan de ketting en twee wasberen keken ons verontwaardigd aan vanuit een verre hoek. We gingen aan de bar zitten, in een hut van nepgras en keken over de rand naar Queen Street beneden.

We zaten een paar minuten zwijgend naast elkaar, tot ik zei: 'Ik ben nog nooit stoned geweest onder het toeziend oog van twee wasberen. Ik heb het gevoel dat ze heel boos zijn, omdat we hun huis zijn binnengedrongen. Van drugs word je je zo soortbewust. Of komt dat omdat je je bewuster wordt van je omgeving?'

'Ik denk dat je er minder territoriaal van wordt en minder in jezelf verdiept. Dan zie je anderen bewuster zoals ze werkelijk zijn, in plaats van zoals jij wilt of verwacht dat ze zijn.' Bozo zwaaide de wasberen vriendelijk toe.

'Nu we het over drugs en perceptie hebben, toen je net van de dansvloer kwam begon je over Freud en drugs. Dat dacht ik tenminste, of is dat alweer een hele tijd geleden?' Ik ademde diep in en vulde mijn longen met de gezonde nachtlucht van april.

'O ja, dat is waar ook. Freud gebruikte cocaïne voor onderzoekswerk omdat het zijn geest verruimde en mentale vermoeidheid voorkwam. Hij had geen neiging tot verslaving en gebruikte het slechts één maal per week en dan nog met mate. Zijn cocaïnewerk was al gepubliceerd voordat hij besefte dat hij beter iets aan zijn imago kon doen. Toen begonnen de verdichtsels. Daar kwam ik op een dag achter toen ik zelf cocaïne had gebruikt. Ik gun mezelf om de andere zaterdagavond wat cocaïne om te voelen wat Freud voelde. Sterke drank gebruik ik niet, dat verdooft je zintuigen. Als ik mijn zintuigen wilde verdoven, was ik wel in het verzekeringswezen gegaan.'

'Wat voor verdichtsels bedoel je dan?'

'Hij had een moeder die wilde dat haar zoon beroemd zou worden en hij was bereid alles te doen wat hem zo snel mogelijk een plaatsje in de zon zou bezorgen. We vechten allemaal ons hele leven om de liefde van onze moeders. Freud omringde zich met strooplikkers die hem wilden beschermen, want diep vanbinnen kenden ze de waarheid. Ik bedoel, ze wisten het onbewust.'

'Wie wisten het?'

'Nou, sommigen van de mensen die hem hebben gelezen hebben dat wel door, maar Anna Freud en Von Enchanhauer weten het zeker. Over ontkenning gesproken. Ze hebben het voortdurend over zijn integriteit en dat hij totaal geen belangstelling had voor seks met die goeie, ouwe Martha. Vind jij het niet gek dat een man die geen belangstelling voor seks heeft zijn leven wijdt aan het bestuderen ervan?'

Ik knikte en hij ging door: 'Denk je nou echt, nu je enigszins hebt begrepen wat een afrodisiacum cocaïne is, dat Sig alleen in de theorie geïnteresseerd was? Hij wilde het allemaal opschrijven en tegelijkertijd zijn reputatie beschermen, dus deed hij wat ieder normaal mens zou doen, hij ging ondergronds.'

'Hoe bedoel je, ondergronds?'

'Zijn eerste misleiding was over zijn eigen psyche te schrijven middels "fictieve patiënten". Dat heb ik allemaal gecontroleerd.'

'Dat is nogal lastig te bewijzen, een eeuw later,' bedacht ik. 'Zelfs voor een freudiaanse speurneus. Heb je één concreet voorbeeld?'

'Zeker. Er zijn voorbeelden te over. Neem bijvoorbeeld die "patiënt" uit *Psychopathologie van het dagelijks leven* die een affaire had in Italië en toen vreesde dat zijn vriendin misschien zwanger was geworden.'

'De beroemde *aliquis*-analyse?'

'Een en dezelfde. Sta me toe in te gaan op de details van deze zaak voordat ik mijn gelijk bewijs. Freud stelt dat "een man die hij tijdens zijn vakantie heeft ontmoet" hem consulteerde met de vraag hoe het toch kwam dat hij zich een bepaalde frase uit Vergilius' *Aeneis* niet meer kon herinneren. De patiënt kende het gedicht sinds zijn jeugdjaren uit zijn hoofd, had er talrijke malen uit gereciteerd en toch vergat hij de zin "*Exoriar (e)* ALIQUIS *nostris ex ossibus ultor*". Deze heer was buitengewoon van streek over deze vergeetachtigheid en Freud, die ervan uitging dat het een onbewuste daad van repressie was, stelde voor dat de man in vrije associatie zou gaan met deze frase in gedachten. Tijdens de vrije associatie verdeelde de patiënt *aliquis* in *a* en *liquis*, vrij vertaald als "een vloeistof". Zijn volgende associatie was een kerk in Italië die hij onlangs met zijn minnares had bezocht. In de kerk hingen afbeeldingen van alle heiligen van het kalenderjaar, die hij en zijn minnares zeer hadden bewonderd. Als je de twee associaties met elkaar verbindt, kom je op een vloeistof die elke maand van het kalenderjaar verschijnt, duidelijk de menstruatie van de vrouw. De patiënt was verbluft over zijn eigen associaties en biechtte Freud op dat zich bij terugkeer uit Italië in Wenen de volgende klassieke situatie had voorgedaan: de vrouw miste haar maandstonde... haar liquis, zogezegd. Dat wekte enorme angsten op bij de patiënt, met als gevolg dat hij een frase uit *Aeneis* "vergat", die hij jarenlang uit zijn hoofd had gekend.'

Dat geval was uitgebreid door Freud beschreven. 'Vertel me eens iets nieuws,' zei ik, duidelijk teleurgesteld.

'De "heer" in kwestie was Sigmund Freud, de minnares was niemand minder dan zijn schoonzus Minna.'

'De zuster van Martha, de vrouw van Freud?' vroeg ik ongelovig. 'Bedoel je die alleenstaande zus die bij Freuds gezin introk en veertig jaar is gebleven nadat haar verloofde was gestorven?'

'Een en dezelfde,' zei Bozo.

Ik kon het niet helpen dat ik hem achterdochtig aankeek en vroeg: 'Hoe weet je dat?'

'Makkelijk zat. Hij ging met zijn schoonzus op vakantie naar Italië en liet Martha achter om de therapietent te runnen, terwijl hij de bloemetjes buiten zette en Minna van Napels naar beneden en terug neukte, zogezegd. Er bestaan brieven en ansichtkaarten van die reis. Het was geen geheim. Freud had de gotspe, zoals hij het zelf zou noemen, om Sandor Ferenczi een ansichtkaart te sturen, een goede vriend van hem. Ik heb die kaart gevonden. Er staat een afbeelding op van het wonder van de heilige Januarius, wat bewijst dat Freud de kerk van de kalenderheiligen heeft bezocht. Drie maanden na hun terugkeer bleef Minna's menstruatie uit.'

'Hoe weet je dat haar menstruatie uitbleef?'

'Ik heb documenten gevonden waaruit blijkt dat Minna Bernays drie maanden na haar terugkeer met Freud uit Italië naar Zwitserland is gezonden voor een abortus. Haar dekmantel was dat ze naar een kuuroord moest om behandeld te worden voor tuberculose.

Ik heb Freuds oude middelbare school bezocht. Wie had er tijdens een wedstrijd spreken in het openbaar een medaille gewonnen voor het declameren van precies dat gedicht? Sig zelf. Op de dag af drie maanden na zijn terugkeer uit Italië met Minna in 1906, een reis die hij in brieven heeft beschreven, schreef hij zijn aliquis-analyse.'

'Interessant,' zei ik.

'Inderdaad. Ik heb een essay geschreven van tachtig pagina's met de aliquis-analyse als slechts één voorbeeld van Freuds hypocriete gedrag. Hoewel ik geen specifieke kwalificaties bezit, had ik alles bij elkaar voldoende publicaties op mijn naam staan om een essay te presenteren tijdens de conferentie van de Western New York Psychoanalytic Association van vorig jaar.' Hij voegde eraan toe: 'Daar heb ik Konzak en Von Enchanhauer leren kennen.'

'Is er nooit iemand anders op dat idee gekomen?'

'Natuurlijk wel, maar ze werden het zwijgen opgelegd en hun brieven zijn verdonkeremaand. Freuds vriend Fliess is daar een perfect voorbeeld van. Zelfs Ernest Jones, de officiële, niet zo serieuze Freud-biograaf, citeert Fliess als hij stelt dat Freud "zijn eigen gedachten las in zijn patiënten". Carl Jung, geen psychologisch lichtgewicht, vermoedde dit alles en zei dat hij de truc van de psychologische mol onnodig vond en dat men Freuds theorieën toch wel zou aanvaarden. Jung was een generatie jonger dan Freud en de twintigste eeuw was al begonnen toen Jung Freud ermee confronteerde, op het schip naar Amerika, waar ze beiden lezingen zouden geven aan Clark University. Zoals ik het begrijp, ging dat als volgt. Hij zei: "Siggy, hoor eens, we staan aan het begin van een nieuwe eeuw. De vorige eeuw in Wenen is voorbij. Kom uit de kast. Ik heb het allemaal uitgeplozen. Ik ben ook eerlijk geweest over mijn ontrouw en andere pekelzonden. Waarom doe jij dat ook niet?"

En toen viel Freud flauw. Boem! Plat op het dek. Jung liep naar hem toe en zei: "Maak je niet druk, ik zal het niet doorvertellen. Ik zal je zielige geheimpje bewaren, maar ik heb er geen zin meer in om nog één minuut langer jouw volgeling te zijn."

Als dat nog niet voldoende feitenmateriaal is, gaf Jung in 1957 een interview waarin hij vertelde dat Minna Bernays hem had verteld dat ze een verhouding had gehad met Freud. De jungianen geloofden hem natuurlijk, want waarom zou hij liegen, en de freudianen deden het af met Jung, de opstandige zoon die een oedipale driftbui had.'

Ik zat met stomheid geslagen en Bozo ging maar door. 'Neem zo'n pluimstrijker als James Strachey. Vind je ook niet dat het getuigt van een belangenconflict als je een vertaler en redacteur kiest voor je verzamelde werk die tevens een voormalig patiënt van je is?'

'Absoluut. Dat moet zelfs in die dagen heel wat vragen hebben opgeroepen.'

'Strachey zei in een in 1924 toegevoegde voetnoot aan de aliquis-analyse: "Deze kleine analyse heeft grote belangstelling ontmoet in de vakliteratuur en tot levendige discussies aanleiding gegeven", blablabla. Hij hield Freud niet alleen een hand boven het hoofd, maar gaf ook nog eens een vertekend beeld in de vertaling, waarmee hij Freud zuiverde van alle blaam. Als je zin hebt om het te lezen, het zit in die Toren van Babel die ik je vanmorgen heb gegeven.'

Opgewonden riep ik uit: 'Wat een fantastische nieuwe invalshoek! Ik verheug me erop jouw complete freudiaanse gestalt te lezen.' Ik zat hardop na te denken. 'Dat verklaart natuurlijk waarom hij zich omringde met mensen met zo'n onderontwikkeld gevoel voor zelfstandigheid. Het waren boekengeleerden; Jones, Abraham en de anderen schudden de kaarten met Freuds ideeën, maar veranderden nooit iets aan het pak kaarten zelf en ze hebben niets toegevoegd. Ik vroeg me altijd al af waarom hij geen originelere denkers uitzocht voor zijn kring. Ik heb Freud in mijn eentje gelezen, dus ik kon het nooit met iemand bespreken.'

'Juist. De zwaargewichten zoals Jung en Reich en later Ferenczi werden eruit gegooid toen ze zeiden: "Hé, wacht eens even! Freud is de joker in dít spel." Toen richtte hij zijn aandacht op een stel pluimstrijkende vrouwen die hij analyseerde en werkte als een kwade genius aan zijn overdrachttruc tot ze volledig vastzaten in het plakkerige web van Freud. Als ze al over hem klaagden, "zetten ze zich af tegen papa", en hengelden ze eigenlijk naar zijn goedkeuring. Welke regressieve vrouw is niet op zoek naar de liefde van haar vader? Niemand op deze planeet die opgesloten zit in de dynamiek van het nucleaire gezin.'

'Precies.' Dat wist ik als geen ander.

'Godallemachtig, neem nou Anna Freud. Ze zat niet alleen opgesloten in de dynamiek van het nucleaire gezin met paps, maar ook nog eens in een analyse met hem. Die regressie en projectie waren een permanente psychologische kuisheidsgordel, man. Maar dat is weer een heel ander verhaal.' Bozo stond op van zijn kruk en begon op de plaats te dribbelen om weer warm te worden.

'Jij gebruikte de term "voordat Freud ondergronds ging". Heb je misschien nog meer ontdekkingen gepubliceerd... sorry, gedistribueerd, ik was het R-woord even vergeten... dan we zojuist hebben besproken?'

'Ja, natuurlijk. Ik heb van alles in de vriezer liggen, anders brandt het een gat in de vloer.'

'Zoals?'

'Een deel daarvan heb ik met Konzak besproken. In ruil daarvoor zou hij een beurs voor me regelen, waarmee ik mijn werk kon voortzetten. In de negentiende eeuw moesten mensen zich wel goed indekken. Freud verkoos ondergronds te gaan om te schrijven.'

'Wacht, dit gaat me even te snel,' kreunde ik en greep naar mijn hoofd, in de hoop dat de mist zou optrekken. Hij was stoned en de timing was perfect. Jammer genoeg was ik net zo stoned als hij en had ik een tang nodig om mijn eigen ideeën uit mijn hoofd te trekken, laat staan dat ik de zijne kon volgen. Iemand had mijn synapsen geolied. Mijn hersenen schoten van concept naar concept als apen in het oerwoud.

'Kijk, Freud had ook maar één mensenleven,' vervolgde Bozo. 'Hij moest die ideeën er op de een of andere manier uit zien te krijgen. Hij kon zich niet verlaten op wetenschappelijke feiten om door te gaan, maar hij wist zeker dat zijn theorie klopte. Dus met de gegevens heeft hij niet gesjoemeld, hij sjoemelde alleen met de brón van die gegevens. Hij zorgde dat subjectief materiaal objectiever overkwam door te zeggen dat hij de gegevens had verzameld uit zijn patiëntenbestand. In feite was het merendeel ervan afkomstig van hemzelf. Ik probeer alleen maar het volledige plaatje scherp te krijgen. Hij verleidde de lezer, maar dat wil nog niet zeggen dat hij het mis had. Laten we wel wezen, het was een genie die het vaker juist had dan verkeerd,' besloot Bozo.

'Dat ben ik met je eens. Ik begrijp dat je met name geïnteresseerd bent in Freuds metapsychologie. Uiteindelijk kan het toch niemand iets schelen dat Freud zijn schoonzus met kind heeft geschopt?'

'Precies.' Hij gleed over de vloer van het dak in een imitatie van Smokey Robinson and The Miracles, een Motown-danspasje. Het was zo koud dat onze adem wolkjes vormde.

Hij danste terug naar de bar en zei: 'Die bom gaat binnenkort vallen. De grote aanvalsgolf is in aantocht, Moon Doggie.' Hij deed een boogie om me heen en vroeg of ik het niet koud had.

'Nee, ik heb een tijdje in de toendra gezeten, dus voor mij is dit een tropisch eiland.' Hij stond te bibberen in zijn dunne flanellen overhemd. Ik besefte dat het niet lang meer zou duren voor hij weer naar binnen wilde, dus ik vond het de hoogste tijd worden voor de hamvraag. 'Wat heeft Konzak ermee te maken?'

'Ik was bereid de informatie aan hem over te dragen in ruil voor een bepaalde vergoeding, maar hij heeft de freudiaanse vloer met me aangeveegd. Konzak heeft me leeggemolken, geen wonder dat hij een expert is op het gebied van de verleidingstheorie. Hij heeft mijn informatie naar buiten gebracht alsof het de zijne was. Maar wel op een domme manier, want ik moest hem de rest nog vertellen, waaronder de onomstotelijke bewijzen. Voordat ik dat kon doen had hij me al het bos in gestuurd met het etiket paranoïde of zoiets. Toen was hij weliswaar in het bezit van de juiste informatie, maar zodra ik in de gaten kreeg dat hij van plan was mijn research en theorieën te jatten om me vervolgens af te doen als een gek, hield ik het ondersteunende bewijsmateriaal voor hem achter. Dus wat doet die hersenloze idioot? Hij beschouwt zichzelf als een serieuze denker, dus hij gaat improviseren. Het enige wat hij eruit krijgt is vogelkak, vooral als die brieven, die binnenkort vrijgegeven worden uit het archief, in de ogen van Jan Publiek spetteren. Ik kan niet wachten tot Von Enchanhauer en Anna Freud *bubkes* van hem maken.'

'Bubkes?' Die freudiaanse term kende ik niet.

'Ik ben dol op dat woord, bubkes. Het is Jiddisch voor lamspoep. Je weet wel, van die ronde keutels. Wat een perfecte kleinering, het verdient zelfs de naam stront niet... je moet het doen met de miniversie. Het Jiddisch heeft de mooiste termen voor narigheid. Ik gebruik Italiaans voor *amore* en Engels voor schizoïde nauwkeurigheid. Duits is mooi om gewichtig te doen.'

We glibberden van het ene onderwerp naar het andere, als slangen op heet asfalt. Ik vergat steeds wat ik wilde zeggen, midden in een zin, soms zelfs midden in een woord. Ik besefte ineens hoe groot de ruimte kon zijn tussen zenuwuiteinden. Van drugs werden de synapsen langer dan de Brooklyn Bridge. Ik moest geestelijk hollen om van het ene idee naar het andere te komen en raakte compleet de weg kwijt als er een ander idee tussenkwam. Voordat ik alle elektrische prikkels had verbruikt om van de ene gedachte naar de gedachte te komen, wist ik nog uit te brengen: 'Bozo, hoor eens, wat is de freudiaanse bom?'

'Hé,' zei hij en trok zijn T-shirt naar voren en bewoog het heen en weer. 'Jongen, staat er soms "onnozele hals" op mijn T-shirt? Als je één keer zo'n fout maakt, heet dat naïviteit, maar bij de tweede keer wordt dat toch echt een stommiteit. Ik ben een freudiaanse speurneus, ik word betaald voor mijn werk.'

'Ik neem het je niet kwalijk. Konzak heeft je echt bedrogen.'

'Hij draaide de gans de nek om toen hij me uitmaakte voor paranoïde en nu heeft hij eierstruif op zijn gezicht,' zei Bozo met verrassend weinig rancune.

'Wie weet er nog meer dat Konzak deze tijdbom heeft?'

'Wie zal het zeggen? Hij was meneer Kletsmajoor. Hij was vast en zeker bot genoeg om het aan diegenen te vertellen die er het hardst door getroffen zouden worden om zich vervolgens af te vragen waarom ze zo overdreven reageerden.'

'Wie zouden er het hardst door getroffen worden?' Ik probeerde me te concentreren, maar ik zakte op mijn barkruk in elkaar als een plumpudding.

Ik hoorde iemand roepen onder aan de ijzeren wenteltrap die naar het dakterras leidde. Het was de onmiskenbare piepstem van Shawna. 'Buzzy Beer! Ben je door het dak gezakt? We zoeken je overal en Kate ook, je weet wel, het werkmaatje van Jack van de uitgeverij. We missen jullie. Je had beloofd dat je met me zou dansen.' Ze stak haar hoofd om de deur. 'Wauw, jullie mogen hier wel aan de glühwijn.'

'Ik kom er nu aan met de uitgelaten uitgeefster, lieve Shawna,' zei Bozo en we volgden haar naar beneden.

Op de dansvloer liepen we tegen een muur van hitte op. Jacks gezicht lichtte op toen hij mij zag en hij tilde me letterlijk van de grond. 'Dans met me en red me van Shawna.'

'Ja, man.' Bozo was het helemaal met Jack eens. 'Ze moeten Shawna opsluiten na een brownie. Dan kunnen we allemaal wel een condoom gebruiken, liefst eentje voor ons hele lichaam. Jack, jongen, je verkeert in nymfomanisch gevaar.'

Ik glimlachte, ditmaal zonder mijn blik van die helderblauwe ogen van Jack af te wenden.

Shawna kwam onze tafel weer onveilig maken en kirde: 'Kate, het is heel verkeerd om een relatie te beginnen met een collega. Dat zeggen ze tenminste altijd bij het arbeidsbureau. Ik heb een cursus gedaan, "hoe krijg ik een baan en houd ik hem?"'

'We dansen alleen maar, Shawna,' zei ik over mijn schouder. Jack had me al meegetrokken en Aretha Franklin begon langzaam en sensueel aan haar 'You Make Me Feel Like A Natural Woman'.

Shawna wendde zich weer tot de anderen aan tafel. 'Willen jullie de watusi doen?' Ze was niet van plan ze met rust te laten en zwaaide met haar handen vlak voor hun gezicht. 'Halló! Magi en Bozo, halló!'

'Niet op Motown, dank je, Shawna,' zei De Magiër.

Toen probeerde ze het bij Edgar, die vredig met zijn vingers op de tafel zat te trommelen, volledig in de ban van de muziek. 'Kom op, Edgar.'

'Shawna, houd eens even op met dat maffe gedoe.' Hij had zijn ogen niet eens opengedaan en trommelde geconcentreerd verder.

Ze trok zijn stoel naar achteren en zei als toonbeeld van geduld: 'Wees nou niet zo'n boze brombeer.' Hij stond op, nam haar hoffelijk bij de arm en daar zwierden ze weg, als Kathryn en Arthur Murray.

Wij zweefden intussen al op de muziek. Jacks lichaam golfde tegen het mijne. De zweetdruppels parelden op zijn gezicht van de hitte. 'Wat een geweldige muziek, hè?' Ik vroeg me af of ik de enige was die er zo over dacht.

'Te gek.' En even later zei hij nog: 'Wat een topavond.'

'Nou en of. Ik kan me niet herinneren dat ik ooit zo heb genoten. Het is een raar stelletje, maar ze weten wel wat genieten is.'

'Je kunt je niet voorstellen wat die gozer, De Magiër, allemaal weet over wetenschappelijke onderwerpen. Ik heb met hem over Darwin gepraat. We zijn even naar buiten gegaan om een sigaretje te roken en wat af te koelen. Hij stak mijn sigaret aan door vuur te spuwen. Het scheelde weinig of ik had geen neus meer gehad.'

We moesten zo hard lachen dat de tranen over mijn wangen liepen. Even later zei hij: 'Als je de hele dag de tijd hebt om te doen wat je leuk vindt, kom je verbazend veel te weten. Het is niet te geloven welke verbanden hij heeft gelegd tussen biologie en psychologie.'

Iedereen begon te klappen. We hadden niet eens gemerkt dat de muziek gestopt was en wij nog als enigen op de dansvloer stonden. We liepen lachend terug naar ons tafeltje.

Shawna kwam meteen op Jack af en probeerde hem beet te pakken, terwijl Daphne gniffelend toekeek.

'Kate, jij mag iedereen op de dansvloer hebben. Jack, jij krijgt mij.' Niet dat Shawna zich opdrong of zo.

'Nee, dank je, Shawna. Ik houd het vanavond bij Kate. Ze zit meer op mijn golflengte.'

Jack was een stuk spraakzamer dan anders, want toen we over de dansvloer zwierden zei hij: 'Je ziet er schitterend uit met dat glanzende gezicht en dat losse haar.'

Ik keek de andere kant uit. Ik wist dat ik iets moest zeggen, maar ik voelde me alsof ik van het ene op het andere moment in een ijzeren long terecht was gekomen. Jack moet gevoeld hebben dat ik plotseling verstijfde, want hij veranderde haastig van onderwerp en begon weer over de zaak. 'We moeten wat meer over Von Enchanhauer te weten zien te komen, Kate. Je had gelijk, hij heeft iets te verbergen.'

'Mensen die bepaalde trekjes bij anderen goed weten te herkennen, hebben die karaktertrek meestal zelf ook, maar dan in de schaduw. Heb je bijvoorbeeld ooit een detective ontmoet die die rol niet speelt in het dagelijks leven?' vroeg ik.

'Hoe bedoel je?'

'Dat hij een rol speelt, zich anders voordoet. Daarom zijn wij er zo goed in. We hoeven onze eigen karakters geen geweld aan te doen. We zijn emotionele kameleons. Daarom werkt een "valse identiteit" zo goed voor ons.'

'Hoezo óns?' Hij vroeg het niet agressief, meer als een vraag om er dieper op in te gaan.

'Afweermechanismen, denk ik. Jij hebt een schaduwleven geleid, werd jeugdcrimineel, vechtersbaas, heroïneverslaafde, zorgde dat je onoverwinnelijk werd en eindigde in de gevangenis. Je bent niet dom en toch ben je vanaf je negende een draaideurcrimineel geweest. Waar verstop je je voor, vraag ik me af?' Het was opvallend dat ik door dat brouwsel van Shawna, wat het ook was, alle remmen losliet. Afweermechanismen kwamen me ineens voor als rare, onhandige holletjes om je in te verstoppen. De psychologische schuttingen werden neergehaald, maar in tegenstelling tot bij alcoholgebruik werd het analytisch denkvermogen nauwelijks aangetast. Dat dacht ik tenminste op dat moment.

'Het is veel te moeilijk om relaties te peilen.' Jack slaakte een diepe, gefrustreerde zucht. 'Liefde, het verlangen ernaar, geen idee hebben hoe je het moet krijgen of moet geven en dan genoegen nemen met seks. Of eigenlijk was seks er slechts een klein onderdeel van. Hoe dan ook, het opende de poort naar liefde op een kier, voldoende om me jarenlang op de draaimolen van obsessieve seks te houden. Ik was seksverslaafd, niet omdat het zo volmaakt was, maar omdat het zo ónvolmaakt was. Ik kon een glimp opvangen door het sleutelgat. De pijn geen liefde te kennen of niet te weten hoe ik het moest krijgen was zo overweldigend dat ik alles deed wat ik kon om die te blokkeren. Eerst kwam de seks, dan de drugs en vervolgens de misdaad en de gevangenis. Toen was ik afgesloten van de pijn.'

Ik was redelijk geschokt door deze ontboezemingen, maar ik had wel in de gaten dat die brownie als een soort waarheidsserum werkte. Ik herinnerde me eerdere situaties waarin hij redelijk open over zijn gevoelens was geweest als ik een directe vraag stelde, als hij in de stemming was.

'Hoe wist je uit die vicieuze cirkel te stappen?'

'Door de seks af te zweren, want daarmee was het begonnen.' Hij keek me aan terwijl hij zijn armen stevig om me heen hield en vroeg: 'En jij?'

'Ik? Ik was niet die emotieloze intellectueel die mijn vader zo graag wilde, dus ben ik ermee in de schaduw gedoken. De echte ik komt nooit naar buiten, want die bestaat niet. Het is optisch bedrog. Net als een ui, je haalt laagje voor laagje weg en uiteindelijk ben je gewoon door de laagjes heen. Er zit niks anders in.'

'Zelfs uien hebben een hart,' zei hij.

'Slecht voorbeeld, dan. Misschien is het meer als een huis vol lachspiegels. Alles is eeuwig vervormd. Je krijgt nooit een werkelijk beeld te zien.'

Jack legde een vinger op mijn mond om me het zwijgen op te leggen. 'Kate, dit komt allemaal van die drugs en daarom zeggen we misschien meer dan we zouden willen. Ik ken dat, ik heb het al duizendmaal meegemaakt.' Hij trok mijn hoofd tegen zijn borst. 'Laten we gewoon dansen, genieten van het moment en voorlopig niets meer analyseren.'

Ik lag heerlijk met mijn hoofd tegen zijn schouder. Hij was zo breed dat er meer dan genoeg zachte plekjes waren om mijn hoofd tegenaan te vlijen. We plakten aan elkaar van het zweet. De ruimte draaide een beetje en ik moest Jack stevig vasthouden om niet te vallen. Hij had lange armen en een brede borst. Het was voor het eerst dat ik me helemaal opgenomen voelde in een omhelzing. Ik voelde zijn hart bonzen tegen mijn oor.

Het kloppen van zijn hart herinnerde me aan de tijd toen ik een klein meisje was en we een puppy kregen. De fokker zei dat het hondje eigenlijk nog te klein was om al bij de moeder weggehaald te worden en raadde aan een dekentje in haar mand te leggen met een tikkende wekker erin, om de hartslag van de moeder na te bootsen. Mijn vader vond het een belachelijk idee, totdat het hondje de eerste nacht urenlang jankte en piepte en ons allemaal uit de slaap hield. Ten slotte trotseerde mijn moeder mijn vader voor het eerst in m'n vierjarige herinnering en legde behoedzaam een klok onder het dekentje van de puppy. Tot mijn vreugde rolde het hondje zich onmiddellijk op en viel in slaap met haar oor op de tikkende wekker.

Het nummer was afgelopen, maar ik wilde hem niet loslaten toen hij aanstalten maakte om terug te gaan naar onze tafel. We bleven elkaar langdurig stevig vasthouden en ik had het vreemde gevoel dat ik steeds dichter bij hem wilde zijn. Ik wilde mijn benen om hem heen slaan, het liefst wilde ik ín hem kruipen. Mijn hoofd lag in zijn hals en ik likte zachtjes zijn huid, als een paard aan een zoutklontje. Hij hield me zo stevig vast dat hij me van de grond tilde. Hij wreef zijn wang door mijn haar en ik hoorde zijn stotende ademhaling. Ik gleed langzaam op en neer langs zijn lichaam, we pasten als twee lepeltjes tegen elkaar.

Een snelle reggae van de Anna Bananas verbrak de betovering en we wisten niet hoe snel we ons van elkaar los moesten maken. De bamboewereld om me heen zag er nog steeds uit alsof ik hem bekeek door een telelens, maar ik kreeg de boel in elk geval weer enigszins in perspectief. Ik hield Jack vast om me tegen een steile heuvel op te helpen die ze vlak voor onze tafel hadden opgeworpen. Hij hield me overeind en langzaam maar zeker kon ik me weer oriënteren. De drugs raakten langzaamaan uitgewerkt en ik voelde de oude Kate weer terugkomen. Ik vroeg me af hoe lang we op die dansvloer hadden gestaan. Een minuut? Een uur? Alle gevoel voor tijd was verdwenen in de pulp van die gemarineerde pecannoten.

De tafel was verlaten. Ze stonden niet op de dansvloer en ook bij de bar waren ze nergens te vinden. Iedereen was weg. We liepen terug naar de lege tafel en vonden een beschreven bierviltje:

Beste uitgevers met goede gaven,
Edgar voelde zich niet zo lekker, dus we zijn afgezwierd. Daar is er meer dan een voor nodig en dus... 10-4. Niet te geloven dat het al twee uur is. Hoop dat we elkaar nog eens zien om verder te bomen. Bedankt voor de leuke avond.
Je freudiaanse privé-detective,
Bozo
Et al.

'Stik.' Ik verfrommelde het bierviltje en smeet het op tafel. 'Verdorie! Hij was me van alles aan het vertellen en toen moest jij weer zo nodig met me dansen.'

'Wel eens gehoord van "morgen is er weer een dag?"' vroeg Jack.

'Nee, maar van jou leer ik een hoop nieuwe dingen.'

'Hij zou achterdochtig zijn geworden als je had doorgevraagd. Stoned of niet, een idioot is het niet.'

'Misschien heb je wel gelijk.' Gedane zaken nemen geen keer, maar dat heb ik nooit door, dus ik kon er niets aan doen dat ik nog zei: 'Toch vind ik dat ik vriendelijk doch beslist had moeten weigeren en dan had je het vanzelf gesnopen.'

'Of anders hij wel.' Zijn stem klonk alweer zachter en hij zei: 'Je kunt een relatie niet forceren. Laat het groeien en zodra hij je vertrouwt, stroomt het materiaal er vanzelf uit. Stel dat hij morgen kwaad wakker zou worden, dan is het over en sluiten. Jezus, jij bent vast zo'n type dat snelle seks heeft en zich dan afvraagt waarom het niet bevredigend was.'

Waar heeft hij het nou weer over, verdomme? Hij onderbreekt me op een cruciaal moment in de zaak met stom gedans en gooit me dan voor de voeten dat ik een slechte minnares ben. Dat geloof je toch niet? Ik keek hem aan met een blik die zei dat ik hem zijn nek had omgedraaid, ware het niet dat ik daar veel te moe voor was. Ik wilde ook naar huis om zo snel mogelijk veilig onder de dekens te kruipen, voordat Jack iets zei over het feit dat ik nauwelijks iets 'vriendelijk had afgewezen' op die dansvloer. Ik las het doorweekte bierviltje nogmaals en zei: 'Laten we maar naar huis gaan en er morgen tegen de middag nog eens naartoe gaan. Als we vroeger op de stoep staan, krijgt hij misschien argwaan.'

'Oké,' zei Jack en we liepen naar de uitgang.

'Ik moet thuis zo snel mogelijk alles opschrijven, voordat ik het vergeet.'

'Dicteer het dan maar in de auto, want die dope is een soort slaapmiddel. Ik ben alles alweer vergeten wat De Magiër heeft gezegd,' gaf hij toe.

De hele weg naar huis bleef ik in mijn recorder babbelen en hij luisterde naar alles wat ik zei. Toen ik hem eindelijk uitzette, vroeg hij: 'Daar zit heel wat tussen, zeg. Denk je dat Bozo geschift is?'

'Ik zou het niet weten. Hij is in elk geval een stuk intelligenter dan Konzak. Ik zal vannacht nog zoveel mogelijk lezen van wat ik van hem gekregen heb, dan kan ik je morgenochtend meer vertellen.'

14

DE MARS VAN DE MADEN

Een klein beetje ernst is gevaarlijk, en grote ernst is absoluut fataal.
– Oscar Wilde

Klokslag twaalf uur 's middags slenterde ik Bozo's tuinpad op. De magnolia stond in volle bloei, de roze art deco-knoppen zochten zich een weg door de rottende spijlen van de veranda. Gisteravond zaten ze nog helemaal dicht, maar nu stonden ze in volle bloei. Sommige bloemen waren er al afgevallen en lagen slap op de grond. Hoe lang stond zo'n boom eigenlijk in vólle bloei? Misschien maar een fractie van een seconde.

'Hoi.' Shawna kwam net naar buiten met een volle vuilniszak. Toen ze hem op de stoep zette, hoorde ik het gekletter van Bozo's verschroeide blikken. 'Jemineetje, de lente is zo snel gekomen dat de magnolia het nog geen dag heeft uitgehouden.'

'Daar stond ik net aan te denken. Het is veel te snel warm geworden.' We liepen samen naar binnen en ik vroeg of Bozo al wakker was.

'Geen idee. Hij en Magi houden er een raar dagritme op na. Ik moet me aan de normale tijden houden, want ik moet me steeds melden voor de bijstand. Wil je sieraden van me kopen?'

'Graag, laat maar eens zien.'

'Ik breng alles wel naar de keuken. Het is nogal een troep in mijn kamer.'

Het duurde even voordat ze weer binnenzeilde met een schoenendoos en naast me kwam zitten aan de keukentafel. Ze rommelde wat in de doos en haalde er een soort gele plastic staafjes van ongeveer één centimeter uit, bezaaid met rode glittertjes. Ze waren niet eens recht.

'Hmm,' was alles wat ik kon uitbrengen.

'Deze noem ik *Maanstof op bananen*.'

'Neil Armstrong zou ze schitterend vinden. Je moet hem een paar sturen, voor naamsbekendheid.'

'Ik denk niet dat hij gaatjes in zijn oren heeft.' Ze rommelde afwezig in de doos en haalde er een kreukelig bruin stokje uit, zo groot als een lucifer. Ze hield het omhoog, roffelde ter aankondiging op de tafel en riep theatraal: '*Ik presenteer!*'

Terwijl ze nog op zoek was naar zijn collega, probeerde ik haar uit te horen over Bozo. 'Interessant, zoals jullie wonen. Hoe lang zijn jullie al bij elkaar?'

'De Magiër en Bozo hebben het opgericht. Daarna kwam ik, dat is nu vier jaar geleden, en toen Edgar. Hari is de baby.'

'Dat is al lang, zeg.'

'Ja, hè?'

'Ze zijn wel een tikje vreemd.'

'Weet je wat Buzzy Beer vreemd vindt?' Ik had geen flauw idee, dus ik was blij dat ze het voor me wilde invullen. 'Vreemd is dat je bij IKEA in de rij gaat staan om een stuk hardboard met een wit plastic laagje erop te kopen dat Sven heet. Waar gaat dat over? Ik hou van Bozo en Magi, zeker weten.'

'Het lijkt me best lastig om in zo'n commune te leven. Gaat het bij jullie wel goed?'

'We hebben nog nooit ruzie gehad.' Ze keek me trots aan en zocht intussen ijverig door in haar schoenendoos. 'We hebben een paar anderen in huis gehad voordat Hari kwam, maar we hebben voor Hari gekozen omdat hij rustig is en geen uitgaanstype.' (Ze maakte aanhalingstekens in de lucht bij 'uitgaanstype'.) 'Hij houdt zich aan het keukenrooster en maakt één dag in de week schoon. Bozo betaalt geen huur, omdat hij reparatiewerk doet voor de huisbaas. Die man heeft wel tig van dit soort huizen. Magi en Bozo hebben gouden handjes. Ze hebben zelfs de hele bedrading gedaan bij een renovatie een eindje verderop, en ze hadden alleen een boek van Canadian Tire gehaald, dat heette *Bedrading en elektriciteit, een koud kunstje*.'

'Hebben Bozo en De Magiër wel eens ruzie?'

'Nooit meegemaakt. Ze hebben het altijd alleen maar over beschaving en zo, weet je wel, en soms hebben ze een heel heftige discussie over hun maatjes, Darwin en Freud. Met kerst zetten Buzzy en Magi borden voor ze op tafel.'

'Voor Darwin en Freud?'

'Ja.'

'Hebben ze geen vriendinnen?'

'Darwin en Freud?' Ze rommelde nog steeds in haar schoenendoos. 'Volgens mij zijn ze getrouwd. Een hoop vrouwen laten zich maar al te graag onderhouden. Maar ik denk er ook wel eens aan, hoor. Die rij bij de bijstand wordt elke dag langer.'

'Nee, ik bedoelde Bozo en De Magiër.'

'O. Bozo vindt het niks. Volgens hem maakt seks een slaaf van je, net als een baan. Het is tijdelijk en zwaar overschat, vergeleken bij de geest. De Magiër vindt magie boeiender, maar door al die trucs zien zijn tanden eruit als stukjes houtskool. Die tanden grijnzen je toe als verbrande popcorn, wie wil er nou zijn vriendin worden?' Ze haalde een stukje wit plastic te voorschijn met een geel plastic bolletje erop. 'Ha, daar is het ei.' Ik wist niet wat ik moest zeggen, het zag er belachelijk uit. 'Ta-daa! Nu heb je eieren met spek.' Ze legde het bruine stokje naast de gele stip met de witte randen. 'Intussen werk ik meer met dubbele dooiers. Ik heb het niet op twee dezelfde oorbellen, snap je. Ik maak concepten. Daarom hebben we ook twee oren, voor een verhalend thema. En dan nú!' Shawna bleef maar theatraal doen. 'Hier komen de *Ezels wereldwijd*.' Ze groef twee piepkleine ezeltjes op, niet groter dan een vingernagel. De een droeg een jasje en een sombrero, volgens Shawna een variatie op het 'Mexicaanse ezelconcept' en de ander, met een piepklein baseballpetje van de Blue Jays, was 'duidelijk'.

'O, te gek!' Deze vond ik een stuk leuker dan de eieren met spek. Ik greep mijn portemonnee. 'Die wil ik. Die ezels mogen niet aan mijn garderobe ontbreken.'

'Ja, vind ik ook. Maar zeg dat maar eens tegen Holt Renfrew. Volgens hen was er geen markt voor ezels van de wereld. Die klanten van hun zijn helemaal in dieren in hun natuurlijke omgeving, ze hebben niks met bananen en maanstof. Maar ik ga niet onder mijn prijs zitten.'

Ik keek op mijn horloge en besloot alvast in mijn eentje een gesprek aan te knopen met Bozo. Tegen zijn gewoonte in was Jack laat. Voordat ik haar het geld overhandigde, keek ik aarzelend naar de oorbellen. 'Doe die spek en eieren er toch maar bij. Ze zijn te gek voor ontbijtvergaderingen.' Dertig dollar armer liet ik Shawna achter met haar schoenendoos vol concepten en krabbelde de trap af naar het souterrain.

Halverwege de donkere, smalle trap zette ik mijn handen als een megafoon voor mijn mond, stak mijn hoofd over de leuning en riep zachtjes, om de slapende geleerde niet te laten schrikken: 'Bozo... Bozo, ik ben het, Kate.' Ik liep verder naar beneden en rook een soort aanmaakolie voor de barbecue. 'Bozo,' riep ik iets luider. Er hing een griezelige stilte. Ten slotte schreeuwde ik: 'Bozo!' en liep door naar beneden. Bozo's muren van boeken lagen als een grote literaire puinhoop in het midden van de ruimte en overal lag verscheurd papier.

De boekenberg was vochtig en rook naar kerosine. Iemand had ergens naar gezocht, had het niet gevonden en toen geprobeerd de boel in brand te steken. Het vuur was echter te snel gedoofd. Boeken branden niet zo makkelijk, omdat er geen lucht tussen de pagina's zit (behalve dan in de boeken op de bestsellerlijst). Wie dat fikkie ook had gestookt was geen ervaren pyromaan, dus dat sloot een professionele misdadiger uit. God, wat zou Bozo van slag zijn. Deze ondergrondse bibliotheek was zijn leven.

Toen besefte ik dat hij totaal niet van slag zou zijn, omdat hij dood was. Hij keek me met wijdopen ogen aan en was op dezelfde manier vermoord als Konzak. Zijn shirt was doordrenkt met bloed en zijn hals was van oor tot oor doorgesneden. Zijn hoofd hing helemaal achterover over de rug van zijn ouderwetse houten draaistoel. Er lag een grote plas bloed op de grond die naar een afvoerput in de keldervloer was gestroomd. Maden in een eindeloze rij kwamen zelfverzekerd uit het putje gemarcheerd, als de mannen van Bonaparte die Rusland doorkruisten. Hoe kwamen die hier zo snel? Misschien omdat het riool er vlak onder lag.

Ik zocht steun tegen de kille, vochtige muur, zo ver mogelijk bij zijn lichaam vandaan. Ik zonk op de grond, leunde voorover op mijn hurken en hield mijn hoofd omlaag. Ik voelde mezelf verslappen en er dansten donkere vlekken voor mijn ogen, alsof de aanblik van Bozo's dode lichaam gaten had geslagen in mijn retina. Pas veel later drong het tot me door dat dit afgrijselijke beeld de tweede keer, of eigenlijk de derde, als je m'n echtgenoot meetelt, niet minder schokkend was geweest dan de eerste keer. Ik herinnerde me dat ik in mijn eerste jaar op de universiteit in een college gedragsmodificatie iets had geleerd over gewenning, de responsafname die optreedt na herhaalde blootstelling aan een bepaalde prikkel. Ik besefte dat mijn lichamelijke reactie na elke moord onverminderd was gebleven.

Ik liep naar boven en vroeg of ik even mocht bellen. Ik kreeg Jacks antwoordapparaat en in de veronderstelling dat Bozo's telefoonlijn misschien werd afgetapt, sprak ik een cryptisch bericht in. 'Hoi, ik heb een raadsel voor je. Wat is zwart en wit en helemaal rood? Fout. Een doodgebloede zebra. Hé, het is de bedoeling dat je erom lacht, dooie pier.' Ik hing op en probeerde te bedenken wat ik nu moest doen. Als ik het Shawna zou vertellen, zou ze de politie waarschuwen en dan zou iedereen te weten komen wat onze werkelijke identiteit was. In dit geval hadden we weinig keus, want hij zou gevonden worden zodra die Maginotlinie van maden de trap op marcheerde.

'Slaapt Bozo nog?' vroeg Shawna.

'Ja. Compleet van de wereld.'

'Hij zal wel de hele nacht aan zijn onthullingen hebben gewerkt. Dat wordt wat, hij zet de hele wereld op zijn kop.'

'Weet jij precies waar het om gaat?'

'Nee. Ik ben meer geïnteresseerd in astrologie en tarotkaarten, maar misschien weet De Magiër het wel.'

'Waar zit hij?'

'Boven, eerste deur rechts. Wil je tegen hem zeggen dat B'nai B'rith heeft gebeld? Ze willen dat hij komt vuurspuwen op een of ander paasgebeuren in de Holy Blossom Tempel.'

Ik liep met knikkende knieën naar boven en strompelde als een pasgeboren kalf naar de kamer van De Magiër. Ik gooide de deur wagenwijd open, maar hij was er niet. Een zelf getimmerd bureau van houten planken besloeg twee wanden van de kamer en was bezaaid met wetenschappelijke parafernalia. De Magiër had een aantal lege dierenkooien en een groot aquarium waarin twee afschuwelijk grote schildpadden tegen de glazen wanden krabbelden. Overal lagen oude elektronicaonderdelen. Felgekleurde kabels hingen van het plafond en liepen naar de muur, waar ze vastgeplakt zaten met isolatietape. De boekenplanken reikten van de vloer tot het plafond en stonden vol wetenschappelijke werken op allerlei gebied. Er was één hele muur vol boeken en ingebonden brieven van Darwin. Duizenden kopieën lagen er in dikke stapels bovenop.

Zo te zien was de moordenaar pasgeleden nog in deze kamer geweest. Hij had door alle boeken op de onderste planken gerommeld, maar was om de een of andere reden niet aan de bovenste planken geweest. Of het was een klein moordenaartje, of hij had haast gehad, of hij had gevonden wat hij zocht op de onderste planken.

Waar zat De Magiër, verdomme? Ik deed een kastdeur open en er viel iets zwaars tegen me aan. Ik sloeg het als een dolle van me af, ik herinnerde me maar al te goed hoe het voelde toen ik helemaal onder het warme bloed van Konzak zat. Het was echter een grote rugzak die in de kast was gepropt. Misschien was De Magiër vroeg naar huis gekomen, had de moordenaar gezien en was gevlucht. Of misschien was hij thuisgekomen, zag zijn kamer, ging naar Bozo's kamer, zag dat hij dood was, besefte dat hij een gezocht man was en had de benen genomen. Misschien had degene die Bozo had vermoord ook De Magiër vermoord en zijn lichaam weggesleept. Niemand hier zou er ook maar de minste aandacht aan besteden als er lawaai werd gemaakt op de gang. Jack en ik waren zo naar binnen gelopen en ze hadden niet eens met hun ogen geknipperd.

Al die gedachten gingen door me heen toen ik de trap weer af holde en vroeg: 'Waar is De Magiër?'

'Slaapt hij niet? Het is een nachtbraker, hij is anders nooit zo vroeg op. Ik heb hem niet weg horen gaan. Maar er gebeuren wel vreemdere dingen. Het is tenslotte een magiër.' Shawna vestigde haar aandacht weer op haar schoenendoos.

'Is er verder nog iemand thuis?'

'Edgar is naar Indian Affairs om te proberen geld los te peuteren voor drumlessen. Hari is aan het werk. Hij heeft een illegaal baantje en rijdt mensen van het vliegveld naar de stad in een limousine. Dat is een goede manier om de stad te leren kennen, als je de stad wilt leren kennen.'

'Ik denk dat ik Jack maar eens optrommel om ergens te gaan ontbijten. Dan laat ik hem mijn nieuwe oorbellen zien en komen we terug als Bozo weer wakker is. Ik ga nog één keer naar beneden om te zien of hij intussen misschien wakker is geworden.'

'Okidoki.' Shawna keek me vorsend aan. 'Die oorbellen staan je prachtig.'

Ik ging de kelder weer in en daalde af naar de inmiddels hevige stank van Bozo's lichaam. Ik dwong mezelf ertoe zijn magere lijf goed te bekijken. Ik wist dat ik snel moest zijn. Wat had de moordenaar gewild van Anders Konzak dat hij daar niet gevonden had en hoopte hier wel te vinden? Was het iemand die de grote doorbraak zocht die de psychoanalytische gemeenschap op zijn grondvesten zou doen schudden? Heeft hij het hier gevonden?

Ik begon met een stapel boeken en werkte me een weg door van alles en nog wat. Ik had pech, want de insluiper had alle kaartjes uit de boeken gehaald en meegenomen. Nu was het vrijwel onmogelijk om de puzzel van Bozo's theorie in elkaar te passen. Ik moest in zijn geest denken en uitzoeken welke onthullingen hij naar buiten had willen brengen. Ik moest Freud zien zoals Bozo hem had gezien om deze zaak op te lossen. Maar er was iemand anders op zoek naar Bozo's onthullingen en het was een race geworden, een race waarin de tegenpartij op kop lag. Als ik dit intellectuele mysterie dat Bozo had opgelost ook kon oplossen zou ik de volgende zijn voor een chirurgisch vergrote glimlach zodra de moordenaar wist dat ik het had uitgepuzzeld.

Bozo's dagboek lag op zijn bureau. Op de laatste bladzijde stond:

Ik heb vanavond twee aardige mensen ontmoet, Jack en Kate, die ons hebben uitgenodigd voor een avondje in de Bamboo. Ze werken voor een uitgeverij en hebben me een contract aangeboden voor een boek, betaald in delen. Het klinkt redelijk interessant. Ik wil geen herhaling van het schandaal met Anders Konzak. Hij moet wel sex-appeal hebben, want meestal ben ik immuun voor dat soort dingen; als je dat weghaalt blijft er alleen een stel hersens over zo groot als een pinda. Ik mag die vrouw, Kate, heel graag. Ze kent haar Freud door en door en ik voelde in haar een verwante geest. Ze houdt zich wat meer aan de hoofdlijnen, maar volgens mij zitten we op dezelfde golflengte, hoewel ik moet toegeven dat we een uitstekend hapje hadden genuttigd van onze sieradenkunstenares. Onder invloed van drugs of niet, ik voelde me zo met haar op één lijn zitten, dat ik haar bijna had toevertrouwd dat A

De rest van die pagina was eruit gescheurd, evenals de volgende.

Ik hoorde voetstappen boven mijn hoofd en wist dat ik moest maken dat ik wegkwam, voordat moordzaken hier poeder kwam strooien. Ik sloot de deur en riep: 'Tot gauw, Shawna.'

'Doei, Katepeet.'

De stem van Shawna bracht een gevoel van diep medelijden bij me naar boven. Vanaf vandaag zou haar leven nooit meer hetzelfde zijn.

Eenzaam wandelde ik naar de hoek, veel verdrietiger dan ik was na de dood van Konzak. De commune was excentriek, maar ze hadden Jack en mij hartelijk ontvangen. Ik had in geen jaren iemand ontmoet met zo'n boeiende geest als Bozo. Ik was de hele nacht opgebleven en had zoveel mogelijk van zijn werk gelezen. Alles wekte het vermoeden van een geest als een venusschoen. Je moest vroeg opstaan wilde je hem logicazand in de bloeddoorlopen ogen strooien. Of zijn theorieën correct waren kon ik niet zeggen, maar het verlies van zo'n originele, integere man was me zwaar te moede.

Onderweg naar huis hoorde ik plotseling voetstappen achter me. Het werd steeds griezeliger toen ik meerdere malen de hoek was omgeslagen en de voetstappen nog steeds achter me klonken. Ik keek om me heen en besefte dat ik in een afgelegen stadsdeel ten zuiden van King Street was beland, met leegstaande fabrieken en vuilverbrandingplaatsen. Even verderop zag ik het Ontariomeer liggen, met oude scheepswerven en afgedankte Liberische olietankers op scheepshellingen langs de oever.

Was de man achter me de moordenaar? Had hij gezien dat ik terugging naar Bozo's huis? Hij had Konzak vermoord, Bozo, mogelijk ook De Magiër en nu was ik aan de beurt. Ik dwong mezelf me niet om te draaien. Hij zou me ter plekke vermoorden als ik eenmaal wist wie hij was. Hij had vast een reden waarom hij me alleen maar volgde en me nog niet had vermoord. Ik ben misschien wat kieskeurig, maar ik word liever gevolgd dan gewurgd.

Waar zat Jack toch? Ik had zowel naar zijn kantoor als naar zijn flat in Toronto gebeld en overal berichten achtergelaten. Er begon van alles over Jack boven te komen, dingen die ik onbewust had verdrongen. Hij had als enige geweten dat Konzak alleen in zijn flat zou zijn op het tijdstip van de moord. Hij wist ook dat ik vandaag rond het middaguur naar Bozo zou gaan. Hij wist genoeg over Freud om te weten wat hij moest vernietigen. Hij was sterk genoeg om De Magiër weg te slepen. En nu was hij niet op komen dagen terwijl we een afspraak hadden.

Mijn speeksel veranderde in aceton en mijn hart pompte nitroglycerine door mijn lijf. Toen ik steeds sneller ging lopen ontplofte de staaf dynamiet alle naargeestige feiten in mijn hersenen. De bottleneck was zijn beruchte 'pik in de zak'-toespraakje tegen Gardonne in de bar op het eiland Wight, daar reageerde ik op met de kracht van een duikbom. Misschien had ik die hele Jack wel naar eigen behoefte gefantaseerd. Toen ik uit de gevangenis kwam had ik een sterke kerel nodig, een stevige, actieve vent die wist wat hij wilde. Misschien was de ware Jack wel die kille klootzak die ik toen had afgeluisterd. Die kwam tenslotte veel sterker overeen met zijn achtergrond, de eenzame opsluiting, het geweld. Gardonne had hem zelfs pervers genoemd. Ik vroeg me af of Gardonne en ik het wel eens zouden zijn over wat perversie precies was. Ik weet dat hij seksverslaafd is geweest. Was dat pervers? Wie zal het zeggen? Wie kan het iets schelen? Het belangrijkste was dat ik wilde dat hij goed, eerlijk en sterk was. Waarom kon ik aan niets anders denken dan aan die sterke schouders? Ik denk dat ik er doodziek van was alles altijd maar zelf te moeten dragen.

Maar als je er goed over nadacht, wat had Jack dan helemaal voor akeligs gezegd in zijn tête-à-tête met Gardonne op het eiland Wight? Objectief beschouwd niets. Het enige wat hij had gedaan was het mes zetten in mijn fantasietje over de onweerstaanbare spionne. Hij was seksueel niet in me geïnteresseerd omdat ik oud en mager was en weet ik wat nog meer. De rest kan ik maar beter vergeten. Hij drukte me gewoon met mijn neus op de feiten dat ik een verlopen blondine was op haar retour. Zelfs de gasman zou van mij niet meer in vuur en vlam raken. Goh zeg, het Ik is in staat een stenen muur te bouwen rond een ouder wordende vrouw, waarmee ze zich schrap zet tegen haar leeftijd, haar begeerlijkheid, haar plotselinge neergang in de hiërarchie van het universum. Ze heeft al haar fiches ingewisseld en moet het spel uitzitten. Ik schudde mijn hoofd en ploeterde voort.

Ik had wel meer verhalen gehoord over undercoverorganisaties en sommige daarvan waren goed te vergelijken met deze. De CIA of de FBI huurt iemand in om de operatie te runnen, een stroman als Gardonne. Dan huurt de stroman een lulletje rozenwater in zoals ik om alle informatie te vergaren. Nadat hij de klus heeft geklaard ruimt de organisatie de onderzoeker uit de weg omdat hij te veel weet.

Bij mij in de gevangenis zat een vrouw die voor de FBI had gewerkt als infiltrante in de Students for a Democratic Society. Ze wist dat de zelfgemaakte bom die in 1970 een huis in Greenwich Village had opgeblazen niet was afgegaan door de schuld van een SDS-klojo die met de bedrading had zitten rommelen, zoals de officiële berichtgeving luidde, maar tot ontploffing was gebracht door de FBI. De infiltrante kwam erachter dat de SDS van plan was bommen te leggen op strategische punten in New York, bracht dat braaf over aan de FBI en vervolgens blies de FBI dat hele huis op, met praktisch alle SDS-leden erin. Uiteindelijk dreef er wat belastend bewijsmateriaal naar boven en in plaats van de verantwoordelijkheid voor de bom op zich te nemen, probeerde de FBI de schuld op de SDS-infiltrante te laden. Uit angst voor een georganiseerde tenlastelegging nam ze de wijk naar Canada, werd daar opgepakt en een jaar in de gevangenis gezet tot ze werd uitgeleverd voor haar berechting. Zo heeft ze het me tenminste verteld en ik heb nooit reden gehad haar verhaal in twijfel te trekken.

Dit Konzak-dossier ontvouwt zich op de volgende manier. De FBI, beschermd door dr. Gardonnes APA-paraplu, huurt Jack en mij in. De ene is de undercover voor de organisatie en de ander werkt aan de ontknoping van de plot. (Wellicht wil de FBI Freud naar de ondergang helpen. J.E. Hoover was maf genoeg om de freudiaanse analen te kunnen halen of, in dit geval, de anussen. Hij droeg waarschijnlijk een jurk toen hij *Drie verhandelingen over de theorie van de seksualiteit* las. Als ík al wist dat hij homoseksueel was, zich liet kleden door Givenchy en meer schoenen met hoge hakken bezat dan Imelda Marcos, wist Freud het natuurlijk allang.) Ik zou ze naar de slachtoffers leiden, zij helpen ze stuk voor stuk naar de andere wereld en aan het eind geven ze mij de schuld, wat makkelijk zat is omdat ik al eerder was veroordeeld voor moord.

Mijn geest holde voort, sneller dan mijn voeten. Shit, ineens bedacht ik iets anders. Misschien waren ze wel helemaal niet van plan mij die moorden in de schoenen te schuiven, misschien vermoordden ze me wel gewoon. Ik rende zo hard dat zelfs Jack me niet bij zou kunnen houden. Er zat iemand vlak achter me, ik kon zijn ademhaling horen.

Toen ik in de verte mijn flat zag liggen, zette ik mijn sprint in. Ik vloog naar huis, ik wist dat ik hem voor zou blijven in mijn laatste sprint. Ik schoot de hal binnen langs de verbijsterde portier. Pas toen voelde ik me veilig genoeg om achterom te kijken. Ik zag alleen een bastaardhond die tegen iets stond te blaffen dat tussen de huizenblokken door verdween.

Ik wendde me hijgend tot de portier. 'Hebt u gezien wie er achter me aan zat?'

'Sorry, ik stond niet op te letten.'

'Waarom blaft die hond zo?'

'Weet ik het. Honden blaffen wel vaker. O ja, nu ik u zie, weet ik het ineens weer. Er is hier vanmorgen een man voor u geweest. Ik moest u dit briefje geven, hij zei dat het belangrijk was dat u het kreeg voordat u wegging. Maar ja, vergeten hè?' Hij haalde zijn schouders op en gaf me een dichtgeplakte envelop. Nog steeds buiten adem leunde ik tegen de muur naast de lift om het te lezen.

Lieve Kate,
Ik heb dit briefje aan die slaperige portier gegeven. Ik wilde je niet bellen, voor het geval je lijn is afgetapt. Het is nu halftien 's morgens en ik ben net bij Bozo langs geweest. Ik wilde er vroeg zijn om de boel te bedraden voordat er iemand op was. Ik ben via het souterrain naar binnen gegaan om de hoofdleiding te zoeken en struikelde over Bozo... dood. Vermoord met dezelfde finishing touch *als Konzak. De Magiërs kamer is doorzocht, maar zo te zien is er niet gevochten en er was ook geen lijk. Het is duidelijk dat de moordenaar iets zocht, hij begint wanhopig te worden en is minder omzichtig te werk gegaan dan bij Konzak, want alles lag overal verspreid.*
Ga er niet naartoe, onder geen beding. Je wilt niet gezien wor-

den op deze plaats delict. Het spijt me dat ik niet op je kon wachten, maar ik moest snel handelen. Ik zit slechts een paar uur achter De Magiër... als hij nog ergens zit. Ik moet hem traceren (vliegvelden, treinstations etc.)
Er zit materiaal over Freud en Darwin in de dozen. Ze staan bij de portier. Niemand heeft me daar vanmorgen gezien en ik denk ook niet dat iemand gisteravond op onze achternamen heeft gelet. Hopelijk zijn ze in dat huis allemaal te paranoïde om de politie te bellen.
Lees die boeken zo snel mogelijk door en verbrand dit briefje. Ik neem contact met je op zodra ik iets weet.
Kate (hier was iets doorgekrast)
Blijf dansen,
J.

Ik zette al mijn frustratie om in woede op de portier en gilde: 'Het was belangrijk dat ik dit briefje kreeg vóórdat ik vanmorgen de deur uit ging.'

'Ik denk dat ik net bezig was Mr. Lebowitz' auto uit de garage te halen toen u wegging.'

'Ik liep vanmorgen verdomme om halftwaalf de deur uit en u stond hier.'

'Het is nergens voor nodig om zulke taal uit te slaan, juffrouw Fitzgerald. Ik hoef u toch geen mevrouw meer te noemen, wel?' Hij speelde de domme hond, maar wilde me duidelijk laten weten dat hij de rechtszaak van a tot z had gevolgd.

Ik moest mezelf rustig toespreken, voordat ik over zijn fineerbalie sprong, hem de epauletten van de schouders rukte en ze in zijn grote bek propte. Ik ademde een paar maal diep door en strekte mijn armen uit. Wat had het voor zin om die klojo van een portier de volle laag te geven over de puinhoop van mijn leven?

Hij hield de deur voor me open toen ik de dozen met documenten in de lift stapelde. (Hij zei dat hij last had van zijn rug, anders had hij me wel geholpen.) Ik drukte op de liftknop en de deur piepte in zijn voegen, maar hij hield hem koppig open met zijn voet. Ten slotte vroeg ik hem zo kalm mogelijk om weg te gaan.

Hij aarzelde en trok zijn voet terug, maar niet voordat hij me had toegesnauwd: 'Nu ik erover nadenk, die hond blaft alleen als er iemand tussen de gebouwen door loopt. Dag juffrouw Fitzgerald.'

De liftdeuren sloten zich.

15

OCCULT TOEZICHT

Steeds gaat een klein vergrijp vooraf aan een grote misdaad.
– Jean Baptiste Racine

Ik kon me het beste concentreren als ik mezelf opsloot in mijn Harbourfront-appartement en de strikte routine uit mijn gevangenistijd volgde. Ik zette de wekker op vier uur 's morgens, trok mijn concentratiekleren aan, sweatshirt, joggingbroek en teddypantoffels en werkte door tot twaalf uur 's middags. Dan sprong ik als een razende Roeland op mijn fiets om te trainen, roeide nog een uurtje en ging vervolgens tot vijf uur weer aan de slag. Ik liet mijn avondeten komen, werkte door tot negen uur 's avonds en ging dan naar bed. Ik heb geen idee hoeveel dagen achter elkaar ik zo heb geleefd. Ik weet alleen dat hoe langer het duurde, hoe geconcentreerder ik werd. Ik zette het geluid van het antwoordapparaat uit. Ik werk het beste als ik alleen ben. Niemand heeft last van het ADD-syndroom als er maar één ding is om je aandacht op te vestigen.

Ik was vastbesloten de geest van Bozo en De Magiër te infiltreren en begon met het gesprek dat ik met Bozo had gevoerd. Ik ijsbeerde door de flat en probeerde me woord voor woord te herinneren wat hij had gezegd. Ik ben gezegend met een goed geheugen. (Dat is natuurlijk tegelijkertijd een vloek, want ik herinner me al mijn fouten in grootbeeldkwaliteit.)

De essentie van het verhaal typte ik uit.

1. Freud was verslaafd aan seks en cocaïne.
2. Freud was geen observator van neurosen. Hij analyseerde zichzelf en voerde zijn eigen pathologie aan als die van zijn patiënten.
3. Freuds complete theorie was een poging om zijn eigen gedrag te normaliseren. *Voorbeeld*: Freuds gevoel voor fatsoen (wat uiteindelijk in zijn theorie bekend werd onder de term superego) stond hem niet toe verliefd te zijn op zijn moeder, hoewel zijn moeder qua leeftijd dichter bij hem stond dan bij zijn vader. (Brave Joodse jongetjes houden van hun moeder, ze zijn níet verliefd op hen.) In plaats daarvan normaliseerde hij zijn gevoelens om aldus te ontkennen dat ook hij incestueuze verlangens had. Hij verdedigde zichzelf door te stellen dat hij gevangenzat in iets dat nog veel groter was – hij leed aan het universele oedipuscomplex.
4. Methode: Freud ontdekte tijdens het schrijven van de cocaïne-essays dat het Victoriaanse Wenen zijn experimenten niet kon accepteren, dus ging hij ondergronds. De echte ontdekkingen gingen over hemzelf. Freud was sluw. Hij speelde met zijn lezers, in afwachting van die ene persoon die het na zijn dood zou begrijpen. In zijn autobiografische beschrijving onthulde hij enkele onschuldige maar prikkelende juweeltjes van informatie. De verbindende schakels worden overgelaten aan degenen die zichzelf uitroepen tot 'freudiaanse speurneus' zoals Bozo.
5. Mogelijkheid: misschien zijn er nooit patiënten geweest; alle onderzoek van Freud was gebaseerd op Freud zelf. Misschien is hij zo op het spoor gekomen van de aard van biseksualiteit. Freud was zowel de mannelijke als de vrouwelijke patiënt. Het was nog altijd briljant, want het kan kennelijk universeel worden toegepast. Freud bracht zijn onbewuste uiterst behoedzaam op het dunne ijs van de pu-

blieke vijver en beschermde zichzelf tegen plotselinge scheuren met de kwalificatie 'ik had een patiënt die...' Die zin is het psychoanalytische equivalent van het cliché 'ik heb een vriend die...'

Ik typte pagina's vol mogelijke concepten gebaseerd op Bozo's theorie dat Freud een meester in de vertroebeling was. Na uren van frustratie om de freudiaanse code te kraken, besloot ik een schema te maken van alle harde feiten en bewijzen die ik had.

Eén ding wist ik van Bozo: hij had een analytische geest en dat type kent de eisen van het wetenschappelijke proces. Hij mag de ondersteunende informatie dan op een bizarre manier vergaren, maar hij was veel te rigoureus ingesteld om zijn theorie niet te baseren op tastbare feiten. Konzak was hoogleraar literatuur geweest en had slechts 'interessante interpretaties', maar er komt geen hond MIT-fysica binnen als ze er niet zeker van zijn dat hij een theorie kan ondersteunen met iets meer dan een paar bonmots. (Als kracht niet voorspeld kon worden door Newtons bewegingswetten, had hij zich moeten verlaten op Fig Newtons om beroemd te worden. Zonder zwarte gaten zou Einstein nog steeds in zijn patentbureautje zitten balen. Als de wereld vierkant was geweest, zou Columbus voor een cruiselijn werken.)

Ik schreef de volgende punten op een groot stuk bristolpapier en prikte dat boven mijn bureau.

BEWIJSMATERIAAL

1. Een woord dat begint met de hoofdletter A is uit een schrift gescheurd (controleren of ik misschien een doordruk kan ontcijferen in de onderliggende pagina).
2. Een klein stukje gelinieerd geel papier met de regel '*het is the name game*' en een sleutelhanger met de tekst '*The Name Game*' op een miniatuur 45-toerenplaatje.
3. De Darwin-collectie. De Magiër was een darwinist en zijn bibliotheek is doorzocht. Daar moet een reden voor zijn.

Iemand wilde hem vermoorden. Wellicht heeft iemand dat ook gedaan en het lijk meegenomen, maar hij wilde ook bewijsmateriaal stelen of vernietigen uit de Darwin-collectie. Hij kon niet bij de bovenste plank en de notities zaten er nog in. De moordenaar is opgeschrikt door De Magiër of iemand anders in huis, want hij heeft zijn klus niet afgemaakt. Dat betekent dat er mogelijk nog bewijsmateriaal te vinden is in de Darwin-collectie van De Magiër, met name op de bovenste plank. Er moet een verband bestaan tussen Darwin, De Magiër en Konzak, want tussen de spullen van Konzak zat een geel briefje met de tekst '*alleen de sterksten overleven*'.
4. Freud heeft 34 boeken gepubliceerd, buiten de brieven. Konzak was geïnteresseerd in de verleidingstheorie en noemde Fliess. Bozo concentreerde zich eveneens op Fliess, het gebruik van cocaïne en de verleidingstheorie. Het is interessant hierbij aan te merken dat beide mannen, met precies hetzelfde enigszins esoterische onderzoeksgebied, dood zijn. Fliess en Freuds cocaïneperiode speelden zich af vóór 1895. Het antwoord moet derhalve in de eerste delen van de verzamelde werken liggen (Fliess 1890) en zeker niet na 1895, het jaar waarin deel vijf is gepubliceerd onder de titel *Studies over hysterie.*

Nu ligt het geheim ergens in deze kamer, verscholen in een van deze boeken. Waarom had de moordenaar anders geprobeerd zich ervan te ontdoen en alle notities eruit gehaald? Opgelucht constateerde ik dat hij in de haast de notities die er niet boven uitstaken had gemist. Ik begon met alle notities die Bozo had gemaakt in de kantlijn van de verzamelde werken van Freud. Na dagen en dagen hard werken, schreef ik Jack een brief.

Lieve Jack-jakkes, of heb je liever jakhals,
Goed idee om dat briefje bij de portier achter te laten. Had je het niet beter aan een zeeslak kunnen geven? Ik kreeg het pas na mijn bezoekje aan Bozo, waar mijn danspartner van de avond

daarvoor niet was komen opdagen. Ik trof Bozo's verloren, maar nooit ontdekte geest om twaalf uur 's middags. Kwam Shawna tegen en heb oorbellen gekocht... ik kan dus geoormerkt en wel de verdachtenopstelling in. Daarover straks. Ga alsjeblieft naar de platenzaak waar Bozo werkte en probeer erachter te komen of en wanneer ze die sleutelhangers hebben gehad. Als ze daar vandaan komen, wil ik graag weten wat erop stond en welke Bozo heeft gekocht. Verder wil ik alles weten over Bozo's familie, of hij ooit geestelijke problemen heeft gehad en of er geestesziekten in de familie voorkomen. Hetzelfde geldt voor De Magiër (ik denk niet dat zijn moeder hem 'De' heeft genoemd). Ik wil alle eventuele studieverslagen lezen, praat met onderwijzers en hoogleraren.

Ik ben bang dat De Magiër wist te ontsnappen, maar dat de moordenaar hem op de hielen zit. Verhoog de klopjacht. Ik vorder in sneltempo, maar mijn hersenen beginnen al een beetje te roken.

Vrouw met behoefte aan rubber hersenisolatie,
Kate

Ik gaf de brief aan de portier, die hem zou bezorgen.

Ik kroop mijn bed in en droomde in zwart-wit. Een groepje tieners danste in een kantine of in het televisieprogramma *American Bandstand* uit de jaren vijftig. Later bleek het Annette Funicello te zijn met Mickey Mouse-oren. Ze danste met een blonde jongen die ik wel kende, maar ik kon niet op zijn naam komen. Ze dansten op die belachelijke melodie van 'The Name Game'. Het werd gezongen door de Anna Bananas, die werden aangekondigd door Bozo, de presentator van de avond, en een soort clowneske Dick Clark. Hij begon in de microfoon te zingen: '*Bo-na-na fanna, fo-fan-na. Fee-fi mo-man-na...*' De droom werd ruw onderbroken door het geluid van de wekker.

Ik schreef de droom braaf op in het dagboek waarin ik mijn onderbewuste tijdreizen noteerde. Annette Funicello, jemig, in welke grijze cellen zat zij opgeborgen? Ik stond versteld van de maffe gegevens die opgeslagen zaten in mijn geest.

Ik was het eens met de beroemde zin van Freud, 'dromen zijn de koningsweg tot het onbewuste', dus ik wist dat ik deze droom serieus moest nemen. Ik probeerde er vrije associatie op toe te passen, maar veel kreeg ik er niet uit. Ik dook in mijn geest om het gezicht van de jongen terug te vinden. Ik wist dat hij zich ergens in de krochten van mijn herinnering ophield, maar ik kon hem niet plaatsen. En wat had Annette Funicello verdomme met Freud te maken? Als ik aan Annette dacht, kon ik alleen dat liedje van de Mouseketeers herinneren in de Mickey Mouse Club. Ze stelden zich voor door uit het publiek te springen en zongen dan hun naam, Cuby, Cathy, Annette, Doreen et cetera.

Op het miniplaatje aan de sleutelhanger die we in Konzaks flat hadden gevonden stond 'The Name Game'. Misschien had de droom iets te maken met *Studies over hysterie*, dat ik gisteravond had zitten lezen voordat ik ging slapen. Alle ziektegeschiedenissen hadden een naam. Ik pakte het boek weer op en zocht de namen en de bijbehorende gevallen op.

Freuds 'name game' titels waren Emmy, Lucy, Katharine, Elizabeth von R. en, de belangrijkste van allemaal, Anna O., een geschiedenis die niet was beschreven door Freud, maar door zijn coschrijver, Breuer. Ik begon daar te lezen en bleef de rest van de dag verdiept in *Studies over hysterie* totdat Jacks antwoord arriveerde.

Lieve Kate nooit een date (uitgezonderd na het nuttigen van pecannoten),
Er klopt iets niet in het onderzoek naar Gardonne. Alles is te makkelijk na te trekken. Ik heb net een nieuwe laag blootgelegd, maar ik zal je vertellen wat ik tot nu toe heb. Ten eerste heet hij echt Gardonne en hij komt uit Portland, Maine. Ik heb nog niemand gevonden die weet wie hij is. Hij heeft medicijnen gestudeerd aan de universiteit van Cincinnati en hoorde bij de beste vijftig procent van zijn jaar.
Hij verhuisde in 1961 naar Toronto. Hij heeft driemaal examen moeten doen en slaagde pas bij de derde keer. Hij trouwde met

een rijke vrouw, de dochter van een bekende houtbaron c.q. papierfabrikant. Hij hakt, maar laat geen spaanders vallen. Als huwelijkspresentje voor dochterlief liet papa een huis bouwen van het duurste hout uit Brits-Colombia (voor hem niet meer dan de prijs van een tandenstoker) naast het zijne in een exclusieve villawijk in Rosedale. Gardonne en mevrouw dure tante hebben vier kinderen, allemaal op privé-scholen en, in geval ze zich tot dusver niet hebben onderscheiden, normaal. De echtgenote ziet het nog steeds als een parel in haar kroon dat ze de knappe doctor uit Amerika heeft weten te strikken als 21-jarige verpleeghulp. Het gewone verhaal. Ze zou getrouwd kunnen zijn met Charles Manson zonder ook maar iets door te hebben, zolang hij zijn partijtje golf maar netjes speelde.
Je had gelijk wat zijn grijze cellen betreft. Hij heeft nog nooit een oorspronkelijk essay geschreven en hoewel hij een indrukwekkend cv heeft qua omvang, is hij nooit verder gekomen dan derde auteur. Hij heeft essays van conferenties tot een boek gebundeld en heeft toen iemand een inleiding laten schrijven. Dat kan die portier van jou ook nog wel.
Het spijt me van die portiersramp. Ik denk dat een briefje van twintig niet meer is wat het vroeger is geweest. Leef en leer.
Voor altijd,
J. Hals

PS: *Ik zit De Magiër op het spoor naar Butte, Montana. Serieus. Mijn speurneuzen hebben een vent gevonden die vuur spuwt op de een of andere ranch voor dure jongens. Kan ik weer eens oefenen met mijn lasso. Blijf achter je bureau zitten. Ik zal aan je denken tot mijn sporen bot worden.*

Ik kreeg het akelige gevoel dat Gardonne zoals gewoonlijk iedereen weer eens te slim af was en dat ik voor eeuwig achter de tralies zou belanden. Het moment was aangebroken om het houtvester van het jaar-insigne te pakken en mijn eigen metaaldetectie op te zetten in Onondaga, New York. Tijdens het proces had ik blind vertrouwd op de advocaten en ik had op de harde manier geleerd dat 'ervaring' weinig meer is dan een lullige universitaire graad en een baan. Als je iets gedaan wilt krijgen, moet je het zelf doen. Niemand geeft zoveel om jou als jijzelf.

Ik zat tussen twee vuren. Ik wilde mijn onderzoek voortzetten, omdat dat uiteindelijk naar de moordenaar zou leiden. Aan de andere kant kon Gardonne dodelijker voor me zijn dan welke moordenaar ook. Een moordenaar zou me gewoon neerschieten, maar Gardonne zou me erin luizen, linea recta terugsturen naar de nor en zorgen dat zelfs de Chinese watermarteling op een verfrissend slokje water zou lijken.

Jack was nog wel een paar dagen bezig met zijn speurtocht naar De Magiër in het Wilde Westen. Met de trein zat ik binnen zes uur in Onondaga. Als ik onderweg gewoon doorlas zou het me slechts één werkdag kosten en alweer terug zijn voordat hij überhaupt merkte dat ik verdwenen was.

DEEL III

WORTELKANAAL

16

PADVINDER

Als je de waarheid niet vertelt over jezelf,
kun je ook de waarheid over anderen niet vertellen.
– Virginia Woolf

Ik maakte het mezelf gemakkelijk en staarde door het vettige treinraampje naar de voorbijrazende spooksteden ten noorden van New York. Het ene na het andere uitgewoonde stadje schoot voorbij en ik vroeg me af waar kleinsteeds Amerika was gebleven. De fabrieken stonden leeg, de kapotte ruiten waren dichtgeplakt met 'te huur'-plakkaten en zelfs de hoge schoorstenen waren tot aan de top beklad met graffiti. Welke idioot klimt er nou langs zo'n levensgevaarlijke ladder zo'n hoge schoorsteen in om er *Ronald Ray-gun zuigt de bobo's uit* op te spuiten?

Toen mijn verder lege wagon het verwaarloosde stationnetje van Onondaga in tufte, bleek ik in een door God en alleman vergeten dorp te zijn beland. Er hingen wel wat mensen rond, maar ik had niet het idee dat ze een doel in hun leven hadden. Ik keek om me heen op zoek naar een taxi en besloot dat het station en het hele dorp eruitzagen als een verlaten filmset. Onondaga was een stille dood gestorven.

Ik bekeek voor de zoveelste keer het padvindersinsigne en de foto van Gardonne op een van de nieuwsbrieven uit de gevangenis. Niet te geloven dat ik het daarmee moest doen. Ik had contact opgenomen met Boy Scouts of America, een organisatie waar net zo weinig van over was als van Onondaga. Ik had me voorgedaan als een journaliste die een artikel wilde schrijven over de belangrijke taak van de padvindersorganisatie en gezegd dat ik me wilde concentreren op één karakteristieke groep. Ze doken behulpzaam het archief in. Groep nr. 189 was een clubje achtjarige jongens dat in 1939 begeleid werd door ene Robert Stone. De heer Stone ontving zijn nieuwsbrief van de Eagle Scouts nog steeds op hetzelfde adres in Onondaga.

Het was bizar om op zoek te gaan naar een taxi op een plek waar geen voetgangers waren. Maar wat moest ik anders? Openbaar vervoer leek er ook niet te zijn. De telefooncel lag vol gebroken bierflesjes en zag eruit alsof hij voor het laatst was schoongemaakt ten tijde van Alexander Graham Bell. Alle bladzijden uit de Gouden Gids waren eruit gescheurd, alleen de rug bungelde nog aan het kettinkje, dus liep ik naar de stationschef en vroeg om een taxi. Hij keek me verschrikt aan, alsof ik om een pompoen had gevraagd die werd voortgetrokken door muizen. Hij kwam langzaam weer bij zijn positieven en pakte de ouderwetse zwarte telefoon op. 'Marge, met Harold. Ik ben op het station en er is hier een vrouw aangekomen die door de stad gereden wil worden.'

Drie kwartier later arriveerde er een oudere vrouw in een busje voor rolstoelgebruikers. Ze leunde uit het raampje en schreeuwde: 'Hebt u een taxi gebeld?' Ze reageerde meteen op de onthutste blik op mijn gezicht. 'Ik heb twee banen. Ik doe het rolstoelvervoer en ik ben taxibedrijf, allemaal met een en dezelfde wagen.'

Ze sprak wagen uit met het accent in het midden, zoals in *Oklahoma!*

'Weet u dit te vinden?' Ik gaf haar het papiertje.

'Tuurlijk, daar woont Bob Stone. IJzersterk.' Ze schoot tussen het praten door steeds in een bulderende lach, waar al haar vetrolletjes vrolijk van gingen trillen. 'Hij woont op Ridge Road. Ik ben Marge. Spring erin.' Ze opende het brede portier met een hendeltje onder het stuur. Ze keerde de bus en reed weg, de stad uit. Ze reed pittig, met een bungelende sigaret aan haar onderlip. 'Wat is er zoal te doen met die ouwe Bob?'

'Dat ga ik nu uitzoeken,' antwoordde ik.

We reden een lang grindpad op en stopten voor een bungalow van witte baksteen. Ik bedankte de vrouw en liep naar de voordeur.

'Blijf je hier lang?' vroeg ze. Ik haalde mijn schouders op. 'Ik kan best op je wachten. Het heeft weinig zin om terug te rijden en je dan weer op te pikken. Weet je wat, ik ga wel even mee naar binnen. Die goeie, ouwe Bob is een kanjer, zo worden ze niet meer gemaakt.'

'Wat is er zo geweldig aan hem?'

'Hij is jaren hoofd van de school geweest en organiseerde allerlei clubjes voor de jongens en weet ik wat nog meer om ze van de straat te houden. Intussen is hij al zo oud dat hij zijn eigen zoon heeft overleefd. Hij moet ver in de negentig zijn. Zijn vrouw is twintig jaar geleden al overleden, aan kanker.'

Bob kwam naar de deur, een magere, tanige man, maar netjes geschoren en met een kaarsrechte houding. De taxichauffeuse liep pardoes de voordeur binnen en wist de gedroogde bloemstukken maar net te ontwijken. 'Bob, dit is iemand van de overheid die bezig is met een belangrijk onderzoek en ik moet haar door de stad rijden. Mogen we binnenkomen?' Ze liep door naar de zitkamer en zakte op de halfronde brokaten bank.

'Natuurlijk, Marge. Heb je trek in een beker chocoladesiroop?'

'Lijkt me heerlijk, Bob.'

Nee, hè? Werd dat spul nog steeds verkocht of zou hij ergens een fles hebben staan van veertig jaar geleden?

Marge zou wel eens goed van pas kunnen komen. Het idee van een 'officiële kwestie' leek haar wel aan te staan en gaf me een legitieme status die ik goed kon gebruiken. Bob twijfelde er geen moment aan dat ik het volste recht had zijn huis binnen te wandelen om hem te ondervragen. Hij voelde zich eerder enorm gevleid dat iemand op het idee was gekomen hem vragen te stellen.

Terwijl hij in de keuken bezig was bekeek ik de wanden van zijn huis, die volhingen met foto's van een jongere uitgave van Bob met eindexamenklassen en baseballteams uit lang vervlogen tijden. Er was een foto met Bob op zijn knieën voor een lachend team dat een bal omhooghield met 'schooljaar '53'. Op een andere knipte hij een lint door voor iets wat veel weg had van een bejaardentehuis. Op weer een andere foto droeg hij een button met de tekst '*I like Ike*'.

Ik vroeg of hij ooit iemand had gekend die Willard Gardonne heette. Hij dacht lang en diep na en schudde toen het hoofd. 'Nee, die naam doet geen belletje rinkelen.'

Marge was absoluut niet van plan zich erbuiten te houden. 'Ik kan je wel vertellen dat Bob Stone nog nooit een naam of een gezicht is vergeten van iemand die op zijn school heeft gezeten, van zijn leven niet.'

Bob wreef over zijn gezicht en bleef zijn hoofd schudden. 'Het spijt me dat ik u niet kan helpen.'

'Heeft die Gardin-jongen iets misdaan, dan?' Marge klonk bijna hoopvol.

'Marge, ik denk niet dat dat ons iets aangaat.' Hij klonk als het schoolhoofd dat hij ooit was geweest.

De moed zonk me in de schoenen, maar ik besloot het insigne toch maar te voorschijn te halen om aan hem te laten zien. Hij bekeek het aandachtig. 'Tja, ik heb 23 padvindersgroepen geleid, sommige zelfs tot in hun Eagle-jaren.' Hij hield het insigne stevig vast en keek uit het raam. 'Tegenwoordig is de jeugd er niet meer in geïnteresseerd.'

'Bob is niet alleen de voorzitter van de gemeenteraad, maar ook de geschiedschrijver. Hij houdt alles bij, elke prijs die wie dan ook heeft gewonnen. Als er iemand doodgaat, komen ze bij hem gegevens opvragen voor de krant.'

'Dit is Groep 189. Eens even zien.' Bob zette zijn schommelstoel in beweging en zei na een minuut of wat: 'Dat was in de periode 1935-1940. Na de oorlog hebben ze het nummersysteem veranderd. Neem me niet kwalijk, ik haal even iets van de vliering.'

Hij klom de trap op en kwam even later terug met vier enorme plakboeken vol vergeelde krantenknipsels, vastgeplakt met plakband dat allang niet meer plakte. Hij legde ze voorzichtig op tafel.

Ze waren netjes afgestoft en gekaft met krimpfolie. Bob had niet alleen zijn leven in dienst gesteld van het georganiseerde clubleven, hij had er ook een nauwkeurig archief van bijgehouden... de Steen van Rosetta van het leven in een klein stadje. Ik bedacht ineens dat ik mijn uiterste best deed de afgelopen twintig jaar uit mijn geheugen wissen, terwijl die oude Bob de zijne koesterde.

'Eens even zien. Groep 189.' Hij sloeg voorzichtig een van de albums open en bladerde door de vergeelde bladzijden. Hij vond de foto uit 1939 met een stel gekuifde jongetjes met geschaafde knieën in kaki shorts en rode halsdoeken. Ik las de namen in het onderschrift. Geen Gardonne. Ik keek aandachtig naar elk kind en voor zover ik kon zien leek er niet een op Gardonne. Op de pagina ernaast zat een krantenknipsel van een joch dat meer hout had gekapt dan wie ook in de geschiedenis van de padvinderij. De kop onder het blije gezichtje meldde: 'De jonge Ned Mapple hakte de concurrentie aan spaanders.' Bij de groepsfoto was die lach me niet opgevallen, maar uit de krantenfoto sprong hij naar voren. Het was precies dezelfde *Mr. Deeds goes to prison*-glimlach waarmee hij de deur van zijn spreekkamer opende en zei: 'De volgende, graag.'

Ik kon mijn opwinding nauwelijks bedwingen, zoals het een ambtenaar zou betamen. 'Dat is hem!' juichte ik.

'De jonge Ned Mapple?' vroeg Bob.

'Het zou me niks verbazen als hij zich in de nesten had gewerkt, dat hele gezin is uitschot. Hij zal dezelfde kant wel op zijn gegaan als de rest. Ik heb hem hier verdomd lang niet meer gezien,' was Marges ongezouten commentaar.

Bob bekeek hoofdschuddend de foto. 'Arme Ned Mapple. Ik weet nog precies wie hij was. Een uitstekende baseballer. Ik heb nog wel meer foto's van hem. Hij was geselecteerd voor een van de boerderijteams voor de landelijke competitie. Mijn geheugen is niet meer zo best, maar als ik het me wel herinner zat hij bij de Padres.'

Marge leunde tegen de rug van haar schommelstoel, vouwde

haar handen over haar bolle buik en zei met de overtuiging van een waarzegster: 'Altijd gelazer met die Mapples. Die stamboom was met geen wortelkanaalbehandeling te redden.' Ze wisselde een blik van verstandhouding met Bob. 'Die Helen heeft haar verdiende loon gekregen. En die jonge Ned is uit hetzelfde rotte hout gesneden.'

Ook Bob leunde achterover in zijn stoel. Hij leek het niet prettig te vinden, maar begon dapper met het uiteenzetten van de familiegeschiedenis van de jonge Ned Mapple. 'De Mapples behoren tot die tragische gezinnen die generaties lang hebben geleden onder chronisch alcoholmisbruik en alle ellende die daaruit voortkomt. Ned Mapple senior, beter bekend als de oude Ned, leed aan suikerziekte, maar trok zich er niets van aan. Hij hield te veel van zijn glaasje. Die arme kerel raakte beide benen kwijt en werd blind. Het was een bekende figuur op straat, liep altijd te bedelen in het toen al verarmde Onondaga. Voor zijn vrouw en kinderen was het een lijdensweg. Marge, hoeveel kinderen hadden ze ook weer? Twaalf? Mijn geheugen laat me in de steek.'

'Ze heeft er elf gehad, maar een van de kleintjes overleed al jong aan polio... ze lieten ze ook maar zwemmen in die steengroeve. Een paar van de anderen zijn volgens mij ook vrij jong gestorven.'

Bob pakte de draad weer op. 'In die tijd bestond er nog geen bijstand en Helen Mapple moest op de een of andere manier haar brood zien te verdienen. In het begin maakte ze huizen schoon, maar toen het economisch slechter ging in Onondaga begonnen mensen dat weer zelf te doen. Ze had elf kleine kinderen, dus het leven werd steeds zwaarder voor haar.'

'Het was een vuil wijf en dat is ze altijd geweest,' dreunde Marge. Wie heeft er een Grieks koor nodig met Marge in de buurt?

'Zo te horen leeft ze nog,' zei ik.

'Onkruid vergaat niet,' schokschouderde Marge. 'Maar ze is wel invalide geworden van de emmerzeem.'

'Emfyseem, Marge,' hielp Bob.

Marge liet zich niet van de wijs brengen. 'Ze woont vlak achter de bank, boven de oude vishandel. Maar dat is nu een één-dollar-winkel geworden.'

'Woont ze daar nog steeds, Marge?'

'Waar wou je dat ze naartoe ging met die longen? Ze heeft al dat kroost jong gekregen, dus ik denk dat de jonge Ned nu een jaar of vijftig is. Helen kan niet ouder zijn dan zeventig, maar ze ziet eruit als honderd. De oude Ned, haar man, liep altijd te vloeken en te tieren op de voorbijgangers. Hij zat meestal bij het koepeltje in River Street en schold iedereen uit vanuit zijn mondhoeken. Geen idee waarom hij dat deed.'

'Korsakov-syndroom,' zei ik. 'Komt van de alcohol. Komt veel voor bij oudere chronische alcoholisten die hun hersenen hebben verzopen. Een van de symptomen is het schreeuwen van scheldwoorden.' Ik had er ooit iets over gelezen toen ik in een ver verleden hersenfysiologie studeerde.

'Grote genade, ze weten van alles, tegenwoordig.'

'Ja, dat is die oude Ned.' Bob knikte meewarig. 'Hoe goed de jonge Ned zich ook gedroeg, dat vergat nooit iemand.' Hij wendde zich weer tot mij. 'Kleine stadjes hebben zo op het oog alle ruimte, maar wat reputaties betreft zitten ze dichter op elkaar gepakt dan sardientjes.'

'Die oude Ned was de kwaadste niet. Het was dat gedonder van haar met al dat kroost waar ze voor moest zorgen.'

Bob herinnerde haar vriendelijk aan een spreekwoord. 'Marge, heb je geld, dan kun je huizen bouwen, heb je 't niet, dan moet je stenen sjouwen.'

'Vertel mij wat over geld! Ze heeft een fortuin verdiend en uitgegeven in haar goede jaren en daar hebben die kinderen nooit een cent van gezien.'

'Was zij ook aan de drank?' Ik vroeg me af wat er anders zo vreselijk kon zijn in het Onondaga van de jaren dertig.

'Was het maar waar. Het was een hoer en ze deed het in haar eigen huis. Zo heeft ze nog twee of drie kinderen gekregen. Ze heeft die arme Ned de deur uit gegooid. Ik zei altijd tegen mijn dochters: "Pas maar op met die vriendjes van je, anders eindig je nog eens als Helen Mapple." Reken maar dat ze het dan in hun broek deden, hoor.'

Bob schommelde heen en weer en vroeg na lang stilzwijgen: 'Wat wilde u precies weten over de jonge Ned Mapple?'

'Wat was het voor jochie?' Ik vond het zelf ook een waardeloze vraag, maar ik kon zo snel niets anders verzinnen.

'Een teruggetrokken kind, hij hoorde nooit ergens bij. Schone kleren had hij niet, nog niet eens een papieren zakdoekje. De contributie voor de padvinderij kon hij nooit betalen en een uniform bezat hij ook niet. De anderen gingen met de pet rond voor hem. In zijn tienerjaren is er iets met hem gebeurd. Hij had ineens geld en mooie kleren en zelfs een auto. Dat was nogal vreemd, want ze woonden met elf kinderen in een tweekamerflatje boven de vishandel.

Hij had een uitstekend balgevoel, was een goede slagman ook, en werd geselecteerd voor de jeugdcompetitie. Hij kreeg een baseballbeurs voor een kleine universiteit in de provincie en sindsdien heb ik hem nooit meer gezien. Hij is eigenlijk van de aardbodem verdwenen. Ik denk ook niet dat hij contact heeft gehouden met Helen of met zijn broers of zussen. De meesten zijn hier in de stad gebleven en zijn met hetzelfde sop overgoten als hun moeder.'

'Zo te horen zou de jonge Ned wel eens het succesnummer van de familie kunnen zijn. Hij heeft zelfs de universiteit bereikt. Waarom vindt u hem net zo tragisch als de anderen?'

'Als zijn vader hem om geld vroeg, lachte hij hem in zijn gezicht uit, pal voor het koepeltje in de hoofdstraat. Meestal trok de jonge Ned de kraag van zijn keurige sportjasje recht als hij zijn vader voorbijliep en deed net of hij hem niet kende. Hij probeerde zich in te likken bij de rijke jongens en meisjes van de countryclub, maar ze wilden niets met hem te maken hebben. Zelfs toen hij eenmaal een open sportwagen had, reed hij daar meestal alleen in.' Bob zuchtte diep.

Marge deed nog een duit in het zakje. 'Op de lagere school zongen de kinderen altijd hetzelfde deuntje op het schoolplein, "ma Mapple mallemoer maffe hoer", totdat de tranen hem over de wangen stroomden en de nonnen de pestkoppen aan hun oren naar binnen trokken.'

'Bob, u zei dat er iets was gebeurd, waarna de jonge Ned plotseling over geld beschikte en in een open sportwagen reed.' Ik hield het hierbij, in de hoop dat Bob het me zou uitleggen. Maar hij bleef zwijgen, totdat Marge er weer tussen sprong.

'Hij was altijd de slimste van het Mapple-gebroed. Niemand weet precies wat hij deed. Er wordt wel gezegd dat hij bakken met geld verdiende voor zijn moeder op de renbaan in Saratoga Springs en dat hij daar een deel van kreeg. Maar mijn schoonzuster hoorde van een vrouw die kamermeisje was in een van de betere hotels in de buurt van de renbaan dat de jonge Ned iets deed met illegale abortussen voor rijke meiden uit New York. Die sliepen dan in dat hotel. Hij schijnt een paar van die meiden later ook nog gechanteerd te hebben.'

'Marge, de onverbloemde waarheid is dat niemand weet waar hij plotseling zo rijk van is geworden.' Bob bleef recht voor zich uit kijken en schommelde lustig voort in zijn krakende stoel.

Marge schudde nogmaals haar hoofd. 'Nou, toch heb ik meer respect voor de jongste, Art. Hij verdient een flinke duit met het schoonmaken van septic tanks. Dat is eerlijk werk. De jonge Ned is voorbestemd voor een leven als dat van zijn moeder. Eén pot nat.'

Pas toen Marge even haar mond hield om in haar gloeiend hete chocola te blazen kon ik er net een paar woorden tussen wurmen. 'Marge, zou je me misschien naar mevrouw Mapple kunnen brengen?'

'Ik kom niet graag in die buurt, maar als het moet dan moet het maar.'

~

Marge parkeerde de bus voor Helen Mapples huis. 'Ze moet tegenwoordig het bed houden en kan haar eigen huishouden niet meer doen. Je oogst wat je zaait.'

Toen we de straat overstaken werden we aangesproken door een oude man met een papieren zak waaruit een bus scheerschuim stak. 'Komen jullie de oude Helen halen? Ze komt niet meer buiten, hoor. Vroeger reed ik haar altijd naar de supermarkt.'

Marge liep stug door en zei geen boe of ba, maar fluisterde tegen mij: 'Ze zal wel chagrijnig zijn. We kunnen maar beter zorgen dat we wat cakejes, frisdrank en Marlboro's bij ons hebben.'

Nadat we onze inkopen hadden gedaan stapten we het lentezonnetje uit en klommen de smalle, donkere trap op. De vloer lag bezaaid met reclamefolders, er zaten zelfs nog kerstaanbiedingen tussen.

Op de voordeur van Helen Mapple zat een briefje geprikt, 'Aan de deur wordt niet gekocht'.

'Da's een goeie,' vond Marge. Ze klopte ferm op de ongeverfde deur van multiplex.

Niemand reageerde.

'Ik ben het, Marge. Ik heb hier een klant die met je wil praten.'

Niets.

Marge liet haar stem wat dringender klinken. 'Kom op, Helen. Ze willen over vroeger praten.' Ik was ineens meervoud geworden, geloof ik. Ze wees naar de zak kankerverwekkende stoffen die ik in mijn handen hield. 'Helen, we hebben wat lekkers voor je meegebracht. Kunnen we even een sigaretje roken met een colaatje erbij.'

Het bleef stil en Marge voelde aan de deur. Hij zat niet op slot. Ze stapte naar binnen en ik liep er aarzelend achteraan. Het was stikdonker in het appartement, je zag geen hand voor ogen. Struikelend over een paar stoelen liepen we op de tast in de richting van hijgend gerochel en kwamen uit bij een deuropening. Vanuit de duisternis klonk hees gefluister. 'Wat voor sigaretten hebben jullie, toch niet van die ellendige lichte krengen?'

'Lange Marlboro's,' antwoordde Marge.

Toen mijn ogen zich eindelijk aan de duisternis hadden aangepast, kwam Helen in beeld. Ze zag eruit als Mae West met anorexia. Ze steunde op een elleboog om een sigaret aan te pakken en haar benauwde kuch ging over in een angstaanjagende hoestbui.

Ik kon haar kleine luchtzakjes bijna een voor een horen scheuren. Haar bovenlip liep blauw aan en haar bronchiën vochten om lucht. 'Wat een rotstad, je kunt hier niet eens normaal ademhalen.'

'Verdomme Helen, steek eens een lamp aan,' vloekte Marge.

'Géén licht.' Alleen al bij het uitbrengen van die twee woorden schoot Helen in zo'n kramp dat ik dacht dat ze er ter plekke in zou blijven. Ze wist met moeite uit te brengen: 'Marge, maak jezelf eens nuttig en gooi die stekker erin.'

Ik deed geschrokken een stap achteruit toen Marge het zuurstofmasker voor haar mond hield. Haar borst ging steunend op en neer, tot ze vermoeid terugviel op het ranzige kussen. Rond het bed stond een arsenaal aan lege flessen in alle soorten en maten, van wijn tot pruimensap. Het was een puinhoop. Op de kale matras lag een uitgemergelde vrouw met vaal blond haar vol klitten aan de achterkant, alsof haar hoofd was ingedeukt. Met haar volle borsten en broodmagere armen en benen zag ze eruit als een mier uit een cartoon. Marge had in één ding gelijk gehad, ze leek wel honderd. Haar ogen waren zo troebel dat ik me afvroeg of ze zich nog wel aan licht konden aanpassen.

De uitgedroogde vrouw sprak met een knarsende fluisterstem. 'Wat moet je?' En ze voegde eraan toe: 'Veel kun je niet verwachten voor een lullig pakje sigaretten.' Ze keek voor de eerste maal mijn richting uit. 'Over wie kom je me uithoren? Voor een koopje luid ik de klok niet, hoor. Ik ben wel wat beters gewend.' Ze draaide haar hoofd opzij, waardoor de grijze uitgroei te zien werd. Hoe kreeg ze het voor elkaar haar haar te verven als ze nauwelijks rechtop kon zitten?

'Ik wil eigenlijk iets over jou weten, Helen.'

'Nou nou, wat lief van je.'

Ze keek me smalend aan en ik herkende die ironische glimlach die mijn bloed negen jaar lang had doen koken.

'Ik wil graag iets horen over je eerste huwelijksjaren, Helen.'

'Wat kan jou dat schelen? Wou je soms een tv-programma maken over lui die God nooit hebben gevonden of zo?'

'Heb je je cakejes al gekregen, Helen?' vroeg Marge.

Helen nam een lange haal aan haar sigaret en hoestte een klodder slijm op in de kleur van gekookte kreeft. 'Niemand heeft ooit in mijn leven voor me gezorgd, dus zorgde ik voor mezelf.'

'Hoe dan?'

'Het was in de jaren dertig niet makkelijk om uit de grijpgrage klauwen te blijven van zo'n dronken tor waar je mee getrouwd was, zeker niet als je zelf nog een kind was. Maar ik heb het gered.'

'Wat je ook deed, het moet altijd beter zijn geweest dan het leven dat je daarvoor leidde.'

'Ik verdiende het beste toen ik een callgirl was. Dat was ook het leukste.'

'Callgirl, jij maakt 't hem. Dan kan ik net zo goed rondbazuinen dat ik in een joekel van een witte limousine rondrij.' Marge sloeg boos haar armen over elkaar.

'De enige joekel die jij hebt is je dikke witte reet. Mens, je kont is zo groot als een hooischuur.' Marge keek alsof ze geraakt was door een sloopkogel. Met haar tijdelijk buitenspel, wendde Helen zich tot mij. 'Zeker weten dat ik callgirl ben geweest en een dure ook. Ik heb elf kinderen gekregen, maar ik heb altijd mijn figuur behouden, tot ik ziek werd.'

Ze werd steeds bleker en haar lippen liepen blauw aan. Ik wist dat ik maar weinig tijd had, ze zou zo weer aan de zuurstof moeten. 'Wat is er van je kinderen geworden?'

'De jongens hebben het vooral op drugs, geloof ik.'

'Ik hoorde dat de jonge Ned het wel aardig heeft gedaan?' Ik zei het alsof ik het nauwelijks kon geloven.

'Hij heeft de hersens van de Macquires.' Ze zoog nog eens stevig aan haar Marlboro. 'Dat is m'n meisjesnaam.'

'Heeft Ned nog steeds zoveel succes?'

'Laat ik het zo zeggen, hij heeft zich nooit met slechte wijven opgehouden, zoals ik met de kerels.'

'Wat is er met hem gebeurd?'

'Weet ik veel. Hij heeft gestudeerd op een baseballbeurs. We zijn allebei nogal handig.'

'Is hij afgestudeerd?'

‘Weet ik niet.’

‘Heb je nooit meer iets van hem gehoord?’

‘Niks.’

‘Wat triest.’

‘Ik heb ze grootgebracht en gezorgd dat ze te vreten hadden en dat is al meer dan mijn ouders voor mij hebben gedaan. Mij kan het niet schelen, mij zijn ze niks verschuldigd.’

‘Maar stel dat jou iets overkomt? Hoe kunnen ze hem dan bereiken?’

‘Kan niet.’

‘Op welke universiteit zat hij?’

‘Eerst hier en toen ergens anders, geloof ik.’

‘Heeft hij nog contact met zijn broers en zussen?’

‘Hij was vooral dol op mij.’

‘Ik zei het toch?’ Marge was weer bijgekomen en nu ze onze aandacht had, ging ze nog even door. ‘Hoeveel van je kinderen zijn er nog in leven, Helen?’

‘Eh... zes, geloof ik. Twee zijn er jong gestorven. Een is omgekomen in Vietnam. Eentje kreeg suikerziekte net als de oude Ned. De rest weet ik niet. Het enige meisje dat dood is gegaan is Jen. Ze heeft bleekwater gedronken en...’

Helens ademhaling klonk alsof ze onder water zat en uit alle macht naar de oppervlakte probeerde te zwemmen. Marge rommelde wat met het zuurstofmasker om uit te zoeken hoe ze hem het beste om kon doen. De oude vrouw sprak fluisterend. ‘Ik heb rust nodig. Wat wil je nog meer weten voor een rottig pakje sigaretten en een waardeloze lunch? Marge, pak even twee aspirines en een percodan vanachter de wc en lazer dan op.’

Ze sloot haar ogen. Ze was zelfs te zwak om haar sigaret op te roken. Ik leunde voorover en fluisterde in haar oor: ‘Bedankt voor dit gesprek. Wil je me misschien nog iets vragen over jonge Ned?’

Ze deed haar best om nog iets te zeggen, dus ik haalde het masker van haar neus. Ze deed haar ogen weer open, glazig van een teveel aan steroïden, en zei met een krakende, metalige stem: ‘Ik kom uit Troy, New York. Dat ligt even voorbij de volgende afslag van de snelweg. Ik was zo mooi dat ze me Helena van Troje noemden.' Ze zonk terug in haar kussen en ik liet verbijsterd het masker weer op haar gezicht vallen.

17

VERLANGEN NAAR EEN SLUISWACHTER

Als de herinnering begint te kloppen en zeuren als een wond die weer open is gegaan, is het verleden van een mens niet zomaar dode geschiedenis, niet een afgedankte voorbereiding op het heden: het is niet een spijtige vergissing waar men spijt van heeft gekregen en die men uit zijn leven heeft losgeschud: het is nog steeds een levend onderdeel van hemzelf, dat hem rillingen bezorgt en een bittere smaak in de mond en bevende, welverdiende schaamtegevoelens.
– George Eliot

Ik wankelde Helens duistere flat weer uit, verblind door Onondaga's bleke lentezonnetje. Marge was helemaal klaar voor de betere Huis en Tuinroute en vroeg: 'Waar gaan we nu naartoe?'

'Naar een goed hotel.' Weinig meer kon ik niet uitbrengen en ik haakte de gordel van mijn brede invalidenstoel vast.

'We hebben alleen de Gauntlet, een oude kroeg met een paar kamertjes boven. Zelfs de Holiday Inn heeft het hier niet gered, hier komt nooit iemand. Vroeger waren we de Amerikaanse hoofdstad van de handschoenen, totdat Hongkong dat van ons afpikte. Nu reizen handelsreizigers gewoon door. Ze hebben ons zelfs onze afslag op de New York State snelweg afgenomen.' Marge werd onderbroken door haar pieper. 'Ik heb het het hele jaar nog niet zo druk gehad. Ik zet je wel af bij de Gauntlet.'

De oude herberg had knoestige grenen wanden en een knipperende neonlamp boven de bar waarop stond 'Hier spreekt men Stroh'. (Ik had kunnen weten dat het geen Engels was.) Een zee van mannengezichten trok de uitgezakte oogleden omhoog en staarde me aan. Ik had geen trek in de dagschotel, een broodje warm vlees met jus, en koos voor een gegrilde kaassandwich van de lunchkaart.

Mijn kamer rook naar verschaald bier en desinfecteermiddel. Het beddengoed was versleten, met brandgaten in de sprei. Ik was te moe om me er iets van aan te trekken. En daarbij, bij wie zou ik een klacht moeten indienen? Roomservice soms? Ik kroop onder de klamme lakens en stelde me voor dat ik oud en eenzaam op sterven lag in de Gauntlet... mijn glorietijd als Helena van Troje lang voorbij.

~

Ik schrok ergens van wakker. Hoe lang had ik geslapen? Ik hoorde geluiden op de gang, voetstappen hielden halt voor mijn kamerdeur. Wie zou er verdorie nog meer in deze dump logeren? Er peuterde iemand aan het slot van mijn deur. Toen kraakte de deur langzaam open en kwam er een spatje licht uit de schaars verlichte gang, net genoeg om de schaduw van een gedaante te zien. Ik verroerde geen vin en deed net of ik sliep. Ik hoopte dat het een inbreker was die ervandoor zou gaan met mijn rugzak, maar in mijn hart wist ik wel beter.

De gedaante sloot de deur, deed hem weer op slot en liep op mijn bed af. Een enorme hand bewoog zich boven mijn gezicht en gleed over mijn lichaam. Hij ging me wurgen. Zou iemand me horen als ik hard genoeg schreeuwde? Hij reikte boven mijn hoofd en ik hoorde een klik toen hij het leeslampje achter mijn bed aandeed. Verblind door het plotselinge licht hoorde ik alleen een dreigende stem. 'Kate Fitzgerald!'

Jezus. Bozo was al gevonden en iemand had me herkend in de Bamboo of anders hadden ze mijn naam gekregen van Shawna of Hari. Of het is de moordenaar, die denkt dat ik meer weet dan hem lief is, of die rotzak van een Gardonne. Hij had me laten volgen. Een van die kerels beneden zat er natuurlijk niet voor de dagschotel.

Mijn hart bonsde in mijn keel en mijn armen voelden aan als rubber... totdat ik de stem herkende. Ik wachtte tot ik weer enigszins op adem was gekomen en zei met een droge keel: 'Nou Jack, dat is ook toevallig. Dat we nu toch dezelfde hotelkamer hebben gekregen in de Gauntlet in Onondaga. Zat alles vol in Montana?'

'Bewaar je babbels maar voor je countryclub, Kate. Je bent zwaar in overtreding. Je kunt niet zomaar de kuierlatten nemen als je met proefverlof bent, dan kun je je voorwaardelijk wel op je buik schrijven. Ze sturen je regelrecht terug naar de nor en plakken je mond dicht met tape totdat je de menopauze achter de rug hebt. Je mag verdomme blij zijn dat ik een betere detective ben dan Gardonne.'

'Tjonge, wat ben ik blij. Vereerd, zelfs.'

'Ik ben hier helemaal vanuit Montana naartoe gevlogen, omdat ik niet wou dat er ook maar een letter over op papier kwam te staan. En nu kan ik weer rechtsomkeert maken om naar Butte te vliegen.' Hij keek me aan alsof hij er echt helemaal niets van begreep. 'Als je hier nou echt naartoe wilde, waarom zei je dat dan niet? Dit is wel even een ander land, hoor.'

'Ik speel op zeker. Jij hebt duidelijk gezegd dat je niet van plan was je nek uit te steken voor een wat oudere, magere ex-gedetineerde.'

'Houd nou maar eens op constant te herhalen wat ik die avond tegen Gardonne heb gezegd. Die waanvoorstellingen van je zijn intussen uitgegroeid tot je persoonlijke eenzame credo.'

Eenzaam was ik inderdaad, maar dat was minder gevaarlijk dan hem te vertrouwen.

Hij liep naar het raam, schoof het plastic gordijn opzij en het roze fluorescerende martiniglas met het eeuwig bewegende olijfje flitste de kamer in. 'Kom op, wegwezen uit dit deprimerende gat.'

Ik kleedde me in de badkamer aan. 'Waarom ga je zo idioot vroeg naar bed? Ik heb wel tig keer aan de deur geklopt, maar je lag zo vast te slapen dat ik maar naar binnen ben gegaan.'

'Wat moest ik anders doen in het Gauntlet Hotel in Onondaga? Hoe heb je me trouwens gevonden?'

'Toe zeg. Ik heb de broodkruimels gevolgd, nou goed?'

Het kon niet anders of hij had me laten schaduwen, anders had hij nooit kunnen weten dat ik hier zat. Maar als ik hem daarmee confronteer, zal hij alleen maar zeggen dat ik paranoïde ben. Dan gaan we weer op de toer van mijn 'pathologie' en hoe moeilijk het is om met me samen te werken. Nou ja, hij heeft me in elk geval niet verraden aan Gardonne. In plaats daarvan is hij dat hele eind komen vliegen om het zelf op te lossen. Ik moet toegeven dat dat voor hem pleit.

Toen ik voor de badkamerspiegel mijn haar stond te doen, zei ik: 'Ik dacht dat het de politie was die me kwam halen voor de moord op Bozo.'

'Niemand in dat huis heeft ook maar iets over ons gezegd.'

'Ben jij helderziend of zo?'

'Ik heb een vriendje op moordzaken. Volgens hem denken ze dat het maar één van de twee kan zijn, een maf stel dat Bozo ervan verdenkt hun katten te vergiftigen of De Magiër, die betrokken zou zijn bij een uit de hand gelopen drugsdeal, Bozo heeft vermoord en met de noorderzon is vertrokken. Hij wordt intussen overal gezocht. Ze hebben er een rechercheur op gezet die over twee jaar met pensioen gaat en geen ambities heeft nog commissaris te worden.'

'Wat betekent dat als je niet bent ingewijd in politiejargon?'

'Dat het niemand iets kan schelen wie Bozo heeft vermoord. Voor hen gaat het om een stuk onbenul met rotte tanden die een andere gek met een hondenkoekje in zijn haar heeft vermoord. Het motief: een uit de hand gelopen drugsdeal in een drugsbuurt. Dat gebeurt met de angstige regelmaat van de klok. Ze zoeken min of meer naar De Magiër – alleen zijn naam was al voldoende om hem tot verdachte te bombarderen – en hebben de zaak in handen gegeven van de grootste luiwammes van het korps. Hij kan nauwelijks nog een pen vasthouden, laat staan een revolver.'

Toen ik de badkamer uit kwam, stond hij al ongeduldig bij de deur. 'Kom nou.' Alsof ik enig idee had waar we naartoe gingen. 'We gaan een wandelingetje maken langs dat smerige kanaal. Het is in elk geval water en dan zal ik je vertellen wat ik heb ontdekt.'

We liepen over het trekpad langs het Eriekanaal en Jack stak van wal. 'Mijn jongens hebben de universiteit van Cincinnati gecheckt. Gardonne heeft daar inderdaad gestudeerd. Ook zijn postadres klopte. Ik heb het adres van zijn ouders gecheckt, dat Gardonne bij zijn inschrijving had opgegeven. Ze wonen in Columbus, Ohio. Hun zoon, Willard Gardonne, pleegde zelfmoord op de dag nadat hij zijn stage als inwonend arts psychiatrie had afgerond. De universiteit is er nooit van op de hoogte gesteld. Onze jongen stond te wachten in de coulissen, zond een adreswijziging, ontving Gardonnes diploma's per post en blijft op de mailinglijst staan om de nieuwsbrieven voor oud-studenten te ontvangen. Hij doet zelfs af en toe een donatie aan het beursfonds van de medische faculteit. De certificaten van de universiteit van Toronto waarvan we net als zijn clientèle dachten dat het zijn diploma's waren, verkreeg hij na een opfriscursus van acht weken nadat hij naar Toronto was verhuisd.

Nadat ik alle foto's van zowat elke faculteit medicijnen had bekeken, vond ik hem eindelijk op een eindejaarsfoto van een obscure universiteit in Brits Honduras, waar je in de jaren zestig je bul praktisch kon kopen. De naam onder de foto was...'

Ik viel hem in de rede. 'Is het misschien Ned Mapple, Repelsteeltje?'

Jack keek me goedkeurend aan. Vervolgens gaf ik hem een korte beschrijving van de jonge Ned Mapple en zijn rotte stamboom.

Ik had Jack nog nooit gechoqueerd gezien, maar Gardonnes achtergrond kwam als een totale verrassing. Hij schudde verbaasd zijn hoofd. 'De jonge Ned vond in Honduras de perfecte ladder om zich omhoog te werken. Als je ergens anders was weggestuurd of gezakt, kon je hier aan je bul komen. Ze gaven hun colleges zelfs in het Engels. Het kostte een fortuin, maar met drie jaar hard werken had je alles weer terugverdiend. Ook rijke artsen die graag wilden dat zoonlief in hun voetsporen trad, ook al had hij veel kleinere voeten, hadden een makkie in Brits Honduras. Het enige wat papa hoefde te doen was zijn portemonnee trekken en een paar gastcolleges geven. Voilà... een faculteit van faam. Inmiddels zijn ze echter hun erkende status kwijtgeraakt.'

'Hoe houden ze zo'n tent draaiende?'

'Ze vestigen zich in een bepaald land, richten zich op alle studenten geneeskunde die zakken voor de examencommissie in Amerika en gaan door tot de regionale medische tuchtraad er lucht van krijgt. Dan verhuizen ze snel naar een ander land en beginnen weer van voren af aan.'

'Als er ergens geld aan te verdienen valt, is er altijd wel iemand te vinden die het doet.' Ik stond versteld van de vindingrijkheid van het kapitalisme.

'Gardonne kwam de universiteit binnen op een baseballbeurs. Hij ging naar de vrije universiteit van Onondaga en stapte toen al baseballend over op de lerarenopleiding. Vervolgens kocht hij zich in bij medicijnen, met belastingvrij chantagegeld tegen samengestelde rente.' Zoals Jack het vertelde klonk deze zwendel als iets achtenswaardig.

'Je moet niet vergeten dat nooit iemand heeft gezegd dat hij dom was. Hij was alleen minder bevoorrecht. Zijn moeder was een pittige tante, ze heeft zelfs een goedlopende zaak gehad, met personeel en al. Haar klanten zaten overal, tot in New York aan toe. De boel stortte natuurlijk in elkaar, zoals meestal het geval is in die business. Als ze in een ander gezin was geboren, had ze waarschijnlijk haar middenstandsdiploma gehaald. Ze zal zich wel hebben aangepast aan de clientèle die ze kon krijgen, net zoals de jonge Ned dat heeft geleerd. Als je elke maand *Readers' Digest*'s "woordenschat" leest om je vocabulaire te vergroten en vervolgens naar een cursus spreken in het openbaar gaat van Dale Carnegie kom je er wel mee weg. Laten we wel wezen, hij had zijn act tot in de puntjes voor elkaar. En hij is uit de gevangenis gebleven, dat kun je van ons niet zeggen.'

'Hallo, ik ben al vijftien jaar buiten de poort gebleven. Jij komt nog maar net kijken, dus hou jij je grote waffel nou maar.' Maar toen knikte hij. 'Je hebt wel gelijk.'

'Hij gaat uiterst doordacht en vindingrijk te werk. Er zijn momenten geweest waarin ik hem bijna geloofde. Je kunt hem niet verwijten dat hij achterlijk is. Toen hij naar Canada verhuisde, moest hij toch voor de examencommissie verschijnen en de examens psychiatrie afleggen. Of hij het in twee of drie keer heeft gehaald doet niet ter zake. Hij heeft het gehaald en dat is geen kattenpis.'

Jack zag dat ik mijn handen tegen elkaar wreef om ze warm te krijgen en reikte me zijn handschoenen aan. Ik trok ze aan en zei: 'Maar ja, het is en blijft een Mapple. Zoals zijn moeder al zei, hij heeft de hersens van de Macquires. Die raak je nooit meer kwijt. Eens een chanteur, altijd een chanteur.'

Jack was het met me eens. 'Sommige dingen veranderen nooit.'

We liepen langs het winderige kanaal. De sterren fonkelden in het water en in het kielzog van een groot schip dwarrelde het licht van de schijnwerpers om ons heen als gebroken glas. Ik was bijna vergeten hoe het licht van de grote stad de sterren doet verbleken. Ik voelde me zo vredig bij het geluid van het klotsende water tegen de oever dat ik mijn arm door die van Jack stak en een beetje tegen zijn leren jack aan leunde.

Hij negeerde het gebaar of misschien dacht hij dat je zoiets nou eenmaal doet als vrienden en ging door over Gardonne. 'Het was een te groot risico om in Amerika te blijven, waar hij herkend of opgespoord zou kunnen worden door de sociale dienst of de belastingdienst. Hij ging op zoek naar iemand die ver weg woonde en kwam uit op Gardonne in Cincinnati. Hij veranderde van naam en ging het land uit, om nooit meer bezoedeld te worden door de Mapple-naam.'

'Hij hoefde niet bang te zijn dat zijn familie zich zorgen over hem zou maken.'

'Als iemand Gardonne uit Cincinnati kende, hoefde hij alleen maar te zeggen dat hij een andere Gardonne was, die op de universiteit van Toronto had gezeten.' Jack stak een sigaret op. 'En als het mensen waren die aan de universiteit van Toronto hadden gestudeerd, vertelde hij dat hij op die van Cincinnati had gezeten. Als ze hem al doorkregen, kon hij nog zeggen dat hij op beide universiteiten had gezeten, op de ene had hij medicijnen gestudeerd en op de andere had hij zich gespecialiseerd tot psychiater.'

'En dat heeft gewerkt.'

'Ik begrijp niet hoe hij zich heeft kunnen voordoen als dr. Gardonne. Misschien ben ik zo weinig bekend met dat upper class professionele wereldje dat ik het niet snap, maar iemand zal zich toch wel eens gerealiseerd hebben dat hij niets wist, dat de keizer geen kleren droeg?'

'Nee. Hij was gekleed als een nieuwe persona en dat maakt negentig procent uit van de meeste professionele aura's. Het is een knappe man, net zoals zijn moeder ooit een mooie vrouw moet zijn geweest. Hij heeft haar uiterlijk, evenals haar berekenende, gewiekste en psychopathische karakter.'

'Wie weet was het aangeleerd,' suggereerde Jack.

'Ik heb nu even geen zin in een saaie discussie over aard en opvoeding.'

'Best.' Jack kon eenlettergrepige woorden uitspreken met impact. Hij was gevoelig voor het woord psychopaat. Ik weet zeker dat die term wel honderd keer in zijn dossier was opgenomen.

Ik deed maar of ik het niet had gemerkt. 'Hij ziet er goed uit en is boven zijn stand getrouwd, dus iedereen ging ervan uit dat hij geld had.'

'Maar je moet toch diagnoses stellen? Dat vergt toch wel enige kennis?'

'Natuurlijk. Als hij chirurg was geworden, was hij wel door de mand gevallen. Dan zou er een heel operatieteam op zijn vingers kijken. Psychiaters werken meestal alleen. Er komt pas controle als er patiënten zijn die een klacht indienen.'

'In de nor hadden we ook een stel van die hersenloze zielenknijpers, maar ik dacht dat de goede jongens buiten zaten. Klaagt er dan nooit iemand over incompetentie?'

'Psychiatrische patiënten hebben geen rechten. Een klagende

schizofreniepatiënt wordt afgedaan als gestoord en neuroten worden toch zelden beter, al worden ze door de beste psychiaters ter wereld behandeld. Zelfs Freud zei dat "psychoanalyse hysterische misère verandert in gewoon ongeluk".'

'Leuke therapie is dat.' Hij keek bedachtzaam, verlangend zelfs. 'Ik dacht altijd dat buiten de poort van de gevangenis alles werkte, ook psychiatrie. Een kinderdroom zeker. Je zou toch denken dat de universiteit en mijn werk voor de overheid dat wel genezen zouden hebben, maar ik vrees van niet.'

'Een psychiater hoeft maar tien zinnen te kunnen opzeggen om zijn brood te verdienen. Je kunt de verantwoordelijkheid altijd op de schouders van de patiënt leggen. Het was ongelooflijk slim van hem om naar Canada te verhuizen, waar de sociale verzekering de medische kosten dekt. Psychiaters zijn daarmee min of meer gratis. Als jij er als patiënt geen baat bij hebt, heeft het je geen cent gekost. Je bent niet persoonlijk opgelicht, dus je begint geen rechtszaak. Je stopt gewoon met de therapie en de belastingbetaler betaalt de rekening.'

'Wat je noemt waar voor je geld.'

'Precies. Gardonne is rijk geworden omdat hij een rijke vrouw aan de haak heeft geslagen en nog rijker door die zwendel met de vergunningen op de Toronto Eilanden. De meeste psychiaters zijn niet rijk en moeten constant sessies van vijftig minuten houden met patiënten, dag in dag uit. Patiënten behandelen wordt betaald als stukwerk. Niemand betaalt je om congressen af te lopen.'

'En die baan in de gevangenis dan?'

'Alle personeelsfuncties, hoe prestigieus ook, zijn gesalarieerd. Ze betalen minder dan een psychiater kan verdienen als hij stukwerk doet in een opvanghuis voor daklozen. In de medische wereld noemen ze dat natuurlijk geen stukwerk en heet het "honorarium voor dienstverlening", maar het komt op hetzelfde neer.'

'Hij heeft voor de gevangenis gekozen, omdat hij daar het minste gevaar liep dat hij ontmaskerd zou worden. Het was de veiligste plek voor hem,' zei Jack.

'Ik denk dat hij zich er thuis voelde. Hij werkt in de gevangenis omdat hij weet dat hij daar hoort. Psychologisch gezien is het perfect. Het is een psychopaat, gevangen in zijn eigen leven. Hij moet 24 uur per dag een toneelstukje opvoeren.'

'Gevangenen kunnen tenminste hun eigen zielige zelf zijn,' zei Jack hoofdschuddend. 'Zijn leven moet een hel zijn geweest om zoveel moeite te doen. Hij zal wel hebben aangenomen dat niemand van hem kon houden, of hem zelfs maar zou mogen als de jonge Ned Mapple.'

'Als je echt op de Freud-toer wilt gaan, kun je nog zeggen dat zijn werk in de vrouwengevangenis een terugkeer was naar de schoot van de moeder, de vrouw van wie hij dacht dat ze hem het meest na stond, totdat hij besefte dat ze vooral hield van een paar dollar, een sigaret en haar eigen interpretatie van Helena van Troje.'

'Zo erg hoef ik nu ook niet weer op de Freud-toer.'

'Logisch.' Ik lachte. 'Helen vertelde wel dat de jonge Ned haar lieveling was. Er zijn aanwijzingen dat ze een tijdje hebben samengewerkt en laten we vooral niet vergeten dat hij zijn bedrijf Helen of Troy heeft genoemd.'

Jack sloeg zijn handen voor zijn gezicht alsof ik hem onder schot hield. 'Hou op met dat moedergedoe. Ik krijg er de rillingen van.'

We liepen langzaam door en kwamen bij een sluis in het kanaal. De sluiswachter zwaaide naar ons vanuit het raam van zijn huisje. We bleven even staan om naar het sluismechanisme en de drie sluisdeuren te kijken. Als kind vond ik het altijd heerlijk om te kijken hoe de schepen door de sluizen in het Welland Ship Canal voeren. We keken geboeid toe als de sluizen opengingen en het water erin stroomde en probeerden dat in de lente na te bootsen met zelfgemaakte dammen van stokken en modder. Veilig op het trekpad troostte ik me in de wetenschap dat het echte ingenieurs waren die navigeerden, zodat ze nooit aan de grond zouden lopen of in ruw water terechtkwamen.

Starend naar de massieve sluisdeuren zei Jack: 'Het is wel triest.

Er zijn zoveel kinderen die pardoes voor de leeuwen worden gegooid en maar moeten zien hoe ze zich redden. Gardonne heeft nooit hulp gekregen. Hij moest het verzinnen waar hij bij stond.'

Het was al na twaalven en we liepen kilometers ver langs de sluizen van het Eriekanaal. Het was vroeg in de lente en de kilte van de winter steeg nauwelijks merkbaar op uit de aarde. Op de terugweg naar de Gauntlet Inn keek ik diep weggedoken in mijn windjack naar de verlaten parkeerplaatsen vol gebroken bierflesjes en de naamloze oude pakhuizen met niets dan gebroken ruiten.

'In stadjes als deze weet je pas echt wat er buiten Manhattan en San Francisco gebeurt.'

Jack knikte. 'Ik wil hier vannacht liever niet blijven. Het is toch al voorbij middernacht. Na de gevangenis heb ik mezelf gezworen nooit meer in een dump te slapen, tenzij het echt niet anders kon. Als we om de beurt rijden, kunnen we morgenochtend terug zijn in Toronto. Dan neem ik de eerste vlucht naar Montana.'

Toen we terugliepen naar het hotel om mijn spullen te pakken, zei ik: 'Helen was zo ziek, Jack, je had haar moeten zien. Ze was volledig op. Ze wilde geen slachtoffer zijn, maar ze had nooit iets anders gekend dan dat. Met al die mensen die ze in haar leven heeft gekend moest ze een zwerver betalen om wat junkfood voor haar te kopen.'

'Niets is zo triest als een oude hoer,' zei Jack.

'Het gaat er niet om dat ze een hoer was. Ik verwacht ook niet dat die hoerenlopers van vroeger haar nu van zuurstof zouden voorzien. Maar ze had verdomme een heel elftal aan kroost en ze hebben een kerk in die stad. Waar zijn de goede werken gebleven?' Jack zei niets, dus ik gaf mezelf maar antwoord. 'Die zullen ze wel bij de afslag van de snelweg hebben gezet.'

'Heb je medelijden met Gardonne?'

'Nee, hij heeft alleen mijn tijd verknoeid, maar ik wed dat hij een aantal vrouwen flink verdriet heeft gedaan. Je kent ze wel, van die vrouwen die wanhopig op zoek zijn naar liefde.'

'Zijn we dat niet allemaal, op een bepaalde manier?' We liepen nog even door. Hij gooide zijn laatste peuk in het kanaal. 'Sommige mensen durven er wat makkelijker om te vragen dan anderen, dat is het enige verschil.'

Ik haalde mijn schouders op en keek angstvallig naar de grond om de scheuren in het beton te ontwijken. We trokken onze kragen nog wat verder omhoog voor het laatste stukje naar de Gauntlet.

18

AANPASSING AAN HET LICHT

Hoevele niet oninteressante details ik ook heb achtergehouden, toch is de ziektegeschiedenis van Anna O. omvangrijker geworden dan een op zichzelf niet ongewone ziekte lijkt te verdienen.
– Sigmund Freud en Josef Breuer, *Studies over hysterie*, 'de ziektegeschiedenis van mejuffrouw Anna O.'

Eenmaal terug in Toronto voelde ik me een stuk geruster. Ik wist eindelijk zeker dat ik niet gek was waar het Gardonne betrof en Jack kon niet anders dan toegeven dat Gardonne weinig goeds in de zin had. Hij stelde verbluft vast dat Gardonne erin was geslaagd hem om de tuin te leiden. In de gevangenis was Jack zijn leven lang in aanraking gekomen met mislukte psychopaten, de minkukels die zich hadden laten pakken. Hij wist niet wat hij aanmoest met de succesvolle psychopathische procedure buiten de gevangenis of de professionele bedrieger die de titel oplichter met vlag en wimpel verdiende.

Ik vergat niet dat hij bereid was me te dekken als het nodig was. Hoewel hij me vast en zeker liet schaduwen was hij toch helemaal uit Montana naar Onondaga komen vliegen om me op te halen, voordat Gardonne of wie dan ook erachter zou komen dat ik weg was. Hij leek oprecht met me begaan te zijn door me terug te halen naar Canada voordat iemand zou merken dat ik de regels van mijn proefverlof had geschonden.

Nu ik minder alert hoefde te zijn op eventuele messen in mijn rug, kon ik me concentreren op mijn onderzoek naar Freud. Op de terugweg vanuit Onondaga hadden we afgesproken dat ik me zou opsluiten tot ik de Freud-puzzel had opgelost of Bozo's werk had gedecodeerd. Intussen ging Jack op zoek naar De Magiër, levend of dood. Maar het was natuurlijk wel zo, zoals Shawna al had gezegd, dat verdwijnen een beroepsdeformatie was voor magiërs.

Jack had gelijk: de verdeling van het werk was veel productiever voor de zaak. Of om het in gevangenisjargon te zeggen... we deden allebei ons werk het beste in eenzame opsluiting. Na een week doorwerken, stuurde ik hem een update:

> *Lieve zo maf als een deur,*
> *Ik heb alle informatie uitgezift en in de periode 1895-1900 iets gevonden dat te maken heeft met verleiding, waarschijnlijk uit* Studies over hysterie.
> *Ik wil graag dat je ons op de eerste vlucht naar Engeland boekt en ik heb toestemming nodig van het archief om Freuds brieven te bekijken (ik zal je niet vragen hoe je het voor elkaar krijgt, maar jou kennende zal het wel lukken). Ik wil alles zien wat Konzak heeft ingekeken. Ik ben vooral geïnteresseerd in de agenda's, omdat ik Freuds afsprakenboeken wil doornemen uit de periode 1890-1895. Bozo's aandeel in de kwestie heb ik inmiddels praktisch begrepen, maar ik moet nog verder met De Magiër.*
> *Over magiërs gesproken, hoe was het in Montana? Ik weet dat je het druk had in Butte, maar heb je nog vurige gesprekken gehouden met De Magiër?*
> *Wat de geheimen ook zijn, volgens mij gaan ze iets of iemand te ver. Ik ben ervan overtuigd dat de moordenaar vanzelf boven komt drijven zodra ik de intellectuele kant van dit verhaal heb blootgelegd.*
> *Ik ben het met je eens dat we meer informatie nodig hebben over het verleden van Von Enchanhauer en ook over Anna*

Freud. Laten we daar maar mee beginnen zodra we in Londen zijn.
Wat is er gebeurd met dat kleine 45-toerenplaatje? Je zou het laten checken op vingerafdrukken en deze vergelijken met die van de bewoners in Bozo's huis. Ik denk niet dat je er iets wijzer van bent geworden, maar mocht dat wel zo zijn, dan hoor ik het graag.
Oud, mager en nog steeds actief,
Alias
Mata Hari uit de toendra

Binnen twee dagen kreeg ik een telegram met als afzender het Custer Country Motel in Montana:

Lieve slank en gerijpt,
Montana bood weinig informatie. De magische cowboy bleek een prairieoester te zijn die iets te vaak naar 'Light my Fire' *van The Doors had geluisterd tijdens zijn vele* LSD*-trips. Jammer, want zelfs de tanden klopten precies.*
Ik hoop dat je beseft, kleine freudianette, dat ik je hachje heb gered. Het is me aardig gelukt de psychoanalytische troepen het bos in te sturen met een hoop gelul over jouw afwezigheid en je drieste Onondaga-odyssee. Mocht onze vriend Gardonne het nog navragen, dan zat je op de afdeling psychoanalytica van de bibliotheek in New York.
Onze vlucht naar Engeland is geboekt, last minute. We vertrekken om 06.10 uur. Ik zie je op het vliegveld.
Het is hier redelijk heftig, maar ik heb inmiddels op iedereen een mannetje zitten.
Ik hang mijn sporen aan de wilgen.
Jack

Ik kwam Jack pas tegen in de rij voor de douane, compleet in de kreukels en met een baard van twee dagen. Zijn rode oogjes knipperden me toe en het was duidelijk dat hij zo uit het vliegtuig kwam, net op tijd om over te stappen op de vroege vlucht naar Londen. Ik zag er zelf niet veel beter uit, want ik was nachtenlang opgebleven, op zoek naar feiten om mijn theorieën te staven.

Ik plofte uitgeput op de oranje plastic stoel bij de gate. 'Wat is dit toch een vreselijk vliegveld.'

'Waar denk je dat de term "terminale ziekte" vandaan komt?' riep Jack over zijn schouder, op weg naar het koffiekraampje.

'Neem er voor mij ook eentje mee.'

'Was ik al van plan.'

'Hoe weet je wat ik erin wil?'

Monotoon dreunde hij een hele litanie op. 'Decafeïne als hij echt gezet is. Als ze alleen instant hebben liever een hoog octaangehalte. Met melk, bij voorkeur twee procent. Als ze alleen melkpoeder hebben, wil je hem zwart. Als ze alleen thee hebben, eerste keus Twinings, tweede keus Bigelow.'

Tien minuten later kwam hij terug met de koffie. 'Weet je wat ik leuk vind aan een vrouw?'

Ik keek niet eens op van mijn krant. 'Ik zou het niet weten.'

'Een vrouw die gewoon zegt: "Haal even een kop koffie voor me."'

'Zo'n makkelijk typje zou nooit voor jou kiezen.' Ik haalde het deksel van mijn koffiebeker met de tekst *decaf 2 procent.*

~

Eenmaal in het vliegtuig van British Airways, zei Jack: 'Ik heb eens rondgevraagd en Freuds afsprakenboeken over die periode zijn opgeslagen in Londen. Wie zoek je?'

'Anna O.'

Jack keek bedenkelijk. 'Dat was toch een patiënte van Breuer? Breuer en Freud hebben toch samen *Studies over hysterie* geschreven? Moeten we dan niet in het archief van Breuer duiken om te zien of ze zijn afsprakenboeken ook hebben bewaard?'

'Jack, probeer eens net zo te denken als Bozo.'

'Dan moet ik eerst koffie hebben.' Hij wipte het deksel van zijn beker.

'Kijk eens naar de inhoudsopgave van *Studies over hysterie.*' Ik sloeg het beduimelde exemplaar aan de achterkant open. 'Al deze gevallen zijn behandeld door Freud, behalve één. Anna O. was een patiënte van Breuer.'

'Moet ik dit snappen?' Hij blies luidruchtig in zijn koffie.

'Heeft Freud ooit met iemand samengewerkt, voor of na Anna O.?'

'Nee.'

'Waarom dan wel bij *Studies over hysterie*? Waarom? Ik zal je vertellen waarom.'

'Ik had niet anders verwacht.' Jack rekte zich ongegeneerd uit en gaapte breeduit.

'Bozo zou zeggen dat Anna O. iemand is die Freud probeerde te verbergen, en dus schoof hij haar af op Breuer, die toen al een oude man was. Breuer was bereid zijn naam onder een van de gevallen te schrijven, mits hij als tweede auteur werd vermeld voor de gehele inhoud. Anna O. was patiënte van Freud en van niemand anders dan Freud.' Ik keek Jack aan en vervolgde: 'Als je die computerlinguïsten Freuds andere teksten laat analyseren, durf ik te wedden dat de syntaxis precies hetzelfde is. Weet je nog wat er is uitgelekt over Anna O. in de geautoriseerde Freud-biografie van Jones?'

'Het ligt op het puntje van mijn tong.' Jack deed een mislukte poging om zijn benen te strekken en stootte tegen de stoel voor hem. 'Jezus,' brulde hij. 'Je kunt nog beter in eenzame opsluiting zitten dan opgepropt in zo'n klerevliegtuig. En dan zeggen ze dat ík een misdadiger ben.' De man naast hem keek hem ongerust aan. 'Nou ja,' zei Jack, tevreden nu hij weer een hoop tumult had geschopt, 'was Anna O. niet de werkelijke grondlegster van de vrije associatiemethode? Ik dacht dat ze haar lichamelijke klachten wist te overwinnen door erover te praten. Ze zei tegen Breuer dat hij al die hypnose hocus-pocus kon vergeten en zijn mond moest houden om haar vrij te laten associëren. Zij noemde dat het schoonvegen van haar persoonlijke schoorsteen. Als zij de kans kreeg regelmatig te vegen, kon ze haar symptomen, waaronder verlammingsverschijnselen, in toom houden. Breuer heeft haar genezen en zei dat hij de techniek aan haar te danken had.'

Zo af en toe wist Jack me te verbazen met wat hij in korte tijd kon leren. Ik zei: 'Hij heeft haar niet genezen en de zaak gesloten, hij raakte zijn patiënte kwijt. Breuer heeft gelogen of de zaak verdraaid in de tekst over Anna O., door enkele details weg te laten. Hij geeft Anna O. inderdaad de eer voor de vrije associatiemethode. Wat hij echter niet vertelt komt vijftig jaar later uit in de officiële Freud-biografie. Breuer heeft de zaak afgesloten omdat Anna O., de vrouw die Breuer beschreef als uiterst toegewijd aan haar zieke vader en met "verbazingwekkend weinig belangstelling voor seks" hem op een dag een dosis pure psychoanalytische vreugde bezorgde. Breuer ging naar haar toe, dat was nog in de goeie, ouwe tijd waarin artsen op huisbezoek gingen, en trof Anna O., toen hooguit begin twintig, midden in de barensweeën van een hysterische bevalling, beter bekend als pseudocyesis, oftewel een schijnzwangerschap. Daar lag ze dan, met tien centimeter ontsluiting. Breuer was een getrouwd man en vluchtte het huis uit om nooit terug te keren.'

'Ga nog maar even door,' zei Jack.

'Oké. We weten dat Jones, de *officiële* biograaf van Freud, ons dit scenario voorschotelt. Laten we het nu eens bekijken vanuit het standpunt van Bozo, de *officieuze* biograaf. Ten eerste zou hij zeggen dat Breuer een ordinaire dekmantel is voor Freud; ten tweede, de zwangerschap was gebaseerd op iets dat werkelijk was gebeurd tussen Anna O. en Freud; ten derde, niemand wordt zomaar vanzelf in haar eentje zwanger, behalve de enige echte Heilige Maagd Maria.'

'En mijn vriendin, toen ik voor de tweede maal tien jaar zat,' voegde Jack eraan toe.

'Ik heb een klein onderzoekje gedaan naar de "ware" Anna O., Bertha Pappenheim genaamd. Die vrouw was uniek. Ze heeft jaren in een inrichting gezeten, maar toen ze eruit kwam wierp ze zich op als de eerste maatschappelijk werkster. Wenen heeft haar zelfs op een postzegel gezet. Ze is een tehuis voor ongehuwde moeders begonnen.'

'Omdat ze er onbewust zelf eentje was, zeker.' Jack knikte, onder de indruk van zijn eigen psychologische inzicht. 'Goh zeg, je had wel gelijk. Het is doodsimpel om de psychiater uit te hangen.'

'Om in de geest van Bozo door te gaan zou ik denken dat Freud de ware identiteit van Anna O. verborgen hield, omdat die rol Bertha Pappenheim op het lijf geschreven was. Ze had psychische problemen en veel scrupules, de familie Freud kende de Pappenheimertjes en Breuer had de echte Bertha Pappenheim inderdaad behandeld. Ze was intelligent genoeg om de methode van de vrije associatie te verzinnen en hij kon haar het drama van de ongehuwde moeder in de schoenen schuiven. Wat er gebeurd moet zijn, als ik denk zoals Bozo zou denken, is dat iemand erachter is gekomen dat Anna O. in werkelijkheid is behandeld door Freud zelf. Toen Jones de biografie van Freud schreef, was Breuer al dood en Bertha was te oud om ertegenin te gaan. Omdat geen van beiden in een positie verkeerde het te ontkennen, liet Freud een heel klein beetje informatie uitlekken over haar "ware" identiteit. Daarmee werd de kring freudianen op een dwaalspoor gezet en raakten ze tegelijkertijd opgewonden over deze zogenaamde inside-information. Ik hoef je niet te vertellen dat de familieleden van Bertha Pappenheim alles hebben ontkend. Volgens de beschikbare documenten verbleef ze in die periode in een inrichting. Niemand luisterde naar haar, want ze was tenslotte geestelijk gestoord, in elk geval geweest. Maar dan nog, als je in het Victoriaanse Wenen ongehuwd moeder wordt, werkelijk of verzonnen, dan ontken je dat toch in alle toonaarden?'

'Zeker weten.' Jack was het helemaal met me eens. 'Maar naar mij moet je niet luisteren, ik lieg altijd overal over.' Hij nam nog een flinke slok koffie en vroeg: 'Het probleem is, wie kan het nog wat schelen? Leeft ze nog, die dikke Bertha?'

'Nee.'

'Wie kan het dan wat schelen wat er is gebeurd met een patiënt van Freud, of dat het geen patiënt was van Breuer, maar van Freud?' Ik keek hem alleen maar aan, niet van zins om zo'n domme vraag te beantwoorden, dus hij ging rustig door. 'Zoals degene die twee mensen vermoordt door ze te vergiftigen en vervolgens de keel door te snijden.'

'De moordenaar is een van de volgende mensen: de patiënte die in werkelijkheid Anna O. was, onze Pappenheimertjes, de Gardonnes van deze wereld, de gepassioneerde freudianen zoals Von Enchanhauer en Anna Freud die het niet kunnen verkroppen dat de naam van zijne heiligheid door het slijk wordt gehaald. Of...' Op het moment dat we door het wolkendek in het zonlicht schoten kreeg ik een heldere ingeving, 'iemand die in meerdere van deze categorieën past.'

Jack gaf me een stapeltje kopieën van wel 25 bladzijden. 'Alsjeblieft, de niet-geautoriseerde biografie van Von Enchanhauer. Die van Anna Freud heb ik nog niet rond. Volgens mij is het net Ralph Nader, iedereen probeert al jaren haar op rottigheid te betrappen, maar ze is zo saai als een slok kraanwater.'

'Dat dacht ik eerst ook van Gardonne,' zei ik.

Jack bladerde wat door pagina's. 'Een grijze muis. Er is geen addertje te vinden, in dat hele grasveld niet.'

'Ik durf te wedden dat je de smerigste adders tegenkomt als je dat gazon eens flink laat verticuteren. Niemand, en ik herhaal, niemand schrijft het beste essay ter wereld over afweermechanismen als ze niet zelf heel wat af te weren heeft. Dat is een vuistregel waar ik altijd veel aan heb gehad. Ik denk dat ik maar eens een leuke merklap ga borduren voor in de keuken: *Iedereen heeft iets te verbergen*.'

'Heb je je keuken wel eens vanbinnen gezien?' informeerde Jack.

Ik trok mijn rugzak open om Bozo's papieren eruit te halen en haalde diep adem. 'Regel een kamer voor me in een hotelletje met ontbijt in Maresfield Gardens. Ik wil in de buurt van het archief zijn.'

Voor het geval dat ik me zou ontspannen en rustig naar de televisieprogramma's van British Airways ging kijken, overstelpte Jack me met nieuwe informatie over Von Enchanhauer en Anna Freud uit New York: hij had alle stokoude psychoanalytici die vlak na de oorlog uit Europa waren geëmigreerd laten ondervragen.

Na dertien uur verkwikkende slaap belde ik aan bij Anna Freud. Elsa, de huishoudster met de horrelvoet, hobbelde naar de deur en deed hem op een kiertje open. Ze stommelde voor me uit de trap op naar Anna Freuds werkkamer en mompelde tegen niemand in het bijzonder: 'Een oude vrouw lastigvallen, dat kunnen jullie! Haar rust verstoren. Alsof ze nog niet genoeg heeft meegemaakt. Wacht maar tot je zelf oud bent, dan wil ik wel eens weten wie er voor jou zal zorgen.'

'Als u het tegen mij hebt, waarschijnlijk dezelfde die nu voor me zorgt... niemand.' Ik zei het tussen neus en lippen door, koeltjes als een ware Britse.

Toen ik Anna's werkkamer binnenliep, werd ik wederom getroffen door het contrast met de rest van het *Sunset Boulevard*-huis. Achter het bureau bood een schitterende erker uitzicht op de rododendrons in de tuin, tegen een achtergrond van blauweregen. Langs alle ramen liepen brede vensterbanken met kussens erop, overtrokken met Liberty-stof in pasteltinten. De boeken in de kersenhouten boekenkasten stonden schots en scheef door het vele gebruik. Anna Freud zag er zo tevreden uit achter dat bureau dat ik verlangend bedacht dat als ík zo'n werkkamer tot mijn beschikking had, zelfs ik zo gelijkmoedig en sereen zou kunnen zijn als zij. Zij was de eerste vrouwelijke freudiaan. Dat kon niemand haar afnemen. Het enige wat ze wilde was haar werk doen. Andere wensen koesterde ze niet.

Maar ik moest uitkijken dat ik me niet al te zeer liet verleiden. Deze serene vrouw die haar tijd doorbracht in deze rustige werkkamer stelde kalmpjes dat mensen hun meest explosieve emoties achter in hun hoofd verstopten, omdat die gevoelens zo angstaanjagend waren dat niemand in de beschaafde wereld er getuige van mocht zijn. De vorm was sereen, de inhoud was dat niet.

'Hallo, juffrouw Fitzgerald.' Ze keek op van haar schrijfwerk. 'Ik hoop dat u een goede reis hebt gehad.'

'Ja, dank u. Het spijt me dat ik u moet lastigvallen. We hebben redenen om de bedreigingen aan het adres van Konzak uiterst serieus te nemen.'

'Dat soort brieven kan mensen ernstig van hun stuk brengen. Het is jammer dat ik geen van de smerige brieven heb bewaard die mijn vader in de loop der jaren heeft ontvangen. Ik vrees dat het er meer zijn geweest dan me lief is.'

'Mag ik u enkele vragen stellen voordat ik naar boven ga?'

'Zeker. Wilt u misschien een kopje thee?'

'Graag. Earl Grey?'

'Dat is mijn lievelingsthee. Ik vrees dat ik mijn Weense koffietraditie heb opgegeven in het land van de bodemloze theekop.'

'Ik ook. Ik heb hier gestudeerd. Ik vond theetijd het fijnste moment van de dag. Eenmaal terug in Canada heb ik geprobeerd het erin te houden. Ik kocht zelfs scones en room, maar het was nooit hetzelfde.'

'Ik heb precies hetzelfde gedaan. In New York heb ik het opgegeven en ben ik overgestapt op de deli.'

'Toch zult u moeten toegeven dat je alleen in Amerika douches hebt met voldoende waterdruk. Zelfs in het Savoy kun je geen fatsoenlijke douche nemen,' zei ik.

'Ik heb het altijd vreemd gevonden dat Engeland een eiland is en dat er alleen maar druppels uit de kraan komen.'

'Ik wil u nogmaals verzekeren dat ik een groot bewonderaarster van uw vader ben. Ik zou zijn reputatie nooit opzettelijk door het slijk halen. Ik moet echter uitzoeken waar Konzak precies mee bezig was om te trachten me te verplaatsen in degene die Konzak heeft bedreigd, om zijn motieven te achterhalen. Anders lossen we deze zaak nooit op. En er verkeert nog iemand in gevaar, een man die ze De Magiër noemen.'

'De Magiër?'

'Ja. Hij heeft zijn naam wettelijk laten veranderen in De Magiër, met De als voornaam en Magiër als achternaam.' Ik rolde met mijn ogen om aan te geven dat zij als psychoanalytica niet het monopolie had op bizarre lieden. 'Als hij nog niet dood is, is hij ondergedoken of ontvoerd, maar ik weet zeker dat hij in gevaar verkeert. Dr. Gardonne heeft ons verzekerd dat u uw medewerking zou verlenen.'

'Ik begrijp het. Dr. Von Enchanhauer heeft gebeld en me ervan overtuigd dat dit alles noodzakelijk is. Ik waardeer het zeer dat u hebt aangeboden een verklaring te tekenen waarin u afstand doet van alle contact met de media. Als uw aanbod nog steeds geldt, zou ik daar graag gebruik van willen maken. Mijn advocaat heeft de formulieren opgesteld.' Toen Anna Freud vanachter haar bureau vandaan kwam om mij de formulieren aan te reiken, stond ik versteld van haar kwieke stap en indringende blik. Haar ogen stonden jeugdig en alert, in schril contrast met de rest van haar geteisterde lichaam.

We liepen door de dubbele openslaande deuren naar de ruimte van haar secretaresse, een comfortabel, efficiënt kantoor met modern, ergonomisch meubilair. Alle nieuwste technische snufjes op communicatiegebied stonden binnen handbereik. Hoewel ik veel voel voor de dickensiaanse knusheid van de werkkamer had ik ook bewondering voor deze ruimte, met al die moderne apparatuur die hem zo typisch van deze tijd maakte. Ik besefte dat de twee werkkamers twee kanten van mijn karakter vertegenwoordigden, net als bij Anna Freud. Als ik niet zo'n puinhoop van mijn leven had gemaakt, zou ik mijn werkkamers precies zo hebben ingericht.

'Ik zou een moord doen voor deze werkkamers.' Het was er nog niet uit of ik had al spijt van mijn woordkeus. Ze wist vast wel dat ik veroordeeld was voor moord. Nou ja, het was eruit. Ik kon moeilijk zeggen dat het maar bij wijze van spreken was.

Boven ging ik door alle kasten en dozen in een poging Konzaks stappen te traceren. Het was niet moeilijk te zien wat hij doorgenomen had, want de rest lag verborgen onder een dikke laag stof. De kasten zaten propvol pakken papier, samengebonden met bruin elastiek. De meeste brieven zaten in oude Weense hoedendozen, waar ze ingesmeten waren voordat het gezin halsoverkop het land uit vluchtte voor de nazi's. Pas om halfdrie 's nachts liep ik op mijn tenen de trap af, maar tot mijn verbazing brandde het licht nog in Anna's werkkamer. Ik stak mijn hoofd om het hoekje van de deur. 'Het spijt me dat het zo lang heeft geduurd. Ik hoop dat u het niet erg vindt dat ik zo lang ben blijven plakken.'

Ze glimlachte en zei dat ze altijd tot diep in de nacht doorwerkte om haar gedachtegang niet te onderbreken en ik beaamde dat voor mij precies hetzelfde gold. 'Ik ben net klaar en heb een verse pot Earl Grey onder de muts staan. Wilt u misschien een kopje?'

'Dolgraag,' accepteerde ik. 'Ik zit al dagen te lezen en mijn nek zit muurvast.' De thee stond op de vensterbank en ik installeerde me in een corduroy leunstoel. Het leek me een goed moment om eens een balletje op te gooien, om te zien of ze het zou vangen. 'Weet u, het is zo'n bizarre kwestie. Konzaks "grote onthullingen" zijn gebaseerd op insinuaties, nauwelijks opgepoetst tot feiten. Als dit boek postuum wordt gepubliceerd is er heel weinig te zeggen. Het is een storm in een theepot. Daarmee brengt hij zichzelf meer in diskrediet dan Dvorah Little heeft gedaan.'

'Postuum?' vroeg Anna verbaasd. 'Heeft Konzak zich bereid verklaard met de publicatie te wachten tot na zijn dood? Dat vind ik moeilijk te geloven. Gewoonlijk is hij niet te houden als hij roem kan oogsten, al is het in dit geval niet meer dan beruchtheid. Dr. Von Enchanhauer heeft hem zeker weten over te halen.'

'Anders Konzak is onlangs in Wenen vermoord,' zei ik.

Anna keek naar haar theekop en zette hem behoedzaam op haar bureau. Een minuut lang zei ze niets. Ze vouwde haar handen onder haar kin en steunde haar ellebogen op het bureau. Ze draaide enigszins op haar stoel. Ik wachtte tot ze zou reageren. Ten slotte zei ze: 'Professor Konzak zou genoten hebben van alle stof die dit doet opwaaien.'

'Ironisch, vindt u niet? Een exhibitionist die alle aandacht krijgt als hij te dood is om ervan te genieten.'

Ze schudde ongelovig het hoofd. 'Tragisch en onnodig. De moordenaar verwacht te veel van de intellectuele capaciteiten van professor Konzak. Hij was volstrekt ongevaarlijk.'

Ik knikte. 'Hij is ingehaald door zijn eigen pr.'

'Zeer zeker. Ik probeerde hem op een avond tijdens het diner te vertellen dat hij zijn eigen theorieën boven de bewijzen stelde.

Niets kon hem echter tot rede brengen. Ik wilde hem en dr. Von Enchanhauer de schande besparen.' Ze keek eerder verdrietig dan geschokt toen ze eraan toevoegde: 'Die arme, arme dr. Von Enchanhauer. Hij trok het zich allemaal zo aan dat ik niet de moed had hem deelgenoot te maken van mijn bange vermoedens.'

'Hebt u Konzak ooit ongezouten gezegd wat u intellectueel gezien van hem vond?'

'Nee, dat heb ik nooit gedaan. Op de een of andere manier deed hij me altijd denken aan de achtste verjaardag van mijn neefje. Ik was de volwassene die de leiding had en de kinderen in bedwang moest houden, maar op een gegeven moment geef je het op en laat je de chaos het roer overnemen.'

'Een interessante vergelijking. Hebt u veel met kinderen te maken?'

'Nu niet meer, maar vroeger heb ik natuurlijk lesgegeven. Daarbij zijn mijn zuster en zwager op jonge leeftijd overleden en heb ik de zorg van hun kinderen op me genomen, totdat er een passende regeling getroffen was. Ik denk dat de achtste verjaardag van mijn neefje zo chaotisch was dat ik het in al die vijftig jaar niet vergeten ben.'

'Dat moet me een chaos zijn geweest.' Ik leunde achterover en nam kleine slokjes van mijn thee. 'Interessant dat we allebei geen man hebben. Waarom maakt iedereen altijd zo'n drukte over uw huwelijkse staat?'

'Ik vermoed dat mensen graag alles willen weten over het leven van Freud. Aangezien hij niet meer onder ons is, richten ze zich op het mijne... een pover substituut. Daarbij komt dat Freud in het onbewuste groef en dat kan nogal bedreigend zijn. Veel mensen scheppen er plezier in zoveel mogelijk narigheid over hem en zijn gezin op te rakelen, in een poging zijn ideeën via zijn persoon in een kwaad daglicht te stellen.'

'Zoals het gegeven dat er wel iets mis moet zijn met u, zijn dochter, omdat u nooit getrouwd bent geweest? Dat is nogal vreemd, want met mij was er vooral een hoop mis toen ik wél getrouwd was.' Ik dronk mijn thee op en zei: 'In mijn ogen leidt u een idyllisch leven. U stond aan de basis van de ontdekking van een beweging die het westerse gedachtegoed voorgoed heeft veranderd, u hebt zelf carrière gemaakt, de grondslag gelegd voor de psychoanalyse van kinderen, het weeshuis voor oorlogskinderen opgericht en u verricht dagelijks belangrijk werk. Mensen spreken over u als "alleenstaand". Maar hebt u daar niet altijd de voorkeur aan gegeven, boven wat moeders en echtgenotes moeten doen? Dat zou tenminste wel mijn idee zijn.'

'Dat is moeilijk uit te leggen aan mensen die uw gevoelens niet delen. De meeste mensen zien het simpelweg als ontkenning. Ik zou nooit een ander leven wensen. Het is een ware uitdaging geweest, een onvergetelijke geestelijke reis die me tot in het hart van het politieke strijdperk heeft gebracht.'

Enthousiast schoot ik naar het puntje van mijn stoel. 'Het mooiste moment is als alles plotseling helder wordt, als alle stukjes in elkaar vallen. Dat moment moet u ongetwijfeld gehad hebben tijdens het schrijven van uw werk over afweermechanismen. Alsof je bevalt van een idee.'

'Ja, ik ken dat gevoel zoals u het beschrijft, alsof je van een idee bevalt.' Ze knikte me glimlachend toe, even enthousiast als ik. 'En ook het gevoel van een zware bevalling bij het schrijven van een lastige tekst. Als je het dan overleest, kan het zelfs een doodgeboren kindje betreffen. Maar ik heb ook die magische momenten gekend waarop ik analytische gevallen wist op te lossen, wanneer ik eindelijk begreep op welke manier een hardnekkig symptoom van een patiënt werd gevoed door een bepaalde onbewuste behoefte, om vervolgens in een later stadium de wonderbaarlijke transformatie te zien plaatsvinden als hij eindelijk contact maakt met de wereld van de realiteit.'

'Ik heb het werk van uw vader in de gevangenis gelezen. Misschien was ik er daar gevoeliger voor. Mijn bestaan was zo troosteloos dat ik bijna verdronk in de beschamende gevangenisfutiliteiten. Ik strekte mijn armen uit naar de identiteit van succesvolle mensen die wél bleven drijven. Nadat ik de werken van Freud had gelezen, opgesloten in een hok van twee bij drie waarin al je zintuigen afstompen, had ik een hele film in mijn hoofd van alles wat hij deed en vaak hield ik in mijn hoofd hele gesprekken met hem. Ik weet dat het vreemd klinkt, maar soms leek het wel of ik Freud wás. Ik voelde zijn vreugde bij een ontdekking en ook zijn vermoeidheid na een lange dag met vele patiënten, als hij tot diep in de nacht zat te schrijven. Heeft hij aantekeningen bewaard over zijn patiënten? Niet de gevallen die hij behandeld heeft in artikelen of in zijn boeken, maar gewoon, over patiënten die hij regelmatig behandelde?'

'Hij hield al zijn bevindingen bij in een afsprakenboek. Zo kon hij de data controleren als hij de anamnese officieel wilde vastleggen. Jammer genoeg bewaarde hij de aantekeningen uitsluitend als hij van plan was de patiënt aan iemand anders door te verwijzen. De anamnese van zijn eigen patiënten kende hij uit zijn hoofd. U zult constateren dat hij zelden iets doorstreepte en slechts één versie schreef in het klad.'

'Zo werk ik ook, u niet? Ik heb alles in mijn hoofd zitten, totdat het er 's nachts in mijn dromen uit stroomt, of overdag in versprekingen. Pas dan zet ik het allemaal op papier.'

'Nee, ik werk heel anders. Ik maak aantekeningen en een concept en schrijf vervolgens verschillende versies in het klad. Dan stop ik het weg en na een maand bekijk ik het opnieuw met een frisse blik.'

Ze schonk ons beiden een verse kop thee in, installeerde zich weer achter haar bureau en veranderde toen van onderwerp. 'Om terug te komen op uw gevangenistijd, als u me toestaat, klinkt u of het niet geheel en al een vreselijke periode voor u is geweest.'

Het was voor het eerst dat iemand me een rechtstreekse vraag stelde over mijn tijd in de penitentiaire inrichting. 'Het was in bepaalde opzichten afschuwelijk, maar tegelijkertijd was het een leertijd die door niets werd onderbroken. Mijn afweermechanisme was intellectualisatie en dat werkte verrassend goed. Aangezien ik er toch zat besloot ik dat ik er het beste aan deed mijn tijd zo goed mogelijk te benutten en alles te leren wat ik kon van ten minste twee van de grote geesten die de hoeksteen vormen van de westerse samenleving.'

'Wie was de tweede?'

'Darwin. Ik had al heel veel van en over hem gelezen tijdens mijn postdoctoraal, maar er was nog zoveel meer te lezen, vooral in het licht van hetgeen ik van Freud had geleerd. Ik ben niet zo ver gekomen als ik van plan was, vanwege mijn voorwaardelijk proefverlof, met de nadruk op voorwaardelijk. Op een bepaalde manier maakte de gevangenis me vrij van het leven van alledag. Veel vrouwen worden moeder zonder eerst de taakomschrijving te lezen en zitten jaren opgesloten in huiselijke beslommeringen, zonder de kans op vervroegde invrijheidstelling wegens goed gedrag. Hoe meer ze haar best doet, des te erger wordt het. Hoe meer verantwoordelijkheid de moeder neemt, des te minder neemt het kind. In de gevangenis lette ik vaak op de moeders als hun kinderen op bezoek kwamen. Meestal waren ze na hun bezoek nog meer van slag dan anders. Misschien is het een uitzondering, maar de tienerkinderen van mijn zus behandelden haar alsof ze hun alleen maar tot last was, en niet zo'n klein beetje ook. Ik denk dat kinderen uiteindelijk zonder hun ouders verder moeten en dat lukt alleen door ze hardhandig van je af te duwen.'

'Ja, net als een arend tegen zijn moeder aan duwt om zijn eerste vlucht uit te voeren. Jonge arenden kunnen vliegen, maar de moeder voelt de vleugels tegen haar borst slaan en niemand vertelt haar dat ze niet zo breekbaar zijn als ze eruitzien. Ze zijn ijzersterk.'

'De Lepidoptera hebben het goed begrepen. Vlinders zien hun moeder nooit. Na het paren ziet het vrouwtje ook de vader nooit meer terug, tenzij ze hem toevallig tegenkomt. Ze legt haar eitjes en kijkt er nooit meer naar om. De eitjes worden rupsen, ze ontpoppen zich tot vlinders en vliegen vrolijk de wereld in, zonder emotionele banden, oedipuscomplexen of uitgeputte moeders.' Ik schonk nog een kopje thee in door het zilveren zeefje en voegde eraan toe: 'Geen wonder dat ze het een metamorfose noemen.'

'Wist u dat de Grieken meenden dat de ziel het lichaam na de dood verliet in de vorm van een vlinder? Hun symbool voor de ziel was een gevleugelde jongedame, Psyche genaamd,' zei Anna.

'Rousseau sloeg de spijker op de kop toen hij zei dat de beste ouders hun kinderen "welwillend veronachtzamen".'

'Over ouderschap gesproken, hoe reageerde uw familie op uw gevangenschap, als u het niet erg vindt dat ik het vraag?'

'Mijn vader koos de kant van de familie van mijn man. Je zou het veronachtzaming van de niet-welwillende soort kunnen noemen. Hij zei dat zelfs als de moord of de dood van mijn man op een vergissing bleek te berusten, zijn familie toch een zoon verloren had. Mijn moeder schaarde zich achter hem, zoals ze altijd deed. Mijn zussen sloten zich aan bij mijn moeder, zoals gewoonlijk. Mijn vader laat zijn rationele denkwijze niet door emoties bezoedelen. Dat is iets waar hij prat op gaat.'

'En hoe zit het met de onvoorwaardelijke liefde, het gegeven dat je het misschien niet prettig vindt wat het kind doet, maar dat je altijd van je kind blijft houden en het nooit in de steek laat?'

'Rationeel gezien bestaat er geen onvoorwaardelijke liefde. Als je kind iets doet wat onacceptabel is, dan hoef je het hem of haar niet te vergeven als dat in tegenstrijd is met je gevoel voor rede. Als je zo denkt, dan móet je je kind onder dergelijke omstandigheden wel in de steek laten.'

'Uw vader komt op mij over als een man die geen raad weet met zijn gevoelens en zijn onbeholpenheid op het vlak van menselijke emoties naar u toe heeft verpakt als rationele controle.'

Die woorden priemden door mijn hart en de angst lekte zo mijn hartzakje in. Hoe konden een paar simpele woorden zo'n enorme uitwerking op me hebben? Ik bedoel maar, het is geen nieuws dat mijn vader moeite had met genegenheid en empathie. Er zat vast een met linten afgezet pleintje in mijn hersens waar een klein meisje speelde dat haar vaders rationaliteit verafgoodde. Tot op dat moment had ik nooit begrepen dat ook dat een afweermechanisme was.

Dwars door de ruis van de angst hoorde ik Anna praten, maar ik hoorde alleen het laatste gedeelte van de zin: '... ik hoop niet dat u hem daarin zult volgen.'

Ik kwam weer bij mijn positieven. 'Daar heb ik natuurlijk veel over nagedacht. Niet voor niets koos ik Darwin en Freud als studieonderwerp. Hoewel mijn temperament beter is uitgerust voor de exacte wetenschappen, had ik antwoorden nodig voor het leven, niet voor de wetenschap. Ik denk wel eens dat ik die misdaad heb gepleegd omdat ik onbewust wilde dat mijn vader me openlijk afwees.' Ik hoorde mezelf deze ongelooflijke woorden uitspreken, maar het leek wel of iemand anders ze had gezegd. De woorden bleven hangen.

'Wel,' zei Anna met een wrange glimlach, 'het heeft gewerkt.'

'Tjonge, heb ik toch íets goed gedaan.'

'Misschien koesterde u onbewust de hoop dat uw moeder het voor u op zou nemen.'

'Nee, dat lijkt me niet erg waarschijnlijk. Mijn zussen waren al tien en dertien toen ik werd geboren. Ik was een ongelukje, of misschien wel mijn vaders laatste hoop op een zoon. Mijn moeder was al volledig opgebrand tegen de tijd dat ik geboren werd. Ze was een voormalig model en zij en mijn zussen waren dol op winkelen en alle andere vrouwelijke genoegens. Mijn vader was ruim tien jaar ouder dan mijn moeder en ging al met pensioen toen ik twee was. Hij had het veel te druk gehad met zijn carrière bij de rechtbank om zich te laten gelden bij de opvoeding van mijn zussen. Ik werd zijn lievelingsproject, met als thema "hoe creëer je een rationele vrouw". Het was een pedagoog in hart en nieren en hij wijdde zich geheel aan mijn opvoeding. Ik had weinig gemeen met mijn moeder en zussen, maar ik had precies dezelfde academische en atletische interesses als mijn vader.'

'John Stuart Mill was het product van een vergelijkbare educatieve broedoven,' zei Anna. 'Een briljante man, maar tevens een beschadigd man. Hij heeft zijn huwelijk nooit geconsumeerd. Zijn seksuele verlangen was totaal uitgeblust, verdwenen door een overdreven nadruk op de intellectuele ontwikkeling.'

'Volgens mij had Mills aseksualiteit meer te maken met sociale isolatie in de vroege jeugd dan met een teveel aan stimulatie van de intellectuele hersenhelft. Gelukkig geloofde mijn vader in sport en mocht ik lid worden van verschillende teams. Dat gaf me de kans mijn sociale vaardigheden te ontwikkelen en emotionele banden aan te gaan met andere vrouwen, in elk geval voldoende om me een idee te geven wat dat was. Ik ben wel geïnteresseerd in seks, maar niet in relaties.'

'Fascinerend. Precies het tegenovergestelde van John Stuart Mill.'

'Jammer dat we niet in dezelfde tijd leven. Anders had ik seks met hem kunnen hebben en hij een relatie met mij.' Anna's uitbundige lach ontroerde me. Ze kwam tijdens een goed gesprek tot leven als een uitgedroogde spons in de regen.

'Het leven is korter dan je denkt. Je kunt mensen bijna niet uitleggen hoe rap de tijd verstrijkt als je eenmaal de 65 hebt gehaald.'

'Zijn er dingen die u graag anders had ingevuld?' vroeg ik.

'Nee, niet echt.' Na een korte aarzeling vervolgde ze: 'Heel af en toe voel ik me wat neerslachtig, vooral wanneer ik mijn vriendin Dorothy heb gesproken. Zij heeft inmiddels volwassen kinderen en kleinkinderen. Maar ik heb een unieke intellectuele reis afgelegd en ik geniet van alle kinderen die me na aan het hart liggen. Ik heb veel tijd aan mijn vader kunnen besteden tijdens zijn ziekte en dat is een keuze die ik altijd opnieuw zou maken. Toen hij stierf, wilde ik er zeker van zijn dat ik alles had gedaan wat in mijn macht lag om het hem naar de zin te maken en ervoor te zorgen dat zijn briljante geest bleef werken, ook onder moordende fysieke kwellingen.'

'We hebben heel wat met elkaar gemeen, ook al ben ik dan de Amerikaanse postfeministische vrijpostige variant en u het Europese model van voor het feminisme. Maar onze vaders hebben ons allebei tot rationalisten gevormd en daar zijn we beiden onherstelbaar door veranderd.' Het klonk belachelijk opschepperig mezelf met Anna Freud te vergelijken, dus ik voegde er snel aan toe: 'Ik bedoel, persoonlijk gezien dan. Ik ben een verdorven vrouw en u bent beroemd. U hebt intellectuele bijdragen geleverd die altijd blijven voortbestaan en ik ben oud nieuws. Toch heb ik het gevoel dat ons verleden vergelijkbaar is. Slechts weinig vrouwen zijn door hun vader opgevoed, niet in uw tijd, noch in de mijne.'

'Ja, ook uw vader klinkt als een besluitvaardig man, krachtig op zijn eigen manier. Toch zou ik graag denken dat mijn vader me niet in de steek zou hebben gelaten op het moment waarop ik hem het hardste nodig had.'

'Hij heeft u wel geanalyseerd. Vindt u dat eerlijk?'

'Eerlijk...' Anna nam even bedenktijd. 'Dat is een interessant bijvoeglijk naamwoord in dit geval. Het bevorderen van de wetenschap is niet altijd eerlijk. Soms kan het meedogenloos zijn. Ik praat tegenwoordig zelden over mijn analyse omdat mensen niet begrijpen dat de psychoanalyse indertijd nog in de kinderschoenen stond. Niemand had ook maar enig idee welke problemen zich konden voordoen. Laten we ons niet bezondigen aan presentisme.'

'Voor mij zou dat de minste van mijn zonden zijn, maar daar hebben we het niet over. De verhandelingen over overdracht waren al geschreven. Hoe kan een analyticus de rol van de goede, liefhebbende, *geïdealiseerde* vader spelen als hij tegelijkertijd je *echte* vader is?'

'Dat is een kwestie voor een andere avond. Ik ben niet opzettelijk terughoudend, maar het bespreken van de persoonlijke analyse zwakt het emotionele effect af. Indertijd waren er geen andere analytici die mij op de juiste manier konden helpen.'

'Dat doet me aan mijn eigen vader denken, die me opvoedde tot een unieke persoonlijkheid, tot iemand die in zijn fantasie superieur was aan anderen. Toen deed ik iets dat werkelijk uniek was, dat mag je toch wel stellen als je je echtgenoot vermoordt, en hij raakte buiten zinnen van woede. En waarover? Over de moord? Absoluut niet. Hij was woedend vanwege het feit dat zijn experiment een meisje op te voeden tot een rationeel wezen zonder emoties was mislukt. Hij dacht dat ik uit zou groeien tot een rationeel denkend wezen, anders dan mijn onnozele moeder en zussen. Maar wat hij feitelijk had bereikt was dat ik afwijzend kwam te staan ten opzichte van die hele psychologische beerput, in de wandelgangen beter bekend onder de naam *emoties*.'

'Ik vraag me af of "afwijzend" de lading wel dekt. Bedoelt u niet eerder "angstig"? U verkeerde in het klassieke bindingsdilemma. U wilde de liefde van uw vader, dat was een gevoel, maar hij maakte het u duidelijk dat hij alleen van u zou houden op voorwaarde dat u nooit uw liefde voor hem zou uiten. In feite was hij bereid van u te houden op voorwaarde dat u uw gevoelens ontkende en uitsluitend uw intellect gebruikte.' Ze keek me strak aan terwijl ze dat zei en wachtte even tot haar woorden tot me waren doorgedrongen. 'Het is geen wonder dat uw huwelijk geen stand hield. Uw echtgenoot had liefde nodig, maar als u hem dat zou geven zou dat betekenen dat u uw vader moest verraden, of het strikt rationele beeld van u dat uw vader had gecreëerd.'

Met bonzend hart constateerde ik dat ik in al die negen jaar met Gardonne op geen stukken na zo ver was gekomen.

Na een lange stilte stond ik op en pakte mijn spullen bij elkaar. Ik wist dat ik alle inzichten en emotionele valkuilen voor die dag had gehad, meer kon ik niet hebben. Ik ritste mijn rugzak dicht en besloot het weinig aantrekkelijke dubbelzinnige aandeel van mijn vader los te laten. Laten we wel wezen, als een vrouw werkelijk logisch zou nadenken, zou ze zich nooit inlaten met een echtgenoot en een gezin. Het is geven zonder te nemen. Dat wist ik al toen ik in groep acht zat en mijn moeder tegen me zei: 'Vraag Bobby Wells maar eens hoe dat vistochtje met zijn vader is geweest. Jongens praten graag over zichzelf en ze zijn dol op een meisje dat naar ze luistert.'

Ik rekte me uit. 'U hebt gelijk. Dit zijn kwesties voor een andere avond.' Ik keek op mijn horloge. 'Goeie genade, het is al drie uur geweest. Meestal sta ik over een uurtje alweer op.'

Toen ze me uitliet, drukte ik haar op het hart niemand te vertellen dat Konzak was vermoord, zelfs niet aan dr. Von Enchanhauer. 'Ik weet dat ik een grote gunst van u vraag, maar waarschijnlijk had ik het u niet mogen vertellen. Het leek me alleen zo vals om het voor me te houden terwijl ik met u besprak of hij misschien dit of dat zou doen. En daarbij...' Ik aarzelde, maar ging onhandig verder. 'Ik heb van onze gesprekken genoten en ik zou het niet prettig vinden als er enige emotionele oneerlijkheid tussen ons bestond. Ik wil liever geen herhaling van mijn psychiatrische sessies.'

'Ik begrijp het en ik wil u bedanken omdat u het me persoonlijk bent komen vertellen. Heel hoffelijk van u.' We schudden elkaar de hand bij de deur en ze zei: 'Ik benijd u niet, het is een zware klus om al Freuds geschriften en brieven uit te zoeken op eventuele aanwijzingen.'

'Het is als het zoeken naar een naald in de hooiberg, vooral als het een moordenaar betreft die willekeurig toeslaat. Maar daar heb ik mijn twijfels over. De moord op een man die informatie heeft vergaard over Freud en zijn praktijk in de periode 1895-1900 lijkt me nauwelijks willekeurig te noemen.'

Anna knikte instemmend en sloot de deur.

De volgende dag zat ik op Jack te wachten in de Duke of Gloucester, een rokerige Engelse pub. Ik had wat stilton besteld, dat op tafel was verschenen met een schaaltje verschrompelde minikalebassen erbij die alleen de Engelsen zure uien durfden te noemen. Hij zat nog niet of ik begon al te vertellen wat ik in het archief had gevonden. 'Ik heb het voor tachtig procent voor elkaar.'

'Ik ben geen vrouwen gewend die het maar voor tachtig procent voor elkaar krijgen.' Hij smeet twee gekopieerde rapporten op tafel. 'Hier hebben we onze dierbare dr. Von E. Zijn cv leest als een trein. Er ontbreekt geen enkele schakel, niets wordt aan het toeval overgelaten. Hij is slechts één keer opgenomen in het ziekenhuis, dat was in 1945, voor een appendicitis. Het herstel duurde lang.'

'Welk ziekenhuis?' vroeg ik.

'Het Royal Vic.' Hij wuifde naar de serveerster en wees met een hoofdbeweging op mijn boerenlunch.

'Heb je de medische dossiers gezien?'

'Heb ik geprobeerd, maar ze zijn er niet. De map is er wel, maar het dossier zelf is eruit gescheurd. Dat is het enige wat verdacht is.'

'We moeten een röntgenfoto laten maken om te zien of zijn blindedarm echt is verwijderd,' stelde ik voor.

'Dat is nog niet zo gemakkelijk.'

'Hij werkt vast wel mee. Hij is al volledig van slag omdat hij zo stom is geweest Konzak die aanstelling te geven. Hij wil niet nog eens in zijn hemd komen te staan.'

'Ik denk niet dat hij die moord heeft gepleegd,' zei Jack. 'Een paar ontbrekende ziekenhuisverslagen in de chaos van het naoorlogse Londen is niet zo heel gek.' Ik keek bedenkelijk. 'Ik geef toe dat er iets vreemds is met die man. Volgens mij is hij homoseksueel.' Hij beet in zijn kalebas.

'Waar komen die kinderen dan vandaan, uit het hoofd van Zeus soms? Die jongens zien er niet uit alsof ze door de ooievaar zijn gebracht... alhoewel, nu je het zegt, ze zien er wel uit als het gevolg van kunstmatige inseminatie, met Albert Speer als spermadonor.'

'Kinderen zeggen niks. Al is hij een nicht, dan nog kan hij net doen alsof.'

'Je bedoelt, gewoon gaan liggen en wachten tot het overgaat?' vroeg ik.

'Ja, vrouwen doen niet anders... of anders komen ze maar voor tachtig procent klaar,' kaatste Jack terug.

Ik betwijfelde de homoseksualiteit van die man. 'Waarom denk je dat hij een nicht is?'

'Zomaar een gevoel.' Jack deed mij net iets te achteloos.

'De laatste keer dat je iets voelde, lag je nog in de wieg.'

'Heb je ooit gehoord van het gezegde: "Je hoeft de weerman niet te zijn om te weten van welke kant de wind waait?"'

'O, dat is heel mooi. Ik dacht dat we samen aan deze zaak werkten met gevaar voor onze eigen zielige leventjes. Inmiddels werken we de hele verdomde lente al zo'n zestien uur per dag, week in week uit... dat is voor een tulp een heel leven, wist je dat? Maar Jack Lawton wil uitsluitend bespreken van welke kant de wind waait. Prima.' Ik knikte en concentreerde me weer op mijn lunch.

Als een in het nauw gedreven kat blies hij: 'Oké, dan kun je hem krijgen ook.' Hij nam een grote slok van zijn donkere bier. 'Hij heeft geen moment naar je kont gekeken. Je had een coltrui aan, met een spijkerbroek en cowboylaarzen. Toen jij met zijn vrouw naar die porseleintroep stond te kijken, heeft hij geen seconde naar je lijf gekeken.'

Ik was zo in verlegenheid gebracht dat ik hem zover had gekregen iets over mijn figuur te zeggen dat ik begon te lachen. 'Ach, nu begrijp ik het. De elektrische Kool-Aid-vuurproef voor heteroseksualiteit: naar mijn kont kijken! Jezus, had het Amerikaanse leger dat jaren geleden maar geweten, dat was wel zo handig geweest.'

'Ik zou jouw kont niet direct op de lijst gevaarlijk wapentuig willen zetten. Ik heb sinds mijn negende in de gevangenis gezeten. In de nor is het je geraden een zesde zintuig te ontwikkelen voor dat soort dingen. Het hoort bij de cultuur.'

Tegen beter weten in hoorde ik mezelf de vraag stellen die ik niet wilde stellen. 'Heb jij homoseksuele relaties gehad in de gevangenis?' Ik wilde er nog aan toevoegen *niet dat het mij iets aangaat*, maar dat lag al te zeer voor de hand.

Hij keek me lang en nadenkend aan voordat hij antwoord gaf. 'Ik heb daar twintig jaar gezeten, als tiener en als twintiger. Ik heb homoseksuele contacten gehad, aanvankelijk zonder wederzijds goedvinden, later ook met. Als er geen vrouwen voorhanden zijn, moet je je behelpen. Je hebt geen keus.' Ik kon hem alleen maar aanstaren, ik had spijt als haren op mijn hoofd dat ik het had gevraagd. Hij zag het aan mijn gezicht en haalde zijn schouders op. 'Was Freud niet degene die zei dat iedereen van huis uit biseksueel is? Ik heb in de nor wilde seks beleefd en enkele hechte relaties gehad. Ik heb ervoor gekozen het achter me te laten. Ik wens niet langer door schaamte te worden verteerd. Als je dat allemaal opkropt, ga je steeds meer dingen doen waar je je voor schaamt. Ik beschouw mijn verleden niet meer als een schande, die tijd is voorbij.'

Ik knikte. Schaamte kleeft als napalm en blijft branden. Ik voelde een soort respect voor hem. Ondanks... of misschien juist dankzij... alles wat hij had meegemaakt, was hij zekerder van zichzelf dan de meeste mannen, die de geringste gevoelens nog niet durven uiten. Op dit punt stond hij als een huis. Als hij zegt dat Von Enchanhauer homoseksueel is, ook al is er niets dat daarop wijst, dan durf ik er alles om te verwedden dat hij gelijk heeft.

Hoewel ik zelden of nooit met mensen kan opschieten, drong het in die pub vol geroezemoes en gelach tot me door dat ik Jack graag mocht. Dat besef beangstigde me een stuk minder dan ik had verwacht. Ik begon te begrijpen wat mensen bedoelen met *vriendschap.* Het voelde als de eerste lentedag waarop je je winterjas mag thuislaten, de dag dat de sneeuw op de oprit wegsmelt en je je fiets uit de schuur kunt pakken. Ik visualiseerde dat ik dwars door een veld gele narcissen liep en voelde hoe de zon mijn huid verwarmde.

Ik keek op en ondanks de tandenstoker in zijn mond wist hij een warme glimlach te voorschijn te toveren. Hij sloeg met zijn hand op tafel en zei resoluut: 'Nog één Guinness en we gaan.' Tussen een paar flinke slokken door praatte hij verder. 'We moesten dr. Von Enchanhauer nog maar eens aan de tand voelen. Vergeet niet dat hij Bozo heeft verzwegen totdat zijn vrouw zich ermee ging bemoeien. Hij deed net of hij Bozo niet kende en we moeten weten waarom. Ik heb de genodigdenlijst gecontroleerd van dat congres in het westen van New York waar Bozo het over had. Von Enchanhauer, Bozo en Konzak waren daar alle drie aanwezig, precies zoals Bozo het beschreef. Ik ben het met je eens dat die man op de een of andere manier niet spoort, maar ik weet niet precies wat het is. Ik ben er voor negentig procent... ken je dat gevoel, meid?'

Lachend liepen we het zonlicht weer in.

19

AAP UIT DE MOUW

> Joden en homoseksuelen zijn de meest in het oog lopende creatieve minderheden in de hedendaagse grotestadscultuur. En creatief in de meest ware zin: zij zijn de scheppers van nieuwe vormen van sensibiliteit. De twee pionierskrachten van de moderne sensibiliteit zijn de Joodse morele ernst en de homoseksuele esthetische leefwijze en ironie.
> – Susan Sontag, *Tegen interpretatie*

Het Londense appartement van de Von Enchanhauers lag in een magnifiek oud gebouw in Kensington, helemaal begroeid met oranje trompetbloemen. De ramen keken uit op een prachtig aangelegde Engelse tuin vol overblijvende bloeiende planten.

Jack maakte mopperend gebruik van de gietijzeren deurbel en getuigde van plotseling architectonisch inzicht. 'Laat het maar aan de Britten over om de moderne techniek eruit te laten zien als oud roest.'

'Dat vind ik nou juist zo leuk van de Britten. Ze hechten waarde aan tradities en laten zich nooit verleiden tot Hollywoodachtige kopieën. Ze hebben werkelijk besef van hun eigen historie.'

'Jezus zeg, het was niet de bedoeling dat je meteen "Rule, Britannia!" zou gaan zingen.' Jack trok nogmaals aan de bel. 'Ik heb Von E. gisteren al verteld dat we hem nog enkele vragen wilden stellen, dan kon hij zich mooi een dagje zorgen maken.'

De huishoudster opende de deur en staarde ons aan. Op Jacks

vraag of we dr. Von Enchanhauer even konden spreken knikte ze overdreven met haar hoofd, net een marionet, maar bleef stokstijf stilstaan.

Dr. Von Enchanhauer riep van boven aan de trap. 'Laat mijn gasten maar binnen, Tefonia.' Ze draaide zich op haar hielen om en stommelde de trap op.

Jack fluisterde: 'Het lijkt wel zo'n personage uit *Deliverance*.'

Dr. Von Enchanhauer begroette ons formeel, maar zijn als Margaret Thatcher gekapte vrouw ontving me met een hartelijke glimlach. 'Juffrouw Fitzgerald, toen ik hoorde dat u zou komen, ben ik zo vrij geweest mijn collectie Milton-porselein te voorschijn te halen. U was bij uw vorige bezoek zo geïnteresseerd in ons porselein.'

Ik wist dat ik me moest gedragen als een heuse detective, maar ik vond het geweldig om mee te mogen naar de eetkamer om de collectie te bekijken. Met haar slanke vingers streek ze over de gedecoreerde borden waarop dezelfde bloem telkens net iets meer geopend was aangebracht, totdat hij op het grootste bord tot volle bloei was gekomen. Het magnifieke kobaltblauwe glazuur was na de achttiende eeuw nooit meer toegepast, de techniek verdween met de dood van de pottenbakker. Ik pakte een van de borden op en hield hem tegen het licht om de details beter te kunnen bekijken. 'Wat zijn ze mooi, u zult wel dagelijks van ze genieten.'

'Dr. Von Enchanhauer en de jongens zijn er totaal niet in geïnteresseerd, dus ze staan achter in de kast. Uw interesse heeft de mijne aangewakkerd, vandaar dat ik ze weer te voorschijn heb gehaald en inderdaad, ik geniet ervan alsof ik ze nog maar pas heb gekocht. Ze zijn magnifiek en doen me denken aan tijden waarin het leven eenvoudiger was. Ik ben blij dat ik mijn vreugde met u kan delen.'

Ik voegde me weer bij Von Enchanhauer en Jack in de salon en zei op een toon waarvan ik hoopte dat het klonk als 'alleen de feiten, niets dan de feiten': 'Dr. Von Enchanhauer, we hebben weinig tijd, dus ik wil graag meteen ter zake komen. Wanneer bent u bij Freud in analyse geweest?'

'Tweemaal. De eerste keer was ik nog een tiener in Wenen, de tweede was vlak na de oorlog in Engeland.'

Jack viel in. 'Doctor, ik begrijp dat u in 1945 in het ziekenhuis hebt gelegen?'

'Dat is juist.'

Intussen hield ik mevrouw Von Enchanhauer scherp in de gaten. Ze hield haar ogen strak op haar theekopje gericht en speelde met haar vingers langs de rand. Vervolgens ging ze op haar handen zitten. Mensen doen dingen waarvan ze hopen dat anderen ze gaan doen. Zodra je ziet dat iemand iets tussen zijn tanden heeft, ga je met je tong over je tanden. Ik wist zeker dat de handeling iets te maken had met de hand waarop hij dat litteken had zitten. Waarom zou zijn vrouw anders haar handen verbergen toen ze het over zijn ziekenhuisopname hadden?

'Mijn blindedarm is verwijderd,' zei dr. Von Enchanhauer.

'Ach. Uw opname heeft vrij lang geduurd... vier weken in het ziekenhuis in een tijd waarin zoveel mensen iets scheelde?' Jack was soms net een terriër.

'Ja. Ik heb een infectie opgelopen. De blindedarm was gescheurd. In die tijd werd er nog weinig gebruikgemaakt van antibiotica, bovendien was er na de oorlog een schrijnend tekort aan. Ik weet dat mensen zoals u, geboren in het tijdperk van de breedspectrumantibiotica, zich dat maar met moeite kunnen voorstellen.'

'Toch is het vreemd dat u in een Brits ziekenhuis lag, terwijl u en uw vrouw indertijd nog in Wenen woonden. Met die stekende pijn in uw buik kan ik me niet voorstellen dat u zei: "Lieverd toch, ik heb zo'n verschrikkelijke pijn in mijn zij, ik denk dat ik maar eens naar Engeland ga." '

'Wenen lag volledig in puin en er was een lange wachtlijst. Mijn schoonvader wist me met de hulp van enkele zakenrelaties naar het Royal Vic te verwijzen. De reis heeft echter net even te lang geduurd, zoals u al zei, en de appendix scheurde voor de operatie.'

'Mag ik misschien vragen wat er met uw hand is gebeurd?' vroeg ik.

'Jazeker.' Hij aarzelde geen moment en deed geen enkele poging zijn hand te verbergen. 'Voordat de oorlog uitbrak was ik Sofia's huisleraar. We zouden trouwen zodra ik mijn medische titel had behaald. Ik had eerst metafysica gestudeerd, maar had me opnieuw ingeschreven aan de universiteit. Tijdens de oorlog was studeren of het ontwikkelen van een relatie een luxe geworden, dat gold voor mij en voor alle Joden in Europa. Het enige waar ik me nog mee bezighield was uit handen te blijven van de nazi's. Sofia's familie bood me een onderduikadres en ik heb jaren in een put in de schuur gezeten, eigenlijk een ondergrondse silo die niet meer werd gebruikt. Ik kan niet zeggen dat ik daar heb geleefd, maar ik bestond.' Hij voegde er haastig aan toe: 'Ik ben ze eeuwig dankbaar. Zonder hen zou ik net als de rest van mijn familie zijn omgekomen in de kampen.'

'De familie van uw vrouw bezat een kast van een huis. Waarom brachten ze u onder in de schuur? Het moet er steenkoud zijn geweest,' zei Jack.

'U moet niet vergeten dat dit het Duitsland was in oorlogstijd. Ze riskeerden hun leven door mij te laten onderduiken. Ze hadden veel bedienden en tuinlieden, sommigen van hen sympathiseerden met de nazi's. De Duitsers hadden er flinke bedragen voor over om ondergedoken Joden te vinden en de meeste bedienden waren straatarm. Ze zouden er geen seconde over getwijfeld hebben iemand te verraden.'

'Het moet afschuwelijk voor u zijn geweest.' Jack keek even peinzend voor zich uit. 'In een vroeger leven heb ik jaren in eenzame opsluiting doorgebracht. Vindt u het ook niet ongelooflijk hoe je je eigen regels opstelt als na een paar maanden alles om je heen is weggevallen?'

'Twee van mijn tenen zijn afgevroren. Het ergste vond ik de duisternis. Mijn ogen kunnen zich niet meer aan het licht aanpassen en zonlicht is pijnlijk, omdat de staafjes in het netvlies zijn geatrofieerd. Door de jarenlange duisternis ging ik hallucineren en bij tijden had ik mijn gedachten totaal niet meer onder controle. Uiteindelijk ging ik de maïs in de put tellen en ik bedacht allerlei manieren om de uitkomst te delen. Ik ontwikkelde statistische berekeningen en controleerde de juistheid ervan door de maïskorrels met de hand te tellen. Ik wist dat ik mijn geest zoveel mogelijk moest bezighouden als ik wakker was, anders zou het steeds moeilijker worden te weten wie ik was en dat ik anders was dan de andere dieren op de boerderij.'

Jack zat inmiddels op het puntje van zijn stoel, met zijn ellebogen op zijn knieën. Hij had eindelijk iemand gevonden die minstens zo lang in eenzame opsluiting had gezeten als hijzelf. Hij sprak geanimeerder dan ik hem tot nu toe ooit had gehoord. 'Ik weet precies wat u bedoelt. Toen ik in eenzame opsluiting zat deed ik precies hetzelfde. Ik nam elke regel die de maatschappij had bedacht in gedachten en probeerde redenen te bedenken waarom ze in het leven waren geroepen. Ik was nauwelijks naar school geweest, dus ik heb de vreemdste dingen bedacht, maar ik denk echt dat ik door dat te doen niet compleet gek ben geworden.'

Dr. Von Enchanhauer leunde voorover en begon te spreken met de nadruk van de Ancient Mariner, hij voelde duidelijk met Jack mee en keek hem recht in de ogen. 'Alles wat ik deed was gebaseerd op mijn gedegen opleiding, opdat ik mezelf ervan kon overtuigen dat ik werkelijk Conrad von Enchanhauer was, een huisleraar die opgesloten zat in Sofia's schuur, iemand met een leven voordat hij op deze onmenselijke manier werd vernederd. Maar ik kon mezelf er niet meer van overtuigen dat ik een onschuldig man was. Het kleine stemmetje in mijn geest klonk steeds luider en fluisterde onophoudelijk: "Als je tot het uitverkoren volk behoort, waarom word je dan als vee behandeld en krijg je de restjes van de tafel toegeworpen, waarom steel je de maïs van de dieren?" Ik gaf het op met die geniepige Cassius te praten, mijn innerlijke stem die antisemitische scheldwoorden scandeerde. Ik hield me bezig met analytische opgaven om niet te hoeven nadenken over wat voor mij "de menselijke staat" was geworden.'

Ik schoot verbijsterend overeind. 'Wacht eens even. Bent u dezelfde Von E. als de Von E. van de regressieformule in multivariable steekproefgrootheden?'

'Jazeker, een en dezelfde,' antwoordde de doctor.

'Niet te geloven! Dus op die manier bent u erachter gekomen, tijdens de oorlog in een put. Fantastisch! Wacht... ze gebruiken altijd maïskolven en maïskorrels in de voorbeelden. Ik sta echt páf!' Ik plofte weer in mijn stoel.

Dr. Von Enchanhauer klopte even op mijn schouder uit waardering voor het feit dat ik zijn theorie kende en waardeerde en vervolgde: 'We dwalen af van het verhaal over de verwonding van mijn hand. Op een frisse, heldere dag toen ik dacht dat alle bedienden naar de zondagse kerstdienst waren, kroop ik uit mijn hol om vijf minuten op het erf van de schuur te lopen. Ik wilde mijn rug strekken, want die was volkomen verkrampt. Achteraf bleek dat het risico veel te groot was geweest, want iemand heeft me gezien en verraden. De volgende dag kwamen de nazi's naar het landgoed en liepen regelrecht de schuur in. Ze kwamen meteen naar de put, die provisorisch was afgedekt met haastig aan elkaar gespijkerde planken.

De Gestapo haalde de planken van de put en gooide een brandende fakkel naar beneden. Als er een Jood beneden zat, zou hij er wel uitgerookt worden. Ik greep de fakkel beet en doofde hem met mijn hand voordat de droge maïskolven vlam vatten. Ik hield hem met mijn arm tegen de wand van de put tot je het verbrande vlees kon ruiken. Ik heb geen kik gegeven, anders waren ze in de twintig meter diepe put afgedaald tot waar ik zat, verborgen in het duister. Ten slotte gooiden ze een emmer water naar beneden om brand te voorkomen. De rook sloeg van mijn arm af. Ze namen aan dat ze verkeerd waren ingelicht of dat de Jood al was ontsnapt. De stank van verbrand vlees dichtten ze toe aan de ratten die altijd in graansilo's huizen.'

Hij keek naar zijn arm. 'Het ziet er zo vreselijk uit omdat de huid was gesmolten en ik natuurlijk zonder enige medische verzorging werd achtergelaten. Sofia kon het dagenlang niet riskeren om naar de schuur te komen. Ze wist niet wie de verklikker was, maar ze wist wel dat hij haar scherp in de gaten hield. Ik op mijn beurt kon maandenlang niet naar boven komen. De huid genas, maar zoals u weet zijn brandwonden uiterst pijnlijk. Dit vond plaats in oktober 1942 en het was pas na acht maanden genezen, hoewel het nooit echt goed geheeld is.'

Ik wendde me tot mevrouw Von Enchanhauer. 'Wat moet dat voor u ook vreselijk zijn geweest. U stond daar boven aan de put of de silo en u wist dat het vuur niet werd gedoofd door water, maar door de huid van de man van wie u hield.'

Ze knikte alsof het gisteren pas was gebeurd. Haar stem haperde geen moment toen ze zei: 'We moesten de soldaten wat *schnapps* aanbieden en ze uitnodigen voor het diner. Ik wist dat er een collaborateur in huis was, maar we wisten niet wie het was, dus ik durfde lange tijd niet naar de schuur. Later kwam mijn vader erachter dat het de zoon van de schoonmaakster was die de informatie had verkocht. Het was een afgruwelijke tijd.'

'Afschúwelijk, lieverd.'

Wat een pedante eikel. Wie verbetert zijn vrouw nou als ze zoiets vreselijks vertelt?

'Mag ik uw arm misschien eens zien?' vroeg ik. Jack keek me aan of hij niet kon geloven dat ik zo harteloos kon zijn.

'Natuurlijk. Lieverd, misschien wil jij liever even de kamer uit gaan,' zei hij teder.

Sofia knikte en stond op. 'Ik zal voor de thee zorgen.'

Uiterst voorzichtig trok hij zijn overhemd uit. De arm was spierwit en de huid zag eruit als druipende lava, met verschrompelde landformaties ter hoogte van zijn elleboog en schiereilanden losse huid tot aan zijn pols. Bovenaan, bij de schouder, zag het eruit alsof iemand een deel van de huid had verwarmd, verwijderd en weer had opgelapt.

Zijn borstkas was hol, wat niet ongewoon is bij geleerden die een zittend leven leiden, maar zijn borsthaar zag er heel anders uit dan zijn hoofdhaar. Het was asblond, terwijl zijn krullende hoofdhaar donkerbruin was. Ik wist dat mensen wel eens een andere kleur baard hebben, maar dit zag er wel heel vreemd uit.

'Dank u, doctor Von Enchanhauer. Het spijt me dat we u moesten vragen dit te doen. Welke arts heeft u behandeld voor uw arm?' vroeg ik.

'Niemand, eigenlijk. Tegen de tijd dat er eindelijk een arts naar kon kijken, was de wond al geheel vervormd genezen. Er was niets meer aan te doen. De huid zat zo dicht op het bot dat de specialisten besloten het maar zo te laten.'

'Welke specialisten waren dat?' hield ik aan.

'Dat zou ik moeten opzoeken. Het waren kennissen van de familie van Sofia.'

'We moeten gaan. Ik zou het zeer waarderen als u ons de naam van deze arts zou kunnen doorbellen,' zei Jack.

'Ik denk niet dat hij nog leeft. Hij was een stuk ouder dan ik.'

'Er is vast nog wel een dossier van.' Jack was niet van plan het erbij te laten zitten.

Ik besloot oplettend naar zijn gezicht te kijken als ik mijn bommetje liet ontploffen, om te zien hoe hij reageerde. Zijn verdedigingsmechanismen waren minder sterk dan die van Anna, of anders was het een groot acteur. 'Het spijt me dat ik slecht nieuws voor u heb, vooral nu ik weet wat u allemaal al hebt meegemaakt. Maar we hebben een triest bericht gekregen.' Net op dat moment ging de deur weer open. Zijn vrouw glipte naar binnen en ging op een stoeltje bij de deur zitten. Von E. liet zijn hoofd tegen de rug van zijn oorfauteuil rusten en sloot zijn ogen, zoals kinderen doen als ze bang zijn in de achtbaan en er niet uit kunnen.

'Anders Konzak is vermoord,' zei ik.

Von E. sperde zijn ogen open en trok spierwit weg, waardoor zijn huidskleur nog onvoorstelbaarder werd dan hij al was. Zijn handen begonnen te trillen, en hij mompelde in het Duits: '*Genug ist genug.*' Hij ging niet naar zijn vrouw toe, maar zakte diep weg in zijn stoel. Hij steunde zijn ellebogen op zijn knieën, liet zijn hoofd in zijn handen vallen en huilde met hartverscheurende uithalen. Hij probeerde zich te beheersen en wreef heftig over zijn ogen en zijn hoofd, zoals een moeder zou doen om haar kind te troosten. Hij had zijn overhemd nog niet dichtgeknoopt en met zwoegende borst begon hij te mompelen. 'Hij wist het niet, hij wist het gewoon niet.'

'Wat wist hij niet?' vroeg ik.

Zijn vrouw greep in. 'Lieverd, ga rechtop zitten en adem diep door. Je bent hevig geschrokken.' Ze wilde dat hij zijn mond hield, maar ik wilde hem juist aan het praten krijgen, vooral op een moment als dit waarop hij geen enkele weerstand meer had.

'Hij wist niet welk effect hij had op anderen. Hij was alleen maar op zoek naar de waarheid, net als wij allemaal. Hij was volkomen onschuldig, net als een jonge hond, veel te uitgelaten om te begrijpen dat iemand het wel eens akelig kon vinden dat hij zojuist een pantoffel kapot had gebeten. Het is allemaal mijn schuld. Ik had hem die baan nooit moeten geven. Dat is zijn ondergang geweest. Hoe kwam ik er ook bij? God, een heel leven en nu dit. Wanneer komt er ooit een einde aan? Heb ik nog niet genoeg meegemaakt?' Hij keek Jack aan en smeekte: 'Wanneer komt er ooit een einde aan?'

Jack sprong op, liep naar hem toe en legde troostend zijn hand op de trillende rug van de snikkende Von E. 'Wanneer *wet shoyn kimen a sof cy deym alemen*?' snikte Von E. Hij stond op en stortte zich in Jacks gespierde armen. Von E. ramde zijn hoofd tegen Jacks brede borst en schreeuwde het uit: 'Wanneer *wet shoyn kimen a sof cy deym alemen*?'

Jack had geen idee waar hij het over had, maar hij hield hem stevig in zijn armen en zei sussend: 'Ik weet het. Soms is eenzame opsluiting makkelijker.' De tranen stroomden over het gerimpelde gezicht van de oudere man, terwijl Jack hem heen en weer wiegde in zijn armen.

Ik wist totaal niet wat ik aan moest met zoveel emotioneel vertoon en liep de hal in, met mevrouw Von Enchanhauer in mijn kielzog. Ze bleef even stoïcijns als altijd. 'Als je eenmaal een oorlog hebt meegemaakt, wordt het leven nooit meer hetzelfde.' Alsof het nu pas tot haar doordrong, informeerde ze: 'Wie heeft professor Konzak vermoord?'

'Dat is vooralsnog onduidelijk. Hij is dood aangetroffen in zijn appartement.'

'Ik was niet zo op hem gesteld, maar hij was als een zoon voor mijn man.'

'Hij heeft toch zoons van zichzelf?'

'Jawel, maar zij hebben nooit enige belangstelling getoond voor zijn werkzaamheden betreffende Freud. Het zijn zeilfanaten, zakenlui. Ze begrijpen niets van hem.' Ze liep naar de vitrinekast vol zeiltrofeeën. 'Ze vonden het niet leuk dat hij praktisch al zijn tijd besteedde aan het archief. Hij kon ze niet bereiken. Ze lijken vooral op mijn kant van de familie.'

'Hield u van uw man?' vroeg ik.

'Wees zo goed niet in de verleden tijd te spreken, juffrouw Fitzgerald. Mijn Engels is goed genoeg om te weten dat dat misplaatst is.'

'Het spijt me. Ik verkeerde in de veronderstelling dat iemand die van haar man houdt hem troost als hij verdriet heeft, maar ja, dat is míjn idee. Ik bedoel maar, ik heb mijn echtgenoot vermoord toen hij begon te zeuren, dus ik ben geen deskundige op het gebied van echtelijke steun.'

'Wat kun je zeggen tegen een man die zich belachelijk heeft gemaakt om een domme Amerikaanse jongen te helpen en daarmee zijn levenswerk heeft ondermijnd? Hij moet dit nieuws eerst maar eens langzaam tot zich laten doordringen, dan ruim ik straks de scherven wel op. Op dit moment is hij niet tot logisch nadenken in staat.'

'Waarom hebt u hem vier jaar lang verborgen gehouden?'

'Omdat ik vond dat hij een goed mens was en zeer getalenteerd. Dat vind ik nog steeds,' zei ze kalm.

'Je trouwt niet met iemand die je beschouwt als een goed mens. Je laat hem misschien onderduiken, maar je trouwt niet met hem.'

'De sociale mores zijn niet overal hetzelfde als in Amerika,' zei ze zelfverzekerd. 'Mensen zoals u en Konzak denken dat de wereld simpel in elkaar zit, maar zo is het niet. Ik benijd uw onbedorvenheid en tegelijkertijd veracht ik uw naïviteit.' Langzaam liep ze naar boven.

20

EENZAAM KOPPEL

Het seksuele element was verbazingwekkend weinig ontwikkeld bij haar.
– Sigmund Freud en Josef Breuer, *Studies over hysterie*, 'de ziektegeschiedenis van mejuffrouw Anna O.'

Op weg naar de auto sloegen de vonken van Jacks woede over me heen. Hij schakelde als een dolle, maar ik zei niets. Na ongeveer een halfuur vloeken en tieren op de medeweggebruikers spuwde hij het eruit. 'Jeetje Kate, ik hoop wel dat je alle antieke bordjes hebt gezien.'

'Dat is wel gelukt, ja.' Ik vroeg me af hoe het toch komt dat als vrouwen het troosten aan mannen overlaten ze beschouwd worden als kille krengen, terwijl als mannen het aan vrouwen overlaten ze 'het op hun eigen manier verwerken'.

Hij reed gevaarlijk hard en schreeuwde: 'Hoe kom je er verdomme bij om hem te vertellen dat Konzak is vermoord om er dan vandoor te gaan als de eerste de beste chique ijsprinses?'

'En hoe komt het dat ik jou geen spaghettivreter of mof of bajesklant mag noemen, terwijl jij me wel een chique ijsprinses mag noemen zodra het je voor je sentimentele bek komt? Ik ben doodziek van dat gemekker over mijn elitaire opvoeding.'

Hij zei niets terug, dus ik gooide er nog een schepje bovenop. 'Begrepen?'

'Jij hebt nooit in een isoleercel gezeten. Die man verdient wel wat beters dan jouw minachting en onverschilligheid.'

'Hoeveel detectives heb je nodig om een verdachte te troosten? En laat het goed tot je doordringen, die man is een verdáchte. De grote, tragische doctor is wel degene die zijn vrouw het zwijgen probeerde op te leggen over Bozo, weet je nog wel? Tenzij je je geheugen alleen gebruikt om de geprivilegieerde minderheid door het slijk te halen.'

'Ik weet verdomme niet of jíj het nog weet, maar jij staat nog altijd hoger op de verdachtenlijst dan hij. Het kan niet lang meer duren voordat er gewapende bewaking voor je deur staat. En niet om boze mannen buiten te houden, maar om slechte meiden bínnen te houden. Of hoor je dat soms voor het eerst? Wel eens gehoord van *recidivist, uw naam is Kate*?'

Ik keek hem onthutst aan. Zouden ze mij voor dit alles laten opdraaien?

Hij wist dat hij me van mijn stuk had gebracht en maakte er meteen misbruik van. 'We hebben hier lichtjaren zitten lullen terwijl die fantastische hersens van jou op volle toeren draaien en wat hebben we ermee bereikt?' Hij scheurde Brompton Road op. 'Zet die bril met die gekleurde Kate-glazen eens af, zeg. Waarom heb je hem verdomme verteld dat Konzak is vermoord?'

'Ik wilde weten of hij door zou slaan in geval van trauma. Het is een elementaire techniek die de meeste ondervragers kennen, behalve de Jacobussen onder ons die nergens een snars van begrijpen. Om een trauma te verwerken openen zich meer zenuwbanen en vaak is de respons te veel voor de afweermechanismen en krijg je in die paar seconden die direct op het trauma volgen meer informatie los. Jij bood hem troost. Ik heb jou laten doen waar je goed in bent. Je overdrijft en dat helpt de zaak niet.'

De portable telefoon begon te piepen, maar Jack wilde nog iets kwijt. 'In bepaalde situaties zijn alle dure meiden hetzelfde. Als tiener heb ik eens een rijke meid ontmoet, in die paar dagen dat ik eens niet in de bak zat, en ze nodigde me uit om te komen eten. Ze vond me echt leuk. Aan tafel gebruikte ik een tandenstoker, zoals ik dat in de pub altijd deed. Niemand zei dat ik dat beter niet kon doen of dat ik ermee moest ophouden. Ze keken alleen maar naar me, precies zoals jij als ik mijn tanden zit schoon te maken. Ze zeiden verdomme geen woord. Al die ongeschreven regels! Jij en mevrouw Von IJskast kennen ze precies en wij zijn de arme Joden en die lummels uit de arbeidersklasse die over elkaar heen snotteren, terwijl jullie het porselein bewonderen.' Hij schreeuwde het plotseling uit. 'Waar gáát dat verdomme over?'

Dat wist ik ook niet. Nijdig greep hij de telefoon.

Jack hing op. 'In 1963 zijn er röntgenfoto's genomen van Von Enchanhauers maag en is er bariumonderzoek verricht vanwege het vermoeden van een maagzweer. Zijn appendix zat er toen nog.' Ik deed mijn uiterste best me in te houden en geen gezicht te trekken van 'zie je nou wel'.

We reden zwijgend door tot het archief in zicht kwam, waar ik godzijdank zou worden afgezet. De ruitenwissers piepten heen en weer toen we Anna's halfronde oprijlaan opreden. Ik had nog een dag of vier, vijf te gaan in het archief, terwijl ik dácht dat Jack Von E. verder zou natrekken en Europa zou uitpluizen, op zoek naar De Magiër. Ik wachtte tot hij zijn plannen op tafel zou leggen. Ik mocht dan een arrogante burgertrut zijn, bazig was ik niet.

Hij zei niets, maar trommelde irritant met zijn vingers op het stuur, dus uiteindelijk zei ik: 'Hoor eens, ik weet dat er klassenverschillen bestaan. Jij vindt dat ik emotieloos reageer op een moment dat jij beschouwt als een crisis en ik ben niet zo dol op jouw tafelmanieren. Desondanks zullen we met elkaar moeten samenwerken, het zijn tenslotte niet bepaald redenen om onze overeenkomst te verbreken.'

'Heb jij eigenlijk wel een greintje warmte in je lijf?' Hij vroeg het met oprechte verbijstering in zijn stem.

Ik raakte zijn schouder aan. 'Het is een trieste zaak. Maar we hebben geen idee wat waar is en wat niet. Ik denk niet dat hij de moordenaar is en het is duidelijk dat hij speciale gevoelens koesterde voor Konzak. Maar je kent het fenomeen van de crime passionel. Je hebt zelf gezegd dat Von Enchanhauer een homo is.'

'Ik nam aan dat Von E. zich zo tot Konzak voelde aangetrokken omdat hij zich wilde koesteren in Konzaks uitbundige zelfverzekerdheid. Konzak was de personificatie van de zorgeloze aard die Von E. tijdens de oorlog is kwijtgeraakt. Maar misschien is die benadering te gepsychologiseerd. Misschien is het wel zo simpel als je zegt en was Von E. verliefd op Konzak.

Die arm en de eenzame opsluiting grepen me enorm aan. Hij is de enige die ik ooit heb ontmoet die net zo lang in een soort isoleercel heeft gezeten als ikzelf. Ik wist precies wat hij bedoelde toen hij zei dat hij zichzelf steeds moest blijven vertellen dat hij werkelijk een homo sapiens was.' Hij legde vermoeid zijn voorhoofd op het stuur.

'Je wist hem fantastisch te troosten, ik kon met een gerust hart de kamer uit gaan. Jullie hadden duidelijk een bepaalde band met elkaar, daar wilde ik niet tussenkomen.'

Hij staarde uit het raampje en mompelde knikkend iets verzoenends, maar ik hoorde niet wat hij zei.

Ik deed het portier open. 'Nu we het er toch over hebben dat mensen de waarheid spreken na een traumatische ervaring, wat is dat voor onzin dat ik een slechte meid zou zijn die onder bewaking achter slot en grendel moet?'

'Ik maak me nogal zorgen. Ik hoorde van een van mijn speurneuzen dat Konzak als vermist is opgegeven. Ik weet zeker dat ze hem intussen hebben gevonden. Het zal niet lang duren voor ze erachter zijn dat jij hem als laatste in leven hebt gezien. Jij bent met hem gesignaleerd in een restaurant, in het openbaar, ik niet. God weet wat Gardonne allemaal verborgen houdt, dat kon nog wel eens erger zijn dan de geheimen onder Von E.'s overhemd. Ik heb sterk het gevoel dat ik moet opschieten om ze allemaal vlugger af te zijn. We moeten snel handelen, ik hoop dat je dat begrijpt.'

'Ik zal proberen het werk in het archief binnen een week af te ronden, maar dat zal wel wat moeite kosten.' Ik stapte half en half uit, aarzelend, omdat ik hoopte dat hij me nog zou vertellen wat hij ging doen en wanneer we elkaar weer zouden ontmoeten. Ik zei: 'En dus?' Hij keek me alleen maar aan, dus ik moest wel doorgaan. 'Ik weet niet waarom je me niet wilt vertellen wat jouw of onze verdere plannen zijn. Op de een of andere manier weet je altijd een vermoeiend sfeertje te creëren waarin ik naar voren kom als de zeurende echtgenote.'

'Vermoeiend is het zeker. Zoals ik al zei, ik ga Von Enchanhauer en De Magiër natrekken in Engeland en in Europa. Jij hebt een dag of zeven nodig, dus ik zorg dat ik over een week terug ben. Dan vliegen we terug naar Toronto. Gardonne mag ons dan willen vermoorden, voorlopig leven we nog op zijn kosten.'

Ik liep het kletsnatte pad op, dat overwoekerd was met varens. De dikke bladeren dropen van de regen en de verzakte klinkers waren er bijna helemaal mee bedekt. Ik zag de zilverglanzende streep van een slak die net als ik naar de deur van het archief was gekropen. Ik bekeek de sporen aandachtig en besloot dat het een naaktslak was geweest. Huisjesslakken laten onderbroken sporen achter, bij naaktslakken zijn ze ononderbroken. Ik kon alleen maar hopen dat onze boosdoener het glanzende spoor achterliet van een naaktslak in plaats van dat van een huisjesslak.

Ik nam al Freuds afsprakenboeken door van 1880 tot 1885. Het duurde uren en toen ik klaar was, zag ik zo zwart als een mijnwerker. Vijf minuten voordat ik van plan was er de brui aan te geven, viel me een vreemde notitie op in een afsprakenboek, een nul. Er stond een klein O'tje getekend. Ik denk dat de geschiedkundigen hebben aangenomen dat Freud een uurtje vrij had genomen voor de lunch of voor onderzoek. In de brieven aan zijn collega Ferenczi schreef hij echter dat hij dat hele jaar door *twaalf uur achter elkaar* patiënten ontving. Uit de rest van de correspondentie bleek dat hij nooit overdreef over zijn werk. Indertijd was het niet zo in de mode als tegenwoordig om steeds maar weer te vertellen hoe druk je het wel niet had. Toch had hij een hier een uurtje vrijgenomen. Toen kwam het als een vloedgolf op me af: Freuds nul betekende geen vrij uur, het was een code voor een naam, een patiënt, Anna O.

Niet te geloven! Ik wist dat ik het bij het rechte eind had. Ik keek naar de naam onder de O, in de wetenschap dat dat Freuds volgende patiënt zou zijn. Hij of zij moest Anna O. elke dag zijn tegengekomen als ze de spreekkamer om één uur verliet. Ik liep met mijn vinger langs de patiëntenlijst, op zoek naar de volgende naam. Stein, jammer genoeg een naam die veel voorkwam in het vooroorlogse Wenen. Ik zou Freuds financiële gegevens na kunnen lopen om te zien of ik een rekening kon vinden, gericht aan ene Stein. Ik zocht de hele kamer door tot ik de reistas vond van dat jaar en een rekening ontdekte aan ene Herr Chaim Stein, Strasbourgplatz 133, Wenen.

Terwijl ik de relevante documenten fotografeerde met een binnengesmokkelde camera, hoorde ik gestommel op de trap. Jezus, Elsa, de kreupele huishoudster. Ze bleef voor de deur staan en riep: 'Fräulein Freud nodigt u uit voor gebraden worstjes met ei, *toads in a hole*.'

Jezus! Ik kan begrijpen dat iemand zijn best doet om de Engelse taal te leren en misschien de high tea over te nemen... maar de Engelse pot? Erger dan toads in a hole kan het niet worden. (Of het zouden koolbladeren met gehakt moeten zijn, de veel geroemde *pigs in a blanket*.) Ik deed de deur open. 'Wat aardig, ik kom eraan.'

Op Elsa's gezicht stond zowel verbazing als bezorgdheid te lezen. Het was duidelijk dat Fräulein Freud zelden of nooit gasten ontving en dat Elsa, die haar werkgeefster als veel te teer voor bezoek beschouwde, haar beschermde met haar leven.

Fräulein Freud stond bij de tafel en begroette me met een glimlach. 'Goedemiddag, juffrouw Fitzgerald. Ik hoop dat u me niet kwalijk neemt dat ik u van uw tijd beroof.'

'Nee, absoluut niet. Ik heb trek en nu kan ik iets eten en daarna snel weer aan het werk.' Ze schepte de borden op en ik zei: 'Als ik toads in a hole eet, moet ik altijd denken aan die strofe van Philip Larkin waarin hij zei:

"Want iets dat veel op een pad lijkt
hurkt ook in mij;
zijn hurken zijn zwaar als pech
en koud als ijs."

Dat gedicht doet me denken aan iemand die Bozo heet. Hij vertelde me dat hij in Freud leefde, als zijn id. Hebt u hem misschien ooit ontmoet?'

'Nee, ik meen van niet. Ik herinner me wel dat professor Konzak zijn naam meerdere malen heeft genoemd. Een paranoïde man, maar verder nauwelijks interessant te noemen. Hij heeft een uitstekend essay geschreven over mijn vader, zeer doordacht, maar met een paranoïde grondslag.'

Ik zweeg, in de hoop dat ze door zou gaan. Ik haalde hetzelfde therapeutische zwijgtrucje uit dat Gardonne altijd op mij probeerde. De theorie was dat de patiënt de stilte vanzelf zou opvullen als het maar ongemakkelijk genoeg werd. Het werkte. 'Paranoia is net als elke andere theorie, het is zo goed als de bedenker ervan. Bozo is een inventieve paranoïde man en zijn werk is briljant, maar onevenwichtig. Het is een gedegen onderzoeker. Hij heeft brieven en memorabilia over mijn vader ontdekt op plaatsen waarvan niemand wist dat ze bestonden. Als detective zou hij uiterst nuttig kunnen zijn, maar als theoreticus is hij gevaarlijk.'

'Als zijn theorie gebaseerd is op gedegen onderzoek, hoe kan het dan paranoïde zijn?'

'Van Gogh was een briljant kunstenaar, maar het is niet juist zijn zonnebloemen te beschouwen als representatief voor echte zonnebloemen. Ze waren visueel gezien méér dan zonnebloemen, je zou kunnen zeggen een paranoïde beschouwing van zonnebloemen, omdat hij er veel te veel in zag. In dit specifieke geval ben ik in het voordeel: ik heb de ware zonnebloem gekend en ik kan u verzekeren dat Freud in geen enkel opzicht leek op het briljante, onwerkelijke portret dat Bozo van hem schetste.'

'We maken ons nogal zorgen over de machiavellistische spilfiguren in de New York Psychoanalytic. We vragen ons af of een van hen misschien iemand heeft ingehuurd om Konzak te bedreigen en uiteindelijk te vermoorden.'

'Werkelijk? Hoe Amerikaans.'

Ik beaamde het lachend.

'Jammer dat de Amerikanen, zo ingenieus als ze zijn, zo afhankelijk zijn geworden van Freuds reputatie. De psychiatrie is tenslotte een groeiende wetenschap, of zou dat moeten zijn,' vond Anna.

'Ik vind niet dat de psychoanalyse werkelijk een wetenschap is, net zomin als de evolutietheorie dat is.' Ik nam nog een slokje thee. 'Is het niet een van de voorwaarden van een wetenschap dat de feiten bewezen en weerlegd kunnen worden? Als je probeert Freud te weerleggen, verkeer je in de ontkenningsfase. Als ik bijvoorbeeld tegen mijn therapeut zeg dat ik geen seksuele fantasieën koester over mijn vader, zegt hij dat ik deze heb onderdrukt. Hoe kun je zo'n theorie ooit weerleggen? De psychoanalyse is niet te falsificeren, zoals Karl Popper het stelde. Hoe weerleg je de evolutietheorie? Wat wil je zeggen? "Nee, ik was er drie miljoen jaar geleden bij en de verentooi van vogels is niet feller gekleurd dan toen?" Hoe briljant de psychoanalyse en de evolutieleer ook zijn, volgens mij zijn het theorieën en geen wetenschappen.' Om niet al te pretentieus over te komen, voegde ik eraan toe: 'Dat is natuurlijk niet meer dan mijn bescheiden mening.'

De dagen regen zich aaneen en ik gebruikte de maaltijd regelmatig samen met Anna. Vaak eindigden we midden in de nacht met een gezamenlijke kop thee. We waren uit hetzelfde hout gesneden en konden elkaars zinnen afmaken. Ik kon het niet helpen dat ik me voorstelde hoe het zou zijn geweest om Anna's dochter te zijn. Ik vroeg me af of moeders en dochters zich in het echt ook zo gedragen. Of zouden ze ruziemaken over wie de laatste tampon had gepakt?

Op een van die avonden, terwijl ik mijn theekopje op een bijzettafeltje zette en haar kantoor wilde verlaten, viel me een schitterend ingelijste foto op van Anna als tiener met haar vader. Tegen de achtergrond van de bloeiende Alpen zag ze eruit als een onschuldige, vrolijke Heidi in een dirndljurk, compleet met schortje, en haar vader keek liefdevol op haar neer. 'Wat een mooie foto van u en uw vader. Degene die hem heeft genomen wist een moment van compleet geluk op uw beider gezichten te vangen. Kijk, zelfs de bloemknoppen dansen in de wind.'

'Ja, mijn broer Ernst heeft hem genomen. Hij was dol op fotograferen.'

'Was u aan het bergbeklimmen? Uw vader draagt echter een kostuum.'

'Zoiets. Toen we nog jong waren begreep mijn vader al snel dat we wandelen oervervelend vonden, daarom maakte hij het interessanter door ons allerlei soorten paddenstoelen te laten zoeken. Het was een wedstrijd om te zien wie de grootste, de geelste of zoveel mogelijk soorten uit het paddenstoelenboek kon vinden. We zijn er allemaal erg goed in geworden. Op die foto heb ik de grootste paddenstoel gevonden en ben ik apetrots. Kijk maar, ik heb hem in mijn handen.' Ze wees op de foto. 'En wat de kleding betreft, mijn vader droeg altijd een kostuum.'

'O, is dat een paddenstoel? Ik dacht dat u een gele bloem in uw handen hield.' Anna zag er jong en sensueel uit op de foto. Nu zat haar gezicht vol rimpels, haar haar was dof en osteoporose had haar botten veranderd in schuimtaart. Waar was dat mooie, sterke meisje van de foto gebleven? Het moet een ware hel zijn om een jonge, lenige geest te hebben in een afgetakeld lichaam.

Bij het verlaten van het archief ving ik een glimp van mezelf op in de gangspiegel, de lichte ogen en het vale haar van de vrouw die me achtervolgde herinnerden me eraan dat ik de volgende was die zou verschrompelen. Dat sterke blonde uiterlijk dat mannen zo fascineerde begon te verbleken, alsof hetzelfde object met tussenpozen was gefotografeerd. Het duurde niet lang meer of ik was zelf zo'n excentriekeling die tussen stoffige boeken leefde, met een verbleekte herinnering aan de tijd waarin ze als consultant aan een moordzaak werkte of, zoals Jack het noemde 'haar tijd uitzat in de freudiaanse detectiveronde'. Ik zag mezelf al zitten met een blikje tonijn, een onsje ham of misschien zelfs ingeblikte ham, zonder wekenlang een levende ziel te spreken. Zo'n afschrikwekkend vooruitzicht was dat eigenlijk niet, het leek me eerlijk gezegd wel prettig.

Terug in mijn pension was er een boodschap van Jack:

Lieve irritante anglofiel,
Ik hou het geen minuut meer uit in deze poel van klassendiscriminatie. Het is maar goed dat jij vijf dagen op de woeste heide hebt doorgebracht. Zo te zien kan De Magiër jouw enthousiasme voor dit eiland niet delen, tenzij hij zich heeft vermomd als verkoper van Marks & Spencer. God weet dat zijn tanden hem in elk geval nooit zouden verraden.
Het lijkt erop dat we in allerijl terug moeten nu de gerechtelijke onderzoeken elkaar opvolgen. Straks houden we een heel gerechtsgebouw bezet en moeten we van de ene rechtszaal naar de andere voor die van Konzak, Bozo en waarschijnlijk De Magiër. (Voor de autopsies stonden ze vast tot in de hal, moet je nagaan wat een hoop koellades je dan nodig hebt.)
Even serieus, als je nog niet klaar bent, neem dan alles mee wat je nodig denkt te hebben. We vliegen morgen om 09.30 uur naar Toronto. Ik pik je om 07.00 uur op, dus trek iets aan met een beetje decolleté.
Een woeste maffe vent in mijn Hudsonbaai-jack... hoezo Londense mist?
Hertenjager

21

GLANS VERBLEEKT

> Een intellectuele functie in ons verlangt uniformiteit, samenhang en begrijpelijkheid van alle materiaal, waargenomen of gedacht, waarvan ze zich meester maakt, en schroomt niet een onjuiste samenhang tot stand te brengen wanneer ze als gevolg van bijzondere omstandigheden de juiste samenhang niet kan vatten.
> – Sigmund Freud, *Totem en Taboe*

Laten we wel wezen, Toronto is New York of Londen niet. Toch heeft het iets troostends om terug te keren naar die solide bakstenen rijtjeshuizen. Als de wolf aan je deur komt hijgen, weet je zeker dat je zo veilig bent als het meest geobsedeerde broertje van de Drie Biggetjes.

Je glijdt in de beleefde conventies zoals je in je lamswollen pantoffels glijdt. Elke Canadees heeft ooit wel eens een paar van die dingen gehad. Lang geleden hingen er labels aan waarop stond dat ze door 'echte Eskimo's' waren gemaakt (ik heb nog nooit een lammetje gezien op mijn bevroren toendra). Ze hielden je heerlijk warm op de grenen vloerdelen tijdens die saaie zaterdagochtenden en de eindeloze winters van die jeugd waarvan je dacht dat er nooit een eind aan zou komen, toen de tijd van 'verantwoordelijkheid' en 'persoonlijke groei' waarin je meer eiste dan alleen comfort nog niet was aangebroken.

In de limousine die ons naar het centrum bracht haalde Jack

mijn genoegen vakkundig onderuit door te mopperen: 'Wat ik hier zo vreselijk vind is dat de ellende zo nieuw is en de standpunten zo oud. Dat hele verhaaltje over de multiculturele samenleving raakt kant noch wal. In Amerika weten ze tenminste nog dat ze geacht worden *Amerikaan* te zijn. Op onafhankelijkheidsdag is er geen Amerikaan die het in zijn hoofd haalt een nepkostuumpje uit zijn land van herkomst aan te trekken. Die vrouw bij mij aan de overkant verkleedt zich in een of andere Noorse jurk met een gekleurd schort en linten en ze zit op volksdansen. Allemachtig, ik dacht echt dat ze serveerster was bij het International House of Pancakes.'

Zoals gewoonlijk had hij ergens wel gelijk. Het was dat ik te moe was om ertegenin te gaan, anders zou ik hem erop hebben gewezen dat het een eerbetoon was aan het nationale karakter van de Canadezen dat iemand als Konzak het land beschreef als een goelag en de bevolking als saai. Dat betekende alleen dat de Canadezen nog niet met hun ogen knipperden bij zijn theorieën. Je hoeft niet uit Missouri te komen om te zeggen: 'Bewijs dat maar eens.'

Onze limousine kroop vooruit in het dichtgeslibde verkeer en Jack zei: 'Terwijl jij je in weelde baadde op de schuiten van het Eriekanaal, voordat je zo galant werd gered, waarover je je overigens tot op de dag van vandaag ondankbaar hebt betoond, heb ik wat informatie gezocht over Bozo's circustent en ik kan je wel vertellen, een spectaculaire voorstelling wordt het niet.'

Bij het horen van Bozo's naam dacht ik terug aan zijn commune. Ik vroeg me af of Shawna ons iets kwalijk zou nemen. Jack en ik waren tenslotte nog niet op het toneel verschenen of ze was haar twee beste vrienden kwijtgeraakt en haar huis was in puin geslagen. Jezus, als ik haar was, zou ik des duivels zijn. Het was te vreselijk om over na te denken. Desondanks vroeg ik wat hij zoal had gevonden.

'Shawna komt uit een klein stadje in Ontario, Paris genaamd.'

'Dat alleen al is misleidend,' vond ik.

'Haar vader werkte bij de gemeente.'

'Als wat?'

'Je weet wel, publieke werken.'

'Wat is dat?'

'Nou, gaten in het wegdek repareren en sneeuwruimen.'

'O, publieke werken klonk als iets filantropisch.'

'Jij bent echt niet van deze wereld, Kate.' Hij keek me aan of ik van de planeet Remulak kwam.

'Wat doet haar moeder?'

'Die lijdt aan pleinvrees.' Jack voegde eraan toe: 'Ze is in geen zeventien jaar het huis uit geweest.'

'Ik denk niet dat ze veel heeft gemist,' zei ik.

'Aan je kleding te zien, lijd jij aan dezelfde aandoening.' Jack keek misprijzend naar mijn zwarte kasjmieren trui vol motgaatjes die ik al droeg toen ik nog studeerde.

'Wees maar blij dat de mode voor raddraaiers in de afgelopen jaren nauwelijks is veranderd,' kaatste ik terug.

Jack negeerde me. 'Die moeder weegt over de honderd kilo. Toen ze pas getrouwd waren, werkte ze bij Woolworth op de afdeling garen en band. Intussen is er al jarenlang geen goed garen meer met haar te spinnen.' Hij bladerde door zijn spiraalschriftje. 'Ze hebben een eigen huis, geen schulden, de vader lust wel een biertje. Ze heeft een broer die met dank aan zijn vaders trouwe staat van dienst een baan heeft gekregen bij publieke werken.'

'Typisch Ed Norton.'

'Wel z'n eindexamen gedaan. Shawna is thuis beter bekend onder de naam, let op, *Betty*. Ze kon niet goed leren, maar heeft wel een aantal prijzen gewonnen op school voor boetseren. Het waren abstracte figuren, maar iemand op de kunstacademie van Toronto moet ze zijn opgevallen. De hoofdprijs ging naar haar sculptuur met de naam *Curious George is a Siamese Twin*.' Ik trok een geïnteresseerd gezicht, maar Jack trapte er niet in. 'Dat zegt alleen dat er iemand in Toronto rondloopt die net zo gek is als zij. Ze hebben elkaar gevonden.'

'Toch heeft haar werk iets leuks. Je kunt je niet voorstellen hoeveel complimentjes ik krijg over mijn ezeltjes. Met een beetje marketing zouden ze goed verkopen.'

Jack weigerde hierop in te gaan. 'Bozo is een heel ander verhaal.' Hij bladerde weer door zijn bladzijden vol aantekeningen. Ik zag dat er een paar met gele stift waren gemarkeerd. Jack was een vat vol tegenstrijdigheden. Ik vond hem totaal geen type voor een markeerstift. Hij heeft me verteld dat hij een cursus snellezen en tekstverklaring heeft gedaan toen hij pas uit de gevangenis was, omdat hij zoveel studietijd had verloren in de isoleercel. Hij had veel meer tijd gehad om na te denken dan andere mensen, maar scholing had hij nauwelijks gehad. Toen hij ging studeren moest hij zich eerst bijscholen, dus wat hij ook las moest in één keer begrepen worden. Hij las de krant zelfs met een markeerstift in de aanslag.

'Bozo's vader, arts bij een energiebedrijf in Trois-Rivières, Quebec, stierf toen Bozo twintig was. Zijn moeder leeft nog, een alcoholiste met een lever zo groot als een pompoen. Ze raakte aan de drank toen Bozo's vader heel langzaam stierf aan Huntingtonse chorea, een neurologische aandoening die op den duur elke spier die je in je lijf hebt verlamt.'

'O ja,' zei ik, 'dat is een zeldzame ziekte, autosomaal-dominant.'

'Klinkt kinky.'

'Het is erfelijk, vijftig procent kans dat je kinderen het ook krijgen. Volgens mij hadden Woody Guthrie en zijn vader het ook.'

'Bozo leek het tot nu toe niet te hebben, evenmin als zijn negen jaar oudere broer. Die broer is kerngezond. Ik heb hem en zijn vrouw opgezocht, zij is onderwijzeres. Het zijn godvrezende hockey-ouders die hun kinderen extra lessen laten volgen. Bozo's broer vertelde dat zijn moeder een hopeloze alcoholiste is die nooit behoorlijk voor Bozo heeft gezorgd. Hij had het geluk dat hij al een stuk ouder was toen zijn vader bezweek aan zijn ziekte. Hij beschreef zijn vader als iemand op wie je kon rekenen. De moeder nam af en toe een slokje om het leven draaglijk te maken tijdens de ziekte van haar man, maar tegen het einde had Bozo alle zorg voor de zieke man op zich genomen. In de laatste tien jaar van zijn vaders leven studeerde die broer elektrotechniek en kwam alleen met de kerstdagen thuis.'

'Dus Bozo bracht zijn belangrijkste vormingsjaren door met een verlamde vader met wie hij trachtte te communiceren en een dronken moeder,' constateerde ik.

'Wat ik ervan begrijp is dat de vader wel kon horen, maar niet kon praten. Hij kon alleen zijn oogleden bewegen. Bozo verzon een soort morsecode waarmee zijn vader zich kon uitdrukken, gebaseerd op het knipperen van zijn ogen. Hij creëerde een heel eigen, ingewikkelde taal en dacht dat hij zo met zijn vader kon communiceren. Op het MIT hebben ze deze code grondig bestudeerd. Ze vinden het een briljant systeem, stukken beter dan alles wat er tot dusver is ontwikkeld om met verlamde mensen te communiceren. Maar toen zijn vader stierf, heeft Bozo er verder niets meer mee gedaan. Nou moet je horen, die broer geeft toe dat het een briljante code was, maar hij denkt dat zijn vader willekeurig met zijn ogen knipperde. Volgens hem heeft Bozo de relatie met zijn vader geheel verzonnen.'

'Volgens mij verzinnen we allemaal een relatie met onze vader.'

Jack knikte. 'Ik weet nog dat ik op mijn negentiende naar de villa van mijn vader reed in mijn Buick Riviera. Hij had het helemaal gemaakt als projectontwikkelaar. Ik was in die tijd een dijk van een heroïnehandelaar en was zelf ook aan het spul verslaafd.'

'Waarom ging je er naartoe? Had hij in al die jaren ook maar enigszins belangstelling voor je getoond?'

'Nee. Hij vertrok toen ik twee was. Hij was arm toen hij wegging en daarmee werden mijn moeder, mijn zusje en ik nog armer dan we al waren.' Jack aarzelde. 'Ik wilde hem laten zien hoe goed ik terechtgekomen was. Grappig, eigenlijk.' Hij schoot in de lach. 'Ik dacht echt dat de heroïnehandel en een dure callgirl als vriendin betekenden dat ik het helemaal had gemaakt.'

'Hoe reageerde hij?'

'Hij belde de politie zodra ik in die auto de oprijlaan op reed. Toen ik naar de deur liep, deed hij de ketting erop en opende hem slechts op een kiertje. Ik kon nog net zien dat hij het in zijn broek deed van angst.' Jack legde zijn schrift weg en wreef over zijn kin, alle humor was uit zijn gezicht verdwenen. 'Ik heb hem nooit meer gezien.' Hij bleef een tijdje stil en zei toen: 'Ik heb geen idee waarom hij dacht dat ik hem iets zou aandoen. Ik wilde hem alleen maar mijn auto laten zien.'

Toen we de snelweg af reden naar het centrum, dacht ik aan Anna Freuds woorden over mijn vader, toen ze zei dat hij zijn rationaliteit gebruikte als dekmantel voor zijn gebrek aan emoties. Ik werd een beetje misselijk van de penetrante dennengeur van twee luchtverfrissers aan het achteruitkijkspiegeltje van de limousine, dus ik deed het raampje open. Jack vervolgde zijn verhaal over Bozo.

'Op de middelbare school is hij voor bijna alles gezakt. Ik heb zijn rapporten bekeken, hij was altijd aan het spijbelen en schreef bij een geschiedenisproefwerk in de derde klas "nadere extrapolaties over wederom een saai onderwerp". Het MIT liet hem toe op grond van zijn buitenschoolse activiteiten en de code, die ze als een opmerkelijk onafhankelijk onderzoek beschouwden. Veel van de professoren die ik heb gesproken wisten nog precies wie hij was en gaven hoog van hem op, met name van zijn kennis op computergebied. Vijftien jaar geleden, toen computers nog zo groot waren als complete huiskamers, schreef hij voor de grap een quasi-serieus programma dat een psychotherapeutische sessie à la Freud moest nabootsen. Het was een weergaloos succes. Ze hebben foto's van studenten die in de rij staan om het te gebruiken.'

'O ja, Konzak heeft me iets over dat programma verteld toen we zaten te eten. Er wordt wel vaker lovend over geschreven. Ik had geen idee dat Bozo dat had geschreven. Wauw.'

'Oké dan, juffrouw *wannabe* freudiaanse detective, ben je er klaar voor? Hij is in zijn derde jaar van het MIT gestuurd. Hij had het waanidee opgevat dat de hotels in Las Vegas 's nachts extra zuurstof in de zalen pompten om de mensen wakker te houden, zodat ze door bleven gokken. Hij was vast van plan dat als misdaad aan het licht te brengen.'

'In Las Vegas, de stad van de maffia?'

'Net zo makkelijk.'

'Waarom?'

'Weet jij het? Hij wilde alleen nog maar aan zijn Las Vegas-project werken, beweerde dat niemand hem serieus nam en sterker nog, dat degenen die het ontkenden allemaal in het complot zaten. Kennelijk ontkenden de hoogleraren het niet. Maar ze vroegen wel wat het te maken had met theoretische wiskunde op het MIT. Uiteindelijk moesten ze hem wel schorsen, want hij zakte voor alle tentamens en kreeg het etiket van de notoire lastpak opgeplakt. Gek genoeg voerde de Environmental Protection Agency, het gezaghebbende milieubureau van de federale regering, twee jaar later een controle uit in de hotels van Las Vegas op asbestdeeltjes en dat sickbuildingsyndroom en toen kwamen ze erachter dat de eigenaren werkelijk het equivalent van zware zuurstof in de hotels pompten om mensen op te peppen. Iedereen was een soort van high en ging maar door met gokken. Als ze thuiskwamen, barstten ze van de koppijn en sliepen ze drie dagen achter elkaar.'

Ik herinnerde me dat Anna Freud Bozo briljant, maar paranoïde had genoemd. Ze vond zijn theorie over Freud interessant, de feiten waren fascinerend, maar gaven geen exact beeld van haar vader. Bozo's broer zei precies hetzelfde over zijn code: de theorie was briljant, maar zei niets over het gedrag van zijn vader. In de zuurstofkwestie was het een idee dat paranoïde leek, niet passend bij de discipline van een student wetenschappen, maar het bleek wetenschappelijk aantoonbaar te zijn. Ik dacht aan Anna's woorden over de wonderlijke zonnebloemen van Van Gogh. De kunstenaar was paranoïde, het schilderij is briljant, maar het is geen accurate weergave van zonnebloemen. Ik besloot te vragen: 'Is Bozo ooit opgenomen?'

'Nee.'

'Medicijngebruik?'

'Nee.'

'Alcohol?'

'Nee. Drugs, om de andere zaterdagavond. Hij zei dat hij werk te doen had. Geen seksleven, homoseksueel noch heteroseksueel. Doet dat een belletje bij je rinkelen? Geintje. Heeft de oogknippertaal aan De Magiër geleerd, voor het geval hij ooit verlamd zou raken.' Jack sloeg zijn schrift dicht.

'Wist De Magiër waarom Bozo wilde dat hij die taal leerde... dat hij vijftig procent kans had Huntingtonse chorea te krijgen?'

'Geen idee,' zei Jack.

'Ik weet zeker dat Betty, alias Shawna, weet waar De Magiër zich verborgen houdt. Ik denk dat we daar wel achter komen als we haar lang genoeg blijven schaduwen,' opperde ik.

'Dat schaduwen kan zo moeilijk niet zijn, gezien het feit dat ze nooit de straat op gaat. Misschien heeft zij ook wel pleinvrees, net als haar moeder.'

'Ze zegt dat ze naar de bijstand gaat, maar ze komt nooit verder dan de voordeur.'

'Te gek, Dvorah chanteert een exhibitionist en wij schaduwen een vrouw met pleinvrees. Je weet toch dat we onder invloed van drugs waren, die nacht dat ze vermoord zijn?' vroeg Jack.

'Je meent het, Sherlock.' Ik was niet van plan het daarover te hebben. Jezus nog aan toe, het was al erg genoeg om eraan te dénken hoe ik me op die dansvloer had misdragen, laat staan dat ik erover wilde praten.

'Rustig maar.' Hij reageerde meteen op mijn felle stem. 'Is het ooit bij je gekomen dat De Magiër Konzak en Bozo heeft vermoord en er toen vandoor is gegaan?'

'Nee, Jack. Het is nooit bij me opgekomen dat een vent die spoorloos verdwijnt na een misdaad wel eens schuldig zou kunnen zijn.' Ik was wagenziek, sloot mijn ogen en liet mijn hoofd achteroverleunen tegen de bank.

Toen de wagen eindelijk bij mijn flat was en ik al met één been buiten stond, kwam Jack erop terug. 'Ik neem Edgar en Hari voor mijn rekening, jij houdt je bezig met Shawna. We zien elkaar morgenavond bij jou thuis, nadat je Shawna hebt gesproken.'

Ik stapte uit en vond voor het eerst dat het Ontariomeer zuiver rook.

Toen ik die avond Bozo's pad op liep, zag ik een bord in de tuin staan met zelfgeschreven letters erop:

kamers te huur, fijne vegetarische woning, katten welkom

Ik klopte op de kromgetrokken hordeur. Het duurde een eeuwigheid voor Edgar verscheen, zo te zien had ik hem uit een diepe slaap gewekt. 'Hoi Edgar. Ik ben het, Kate,' zei ik, zo gemaakt opgewekt dat ik er zelf de rillingen van kreeg.

Hij moest even nadenken. 'O ja, Kate. Heb je hier niet al alles gekregen wat je hebben wilde?'

Hij draaide zich om en brulde in het wilde weg: 'Shawna, Kate is er, die vrouw van die uitgeverij of wat dan ook. Ze zégt dat ze oorbellen wil.'

'Stuur haar maar door naar de keuken,' piepte Shawna terug.

Ik liep langs Bozo's fiets, die nog steeds in de gang stond. Het was een stuk rommeliger in huis dan toen Bozo en De Magiër er nog woonden. Shawna keek wat minder helder uit haar ogen dan toen. Ze zat tussen een hele berg glitters en bond kleine cappuccinoapparaatjes aan oorbellendraad. 'Deze noem ik *Opgeklopt*. Holt Renfrew is bereid een monsterpaar in de verkoop te nemen.'

Ik vond ze echt leuk. 'Mijn ezeltjes van de wereld hebben heel wat stof doen opwaaien.' Ik wees op de malle *equus* in mijn oren. 'Iedereen in mijn flatgebouw vond ze enig en een paar vrouwen hebben me om je kaartje of telefoonnummer gevraagd.'

'Top,' zei Shawna, niet echt enthousiast. Maar ze fleurde al een beetje op. 'Ik zit aan een zebrathema te denken, om rasseneenheid te promoten. Je weet wel, zwart en wit verenigd in één lichaam.'

Ik was uitgepraat over oorbellen en daarbij, wat moet je zeggen tegen iemand die denkt dat zebra's rasseneenheid vertegenwoordigen? Ik ging over op de kern van de zaak. 'Shawna, ik vind het heel erg wat er met Bozo is gebeurd. Dat wilde ik je even persoonlijk komen zeggen. Ik wilde je ook vertellen dat Anders Konzak, de directeur van de Freud-academie, is vermoord.' Shawna plakte de plastic handvatten vast en keek op. 'Ik weet dat je hem niet kent, maar hij is op dezelfde manier vermoord als Bozo. We denken dat beide moorden door een en dezelfde persoon zijn gepleegd. Ik ben vandaag naar je toe gekomen, omdat we vrezen dat De Magiër in gevaar verkeert.'

'Wie bedoel je met *wij*? Heb je soms een muis in je zak zitten? Dat zei mijn vader altijd.'

'De moordenaar wilde De Magiër ook doden, maar zover is hij niet gekomen. We denken dat hij ergens door is gestoord. Kun jij ons misschien helpen?'

'We weten dat onze telefoon wordt afgeluisterd. Ik was een keertje in gesprek met de leverancier van mijn glittertjes en toen kwamen er ineens twee mannen tussen die broodjes kalfsvlees bestelden bij San Francesco.'

'Knap staaltje clandestien werk,' zei ik. Ik vroeg me af of Jack Abbott en Costello had ingehuurd om deze afluisterapparatuur te bedienen.

'En dan Edgar nog. Als hij naar het centrum voor Indiaanse Kunst gaat wordt hij gevolgd. Ze gaan zelfs met hem mee de supermarkt in als hij kauwgom koopt,' zei Shawna.

'Werkelijk, die kerels kunnen de weg nog niet vinden in een plastic zak,' zei ik.

'Het is zo ondetectiveachtig,' vond Shawna. Ze keek een tijdje zwijgend uit het vuile raam. 'Ik weet niet of ik dit wel mag zeggen, maar Edgar is kwaad op jullie. Hij zegt dat alles is misgegaan nadat jullie hier op de stoep zijn verschenen.'

Ik knikte, want daar had hij helemaal gelijk in.

'Ik heb tegen Edgar gezegd dat het stom van hem was om te denken dat Bozo door een vrouw was vermoord. Kijk maar naar de televisie, of naar de geschiedenis. Vrouwen doden niet, dat doen mannen. En ik heb ook gezegd dat mensen die je mee uit nemen niet terugkomen om je te vermoorden. Jeetje kreetje, het is hier geen Hans en Grietje-verhaal van vetmesten en doodmaken. Maar wat het dan wél is, weet ik ook niet.' Voor het eerst zag Shawna er angstig en verloren uit.

We zaten in genoeglijk zwijgen bij elkaar aan tafel. Ze zag er zo moe en bleekjes uit dat mijn hart, of wat er ook over is van dat orgaan dat er volgens mij uitziet als een gedroogde tomaat, naar haar uitging. 'Je leven zal wel drastisch zijn veranderd nu Bozo en De Magiër weg zijn.'

'Ja, ik voel me eenzaam en ik heb geen routine meer in mijn leven of zo. Bozo was streng, hoor: boodschappen doen op donderdag, schoonmaken op vrijdag, dat soort dingen. Ik ga niet graag naar buiten en zij gingen een samenwerkingsverband aan met de buitenwereld, zoals Bozo het altijd noemde. Ik hield het huishouden draaiende, met brownies maken en zo. Hari, Edgar en ik proberen de boel zo goed mogelijk op orde te houden.'

Ik schudde meelevend mijn hoofd. 'Ik ben bij de kunstacademie in Ontario geweest en heb je sculptuur gezien, *Curious George is a Siamese Twin*. Je werk is echt goed.'

'Dat heb ik heel lang geleden gemaakt.'

'Er sprak veel talent uit,' zei ik. Gek genoeg meende ik het echt, haar kunst bezat dezelfde krachtige mix van ironie en onschuld als haar karakter. Shawna haalde haar schouders op en keek naar haar handen, die vol lijm en glitters zaten.

'Zou je me willen helpen met het onderzoek?'

'Ga je onze toetjes in het weekend aanpakken?' vroeg ze.

Ze was kennelijk bang dat Jack en ik op de een of andere manier betrokken waren bij de politie. Waarschijnlijk wist ze heel goed dat dat verhaaltje over de uitgeverij ook een goedkope undercovertruc was, net zoals die stomme idioten die Edgar schaduwden of de telefoon hadden afgetapt.

'Nee. Het enige wat we willen is deze misdaad oplossen en voorkomen dat er nog iemand wordt vermoord.' Ik greep mijn kans. 'Ik kan je garanderen dat er niets wordt gedaan aan de drugs of jouw bijstandsfraude, maar ik heb je hulp nodig.'

'Ik had je toch wel geholpen.' Shawna keek voor het eerst boos.

'Kun jij er misschien voor zorgen dat De Magiër contact met me opneemt?' vroeg ik.

'Ik heb hem voor het laatst gezien in de nacht dat Bozo is vermoord. Ik wil dat hij thuiskomt. Misschien is hij gewoon verdwenen, het is tenslotte een echte magiër... dat zijn de risico's van het vak.' Shawna zei het zonder een spoortje ironie. Wat ik zo leuk vind aan Shawna... en nu ik erover nadenk, geldt hetzelfde voor haar kunst... is dat ze weet dat ik haar uitspraken compleet geschift vind, maar daar zit ze niet mee, ze zegt alles precies zoals ze denkt.

Ik probeerde het op een andere manier. 'Wat weet je over de relatie tussen Bozo en Anders Konzak?'

'Niet zoveel. Ik weet dat hij die Andreas Konzip of hoe hij ook heet wel eens iets stuurde met de post. Brieven, ook wel eens pakjes. Ik zag ze liggen op het tafeltje in de gang, waar hij alles neerlegde wat op de post moest.'

'Had hij het wel eens over Konzak?'

'Aan tafel gingen Magi en Buzzy soms verder met een gesprek dat ze eerder waren begonnen. Ik heb het gevoel dat Buzzy Beer boos was op die Konzak-meneer, omdat hij dan zei: "Daar komt hij niet mee weg" en dat soort dingen. Soms zaten ze hem een beetje uit te lachen en zeiden ze: "Hij vat het gewoonweg niet." Ik geloof dat ze hem hints gaven en toen heeft hij iets gebruikt van Bozo, een of ander idee of zo, want daar was Buzzy razend over.'

'Waar ging dat over?'

'Weet ik niet. Buzzy en Magi lazen in de krant dat Android iets had gezegd. Bozo en De Magiër waren allebei des duivels en zeiden dat hij ervan zou lusten.'

'Heb je de naam Von Enchanhauer wel eens horen vallen?'

'Nee.'

'Weet je met wie Bozo en De Magiër nog meer correspondeerden?'

'Met duizenden mensen. Ik gaf de brieven altijd aan de postbode mee. Ik bekeek ze altijd, want ik ben dol op postzegels. Ik zat eraan te denken ze te laten lamineren, dan kon ik er oorbellen van maken met als thema Postcode.'

'Shawna, ik ga een lijst opstellen en dan wil ik graag dat jij kijkt of Bozo en De Magiër die mensen ooit hebben geschreven, is dat goed?'

'No problemo,' zei ze. Ze zat alweer te lijmen.

'Fijn, dank je wel. Ik breng hem zo snel mogelijk bij je langs.' Ik stond op en vroeg toen: 'Hadden Bozo en De Magiër wel eens ruzie?'

'Niet echt. Ze waren het vaak heftig met elkaar oneens, maar dat waren discussies, meestal aan tafel. Dat ging zo van, is Freud echt slecht? Bozo vond altijd van niet, hij vond Android slecht. De Magiër begon dan altijd over de Wildinwoods of zo, die waren pas echt slecht.'

'De Wildinwoods? Wie zijn dat dan?'

'Ik geloof niet dat ze zo heten, ik weet die dingen nooit zo precies, maar het klonk ongeveer zo. De Magiër schreef die jongens van Wildinwood brieven, en ook de Darwin Foundation.'

'Android' was duidelijk Anders, maar wie waren de Wildinwoods? Het klonk als een echtpaar of als een bedrijf. Ik besloot het voor later te bewaren en vroeg door. 'Ik weet dat je Bozo en De Magiër heel graag mocht, maar vond je ze ook niet een tikje vreemd?' Vreemd nog wel... en dat vroeg ik aan iemand die bananen met glittertjes beplakt!

'Ze waren wel vreemd, maar heel lief. Ik hield van ze.' De tranen sprongen haar in de ogen.

'Vond je ze wel eens wat paranoïde?'

'Nooit. Ze werkten allebei keihard. Ze wilden zich niet vastleggen aan een organisatie, want daar waren ze het type niet naar. Maar ja, ik persoonlijk vind dat niet zo heel gek.' Shawna wreef met haar vinger langs haar gezicht en nu zat er roze glitter op haar neus.

'Hadden jullie het hier in huis wel eens over je jeugd?'

'Als Edgar gedronken heeft, begint hij erover te kletsen. Hij is een Cree uit Alberta. Toen hij vijf jaar oud was, zond de overheid hem naar een kostschool, duizend kilometer van z'n dorp. Daar moest hij acht jaar blijven.'

'Dat is om woedend van te worden.'

'Niet zo goed voor je gezinsleven. Hij praat er alleen over als hij gedronken heeft. Dan wordt hij opgefokt en wil hij vechten met de postbode of de scharensliep of wie er ook maar toevallig langskomt.'

'Wat doet hij?'

'Van alles en nog wat. Seizoenwerk. 's Zomers grasmaaien, 's winters sneeuwruimen. Hij werkt nu als timmerman bij het indianencentrum voor tandheelkunde en kunst of zoiets.'

'En Hari?'

'Die zegt heel weinig. Hij heeft een tijdje bij Pakistaanse familieleden ingewoond, maar er waren problemen met die vrouw of zo en toen is hij hier komen wonen. Soms belt er familie uit Scarborough, dan schreeuwt hij in het Indiaas door de telefoon en hangt dan op. Daarna zit hij soms uren in het Uruguayaans te mopperen of wat voor taal dan ook.'

'En Bozo?'

'Bozo heeft het er nooit over gehad. Hij heeft een oudere broer die hem wel eens belde en vroeg of hij naar hem toe wilde komen, maar hij is nooit gegaan. Zijn broer is ook een keertje hier geweest, maar ik geloof niet dat ze een band met elkaar hadden. Ik denk niet dat zijn ouders nog leven.'

'Zijn moeder leeft nog, maar haar hersenen zijn verzuurd door de alcohol.'

'Zo levend ben je dan niet.'

'En De Magiër?'

'Ik weet heel weinig van hem. Hij heeft het nooit over iemand gehad en ik ging ook niet de detective uithangen. Hij weet heel veel over aardewerk en porselein. Volgens mij komt hij uit een chic gezin. Dat voel je gewoon, weet je. Om de een of andere reden kon je hem zulke dingen niet vragen.'

'En jijzelf?'

'O... ik, je weet wel. Of nee, je weet het natuurlijk niet. Klein stadje in Ontario. Vader werkte voor de gemeente. Moeder bleef thuis. Mijn broer is in dezelfde straat gaan wonen en is getrouwd met zijn vriendinnetje van de middelbare school. Je kent dat wel.'

'Wanneer heb je ze voor het laatst gezien?'

'Mijn broer is hier twee jaar geleden geweest, met zijn vrouw en kinderen. Ze waren hier voor een wedstrijd van de Maple Leafs. Ze hebben een kopje thee bij ons gedronken. Met kerst stuur ik cadeautjes naar huis. Ik kan hier moeilijk weg, de bijstand houdt me veel te scherp in de gaten. Mijn moeder heeft een slechte bloedcirculatie, dus die gaat niet veel uit.'

Ongeveer eens in de zeventien jaar, dacht ik, maar ik vroeg: 'Zijn ze gelukkig?'

'Gelukkig? Dat is nogal heftig uitgedrukt. Ik zou zeggen dat De Magiër, Bozo en ik gelukkig waren en dat zij niet veel meer doen dan hun tijd uitzitten. Maar wat denk je?' Ze zette haar minipotje verf op tafel en keek me aan, eerder verbaasd dan boos. 'Zij vinden dat ík vreemd ben en zíj normaal. Mijn vader heeft zijn huis afbetaald en gaat naar de Legion en mijn moeder heeft de koektrommel en haar televisieseries. Ik bedoel, ze schreeuwen het niet uit van ellende of zo, maar gelukkig is niet het woord dat bij me opkomt.'

De verhalen klopten met de gegevens van Jack. Ik dacht niet dat Shawna iets te verbergen had, afgezien van de verblijfplaats van De Magiër. Het was ook vreemd dat Jack totaal niets over De Magiër kon vinden. Het leek wel of die man geen verleden had.

'Shawna, ik moet weer eens gaan. Als je De Magiër ziet of spreekt, wil ik graag dat je hem vertelt dat hij in gevaar is en dat hij zo spoedig mogelijk contact met ons moet opnemen. Ik denk dat we hem kunnen beschermen en helpen.'

Shawna verfde haar cappuccinoapparaatjes grijs en zei: 'Veel geluk met speuren.'

22

EVOLUTIE DER DRIJFVEREN

Hoe eigenaardig dat niet iedereen inziet dat alle observatie voor of tegen een inzicht moet zijn om van enig nut te kunnen zijn.
– Charles R. Darwin

Ik ging lopend van Shawna naar huis. De portier zei, met een minuscuul vleugje afkeuring zoals alleen Canadezen dat kunnen: 'Er is een man voor u langs geweest.'

'Wie was het?' vroeg ik. Ik had geen zin in dat spelletje van hem.

'Hij zag eruit als een Canadees.'

De tanige bewaker met zijn peper-en-zoutkleurige haar die eruitzag als een stand-in voor Kapitein Iglo keek me wezenloos aan toen ik zei: 'Vraag mijn bezoekers voortaan naar hun naam, in plaats van naar hun nationaliteit. Dat beperkt het aantal mogelijkheden aanzienlijk.'

Ik was net een minuut of vijf boven toen de zoemer ging. Ik vroeg via de intercom wie er was.

'Dr. Gardonne.'

Jezus.

'Ik ben net terug in Toronto en ik heb...' Hij zweeg, hij leek werkelijk van streek te zijn. '... verdrietig nieuws.'

'Kom maar boven,' riep ik kortaf door de intercom. Ik wil niet dat hij mijn persoonlijke ruimte binnenkomt. In de gevangenis konden mensen tenminste niet zomaar binnenvallen.

'Het is al laat.' Ik stak mijn hoofd door de kier van de deur en hoopte dat ik er net zo uitgeput uitzag als ik me voelde.

'Ik vrees dat ik schokkend nieuws voor je heb, Kate.' Hij ging op de bank zitten, met zijn handen slap tussen de knieën, en staarde naar een losse draad in het oosterse tapijt. Hij wreef met zijn hand over zijn nek en rekte hem uit, alsof hij vastzat. Dat had ik hem wel vaker zien doen, als hij zenuwachtig was of te hard gewerkt had. Ik wist dat hij wachtte tot ik hem zou vragen wat er mis was, maar dat was ik niet van plan. Hij mocht zijn manipulatieve praatjes er helemaal alleen uit zien te werken.

Hij leunde voorover en begon. 'Ik ging vandaag naar het flatgebouw van Jack Lawton in Don Mills en het hele balkon was afgezet met politielint. De hal was vol politiemensen en toen ik vroeg wat er was gebeurd, zeiden ze dat hij *waarschijnlijk* zelfmoord had gepleegd. De ambulance was net weg.' Hij keek me onderzoekend in de ogen.

Op dat moment haatte ik Gardonne. Ik zorgde dat mijn ogen glazig werden, zodat er niets uit te lezen viel, afgezien van de weerkaatsing van zijn eigen konkelende persoontje. Ik wist dat mijn gevoelens als een sneeuwbal van een steile afgrond af tolden. Ik riep stoïcijnse beelden uit mijn jeugd op. Ik visualiseerde de zwart-witte eend die de eetkamerdeur van mijn geboortehuis veertig jaar lang heeft opengehouden. Ik probeerde uit alle macht mijn tranen tegen te houden. Ik visualiseerde het trouwe tinnen soldaatje dat op wacht stond en smolt in het vuur, vlak nadat de ballerina hem eindelijk had opgemerkt.

'Kate... Kate?' drong hij aan.

Ik had mijn hele lichaam tot aan de teenpunten en vingertoppen verdoofd en had een stevig condoom om mijn geest gedaan. Ik had die slijmbal van een Gardonne negen jaar lang niet toegelaten en was niet van plan dat nu te doen, nu hij hoopte dat ik geen enkel verweer meer had.

'Kate?' Hij verhief zijn stem.

'Ja?' vroeg ik.

'Ik begrijp dat dit een zware klap voor je is. Je mag erover praten, als je wilt. Daarom ben ik hier zo laat nog naartoe gekomen. Ik wilde het je persoonlijk komen vertellen.'

'Brengt u huisbezoeken in rekening? Als u wilt mag u ook uw reiskosten opvoeren.'

'Kate, ik vond dat je er recht op had het van mij persoonlijk te horen.'

'Oké,' zei ik, en liet eindelijk de lucht uit mijn longen los. 'U hebt het me verteld.'

'Wil je geen nadere details horen?'

'Nee,' zei ik, en liep naar de deur.

'Ik dacht dat we misschien samen konden werken. Ik kan drie weken vakantie opnemen en dan hebben we alle tijd om die verdwenen tapes te bespreken en...' Hij trok dat meelevende smoelwerk waar hij patent op heeft.

'Ik kan het prima alleen af, dank u. Ik heb het toch al praktisch opgelost.' In stilte bedankte ik mijn vader voor het rolmodel van de ijspegel waarin ik van het ene moment op het andere was veranderd. In tijden van nood, als gevoelloosheid *de rigueur* is, is het heel handig als je in staat bent overhands fysieke hagelstenen te werpen. Ik opende de voordeur, in de hoop dat zelfs iemand als hij deze hint zou oppakken. 'Ik houd u op de hoogte van alle nieuwe informatie die boven komt drijven.'

Eenmaal op de overloop zei hij: 'Kate...' Nu klonk zijn stem scherper, harder. 'Ik wind er geen doekjes om. Je bent mijn patiënt niet meer. Jouw gedrag is jouw zaak. Maar vergeet niet dat je de jury ook de eerste keer tegen je in het harnas hebt gejaagd met precies deze hooghartige manier van doen.'

Ook de eerste keer. Christus nog aan toe. Ik was zo bang dat de rest van zijn woorden volledig langs me heen ging. Zijn vlakke stem joeg om mijn hoofd als de wind, gevangen in een bergpas.

'Je moet goed onthouden dat de doden zich opstapelen als zandzakken voor een overstroming. Jack was degene die de kunst onder de knie had de politie te slim af te zijn, niet jij. Ik doe mijn best Kate Fitzgerald te helpen, de veroordeelde die elk slachtoffer het laatst in leven heeft gezien.'

'Ik weet wie de moordenaar is. Zodra hij op de kaas af komt, klapt de val dicht. Geloof me, ik gebruik een berenval om deze muis te vangen. Nog één minieme beweging en hij is er geweest.' Met die woorden sloot ik de deur.

Ik ging op mijn balkon staan en liet de wind van het meer over mijn gezicht blazen. Mijn huid voelde aan als was. Met knikkende knieën en trillende benen leunde ik tegen de gietijzeren reling. Ik overwoog even om te springen, maar dat was te belachelijk om serieus over na te denken. Ik had niet écht verdriet. Het was slechts een terugkeer naar de gevoelloosheid van de tijden van de zwartwitte eend. Daar kon ik wel mee leven. Ik bedoel maar, wat was ik dan van plan geweest? Had ik soms naar een goedkope flat willen verhuizen met een getatoeëerde ex-heroïnedealer die tandenstokers gebruikte? Hoe lang zou ik dat volhouden? Jezus zeg, ik was getrouwd geweest met een vent uit mijn eigen milieu en die had ik vermoord. Voeg daar nog het klassenverschil aan toe, plus Jacks temperament en dat van mij en ik zou nog eindigen als een seriemoordenaar.

Ik wist precies wat er aan de hand was. Ik voelde me lichamelijk tot hem aangetrokken, maar zelfs dat was enigszins onbegrijpelijk. Hij was mijn type niet, te groot, te gespierd, te ruig. Voor het eerst van mijn leven begreep ik dat het woord *chemie* de fysieke aantrekkingskracht perfect beschrijft. De combinatie van twee elementen vormt een gloednieuwe samenstelling. Uit de combinatie van waterstof en zuurstof ontstaat water. Wat is er onschuldiger dan een slokje water? Voeg er wat hitte aan toe of zet dezelfde stoffen onder druk en je hebt een bom.

Met de aantrekkingskracht kon ik wel leven. Zulke dingen gebeuren nu eenmaal. Maar als Jack emotioneel aantrekkelijk werd, weerde ik hem af. Als hij me bij de hand nam bij het oversteken, voerde ik een geestelijke amputatie uit van die arm vanaf de elleboog. Sinds ik op het eiland Wight het gesprek tussen Jack en Gardonne had afgeluisterd, durfde ik hem niet meer te vertrouwen. Hij leek opgelucht toen hij dat eenmaal had begrepen.

De gedrogeerde dans in de Bamboo was de normale reactie op

drugs, een afrodisiacum. Ik had geen zin om romantisch te zwijmelen over onze lichamen die elkaar raakten en aanvoelden, al leek het wel zo op dat moment. Ik bedoel maar, het stikt tenslotte van de verslaafden die eindeloos doorzeiken over hun zielsverwanten en andere Don Juan-onzin, terwijl ze alleen maar high en geil zijn. Makkelijk zat als je het zo bekijkt.

Waarom sta ik hier dan verdomme zo te grienen dat mijn col kletsnat wordt?

Ik denk dat ik daar een hele tijd heb gestaan, want de zon was van geel naar oranje verkleurd en zakte nu langzaam weg in het water. Ik steunde mijn armen op de reling en keek naar het koude Ontariomeer dat tegen de kade sloeg en er net als altijd chemische restjes schuim op achterliet. God, het leven is kort. Ik kon niet geloven dat ik de kans om iets met Jack te beginnen aan me voorbij had laten gaan. Ooit ben ik net zo oud als Anna Freud en dan zeggen mensen dat die Kate Fitzgerald zo'n saai leven heeft geleid. Ik brulde het keihard uit: 'Jezus christus, idioot, waarom leef je niet bij het moment in plaats van alles maar te overwegen tot je er gek van wordt?' Een psychologische replica van mijn vader, een hoop woorden, maar weinig daden.

Ik moest de reling stevig vasthouden, zo duizelig was ik. Ik kon het niet verdragen door de gietijzeren openingen heen te kijken naar het vuile water dat onder me kolkte. Ik kon het me niet permitteren me te laten gaan, want dan zou de ijsafzet van een heel leven loskomen, tot aan de met kolen gevulde kerstsok die ik van de kerstman had gekregen. Zelfs mijn vader gaf toe dat dat een gemene streek van mijn oma was geweest. Hij had het duidelijk van geen vreemde. Ik had het gevoel dat Jack de eerste man was die me echt kende en toch nog van me hield.

Ook hij moest zijn emoties laten verdampen om zichzelf te bewijzen. Jack, vanaf zijn negende helemaal alleen in een cel voor volwassenen. De eerste misdaad die hij beging was zijn moeder uit de weg gaan, en hij deed dat met zoveel overtuiging dat ze hem opsloot als een wegloper. Uiteindelijk werd hij een echte misdadiger. Ik ben nooit weggelopen. Ik geloofde het verhaaltje over Kate die zou uitgroeien tot een unieke vrouw en was er oprecht van overtuigd dat ik dankzij de manier van opvoeden van mijn vader een übermensch zou worden. Ze kregen me zover dat ik dacht dat normaal en rationeel synonieme termen waren. Hoe gek ben je dan? We waren allebei al gevangenen, lang voordat we in de bak terechtkwamen. Geen wonder dat ik me zo met hem verbonden voelde.

Ik voelde de reling trillen en besefte dat ik er uit alle macht tegenaan stond te trappen. Ik was zo opgefokt dat ik mezelf moest toespreken: 'Nu ophouden!' Ik besloot mezelf hardop voor te lezen om alle gedachten uit te bannen, de supermarktfolder, de tv-gids, wat dan ook. Zorg dat je doodmoe wordt, ga dan naar bed en slaap je verdriet eruit. Ik reageerde hier veel te heftig op. Ik denk dat het meer de shock was dan mijn band met Jack.

Jezus, was ik een soort *wannabe* relatietrutje geworden? Zoals die stomme wijven die verslaafd zijn aan de liefde en doktersromannetjes lezen of die vrouwen in de gevangenis die zichzelf elke keer opnieuw wijsmaakten dat hun kerels ze wel zouden bezoeken in de weekends die niet alleen bestemd waren voor getrouwde stelletjes?

Ik besloot dat ik mijn hoofd helemaal vol zou stampen met Darwin, tot er geen ruimte meer was voor fantasiebeelden. Als ik de gevangenis uit mijn kop kon zetten met geestelijke inspanning, zou me dat met Jack ook moeten lukken. Aangezien er geen sprake was van een begrafenis, was een van de manieren om dit te verwerken het oplossen van de zaak als mijn laatste cadeau aan Jack, een soort brandoffer. Ik zag dat heimelijke glimlachje van hem voor me, dat lachje dat te voorschijn kwam als hij stoer wilde doen maar erg tevreden met zichzelf was. Ik hield van dat lachje.

Ik sorteerde de papieren en de dikke boeken en was blij dat ik zoveel jaren had besteed aan het doorwerken van alle zestig boeken van Darwin. Ik hoefde alleen maar naar de overlappende periode Darwin-Freud te kijken. Dat was de vroege periode van Freud, toen hij nog bioloog was, en de late periode van Darwin, toen hij geïnteresseerd was in menselijke emoties en instincten. Als ik het anders deed, werd het zoeken naar een naald in een hooiberg. Als Jack weer boven kwam drijven, drukte ik hem weg en zorgde ik dat mijn geest zich uitsluitend concentreerde op Darwin.

Ik las de hele nacht door, evenals de volgende dag en nam de telefoon niet aan. Ik werd niet eens verleid door het onophoudelijk verleidelijk knipogende rode lampje dat me flirtend verzocht alsjeblieft op te nemen. Uiteindelijk had ik de volgende gegevens op mijn bristolvellen staan:

1. Freud was de eerste 35 jaar van zijn leven bioloog. Hij bestudeerde de tweeslachtigheid van de aal, evenals Darwin. Ze werkten allebei in dezelfde periode aan biseksualiteit. Darwin had in zijn jonge jaren als bioloog samengewerkt met de beroemde bioloog Ernst Brücke. Freud had op zijn beurt enkele jaren in het beroemde laboratorium van Brücke gewerkt.
2. Een van Darwins minst populaire boeken was *De afstamming van de mens*, geschreven in 1871. Het handelde over het belang van seks. Darwin was een gewiekste pr-manager. Hij maakte naam met de evolutieleer en toen hij eenmaal bekend was switchte bij van onderwerp en ging zich bezighouden met seks. In het Victoriaanse Engeland konden ze niet van hem zeggen dat hij gek was, want ze waren er al op voorbereid hem als meststof in Westminster Abbey te gebruiken sinds hij *Over het ontstaan van soorten* had geschreven.
Freud daarentegen was een trage leerling die er lang over deed voor hij begreep wat de Zeitgeist wel of niet aankon. Hij hield zich bezig met biologie en stapte over op de psycho-seksuele theorievorming voordat iemand ook maar van hem had gehoord. In feite had hij al een slechte reputatie, omdat hij had gesuggereerd dat cocaïne niet verslavend zou werken. Hij baseerde dit op het feit dat hij het uitsluitend gebruikte om tot laat in de nacht te kunnen doorwerken. God weet waarvoor volgens hem al die cocaïnekits dan

waren... zeker voor mensen die heel hard moesten werken. Na die misser dacht hij alles recht te zetten door de wereld te vertellen dat iedereen onbewust polymorf perverse driften had en een seksueel verlangen koesterde naar hun moeder. Geloof het of niet, maar hij was oprecht verbaasd dat hij niet onmiddellijk een groep loyale volgelingen kreeg.

3. In een van zijn latere boeken, *Het uitdrukken van emoties bij mens en dier*, stelde Darwin de hypothese dat instinct het biologische met het psychologische verbond; we hebben een biologisch instinct dat een psychologische drift wordt waaraan beantwoord dient te worden.

4. Darwin poneert twee instincten, agressief en seksueel. Freud doet hetzelfde.

5. Darwin stelt dat elk lichaamsdeel een functie heeft en als je niet weet waartoe het dient is het rudimentair. Alle lichaamsdelen hebben een functie en ook al hebben ze die nu niet meer, dan is dat vroeger wel het geval geweest. Freud zegt hetzelfde over de geest: alle psychologische symptomen hebben een oorzaak; als ze niet duidelijk zijn, dan zijn ze onbewust. Hysterie bijvoorbeeld heeft een oorzaak. Hysterische blindheid is niet willekeurig, de patiënt wil onbewust iets niet zien.

De hele dag door las ik de correspondentie tussen Darwin en Wallace. Het was niet te geloven hoe hartelijk deze heren elkaar bejegenden, hoewel ze vrijwel tegelijkertijd het mechanisme voor de evolutie hadden ontdekt, de natuurlijke selectie. Technisch beschouwd had Darwin het twintig jaar eerder ontdekt, maar hij was nog steeds dwangmatig bezig met het bijwerken van honderden schriften met voorbeelden toen Wallace op de stoep verscheen met een volledig afgerond manuscript. Zonder een spoortje rancune of jaloezie in hun correspondentie kwamen ze met elkaar overeen de ontdekking gezamenlijk te onderschrijven in een essay aan de Linnean Society en schreven elkaar regelmatig om informatie uit te wisselen. Dat gaf de term 'Engelse gentleman' een geheel nieuwe betekenis. Darwin kreeg natuurlijk uiteindelijk toch alle eer. Hij was degene die geld had, hij stamde uit een rijke, beroemde familie. Toen trouwde hij met zijn nicht, het buurmeisje dat toevallig ook tot de rijkste families van Engeland behoorde. (Zoals mijn moeder altijd zei kan dat nooit kwaad.) Wallace daarentegen was afkomstig uit de arbeidersklasse en autodidact. Hij had de meeste ontdekkingen 'in het veld' gedaan. In tegenstelling tot Darwin moest hij werken voor zijn brood. Darwin kon zijn wetenschappelijk onderzoek zonder onderbrekingen tot aan het eind van zijn leven voortzetten. Wallace was kerngezond en bleef zijn hele leven reizen om specimens te verzamelen, terwijl Darwin invalide was en zijn huis zelden of nooit verliet.

Na ongeveer veertig uur voelde ik mezelf wegzakken. Mijn ogen brandden en er dansten zwarte beestjes op de bladzijden. Ik was geradbraakt, maar durfde pas te gaan slapen als ik de uitputting nabij was. Ik wilde niet het risico lopen dat er ook nog maar een klein beetje ruimte was overgebleven om over mezelf na te denken. Ik trok mijn kleren uit en plofte in mijn ondergoed op de loveseat.

Ik keek de boeken van De Magiër door, op zoek naar iets dat licht genoeg was om me af te leiden. Ik stuitte op *The collection of Wedgwood china from 1882 to 1892*. Ik bladerde het door en vroeg me af waarom De Magiër dit boek en andere over de geschiedenis van keramiek in Engeland in zijn bezit had. Voordat ik in slaap viel, las ik dat Emma Wedgwood getrouwd was met Charles Darwin. De Darwins erfden het familiefortuin van de Wedgwoods. Dat was enorm, want Wedgwood-porselein was al twee eeuwen lang het beroemdste aardewerk in Engeland. Ze waren zelfs een eeuw lang wereldverkoopleider op porseleingebied. De familie Wedgwood behoorde tot de invloedrijkste van Engeland. Geen verkeerde buurman, Chuck, dacht ik terwijl ik in slaap zakte.

In de afgrond tussen slapen en waken, als je letterlijk naar het onbewuste afdaalt en in sluimertoestand verkeert, zag ik beelden van glibberige borden die uit mijn handen vielen. Ze vielen met veel kabaal op de vloer. Ik schoot recht overeind. Wacht eens even!

Wedgwood! Dat bedoelde Shawna met *Wildinwood* toen ze zich probeerde te herinneren met wie De Magiër allemaal correspondeerde. Met de gedachte dat ik Shawna morgen beslist moest opzoeken viel ik in slaap.

23

DOOIWATER

Voor harde mensen is hartelijkheid een reden tot schaamte – en iets kostbaars.
– Friedrich Nietzsche

Als ik wakker ben, kan ik me wapenen tegen mijn onbewuste behoeften. Slapen is echter een riskante zaak. Ik droomde het volgende:

Ik sleepte me voort over de besneeuwde toendravlakte, de ijzige lucht brandde in mijn longen. De trilhaartjes in mijn keel bevroren en ik begon te hijgen. Het leer van mijn aktetas was bevroren en het slot brak af toen ik mijn sleutel pakte. De deur hing krakend in de scharnieren, net als in een cartoon, en ik stapte resoluut naar binnen.

Ik trok m'n poolkleren uit en keek naar de lege junkfoodverpakkingen en goedkope wijnflessen op de grond. Ik liep de woonkamer in en baande me een weg tussen de stralen van de middernachtzon die door het raam kierden en stofdeeltjes lieten dansen zo groot als de sneeuwvlokken die we moesten tekenen op de kleuterschool.

Mijn voet werd gegrepen door een vlezige schroef. Boos keek ik naar de kruiperige Gumby op de grond die zijn magere, dorre handen om mijn enkel had geslagen. De man was zo mager dat het wel leek of hij aan een auto-immuunziekte leek. Er vrat iets

aan zijn organen, sneller dan zijn cellen zich konden delen en vermenigvuldigen. Zijn overhemd golfde om zijn schriele nek. Zelfs zijn haar was dun; krullerig dons omlijstte de kale plekken op zijn erwtachtige schedel. Zijn lichaam was overdekt met zweren waar wondvocht en etter uit liepen, als roestkleurige lijm plakten de korsten aan zijn smerige shirt.
Ik ploeterde naar de televisie met de uitgemergelde man als een kluister aan mijn been. Ik zette de tv aan en zag tot mijn verbazing dat ik zelf in beeld verscheen in een educatief programma. Verbijsterd keek ik toe hoe ik een geweer uit de televisie stak en de Gumby neerschoot die aan mijn enkel geklonken zat.
Toen hij werd geraakt vormde zijn mond een perfecte donut. Hij schreeuwde geluidloos, terwijl ik geboeid het gat bestudeerde dat door zijn lippen werd gevormd.
De man viel neer alsof hij van het plafond was geschraapt. Ik wachtte tot hij neerkwam, maar dat gebeurde niet. Hij was in vrije val en ik kon de opgeschorte beweging niet langer aanzien. Ik hield mijn handen voor mijn oren en kneep mijn ogen dicht.

Ik werd half wakker met een droge mond, drijfnat van het zweet. Mijn zwartkanten bh en slip kleefden aan mijn lijf. Mijn haar was kletsnat en plakte als slierterige bloedzuigers in mijn nek. Er kroop iets op mijn arm, dus ik mepte ernaar. Iemand schudde me door elkaar. Mijn haar zat voor mijn ogen. Shit, Konzak, Bozo en Jack waren vermoord en nu was ik aan de beurt. Op een bepaalde manier was ik opgelucht. Het leven was zoals gewoonlijk weer te veel voor me geworden. Ik moest wel ernstig in de war zijn, gevangen als een vlieg tussen de dubbele ruiten, want toen ik opkeek, zag ik... Jack.

Ik schudde mijn hoofd in een poging wakker te worden. Mijn hart klopte zo snel dat mijn armen ervan gingen prikken en vervolgens gevoelloos werden. Mijn mond was kurkdroog en mijn tong gezwollen. Het enige geluid dat ik kon uitbrengen was een schor gefluister. 'Ik moet wakker worden.'

'Je bént wakker,' zei hij oprecht bezorgd. Hij kwam naast me op de loveseat zitten en wreef me over mijn rug. Ik lag tegen zijn buik. 'Probeer rustig weer bij te komen. Je komt gewoon slaap te kort.'

'Gardonne is hier geweest, hij zei dat je dood was.'

'Dóód? Wat een klootzak.'

'Ik dacht dat je vermoord was of zelfmoord had gepleegd en toen kreeg ik die nachtmerrie die ik wel vaker heb, al negen jaar lang, waarin ik mijn man vermoord. Maar dit keer was het levensecht.'

'Van slaapgebrek krijg je levensechte nachtmerries. Na een bepaalde periode van slaapgebrek weet je niet meer of iets nu een nachtmerrie is of echt gebeurt. Dat is het moment waarop het leger begint met hun hersenspoelprogramma, ze verzwakken en verwarren de geest middels slaapgebrek. Ik ken een paar jongens die dat in de gevangenis hebben ondergaan. Het leger test de techniek op gevangenen voordat ze het "in het veld" gebruiken, zoals zij het noemen.' Hij wreef me nog steeds over de rug en voelde hoe ik zat te trillen. 'Wat gebeurde er in je droom? Wil je erover praten?'

Mompelend vertelde ik hem mijn droom. Hij knikte, wreef over mijn rug en masseerde mijn nek. 'Is die droom een afspiegeling van wat er werkelijk is gebeurd?' vroeg hij.

'In grote lijnen wel. In het echt was het natuurlijk veel ingewikkelder.'

'Misschien voel je je beter als je me het hele verhaal vertelt, maar alleen als je dat zelf wilt. Ik kan je één ding vertellen, erger dan wat ik heb gedaan kan het nooit zijn. Voor de ergste dingen ben ik nooit opgepakt.'

'Ik zou niet weten waar ik moest beginnen.'

Jack hielp me op weg door te vragen: 'Wat was je man voor iemand?'

Daar moest ik even over nadenken. 'Een filosoof, zowel qua opleiding als in aanleg. Maar hij stapte over op medicijnen, deels om zijn ouders een plezier te doen en deels omdat er geen werk te vinden was voor een filosoof, tenzij je je wijsheden vanaf een zeepkist wilde verkondigen. Een intelligente man, Anders Konzak zou hem briljant genoemd hebben.'

'Hebben jullie het ooit fijn gehad samen?'

'We hadden alles mee voor een goed huwelijk, volgden onze opleiding aan hetzelfde soort privé-scholen, brachten onze vakanties door in zomerhuizen aan hetzelfde meer en deelden dezelfde interesses en doelstellingen.

Ik ging naar Engeland om statistiek en filosofie van de wetenschap te studeren, hij ging naar Duitsland om de taal te leren en filosofie te studeren. Toen we allebei klaar waren in Europa gingen we terug naar huis om te trouwen. Hij ging medicijnen studeren en ik deed mijn doctoraal aan de universiteit van Toronto. We ambieerden allebei een leven vol boeken en studie. We wilden zoveel mogelijk van de wereld zien.'

'Geen gewone huwelijksgeloften dus.' Jack graaide in zijn zakken naar zijn sigaretten.

'Toen mijn man zijn studie geneeskunde had afgerond en ik nog steeds aan mijn proefschrift werkte, vroegen ze hem als arts voor de Dogrib-indianen op de poolcirkel. Het leek ons een geweldige start.'

'Je hoeft niet naar de noordpool om oorspronkelijke bewoners te leren kennen. Als je opgroeit in het Canadese gevangenissysteem, struikel je over hen. Als het niet goed ging op de kostscholen kregen ze het predikaat onhandelbaar en werden ze in de bak gegooid, bij de andere onhandelbare types,' zei Jack.

'We waren totaal niet voorbereid op de cultuurshock en wisten ook niet dat we hulp nodig hadden. Nu begrijp ik het wel, als de indianen uit het noorden gek worden als ze naar het zuiden gaan, is het natuurlijk logisch dat wij gek worden als we naar het noorden gaan. Voorbij de boomgrens vallen alle grenzen weg. Soms zijn er zelfs geen schaduwen, er is niets om je aan vast te houden. Je komt los van de wereld. Als je al arriveert met een probleem met je persoonlijke grenzen, wordt je hele wezen op ijs gezet. We waren letterlijk bevroren, vanbinnen en vanbuiten.

En we spraken de taal niet. Dat waren we niet gewend. Als we naar Frankrijk of Duitsland gingen kenden we de regels, maar voor het poolgebied hadden we geen taal of woordenboek beschikbaar. De inheemsen zagen overal grenzen. De wind, de zon, de consistentie van de sneeuw vertelden ze wat ze moesten weten, gaven hun hun zekerheden. De blanke gaat niet onderdoor aan de kou, maar aan de leegte. Nu ik terugkijk verbaast het me dat wíj dachten de wijsheid in pacht te hebben.'

'Hoe kon je ook weten dat je de poolwijsheid had van Mr. Magoo?'

'De meeste patiënten van mijn man waren verslaafd. Benzine- en lijmsnuivende tieners, alcoholische ouders, baby's met foetaal alcoholsyndroom, weglopers van de kostschool of een combinatie van alles wat ik net heb genoemd. Het poolgebied was voor hem nog zwaarder dan voor mij. Hij had het gevoel dat hij al die ellende moest genezen, hij was tenslotte de dókter.'

'Je man maakte geen enkele kans om ook maar iets te betekenen in die wereld van zelfvernietiging.'

'Nee, natuurlijk niet, maar het maakte een soort oerschuldgevoel bij hem los. Ik probeerde hem ervan te overtuigen dat het zijn schuld niet was, maar hij bleef maar jammeren "wiens schuld is het dan wel?"'

'Het klinkt of hij een giga ego had op te zwakke pootjes.'

'Ik had geen dagelijks contact met de lokale bevolking en koesterde geen enkele illusie dat ik hun leven zou kunnen veranderen. Ik ging naar de kleine bibliotheekwagen en werkte aan mijn proefschrift. Hij trok zich steeds meer in zichzelf terug. Ik werkte gestaag door en dacht dat hij wel weer zou opknappen. Hij besteedde vijf minuten of een uur aan zijn patiënten, al naargelang zijn humeur. Hij probeerde ze te adviseren en vergat naar hun lichamelijke symptomen te kijken.'

'Heb je hem daar ooit mee geconfronteerd?'

'In het begin wel, maar dan werd hij boos en vond dat ik me met zijn leven bemoeide en dat ik alleen maar probeerde hem te veranderen in de persoon die hij was voordat we naar het noorden vertrokken. Hij zei dat hij die persoon allang niet meer was en daar had hij gelijk in.'

'Wist hij dat hij eraan onderdoor ging of dacht hij dat hij in een groeiproces zat? Soms moet je eerst instorten voordat je kunt groeien. Je moet het ene systeem kapotmaken en dan zit je in een afgrijselijke leegte voordat je het nieuwe kunt opbouwen. Dat ken ik wel. Ik hing aan mijn tandvlees aan de wrakstukken voordat ik omschakelde van levenslang gestrafte naar student.'

'Hij wankelde. Maar toen puntje bij paaltje kwam, weigerde hij zichzelf te helpen.'

'Waarom zocht je geen hulp?'

'Híj was de hulpverlener.'

'Doodeng, zeg.'

'Toen bleef hij de hele dag in bed liggen en ging niet meer naar de kliniek. Als er een spoedgeval was, stuurde hij die met de helikopter naar het zuiden. De helikopterpiloot vroeg me hoe lang hij al aan de drank was. Ik had me totaal niet gerealiseerd dat hij dat was. We praatten niet meer met elkaar. Uiteindelijk diende de verpleegster een verzoek in bij Indian Affairs om hem te laten vervangen, wat een hele opluchting voor me was. Hij zat intussen uren achtereen te huilen en beschuldigde me ervan dat ik hem haatte. Ik zei dat hij hulp moest zoeken, maar hij weigerde. De verpleegster ging weg en ze zetten een advertentie voor een nieuwe arts, maar er reageerde niemand op. Kennelijk wisten ze meer dan wij. Midden in de nacht kwamen er wel eens indianen aan de deur voor medische hulp. Dan staarde hij ze alleen maar wezenloos aan en deed langzaam de deur weer dicht.'

'Klaagden ze niet?'

'Nee, ze waren niet anders gewend, iedereen liet ze altijd in de steek. Soms werd hij ineens midden in de nacht actief. Dan stond hij op en begon als een dolle brieven te schrijven. Ik had geen idee wat hij allemaal schreef. Ze waren gericht aan Indian Affairs, de Royal Canadian Mounted Police en aan zijn en mijn familie. Zelf zat ik intussen op de automatische piloot, ik negeerde alles behalve mijn werk. Ik besloot het uit te zitten tot de zomer, dan zou ik hem daar achterlaten en naar huis gaan, ook al verbrak ik daarmee ons contract. In hun brieven vroegen mijn ouders of ik gespannen was, ze stelden me allerlei indringende vragen. Ik had geen idee waarom. Ik heb nooit iemand over hem verteld, behalve de verpleegster. In de lente van dat jaar overleed ze in Sudbury aan eierstokkanker.'

'Waarom ging je niet terug naar Toronto?'

'Hij wilde niet naar huis en ik vond dat ik hem zo niet kon achterlaten. Ik negeerde alle bewijzen van het tegendeel en bleef volhouden dat hij de student was die de afscheidsrede had gehouden en dat hij zijn uitmuntende logica wel weer zou terugvinden.'

'Daagde het je nooit dat je op de ijzige toendra zat opgesloten met een gek?'

'Natuurlijk wel, maar ik was opgevoed om nooit ergens drukte van te maken. In een Canadees gezin in de betere kringen is er maar één ding erger dan moord en dat is zeuren,' zei ik.

'Hoe kwam je de dag door?'

'Ik wilde mijn proefschrift afronden en dan scheiden. Ik besefte dat ik nooit van hem had gehouden op de manier die in boeken stond beschreven. Ik had respect voor hem en we leken hetzelfde te willen in het leven. Ik begon te begrijpen dat hij een complete breakdown had, later bleek het een psychotische depressie te zijn, maar ik wilde er niet over nadenken tot ik het achter me had gelaten. Ik vond het mijn verantwoordelijkheid om te blijven. Opgeven was zo ongeveer het ergste wat je kunt doen in je leven.'

'Ik begrijp dat je net niet op tijd bent weggekomen.'

'Op een avond kwam hij naar me toe en zei dat hij zelfmoord wilde plegen omdat ik niet van hem hield. Dat gebeurde ongeveer eens per week. Ik was doodmoe en zei op het laatst: "Doe maar wat je wilt, je hebt gelijk, ik hou niet meer van je." Hij gaf me een geweer en zei: "Ik schiet ons allebei dood als je mij niet doodschiet. Ik smeek je me te doden."

Ik keek naar zijn uitgemergelde lichaam, bedekt met korsten. Hij krabde constant zijn huid kapot tot de spieren blootlagen. Zijn tanden zaten vol witte smurrie en hij stonk. Ik kon nergens hulp zoeken, want híj was de arts en het dichtstbijzijnde ziekenhuis lag op 24 uur met de helikopter. Hij vloog me aan en we begonnen te vechten. Het leek wel of ik met een kartonnen carnavalsskelet vocht. Op een gegeven moment had ik het helemaal gehad. Ik richtte het geweer op zijn hoofd en schoot. Hij was op slag dood.'

'Waarom werd het dan niet beschouwd als een uit de hand gelopen zelfmoordpoging, of zelfverdediging? Je hebt hem uit zijn lijden verlost, gold dat dan niet als verzachtende omstandigheid?'

'Ik huilde niet. Dat was mijn tweede fout. Ik liep naar de kliniek en belde het vliegveld. Rodney, de helikopterpiloot, kwam naar ons toe en zei: "Wat verschrikkelijk wat er is gebeurd." En ik antwoordde: "Ik was doodziek van hem." Dat was mijn derde fout. De vierde was dat ik niet met Rodney naar bed was gegaan toen hij vier maanden eerder had geprobeerd me te versieren. Ik zei dat ik het liever met een sneeuwschoen deed dan met hem. Hij was de kroongetuige.'

'Ben je opzettelijk vals beschuldigd?'

'Niet echt. De paranoïde waandenkbeelden van mijn man waren dat ik niet meer van hem hield én dat ik hem wilde vermoorden. Het eerste klopte, het tweede niet. Hij kon zich niet voorstellen dat iemand níet van hem zou houden, dus ik werd de vijand. Hij kon niet zomaar zeggen: "Hé, dat vernietigingsproces dat hier gaande is kan niet door artsen tot stilstand worden gebracht en ik kan het niet bolwerken."'

'Paranoialijders hebben vijanden nodig,' zei Jack.

'Alles beter dan zwakheid. Misschien was het wel allemaal een soort chemische onevenwichtigheid die uitmondde in een psychotische depressie. Wie zal het zeggen? Zijn vader had zo'n zus over wie vooral niet gesproken mocht worden en die alleen met kerst de psychiatrische kliniek uit mocht. Uiteindelijk pleegde ze zelfmoord op kerstavond.'

'Waren er geen getuigen?'

'De verpleegster uit Sudbury was overleden. Rodney, de piloot, zag me op mijn allerergst en had zelf nog een appeltje met me te schillen.'

'Waren de brieven die hij had geschreven niet gestoord?'

'De toonzetting van de brieven was totaal niet gestoord. Hij was een intelligente man die nog steeds logisch en overtuigend overkwam. Hij geloofde wat hij zei en legde de situatie zoals hij die zag in duidelijke bewoordingen uit. De vooronderstelling was natuurlijk wel compleet gestoord. Het bleken de kreten om hulp van een gek te zijn aan diverse autoriteiten en aan onze wederzijdse ouders. Hij schreef dat ik hem wilde vermoorden, dat ik hem verbood de inheemse bevolking te helpen en dat hij het huis niet uit mocht, want anders zou ik hem doodschieten. Hij had de meeste brieven naar Indian Affairs in Ottowa gestuurd. Ze lagen ongeopend in het een of andere postbakje. Zijn ouders hadden zijn brieven gebagatelliseerd maar dienden wel een klacht in bij de politie, de Royal Canadian Mounted Police in de regio Noordwest. De RCMP opperde dat hij of ik kennelijk aan *cabin fever* had geleden, een door isolatie veroorzaakte depressie. Zodra de dooi intrad, zou het wel weer goed komen.'

'Wist je dat hij die brieven schreef?' Hij drukte zijn peuk uit.

'Ik wist niet wat erin stond.'

'Ben je ooit gebeld door je ouders of de RCMP?'

'De RCMP heeft wel wat anders om zich druk over te maken in het Noordwesten dan de huiselijke twisten van een arts.'

Tot dan toe had ik het verhaal verteld in een staat van halfslaap. Nu begon ik echter wakker te worden. Ik ging rechtop zitten, griste een sigaret uit Jacks pakje en stak hem op. Dat was raar, want ik had sinds de bruiloft nooit meer gerookt. Ik legde mijn voeten op de salontafel en leunde tegen zijn schouder om steun te zoeken.

'En jouw familie dan?' vroeg hij.

Het aandeel van mijn ouders was erger om te vertellen dan de hele moord. Nu ik over de schok heen was Jack in levenden lijve voor me te zien, begon ik me af te vragen waarom ik dit hele ellendige verhaal zat te vertellen. Ik probeerde het kort te houden. 'Kennelijk geloofden mijn ouders mijn man. Officieel luidde het verhaal dat ze zich er niet mee wilden bemoeien.'

'Jij wilde niet klagen en zij wilden zich er niet mee bemoeien.

Dat zijn goede eigenschappen om grenzen te stellen, maar op het persoonlijke vlak schiet je er weinig mee op,' zei Jack.

Ik knikte, wreef over mijn nek en draaide hem langzaam van links naar rechts.

'Ik wil er niet meer over praten. Er kwam een rechtszaak van. De helikopterpiloot en William Drybones, een oude indiaan die in de kliniek was in de hoop een arts te spreken over zijn alvleesklierontsteking, hadden me horen zeggen dat ik doodziek van hem was. Mijn vingerafdrukken zaten op het geweer waarmee hij was doodgeschoten en de patholoog-anatoom stelde vast dat het onmogelijk zelfmoord kon zijn geweest. Mijn man had alle betrokkenen indringende brieven gestuurd over mijn vermeende krankzinnigheid en ze hadden zijn smeekschriften genegeerd. Ik werd veroordeeld. Mijn schoonvader was een prominente persoonlijkheid die een enorme herrie schopte en hier en daar aan een paar touwtjes trok.'

'Ja, ik heb hem opgezocht in *The Globe.* Andrew Stoddard, een van Canada's meest gerespecteerde opperrechters, kapot van de moord op zijn briljante zoon, dr. John Stoddard.'

Ik knikte. 'Mijn ouders bleven neutraal, zoals ze het zelf noemden. Alle instanties waren tekortgeschoten. Ze wilden de gevolgen niet onder ogen zien en iemand moest de tol betalen. Beter ík dan zij.'

'Boden je ouders niet aan een goede advocaat voor je te betalen?'

'Nee, mijn vader zei rechtvaardig als altijd dat hij er niet bij was geweest en dus geen idee had wie wat had gedaan. Voor mijn vader was het natuurlijk een schandvlek op het blazoen van zijn carrière in de strafrechthervorming.'

'Heb je geprobeerd hem van je onschuld te overtuigen?'

'Eén keer. Mijn vader zei op die afgemeten toon die bij zijn makkers voor intelligent doorgaat dat mijn echtgenoot hem had gewaarschuwd en dat het hem speet dat hij hem had genegeerd. Hij wees erop dat hij mij een uitstekende opleiding had gegeven en dat ik nu mijn eigen boontjes moest doppen. Hij zei dat hij me had zien opgroeien, en ik citeer wat hij in de rechtszaal heeft gezegd, "tot een uiterst obstinate vrouw."'

'Je hebt nog niets over je moeder gezegd.'

'Ze heeft slechts één keer iets tegen me gezegd en dat was: "Begrijp je dan niet hoe moeilijk dit voor je vader is?"'

'Niemand verwacht dat hij vals beschuldigd wordt en als dat door stom toeval toch gebeurt, verwacht je niet dat je ouders zich zo... neutraal opstellen.'

'Ik ben niet echt vals beschuldigd. Er was een fractie van een seconde in dat gevecht waarin ik het geweer op zijn hoofd richtte. Ze zeggen dat ik de trekker heb overgehaald. Het is allemaal erg vaag, maar dat zal ik dan wel gedaan hebben. De kogel ging dwars door zijn hersenen en niet door de mijne. Dat noemen ze dus moord.'

'Ja, meestal is dat voldoende.' Hoofdschuddend dacht hij er even over na. 'Zo te horen deed je precies wat er van je werd verwacht of wat ze je vroegen te doen. Is dat niet waar het om draait bij een doctoraalstudie?'

'Niet iedereen die zijn doctoraal heeft gehaald is een moordenaar. Ik weet totaal niet meer wat er door mijn hoofd ging toen ik hem doodschoot. Ik bedoel, het klinkt alsof ik overal een verklaring voor heb, maar ik kan alleen de omstandigheden die tot de moord hebben geleid beschrijven. Ik had hem tegen de grond kunnen werken, hem op zijn kop slaan met de kolf van het geweer. Ik had kunnen vluchten of zeggen dat hij z'n gang maar moest gaan en zelfmoord plegen. Er waren andere rationele keuzes genoeg. Elke seconde van je leven is een serie beslissingen die tot miljoenen opties leidt. Ik heb ervoor gekozen hem te vermoorden en ik heb geen idee waarom. Ik bedoel maar, neem nou al die vrouwen die elke dag tot moes geslagen worden en veel minder gezegend zijn dan ik. Zij gaan ook niet meteen over op moord als ze in het nauw gedreven worden.'

'Ik heb jou bezig gezien. Je behoefte aan controle en je overtuiging dat alles op jouw schouders rust is gigantisch. Ik heb geen idee wat die vader van je heeft gedaan, maar wat het ook was heeft je in een dwangbuis gezet. Ik weet niet hoe lang iemand daarin kan rondlopen voordat hij instort. De meeste andere mensen zouden geleerd hebben dat ze niet verantwoordelijk waren voor de wartaal van een depressieve psychoot. Ze zouden afstand hebben genomen, in de mening dat ze het recht hadden zich over te geven... hulp te zoeken of toe te geven dat de situatie hen boven het hoofd was gegroeid. Voor jou is dat geen optie. Voor jou is zwakheid, of hoe je het ook noemt, een taboe. Ik ben geen zielenknijper, dus ik kan je niet vertellen waarom.'

'Mijn ouders waren in elk geval consequent. Misschien heb ik ze verkeerd beschreven. Ze hebben me vanaf mijn vroege jeugd duidelijk gemaakt dat ze bepaalde verwachtingen koesterden. Toen ik een kind was, moest iedereen in ons gezin 's avonds een krantenknipsel meenemen en het aan tafel bespreken.'

'Wat gebeurde er als je iets zei waar je vader het niet mee eens was?'

'Je kon in debat gaan, zoals hij het noemde, maar het moest op logica zijn gebaseerd. Ik was altijd de beste van de klas, het beste in sport en mentrix van de jongerejaars, maar op een bepaald moment zei ik, stik maar, ik doe het niet meer en jullie kunnen ook stikken. Zodra ze de kans kregen zeiden ze het terug.'

'Grappig, dat zeiden mijn ouders ook tegen mij. Het enige verschil is dat ze het zeiden toen ik een stuk jonger was, dus ik hoefde niet zo lang door brandende hoepels te springen als jij. Mijn vader was er al vandoor toen ik nog niet eens kon praten en mijn moeder heeft het niet veel langer uitgehouden.'

Ik had het ineens heel koud, dus ik trok mijn benen onder me. Ik stak de ene sigaret met de andere aan en dacht ineens aan Darwins stelling over bonding. Nakomelingen doen alles wat nodig is om gevoed te worden. Misschien hebben Jack en Anna Freud wel gelijk. Ik had nooit het gevoel dat ik het recht had om iets te vragen. Dat zou mijn vader nooit goed hebben gevonden.

Wie zal het zeggen? Er zijn mensen met veel ergere ouders dan de mijne. Misschien waren Jack en ik weinig meer dan twee buitenbeentjes die alles wat er was misgegaan in hun leven probeerden te rechtvaardigen.

'Mensen kunnen ongelooflijk veel hebben. Ik zou ook doodziek zijn geworden van jouw man. Volgens mij is het probleem dat je niet de juiste vrouwelijke reactie vertoonde na het gebeurde.'

Ik knikte, ik was uitgepraat.

'Hoeveel mensen weten hiervan?' Hij draaide zich om en keek me recht in de ogen.

'Gardonne is in grote lijnen op de hoogte, maar het fijne weet hij er ook niet van.'

'Kijk nou toch, je hebt kippenvel van de kou.'

'Ik werd helemaal bezweet wakker en nu zit ik hier in klam ondergoed.'

'Ik had nooit gedacht dat je zwart kant zou dragen.'

'Ik heb het uit Konzaks la gepikt.'

Hij stond op en beende de kamer door. Ik dacht dat hij wegging en tot mijn afgrijzen schoot ik in paniek, alsof hij weer zou verdwijnen of alsnog vermoord zou worden. 'Waar ga je naartoe?' vroeg ik ongerust.

'Naar je slaapkamer om een trui voor je te pakken. Je zit te bibberen van de kou.'

Toen hij de kamer weer in kwam met dat sexy, zwierige loopje van hem, gooide hij me mijn rode sweatshirt met capuchon toe. Ik had helemaal geen zin in die trui. Wat ik nodig had was zijn lichaamswarmte. Ik trok hem aarzelend aan en keek hem in de ogen. Die blik schreeuwde: *Ik wil geen moment langer behoedzaam leven. Ik ben de kluts kwijt... Shit. Ik ben een detective die te lang met haar eigen zaak bezig is geweest.*

Jack begreep het allemaal binnen een seconde en slaakte een diepe zucht. 'Kate, het is logisch dat je iets voor me voelde toen je dacht dat ik dood was. Je kent dat wel, gemiste kansen en zo. Je liep geen enkel risico met die emoties.' Jack liet zich in de stoel tegenover me vallen. Hij legde zijn hoofd in zijn handen en streek met zijn vingers door zijn stugge krulhaar. 'Maar ik leef nog en morgen ben ik er wéér, als de oude Kate haar comeback maakt.'

Hij praatte tegen me of ik niet wist wat ik deed. Verdorie nog aan toe, ik wíst dat ik mezelf niet was. Ik nam even pauze van mezelf, maar dat voelde fantastisch. Ik had alle muren afgebroken en liet me leiden door mijn gevoelens. Maar ergens in de klamme mist begon het me te dagen dat hij misschien wel gelijk had. De vorige keer dat ik me door mijn emoties liet leiden, heb ik mijn man vermoord.

Zodra ik mijn sweatshirt aanhad, begonnen mijn hersenen weer op volle toeren te werken. Ik bedacht dat ik me dit later zou herinneren als het zoveelste moment van behoedzaamheid, in mijn plastic tuinstoel op de grindtegels voor het bejaardenhuis, net als Anna Freud.

Ik stond op om mijn jeans te pakken. Uit de grond van mijn hart wilde ik dat ik dit vangnet van rationaliteit kon laten varen en de circusact voor één keer zonder voorzorgsmaatregelen kon uitvoeren... één keertje maar. Het zou pijn doen, maar op de lange termijn doet het meer pijn als je het nooit hebt geprobeerd. Dan knapt de ballon niet, maar loopt hij langzaam leeg, tot hij slap en misvormd wordt opgeveegd om plaats te maken voor de volgende show. Ik ga liever met een knal naar de bliksem.

Hij keek opgelucht toen ik mijn sweatshirt aanhad. Fel zei ik: 'Ik weet dat ik mezelf niet ben. Ik ben niet helemaal achterlijk, hoor. Ik ben me ervan bewust dat jouw dood en plotselinge wederopstanding me een trauma hebben bezorgd. Ik ben me er ook van bewust dat een traumatische ervaring iemands persoonlijkheid verandert. Maar ik wil één ding zeggen. Jij koestert het waanidee dat als mensen met elkaar naar bed gaan de dynamiek van de seks alle hoop op een rationele relatie doet stranden. Wel, ik heb nieuws voor je, casanova: dat gebeurt alleen als er sprake is van intimiteit. Emotionele gehechtheid doet hetzelfde.' Ik schoot in mijn jeans. 'Dus haal dat stomme lachje maar van je gezicht. Denk jij dat je zonder kleerscheuren bent gebleven in deze relatie? Zodra je je emotioneel verbonden voelt, is de schade al aangericht. Seks is weinig meer dan een fysieke revanche. Jij denkt dat we nog steeds via de ladder omhoogklimmen, je snapt niet dat we al langs de andere kant omlaag glijden.' Ik ging zitten om mijn cowboylaarzen aan te trekken.

'Voor jou misschien. Freud maakte de fout zijn eigen gevoelens als universeel aan te merken. Ik zou hem niet nadoen, als ik jou was.' Hij liep naar het balkon en vervolgde: 'Volgens mij heb ik je ooit al eens verteld dat de vriendin van mijn vader me afzoog in de badkuip toen ik vijf was. Wat ik je niet heb verteld is dat ze me bij de hand nam om mijn eerste ijsje voor me te kopen. Ik mocht tegen haar aan kruipen in bed en ze las me een verhaaltje voor, allemaal op dezelfde dag. En ik kan je vertellen dat het allemaal zo heerlijk was dat ik niet wist welk gedeelte nou seks was en welk gedeelte niet.

Die avond kwam mijn moeder me niet halen. Mijn vader was nog niet thuis, dus ik mocht bij die vrouw in bed slapen. Toen mijn vader thuiskwam zei hij dat ik op zijn plek lag en op de bank moest gaan slapen. Ik wilde niet en hij heeft me letterlijk uit het bed getrapt. Ik was stomverbaasd dat hij dacht dat het zíjn vriendinnetje was. Ik was dol op haar en dacht dat ze hetzelfde voor mij voelde. Vergeet niet dat er tot op die dag nooit iemand aardig tegen me was geweest. Ik wist niet wat vriendelijkheid was of hoe ik het moest interpreteren... waar het thuishoorde in de keten van emotionele banden. Ik ging naar de keukenla, pakte een botermesje en bedreigde mijn vader ermee. *En zijn vriendin lachte.*' Hij staarde naar de ochtendferry op weg naar het eiland die het dunne ijs van het Ontariomeer doorploegde. 'Ze láchte. Mijn vader stond op, belde een taxi en stuurde me midden in de nacht terug naar mijn moeder. Kort daarna begon mijn volgende ontwikkelingsfase, de tuchtschool.'

Hij draaide zich naar me toe en in zijn ogen stonden jaren eenzame opsluiting te lezen toen hij waarschuwde: 'Ga niet tegen mij lopen zeiken over intimiteit en seks. Op zoek naar intimiteit ben ik in staat dat hele seksgebeuren in mootjes te hakken en geloof me, dat wil je niet meemaken.'

'Volgens mij ben je net zo bang voor intimiteit als ik.'

'Het raam naar de kennismaking met intimiteit stond nog maar net op een kiertje open tegen de tijd dat ik in de isoleercel belandde. Toen ik er weer uit kwam, zat het vastgespijkerd.'

'Volgens mij heb je jezelf in de isoleercel gezet, omdat je te bang bent om je ooit weer aan iemand te binden.'

Hij knikte en dacht even na. 'Eenzaamheid voelde beter dan alles wat ik tot dan toe kende als intimiteit. In de isoleercel word je nooit uitgelachen.'

Zijn verdriet sloeg plotseling om in woede en hij pakte een kapotte bloempot van de vensterbank en smeet hem over de rand van het balkon alsof het een handgranaat was. Met een stem die klonk alsof hij uit de buik van een gevaarlijk beest kwam, gromde hij: 'Geen gesodemieter met seks schuine streep intimiteit.' Hij draaide zich om en zijn ogen hadden een gekooide blik, behoedzaam, zoals van het soort man dat boven op je kan springen om je te wurgen als je je omdraait om je dienblad neer te zetten in de gevangeniseetzaal. Hij wierp me mijn nieuwe Blue Jays-baseballpetje toe. 'Je weet niet waar je je mee inlaat en geloof me, dat kun je beter zo houden ook.'

Met zijn armen op de reling bleef hij op het balkon staan kijken naar de schepen die met moeite probeerden tegen de wind in de haven binnen te varen. Pas na ongeveer een halfuur kwam hij weer binnen en stak zijn hoofd om de deur van de keuken, waar ik thee zat te drinken. Hij had zijn normale stem weer teruggevonden. 'Als ik van plan was zelfmoord te plegen, had ik het wel gedaan in de eerste week dat ik met je samenwerkte. Waarom zou ik maanden wachten? Afgezien van je andere charmes, ben je chagrijnig van de honger. Je moet eten. Ik wacht op je in de lobby.'

24

DE NAME GAME

Het is onmogelijk een biografie te schrijven zonder te vervallen in leugens, verdraaide feiten, mooipraterij en zelfs in het verdoezelen van het onbegrip van de schrijver, want biografische waarheid bestaat niet, en als deze wel bestond, zou ze onbruikbaar zijn.
– Sigmund Freud

Jack en ik zaten tegenover elkaar op onze geruite bankjes in het restaurant van het Mövenpick Restaurant. Ik keek naar het overdadige, uitbundige decor en vroeg: 'Wie heeft het hier in vredesnaam ingericht, Heidi aan de amfetamine?'

'De menukaart is groter dan de blauwdruk van een bank.' Hij zwaaide ermee door de lucht. 'Wat was het leven gemakkelijk toen we alleen konden kiezen uit de dagschotel.'

Ik keek op en zag zijn brede glimlach. Ik keek terug met een blik van 'wat zit je nou te lachen', maar dat deed niets af aan zijn humeur.

'Hoor eens, ik wil je nog bedanken voor je toewijding toen ik dood was.'

'Veel makkelijker dan als je leeft.' Ik wilde mijn eerdere gênante vertoning van emoties zo snel mogelijk vergeten en probeerde van onderwerp te veranderen. 'Wat is er in vredesnaam aan de hand met die kwibus van een Gardonne?'

'Ik ben bang dat hij niet half zo achterlijk is als je denkt, Katy.'

Katy? Wat krijgen we nu weer?

'Dat is ook niet te hopen, anders heeft hij een kompas nodig om op zijn werk te komen,' zei ik.

'Over werk gesproken, wanneer luister je je antwoordapparaat eens af?'

Toen ik mijn antwoordapparaat belde vanuit de telefooncel, hoorde ik de onmiskenbare, zelfgenoegzame stem van Gardonne. 'Kate, met dr. Gardonne. Het spijt me enorm dat ik je abusievelijk onjuist heb geïnformeerd. Als jij me beter op de hoogte had gehouden, was het nooit gebeurd. Zoals je misschien al weet, is Jack gezond en wel. Ik was naar zijn flat gegaan en trof het gebouw afgezet met politielint. Het was omsingeld door politiewagens en een van de bewoners vertelde me dat er iemand van het balkon was gesprongen en zelfmoord had gepleegd. Kate, het spijt me als ik je verdriet heb gedaan, maar je reageerde opmerkelijk stoïcijns, zelfs voor Kate Fitzgerald. Ik hoop...' De band brak af.

God, wat jammer dat ik hem al die jaren niet op het antwoordapparaat had kunnen zetten. Dan had hij maar één minuut de tijd gehad om me horendol te maken. Ik ging weer naar binnen en kreeg Jack zover dat hij naar de band ging luisteren. Toen hij had opgehangen vroeg ik: 'Je gelooft hem toch zeker niet, hè?'

'Nee.' Jack zei het bedachtzaam en klonk niet erg overtuigend. 'Wat wil die vent toch? Hoe beter ik hem leer kennen, hoe meer ik tot de conclusie kom dat hij ons tegen elkaar op wil zetten, zoals jij al eerder hebt beweerd. Hij heeft me eerst uitgebreid verteld hoe paranoïde en gevaarlijk jij wel niet bent en vervolgens vertelt hij jou dat ik dood ben.'

'Hij kickt op dit soort spelletjes, ik ben er jaren getuige van geweest.'

'Ik snap het niet. Misschien doet hij dat tijdens de therapie. Hij wordt tenslotte betaald voor elke sessie die hij met je heeft gehad. In de gevangenis wordt niemand ooit beter, maar dit is de echte wereld. Het kost hem echt geld om ons samen te laten werken en toch ondermijnt hij onze relatie.'

'Geld speelt voor hem geen rol, hij zwemt erin. Daarbij is het het geld van de Psychoanalytic Association, niet het zijne,' hielp ik hem herinneren.

'Hij zou toch moeten weten dat ik het nieuws van mijn eigen dood ietwat overdreven zou vinden.'

'Natuurlijk. Het was een vorm van shocktherapie. Hij wilde een heftig traumatisch moment creëren waarin ik geen verweer meer had en hij mijn ware gevoelens kon peilen. Dat is precies dezelfde techniek die ik gebruikte voor Von Enchanhauer, toen ik hem vertelde dat Konzak was vermoord.'

'Het heeft niet gewerkt.'

'Nee, nou ja. Ik heb negen jaar de tijd gehad om mijn afweersysteem tegen hem te vervolmaken. Jij komt pas kijken.'

'Het probleem is dat er wel een zekere waarheid in zijn woorden schuilt,' zei Jack.

'Hoezo? Ben je halfdood? Dat is geen nieuws.'

'Ik bedoel dat het balkon werkelijk was afgezet met politielint. De reling zat los. Toen ik een peuk naar beneden gooide, voelde ik hem bewegen. Dus ik heb de beheerder gewaarschuwd en hij heeft het lint eromheen gedaan, in afwachting van de lasser. En aan de andere kant van het gebouw heeft iemand zelfmoord gepleegd. Er is een man van de zestiende verdieping gesprongen. Ik was er niet toen het gebeurde. Maar er hing een briefje op de liftdeur met een telefoonnummer voor slachtofferhulp voor degenen die er getuige van waren geweest.'

'Er zit altijd een kern van waarheid in wat hij zegt, dat is het grote probleem. Gardonne is eigenlijk heel goed in zijn vak. Hij kan zorgen dat je jaren in de war blijft. Ik weet dat ik heb gezegd dat hij niet intelligent is, maar sluw is hij wel, als geen ander weet hij elke situatie zo te manipuleren dat hij er voordeel van heeft. Als kind al leerde hij te overleven door voordeel te trekken uit een trieste situatie. Geloof me, hij heeft nog geen seconde gedacht dat jij daar op die stoep gestuiterd was.' Toen ik er even over nadacht, kwam er nog iets anders bij me op. 'Hij is bang dat Dvorah Little ons iets heeft verteld over die eilandfraude. Hij heeft er nooit op gerekend dat we met elkaar zouden kunnen opschieten, want we staan allebei bekend als einzelgängers. Hij is narcistisch genoeg om te denken dat als ik niet in hém geïnteresseerd was, ik wel in niemand geïnteresseerd zou zijn. Tussen twee haakjes, het gaat me er niet om het onderwerp seks schuine streep intimiteit weer ter sprake te brengen, ik probeer de situatie, een beter woord heb ik er niet voor, te bekijken vanuit Gardonnes standpunt.'

'Je hebt een unieke manier om een bepaald onderwerp niet ter sprake te brengen.'

'Gardonne heeft me in zijn macht, gezien mijn voorwaardelijk. Maar voor jou is hij bang. Hij doet zijn best zoveel mogelijk smerige informatie over je naar boven te halen. Daarom vertelde hij me dat je dood was, in de hoop dat ik in mijn verdriet mijn hart over je zou luchten. Dan had hij je kunnen chanteren met je relatie met een medewerkster en erger nog, een verdachte. Chantage is hem tenslotte met de paplepel ingegoten.'

Jack leunde achterover en voelde even aan de sigaretten in zijn borstzak. Hij snakte naar een peuk. 'Je ziet spoken. Ik werk niet meer voor de regering. Hij kan me niet chanteren. Het interesseert me geen biet tegen wie of wat hij over me lult. Wie zou me moeten ontslaan... God zelf?'

'Als hij kon bewijzen dat we een relatie hadden, kon hij je betrekken bij die moordzaak die hij mij vermoedelijk in de schoenen wil schuiven. Dan ben je niet meer te helpen, ook niet door God zelf.'

'Ik heb je al vaker gezegd dat ik denk dat hij verliefd op je is. Hij kon je niet laten gaan toen je gevangenisstraf erop zat en regelde dat onderzoek om contact met je te kunnen houden. Hij kan de gedachte dat wij misschien iets met elkaar hebben niet verdragen. Hij had het al door toen we in Engeland waren, je weet wel, op het eiland Wight.'

'Waarom denk je toch dat hij interesse in me had?' Ik begreep echt niet waarom Jack Gardonnes modus operandi zo verkeerd uitlegde. Hij bleef een volle minuut stil en keek de andere kant uit. Ik zei: 'Hallo? Hallo? Aarde aan Jack!'

Hij voelde zich duidelijk in het nauw gedreven door wat hij had gezegd en omdat hij geen zin had er verder op in te gaan, zei hij zacht: 'Hij heeft zich negen jaar lang elke week vanachter zijn bureau met je geest beziggehouden. Het zou idioot zijn als hij níet verliefd op je was geworden.'

Ik voelde me helemaal warm worden vanbinnen, maar gezien zijn eerdere waarschuwingen en mijn eigen karakter negeerde ik dat. Ik zei zo redelijk als ik kon opbrengen: 'Liefde zit niet in zijn systeem. Macht en een wanhopig verlangen om deel uit te maken van de Mercedes- en botoxklasse zijn zijn drijfveren.' Gelukkig werden we gered door de serveerster. 'Mag ik een kom muesli, alstublieft?'

'Komt eraan. Wat een geweldige oorbellen.' De serveerster leunde voorover om mijn spek met eieren-oorbellen beter te bekijken. 'Perfect voor hier, we serveren de hele dag ontbijt.'

'Dank u, het zijn concept-oorbellen, ze worden met de hand vervaardigd.'

'Concept-oorbellen, wat een enig idee!' Ze greep de menukaarten en liep haastig weg.

Ik nipte aan mijn koffie en concentreerde me op wat we nog moesten doen, al pratend stelde ik een lijst op. 'De oplossing van de zaak ligt in drie dingen, volgens mij weet ik welke dat zijn. Bozo had gelijk, de hele puzzel komt neer op *The Name Game.* Ik ga nogmaals met Shawna praten om te zien of ze zich de namen weet te herinneren van de mensen met wie Bozo en De Magiër correspondeerden. De drie belangrijkste zijn Chaim Stein, de familie Wedgwood en de vergeven maar nooit vergeten Anna O. Volgens mij correspondeerden Bozo en De Magiër met alle drie en ligt daar de oplossing van de moord op Konzak en Bozo en wellicht ook De Magiër.' Ik nam een grote hap van de muesli die zojuist voor mijn neus gezet was.

Hij keek naar mijn kom. 'Wie eet er verdomme roze pap, Barbie Beer?'

Ik negeerde hem. 'Zodra we klaar zijn met eten, ga ik naar Shawna.'

'Ik wed dat ze thuis is.'

'Daarna moet ik nog het een en ander nazoeken in het archief in Londen voordat we de zaak kunnen afronden, dus we hebben tickets nodig voor Engeland.'

Toen ik opkeek zat hij me aan te kijken met die nonchalante grijns, armen over elkaar en zijn lange benen onbekommerd uitgestrekt tussen de tafels. 'Wat héb je?'

'Ze is er weer!' Hij pakte de rekening op en liep weg.

Toen ik weer bij Shawna op de stoep stond, zag ik dat het bordje 'Te Huur' een addendum had gekregen:

klojo's? Ik dacht het niet!

Shawna zag eruit alsof ze met de minuut ouder werd; misschien krijg je dat als alle energie uit je is weggevloeid. Ze zat tegenover me aan de plakkerige keukentafel haar tarotkaarten uit te leggen, een kinderlijk figuurtje met slierthaar en een India-jurk die eruitzag alsof ze hem in een metrostation had gevonden. Hari slenterde de keuken binnen, opende een blikje noten die wit waren uitgeslagen van ouderdom en slaapwandelde weer weg. Shawna woonde voorheen in een begripvolle gezinssituatie als zelfstandig juwelenmaakster. Nu was ze weinig meer dan een bijstandtrekster met pleinvrees, opgesloten in een huurkamer.

'Ik zie aan je dat je Bozo en De Magiër enorm mist,' begon ik. Shawna is nooit zo met het hier en nu bezig en het duurde even voordat ze knikte. We bleven een tijdje in vriendschappelijk stilzwijgen zitten.

'Zal ik de tarot voor je leggen?' vroeg ze vaag enthousiast.

'Nee dank je, dat is niks voor mij. O ja, ik wil graag nog wat oorbellen van je kopen. Ezeltjes van de wereld. Mijn buurvrouwen vinden ze te gek. Ik kan de lift niet in stappen of ze beginnen erover.' Dat was nog waar ook, tot mijn verbazing en Jacks ongeloof. 'Ik zou zo tien paar voor je kunnen verkopen.'

Ze klaarde helemaal op. 'Dat is het beste nieuws dat ik in tijden heb gehoord.'

'Het leven is niet hetzelfde zonder de jongens, hè?' Ik leefde oprecht met haar mee.

'Nee.' Ze kamde met haar vingers door haar verwarde haardos. 'Ik heb er een beetje moeite mee om naar buiten te gaan en dat deden zij altijd voor me, daar maakten ze nooit een punt van. Als zij erbij waren durfde ik wel, vooral als ik van tevoren iets te snoepen nam. We zorgden heel erg goed voor elkaar. Ik bemoeide me niet met hun zaken en zij niet met de mijne. Ik had zo'n mazzel met ze. Mijn vader wilde mijn moeder altijd veranderen in iets wat ze niet was, snap je, dan moest ze bijvoorbeeld het rendierfeest organiseren met kerst. Van Bozo en Magi hoefde ik niemand te zijn, behalve mezelf. Ik stond altijd voor ze klaar en zij voor mij... Nou ja...' Haar stem stierf weg en ze schudde haar tarotkaarten nog maar eens. Met een stem die klonk als een Victrola die opnieuw moest worden opgewonden, vervolgde ze: 'Edgar had geen zin mijn oorbellen naar Holt te brengen. Hij vond dat ik het zelf maar moest doen en had een heel verhaal over zelfredzaamheid en even doorbijten en zo. Je kent die babbels wel, ze proberen je op te peppen maar dan ben je al doodmoe voordat ze uitgepraat zijn.' Ze zuchtte. 'Misschien heb ik ook wel een schop onder mijn kont nodig. Wie zal het zeggen?'

'Shawna, toen ik hier laatst was, vertelde je me dat je de brieven die je medebewoners altijd op het gangtafeltje klaarlegden meegaf aan de postbode. Je zei dat je je de geadresseerden misschien wel zou herinneren als ik een lijstje zou maken.'

'Geef maar op.'

Ik gaf haar een stapeltje enveloppen waar ik de namen op had geschreven. Ik hoopte dat de namen op de enveloppen haar visuele geheugen zouden stimuleren. Terwijl ze het stapeltje enveloppen een voor een doornam, zou ik de namen hardop voorlezen, in de hoop tegelijkertijd haar auditieve geheugen op te peppen. God weet dat ze wel wat extra hulp kon gebruiken, ze had zich jarenlang te goed gedaan aan haar 'snoeperijtjes'.

'Dr. Willard Gardonne?'

'Nee.' Ze ging door naar de volgende envelop.

'Dvorah Little?'

'Nee.'

'Chaim Stein?'

'Ja.'

'Shawna, weet je misschien het adres nog?'

'Nee.'

'Dan gaan we verder.' Ik probeerde mijn toenemende geestdrift voor haar verborgen te houden. 'Anna O.?'

'Zekers. Bozo schreef haar. Het adres weet ik niet meer, maar het was altijd ter attentie van iemand, maar ik weet niet meer van wie.'

Ik was verrukt, maar probeerde kalm te blijven terwijl zij de ene envelop na de andere bekeek.

'Anders Konzak? Ja, veel brieven en soms pakjes.'

'De Darwin Foundation?'

'Ja, De Magiër.'

'De familie Wedgwood?'

'Ja, Emma. Zo heet de mopshond van mijn moeder ook. Nu weet ik het weer, het was geen Wildinwood, maar Wedgwood. Zo heet het porselein ook, je weet wel, die spullen die De Magiër verzamelt.'

'Hij is helemaal geen type om Wedgwood te verzamelen. Maar nu weet ik het weer, toen we bij jullie bleven eten, kregen we het toetje op die blauwe Wedgwood-bordjes van De Magiër.'

'Ja, hij heeft er een heleboel in de keukenkast staan. Hij heeft me er eens een paar laten zien die precies lijken op de plaatjes van de originele borden in een van zijn boeken... echte verzamelobjecten.'

'Die wil ik straks graag even zien. En deze naam, Von Brücke?'

'Ja, maar ik weet niet meer wie hem schreef. Er staan twee van die muizenoortjes boven de u.'

'Ja, klopt. Dat is een umlaut. En dan, dr. Von Enchanhauer?'

'Nee.' Ze weifelde.

'Anna Freud?'

'Nee, maar Bozo heeft het wel over haar gehad met Magi. Volgens mij mocht hij haar wel.'

'Weet je nog wat hij over haar heeft gezegd?'

'Nee, maar ik zal er eens over nadenken.'

'Jack Lawton?' vroeg ik en gaf haar een envelop.

'Nee. Is dat die Jack met wie jij samenwerkte?' Toen ik knikte, vervolgde ze: 'Wat een stuk, vind je niet? Niet zo opvallend stukkerig, meer een Hud, maar dan spannend.'

'Ik vond Hud altijd al spannend. Maar ik snap wat je bedoelt.'

'Waarom zou Bozo hem moeten schrijven?'

'Ik weet het niet. Hij is een detective en je weet nooit precies waar die kerels voor werken.'

'Vertel mij wat! Ze bestellen Zwitserse kaas via de afgeluisterde telefoon. Jack is hier ook geweest om te vragen of Bozo ooit aan jóu heeft geschreven. Ik denk dat hij wat van die drugs wilde hebben voor we naar de Bamboo gingen. Jeetje, we hebben zomaar drugs gegeven aan een detective... misschien zit hij wel bij narcotica. Dat was zo *El Stupido*. Toen ik nee zei, vroeg Jack of ik je niet wilde vertellen dat hij hier was geweest om navraag naar je te doen, maar op de een of andere manier heb ik het gevoel dat jij die moordenaar van Bozo wel weet te vinden. Ik wil je helpen, voor Bozo. Ik vertrouw dat soort mannen niet, weet je, dat soort kerels dat elke maandagavond voetballen zit te kijken. Al zijn ze dan zo sexy als Jack, als je dezelfde genitaliën hebt, moet je elkaar steunen. Ik wil het woord "sisterhood" niet gebruiken, want dat is zo langzamerhand een cliché. Waar het om gaat is dat vrouwen elkaar alles moeten vertellen. Daarom vertel ik je ook wat die detectives allemaal doen en zo.'

Shawna kletste opgewekt door en had niet in de gaten hoe down ik ineens was, als een duif die net is geland op vers epoxyhars. Ik dacht onmiddellijk weer aan het gesprek tussen Jack en Gardonne dat ik had afgeluisterd op het eiland Wight en toen viel het kwartje in mijn roestige hersens. Ik kreeg het er warm van en tegelijkertijd stond het kippenvel op mijn armen van schaamte.

Shawna had niets in de gaten en kletste doodgemoedereerd verder, alsof ze het had over de kleur van haar cappuccino-oorbellen. Ik viel haar in de rede en zei met heel wat meer kalmte dan ik voelde: 'Shawna, luister. Je mag helemaal níemand, geen detective, psychiater, de FBI, de CIA, de politie, Edgar, Hari of de RCMP, vertellen wat we hier hebben besproken. En schiet een beetje op met die oorbellen. Je weet het, ík kan die oorbellen voor je op de markt brengen en ik denk niet dat een van die kerels ook maar een greintje belangstelling heeft voor bananen met glitters erop.'

'Begrepen.' Shawna stak haar beide duimen omhoog.

DEEL IV

VADERS EN DOCHTERS

25

LIEFDESLEBOTOMIE

> De verdienste van illusies is dat zij ons onlustgevoelens besparen en in plaats daarvan van bevredigingen laten genieten. Daarom moeten wij zonder klagen accepteren dat zij op zekere dag met een onderdeel van de werkelijkheid botsen en erop te pletter lopen.
> – Sigmund Freud, *Actuele beschouwingen over oorlog en dood*

In het vliegtuig op weg naar Londen gespte ik tevreden mijn riem vast. 'De volgende keer dat we voet op Canadese bodem zetten heb ik de hele zaak in kannen en kruiken.'

'Was je nog van plan je inzichten met me te delen?' informeerde Jack.

Ik keek hem aan met slechts een fractie van de woede die ik voelde. 'Jij zat kennelijk in eenzame opsluiting toen ze uitlegden wat teamwerk is.'

'Kate, wat klets je toch?' Zijn afgemeten stem klonk alsof zijn geduld tot het eind van z'n zielige maximum was uitgerekt. 'Je bent al vanaf het eerste begin verdacht, dat besef je toch wel? Daar hebben we het uitgebreid over gehad, die keer in Konzaks appartement. Misschien ben je dat gesprek voor het gemak vergeten, of anders was je te zeer van streek van al dat bloed om het te registreren.' Ik reageerde niet, dus voegde hij eraan toe: 'Kan gebeuren.'

Ik was al te vaak verraden voor één mensenleven. Ik werd steeds kwader en klapte bijna uit elkaar van woede toen ik in zijn oor siste: 'Jij hebt me laten schaduwen om me erin te luizen.'

'Kate, je bent veroordeeld voor moord en bij beide moorden was jij als enige op de plaats delict. Natuurlijk behoor je tot de verdachten.'

'Denk je dat ik ze heb vermoord?' vroeg ik.

'Nee. Heb je nu ook al Alzheimer? Dat pesthumeur had je altijd al.'

'Ik vergeet wel eens wat.'

'Dat hebben we weken geleden besproken. Je had geen motief, voor geen van beide.'

'Is dat de énige reden waarom je denkt dat ik het niet heb gedaan?'

'Dat is de reden die ik heb opgegeven aan Gardonne. Kate, er zijn hier mensen vermoord en Konzak begint een beetje te schimmelen. Hij had machtige connecties en rijke ouders. Er komt een moordonderzoek en uiteindelijk komen ze bij jou terecht en, ik weet dat het je niet kan schelen, ook bij mij.'

'Weet je, mijn celgenote zei altijd: "Wie met pek omgaat, wordt ermee besmet." Ik weet nu pas wat ze bedoelde.'

'Jezus, Kate!'

'Zelfs Shawna is nog niet zo stom als ik. Ik moest van haar horen dat jij in Bozo's huis hebt lopen rondsnuffelen, op zoek naar vingerafdrukken of wat je ook allemaal hebt geleerd op die lullige detectivecursus van je.'

Jack schudde slechts zijn hoofd en keek recht voor zich uit naar de stewardess die voor in het gangpad stond met een geel zuurstofmasker voor haar neus. Mijn hersenen werkten op volle toeren. Ik had het gevoel of mijn psyche de anaërobe drempel had bereikt. En toen sprong ik uit mijn vel. 'Nu weet ik waarom je altijd in eenzame opsluiting zat! Ze stoppen je heus niet in je eentje in een cel omdat je je zo netjes aan de regels houdt. Ik dacht dat ik boven de manipulaties van een psychopaat stond. Zowel Gardonne als ik hebben je onderschat. Misschien is het wel de keiharde waarheid dat we allebéi dachten boven jouw manipulaties te staan.'

Toen hij me verbluft aankeek zag ik dat het wit van zijn ogen zo geel als gal was geworden. Ik had hem diep geraakt. Ik wist dat zijn dossier vol stond met het woord psychopaat, het stond in zijn geest geschroeid. Nu ik hem ermee om de oren sloeg stond hij stijf van schrik. Ik wist dat hij zich binnen de kortste keren zou herstellen om met alle kracht die hij in zich had revanche te nemen.

Hij sprak met die lage, afgemeten stem, speciaal bestemd voor het afschieten van verbale kogels. 'Nu we het toch over manipulatie hebben, begin ik te begrijpen waarom je echtgenoot je erin geluisd heeft. Hij hoopte dat de permafrost de zwarte weduwe in winterslaap zou sussen. Pech gehad, haar huid was te dik en ze was gewend aan de kou. Je hebt zijn leven tot een hel gemaakt, dus waarom zou jij er zonder kleerscheuren afkomen? Hij wist dat niemand zou geloven dat je zo wreed kon zijn.'

'Niet zo wreed dat ik al op mijn negende als onverbeterlijk werd opgegeven.' Ik was misselijk van mijn eigen onnozelheid. 'En ik geloofde jouw versie nota bene.'

'Alsof je vader jou niet al heel snel in de smiezen had. Zodra hij die sadistische trekjes die jij zo nonchalant gevoelens noemt onderkende, besloot hij dat hij dit kind beter zo rationeel mogelijk kon opvoeden. Hij heeft je nooit in de steek gelaten, hij was alleen sneller dan wie ook uit de droom geholpen. Hij had je door.' Jack haalde een sigaret te voorschijn en tikte ermee op de stoelleuning.

We wisten elkaar precies te raken waar het pijn deed. Het feest was afgelopen. De piñata hing aan het laatste kapotte draadje. Slaapgebrek, paranoia en emotionele tikken hadden hem verzwakt, maar de laatste slag was een soort niet te verklaren aantrekkingskracht. Het enige lekkers dat uit de piñata stroomde was verraad, vergezeld door verlating en het puin van een leven lang van teleurstellingen. We hebben elkaar verraad toegeworpen zoals gorilla's uitwerpselen gooien naar de bezoekers van de dierentuin: hier pák aan, en dát ook, je maakt inbreuk op mijn privacy.

De rest van de vlucht bleef ik strak voor me uitkijken. We lazen geen van beiden en spraken geen woord. Ik moet toegeven dat ik enigszins opgelucht was. Ik kende Jack goed genoeg om te weten dat elke minieme kans op emotionele intimiteit of seks voor eens en voor al van de baan was. Wat een vreselijke manier om de broodnodige afstand tussen ons te herstellen. Ik voelde intuïtief aan dat ook Jack opgelucht was, ondanks zijn gapende wonden. Zo werken remmen nu eenmaal, ze verbranden altijd een beetje rubber.

We bleven eindeloos rondcirkelen boven Heathrow omdat het pijpenstelen regende. Tegen de tijd dat we onze bagage hadden liep het al tegen enen en het miezerde nog steeds toen we Londen in reden. De stadsreiniging was al weken aan het staken en de regen toverde olieachtige regenbogen op het glimmende asfalt. De daklozen op Victoria Station waren gehuld in zwarte vuilniszakken tegen de wind en de regen.

De volgende ochtend reed ik in de huurwagen naar het huis van de Von Enchanhauers in Kensington, met Jack onderuitgezakt naast me. Ik vertelde hem niet wat ik over de zaak te weten was gekomen. Zolang hij zich niet verwaardigde met me te praten mocht hij hooguit meeliften. Ik vermoedde dat het plan was mij tot de kern van het intellectuele doolhof te laten doordringen om me vlak voor de finish aan te geven bij de politie. Ze, wie dat ook waren, konden hun moordzaak succesvol afsluiten en met één worp van de dobbelsteen ging ik terug naar de gevangenis en mocht ik zelfs nooit meer terug naar af.

Zwijgend beklommen we de trap naar de Von Enchanhauers. Tefonia, de robothuishoudster, deed open. Ik stapte naar voren en zei op een toon die geen tegenspraak duldde: 'Kan ik Chaim Stein spreken, alstublieft.'

Tefonia gaf geen krimp. Ze opende de deur wat verder en liet ons in de serre. De ramen waren omlijst met het zilverkleurige kant van de druivenranken en het zou niet lang meer duren voordat ze in de warmte van de zon hun wolken witte bloesem zouden prijsgeven.

Tefonia marcheerde voor ons uit en toeterde in haar autistische staccato: 'Dr. Stein, er is bezoek voor u.' Zowel doctor als mevrouw Von Enchanhauer keek geschokt op van de ochtendkrant.

'Tegen wie heb je het, Tefonia?' vroeg dr. Von Enchanhauer.

Maar ze was al weg. Jack en ik namen plaats tegenover de Steins.

De doctor wist zich als eerste te vermannen. 'Sofia, ik zou de detectives graag onder vier ogen willen spreken.'

Bij de deur zei ze nog: 'Juffrouw Fitzgerald en meneer... Jack, ik zal zo een kopje thee laten brengen.'

'Dank je, liefje.' Hij vouwde zijn krant met zorg dicht, streek hem glad en keek me aan. 'Wat kan ik voor u doen?' vroeg hij kalm.

'Herr Stein, waarom hebt u het gedaan?'

'Ten eerste heet ik Von Enchanhauer. Ik heb geen idee waar u het over hebt.'

Ik wierp een steelse blik op Jack. Hij had het gezicht getrokken dat ik kende van levenslang veroordeelden, het masker dat zowel van buiten naar binnen als van binnen naar buiten werkt, waar geen spoortje emotie op te lezen valt. De beschermhoes waar zelfs een leugendetector niet doorheen komt. Ik kon me voorstellen hoe ongemakkelijk hij zich moest voelen. Hij vroeg zich vast af of de druk me wellicht van mijn verstand had beroofd.

'Misschien kunt u ons iets meer vertellen over Chaim Stein, een patiënt van Freud. De jongeman was kapot van schaamte over zijn homoseksualiteit en leed aan paniekaanvallen. Hij zou inmiddels van uw leeftijd moeten zijn. Er is in uw dossier geknoeid en enkele pagina's zijn verwijderd. Ik vraag me af waarom. Misschien heeft het feit dat Herr Stein van identiteit veranderde en dr. Von Enchanhauer werd er iets mee te maken.'

'Waarom zou ik zoiets doen?' vroeg dr. Von Enchanhauer.

'Dat wil ik graag van u horen. Ik ben Kate Fitzgerald, dat ben ik altijd geweest.'

'Ik ben al mijn hele leven met dezelfde vrouw getrouwd en heb een teruggetrokken leven geleid als psychoanalyticus.' Hij keek Jack aan, alsof hij steun zocht in zijn uitdrukkingsloze gezicht.

'Ik begrijp niet waarom u het nodig hebt geacht plastische chirurgie te ondergaan. Dat moet een macabere ervaring zijn geweest in de pre-Jane Fonda-dagen. Want iets anders is er niet gebeurd met uw arm. Ze hebben huid en kraakbeen van uw arm gebruikt voor een markante neus en een langere kin. Het was geen toeval dat u uw zogenaamde blindedarmoperatie moest ondergaan in dezelfde periode waarin dr. Rudolph Meyer furore maakte in het Royal Vic in Londen als een van de eerste plastisch chirurgen ter wereld. Uw vrouw heeft alle regelingen getroffen.' Ik stond op en maakte aanstalten om naar de deur te lopen. 'Zullen we haar er even bij roepen?'

Dr. Von Enchanhauer klemde zijn krant tegen zich aan alsof het een gewichtig document was. Toen ontspande hij zich en de *Times* gleed op de vloer. 'Nee, ze heeft al meer dan genoeg meegemaakt. Hoe bent u erachter gekomen?'

'De eerste aanwijzing was uw haar. Ik heb een goed oog voor misvormingen, ik spot ze altijd. Ik kom uit een kritisch Amerikaans gezin. Mijn vader was rechter en als kind al werd ik geacht mijn oordeel altijd uit te spreken. Uw haarlijn ziet eruit als die van Ken, die pop die bij Barbie hoort. Er zitten veel te veel haren in één haarzakje. Het haar op uw borst is goudblond en uw hoofdhaar is donker, krullend zelfs. Het is mogelijk dat u uw haar verft, maar die haarlijn kan onmogelijk van uzelf zijn.'

Dr. Stein keek naar zijn schoenen en peuterde onzichtbare pluisjes van zijn knieën. 'Wilt u me misschien vertellen sinds wanneer plastische chirurgie juridisch gezien niet geoorloofd is?' vroeg hij.

'U hebt in de oorlog misdaden gepleegd of iets anders walgelijks gedaan. Ik neem aan dat het iets met de oorlog te maken heeft, want de chirurg heeft de huid gebruikt van uw arm in plaats van uw dijen, zoals te doen gebruikelijk. Het nummer van het concentratiekamp stond op uw rechteronderarm, iets boven de pols. Aan de hand van dat nummer hadden we kunnen uitzoeken in welk kamp u hebt gezeten. Dan waren we vanzelf achter uw oorlogsmisdaden gekomen.'

Hij stak zijn hoofd naar voren als een schildpad die uit zijn schild komt. Voor het eerst klonk zijn stem vijandig. 'Ik heb me niet schuldig gemaakt aan oorlogsmisdaden. Ik heb de hel overleefd... ' Hij schreeuwde inmiddels. '... en oorlogsmisdaden heb ik niet gepleegd!' Hij leunde uitgeput achterover, alsof hij misselijk werd van het herhalen van steeds dezelfde zinnen. Kennelijk was dit een oude beschuldiging, gezien de felheid waarmee hij reageerde.

Hij keek weer naar Jack, in de hoop op wat hulp van die kant. Toen hij begreep dat Jack niet van plan was in te grijpen, wendde hij zich tot mij. 'Mijn oorlogstijd is met geen pen te beschrijven. Ik ben gemarteld tot ik onherkenbaar verminkt was en ik moest wel plastische chirurgie ondergaan.'

'U hebt uzelf onherstelbaar verminkt. Ik wil graag weten waarom.'

'Hoe durft u zoiets te insinueren en erger nog, hoe waagt u het mijn vrouw in een situatie te brengen die al zo pijnlijk voor haar is geweest?' Hij leunde weer voorover en zei ijzig beleefd: 'Ik heb tot dusver mijn volledige medewerking verleend aan uw povere pogingen op het detectivepad, juffrouw Fitzgerald. Ik kan u echter verzekeren dat ik uw brutaliteit inmiddels meer dan walgelijk vind.'

'U hebt niet het alleenrecht op walgelijke praktijken, Herr Stein.' Ik liep naar de open haard en leunde tegen de schoorsteenmantel om hem te laten merken dat ik niet van plan was zijn laatdunkendheid zonder pardon te ondergaan. Degene die de feiten kent heeft de leiding, dat wist ik al voordat ik kon lopen. 'Ik zag dat uw huishoudster, Tefonia, een kampnummer op haar arm had. Ik heb het opgeschreven en liet het vervolgens traceren door het Holocaust Museum in Israël. U zat daar samen met haar, is het niet?'

'Nee, u zit er helemaal naast. U kunt fantaseren wat u maar wilt, maar ik wens niet langer naar uw paranoïde aantijgingen te luisteren. Ik weet ook het een en ander over uw verleden, juffrouw Fitzgerald.'

'Het spijt me, maar daar ga ik niet op in. In Amerika hebben we al jong geleerd dat de aanval de beste verdediging is. Vraag maar aan Vince Lombardi.'

'U bent buitengewoon onhebbelijk. Ik waarschuw u, dit heeft niets te maken met Anders Konzak en levert alleen maar verdriet op voor alle betrokkenen.'

'Vooral voor u,' merkte ik op.

'Geloof het of niet, ik denk aan mijn vrouw en zoons en met name aan Anna Freud. Ze heeft de afgelopen tijd veel op haar bord gekregen. Ook zij heeft de Gestapo het hoofd geboden. Waarom moeten we dit allemaal weer oprakelen?' Toen ik onbewogen bleef staan, gooide hij het over een andere boeg. 'De eer van anderen staat op het spel en ik mag ze niet verraden. Ik vrees dat ik de autoriteiten moet inlichten als u blijft aandringen.' Hij keek me aan met een air van gerechtvaardigde verontwaardiging.

Ik liep naar hem toe, leunde op de bewerkte houten leuningen van zijn antieke leren Gainsborough-stoel en keek Chaim Stein recht in de bleke ogen. 'Als u nog één keer tegen me liegt, licht ik de pers in. Tot dusver ligt dat niet in mijn bedoeling. Als dit niets met Konzak te maken heeft, waarom legde u uw vrouw dan het zwijgen op toen ze over Bozo begon?'

'Omdat het er totaal niets toe deed. Hij was slechts een paranoïde figuur met grootheidswaanzin. Hij hoopte verkozen te worden tot opvolger van de directeur van de Freud-academie en was woedend toen de keuze op Konzak viel. Een waanzinnige illusie van deze Bozo-figuur, want ik had hem zelfs nooit ontmoet.'

'U correspondeerde met hem. Denkt u dat Bozo hallucineerde toen hij vorig jaar met u en Konzak de lunch gebruikte in de Holiday Inn in Syracuse?'

'Nee. Hij heeft míj geschreven. Werkelijk, ik ga de autoriteiten inlichten.'

Jack deed voor het eerst zijn mond open. 'Wij zíjn de autoriteiten.'

Ik haakte erop in. 'O wacht, er is nog een autoriteit die we kunnen bellen.' Ik liep terug naar de schoorsteenmantel, draaide me langzaam om en zei toen: 'Dat zou... eens even denken... ja, dat zou Hendrik moeten zijn.'

Dat deed het hem. De dam brak. Chaim Stein zakte achterover in zijn stoel en brak in tranen uit. Hij jammerde als een in de steek gelaten baby. Jack keek me aan of hij vond dat ik moest zorgen dat hij ophield met huilen of hem moest troosten. Met zijn handen voor zijn gezicht snikte hij het uit. Hij huilde in de cadans van een lege trekharmonica. Zijn vrouw stond verschrikt in de deuropening en de huishoudster ijsbeerde mompelend door de gang en streek onophoudelijk met haar handen over haar schort.

Toen er maar geen einde kwam aan zijn verdriet, vroeg zijn vrouw of ze hem misschien beter alleen kon laten met ons. Hij knikte. Ze schoof de tussendeuren dicht en ik hoorde haar vriendelijk tegen Tefonia zeggen dat ze verder kon gaan met haar werk.

We wachtten rustig tot hij zichzelf weer in bedwang had. Eindelijk keek hij op en nam een Kleenex aan, die Jack uit de doos op tafel had gevist. Jack klopte hem op de schouder en Chaim Stein pakte even zijn hand vast. 'Het spijt me dat dit zoveel verdriet oprakelt,' zei Jack met zijn arm om de schokkende schouders.

Stein slaakte een diepe zucht, wierp een blik op mij en zei verslagen: 'Wat moet ik u vertellen?' Hij steunde zijn hoofd met zijn handen. 'Neem me niet kwalijk, ik voel me niet goed.' Het zweet stroomde over zijn gezicht en hij wankelde zo snel als zijn trillende benen hem konden dragen de kamer uit.

Eenmaal onder elkaar fluisterde Jack: 'Wie is Hendrik in godsnaam?' We hoorden dr. Von Enchanhauer alweer terugkomen en hij voegde er snel aan toe: 'Maak het niet te zwaar voor hem. Hij is gebroken. Hij kan nu niets meer voor je verborgen houden, dus je hoeft hem niet meer zo stevig aan te pakken.'

'Zeiden de mensen dat ook over jou toen je er met hun spaarcenten vandoor was?'

'Bewaar je sm-trucjes maar voor Gardonne en al die andere stoethaspels die daarop kicken.'

Dat negeerde ik. 'Niet dat ik van het fascinerende onderwerp wil veranderen, maar zorg dat Von E. vannacht in de gaten wordt gehouden. 24 uur lang geen inkomende telefoongesprekken.'

De doctor kwam ietwat gekalmeerd terug. Hij zakte in zijn stoel en zei met bevende stem: 'Kunnen we dit misschien een andere keer bespreken?'

'Ik ben bang van niet, maar ik zal het zo kort mogelijk houden.' Iets vriendelijker vervolgde ik: 'Hoe komt het dat u in de oorlog bij de Von Enchanhauers in huis hebt gezeten?'

'Ik was Sofia's Franse leraar. Ze sprak vloeiend Frans, maar ze had wat moeite met de literatuur, omdat deze zozeer van het Duits verschilde. We konden goed met elkaar opschieten en dachten hetzelfde over belangrijke levenskwesties. Mettertijd werd ze verliefd op me.'

'U zag er toen heel anders uit dan nu. In feite zag u eruit als de Arische droom. U was blond met een hoog voorhoofd en had als model kunnen dienen voor de affiche van de nazi-jugend. Sofia werd verliefd op een Arische jongeman die één klein probleempje had, hij was een Jood.'

'Wie heeft u dat verteld?' vroeg hij.

'Om eerlijk te zijn uw vrouw. Toen ik die foto bekeek van uw zoons met Anna Freud tijdens de zeilwedstrijd zei ze dat ze op u leken. Ze keek voor het eerst blij en er gleed een sensuele glans over haar gezicht toen ze me wees op de gelijkenis tussen vader en zoons. Toen zag ik pas hoeveel ze van u heeft gehouden. Nu heb ik het natuurlijk over u zoals u was voor de operatie. Dat was de Chaim Stein van wie ze hield, de man die zo goed bij haar paste. U leek wel broer en zus.' Hij knikte schoorvoetend. 'En dus was ze bereid u tijdens de oorlog te laten onderduiken. Sofia's ouders zagen er niets in om Joden te redden, dus nadat ze met hen had gesproken verborg ze u in een put of silo, zoals u ons hebt verteld. Maar al na een jaar werd u verraden en overgedragen aan de Gestapo.'

'Ik werd overgebracht naar een klein kamp, even over de Oostenrijkse grens. Daar werd ik net zo bruut behandeld als alle anderen.' Von Enchanhauer sprak op vlakke toon.

'Totdat Hendrik op het toneel verscheen,' probeerde ik.

Chaim keek naar de grond en weer sprongen de tranen hem in de ogen. 'Ik ben nooit echt seksueel actief geweest, maar Hendrik is de enige op wie ik met hart en ziel verliefd ben geweest. Hij was mijn eerste en enige liefde. Hij kwam uit Estland en was door de nazi's aangesteld als kampleider. Er zat geen greintje kwaad in hem.'

'Behalve dat hij mensen vergaste,' hielp ik hem herinneren.

'Die dingen zijn niet uit te leggen. Hij haatte zijn werk, maar hij wilde niet op grond van desertie de gevangenis in. Hij was niet anders dan die Amerikanen die Vietnamese dorpen met napalm bestookten. Hij had zich aangemeld omdat hij de keuze had tussen verhongeren in Rusland en eten in Duitsland. Hij was mijn beste vriend. Ik leerde hem alles over literatuur en muziek en hij wees me op de schoonheid van de natuur.' Von Enchanhauer zweeg, zijn trieste gezicht straalde plotseling sereniteit uit. Hij leek bijna knap. 'Eros heeft zijn eigen meester. Hij luistert niet naar wie aan welke kant staat in een oorlog. Hij weet het wanneer hij zijn levenspartner heeft gevonden en twijfelt nooit. Ik wist dat ik homoseksueel was, maar hij niet, ik was de enige man van wie hij ooit had gehouden. Hij wilde niet dat het geluk hem ontglipte, het was een eenvoudig mens. Hij wist dat we bij elkaar hoorden.'

'Had uw relatie ook een fysieke kant?' vroeg ik.

'Ja, natuurlijk. Als twee mensen van elkaar houden, hoort de fysieke kant daar ook bij. De onze begon na een maand of zes,' antwoordde hij.

'Wat vonden uw kampgenoten van deze relatie?'

'Dat weet ik niet. In het kamp ging het er niet om wat mensen ergens van vonden. Overleven was onze enige zorg.'

'Vooral de uwe, Chaim.' Ik deed een stap in de richting van zijn stoel. 'Als u nog één keer tegen me liegt, zal ik er persoonlijk voor zorgen dat die vernederende toestand met Konzak op een wandelingetje door Hyde Park zal lijken... maar deze keer gaat het om úw huid, uitgerekt en vastgespijkerd op de voorpagina van *The Washington Post*.'

Hij bleef onbeweeglijk zitten, sloot zijn ogen en zuchtte diep.

'Ze konden mijn bloed wel drinken en scholden me uit voor capo.'

'Voor wat?' vroeg Jack.

'Joden die het kamp hielpen runnen. Ze verkochten vaak informatie over andere Joden aan de nazi's, in ruil voor bepaalde voorrechten. Het betekent eigenlijk "hij die zich tegen zijn eigen volk keert",' legde Von Enchanhauer uit.

'Hoe vond u dat?'

'Na de oorlog voelde ik me natuurlijk schuldig. Indertijd was ik echter opgelucht. Ik wist dat het ergste leed was geleden. Ik werd elke avond naar Hendriks kamer gebracht, waar het lekker warm was. Daar was niemand ziek, het was er schoon en ik kreeg te eten. Ze begrepen echter niet dat ik het met alle liefde zonder warmte of voedsel had gedaan, als ik maar bij hem kon zijn. Liefde doet vreemde dingen met de mens. Aan het eind van de oorlog was er vrijwel geen voedsel meer, we hadden niets. Zelfs de bewakers leden honger. De gevangenen, verzwakt door ondervoeding, stierven bij bosjes aan tyfus. Uiteindelijk was bijna iedereen dood en er was niemand meer om de lichamen te begraven. De soldaten deserteerden en aan het eind van de oorlog waren er nog maar drie over, een agressieve bewaker, Hendrik en de commandant. Toen het bericht over de bevrijding door de Amerikanen ons bereikte, waren er nog maar vijf gevangenen in leven, onder wie ikzelf. We hadden geen voedsel, de bewaking had geen kogels of andere voorraden, er was niets meer. Die wrede bewaker wist dat hij in de problemen zou komen, want een van de vrouwen had hem gewaarschuwd: "Ik wil je zien hangen voor alles wat je op je geweten hebt en als ze je naar beneden halen, zal ik jóuw kop kaalscheren!" De andere vier vrouwen waren zigeuners. Ze waren niet kapot te krijgen, pienter en sterk. In het besef dat de Duitsers aan de verliezende hand waren moest de commandant ze kwijt. Hij wilde met alle geweld voorkomen dat ze tegen hem zouden getuigen in een oorlogstribunaal.'

'Hij had een vooruitziende blik,' zei Jack.

'Jammer genoeg had de commandant geen kogels en geen gas meer. Aan tyfus zouden ze ook niet sterven, want ze hadden hun injecties met het virus al lang geleden gehad. Er was nog wel wat chloroform, want voor de operaties werd dat nooit gebruikt. Ze verdoofden die laatste vier vrouwen en voerden lobotomie op ze uit. Dat hield ze wel in leven maar maakte ze onschadelijk en de Duitsers konden zeggen dat ze hun best voor ze hadden gedaan. Ze dachten dat de Amerikanen niet wisten wat lobotomie was.'

'Wie voerde ze uit?' vroeg ik, terwijl ik het antwoord al wist.

Chaim verfrommelde zijn Kleenex tot er niets meer van over was. 'De bewaker deed de eerste. Hij diende het slachtoffer wat chloroform toe en deed de lobotomie met een aardappelmesje. Hij dwong mij de anderen te doen, omdat ik tenslotte arts was. Ik was doctor in de filosofie. Ik had maar acht maanden medicijnen gestudeerd. Ik was doodsbang en stond te trillen op mijn benen, dus uiteindelijk moest Hendrik het van me overnemen.' Stein keek vanonder zijn hangende oogleden naar Jack, smekend om vergeving. 'Je doet heel wat om in leven te blijven.'

'Overleven is een instinct,' beaamde Jack. Hij legde zijn slagershand op Von E.'s verschrompelde oudemannenhand.

'Toen de Amerikanen arriveerden, waren ze natuurlijk diep geschokt. De bewaker en de commandant speelden onder één hoedje en zeiden dat ze hun best hadden gedaan iedereen te redden, maar dat Hendrik voedsel had achtergehouden en hen had bedreigd met een vuurwapen. Hendrik werd afgevoerd in een gepantserde vrachtwagen. Toen hij wegreed, zag ik zijn ogen achter het getraliede ruitje van de Amerikaanse legerwagen. Dat was het laatste wat ik van hem zag.' De tranen stroomden Von Enchanhauer alias Stein over de wangen en verdwenen in de plooien van zijn uitgezakte onderkin. 'De Amerikanen liepen de barak in en een van hen zei: "Moet je nou kijken, die vent daar slaapt dwars door alle tumult heen onder zijn witte dekentje." Hij riep met zijn onschuldige boerenaccent: "Opstaan jochie, de oorlog is voorbij. Je mag naar huis." Toen hij de deken aanraakte om hem wakker te schudden, viel hij uit elkaar. Het was een dikke laag witte maden, de beenderen waren compleet kaalgevreten.

De Amerikanen stonden te kotsen en ik weet nog dat een van

die jongens me vroeg: "Hoe hebben jullie het zover kunnen laten komen?" Die vraag staat in mijn geheugen gegrift.'

'Waarom juist die vraag?' vroeg Jack.

'Hij getuigde tegelijkertijd van arrogantie en onschuld. Die jongen had geen idee hoe diep een mens kon zinken om te overleven. Hij dacht dat wij, de Joden, dit op de een of andere manier hadden láten gebeuren. Hij gaf het slachtoffer de schuld, omdat hij geen enkele notie had wat het is om volslagen hulpeloos te zijn. Hij had nog nooit iets meegemaakt, zelfs zijn grootouders leefden nog. Hoe kon hij het ook weten?'

We zaten zwijgend bij elkaar tot Von Enchanhauer de draad weer oppakte. 'Ik wilde zelfmoord plegen, dus ik ging naar de schuur waar de slachtoffers van lobotomie als ossen in een kringetje rondliepen. Ik stak wat hooi in brand met een heet steenkooltje. Ik wilde ons allemaal doden, misschien omdat ik dit alles inderdaad had laten gebeuren. Tefonia, een van die levende doden, rook mijn brandende huid en doofde het vuur. De volgende dag was ik haar dankbaar. Het heeft geen zin zelfmoord te plegen als de oorlog is afgelopen. Ik stortte pas in toen alles voorbij was. Ik nam Tefonia met me mee en sindsdien werkt ze voor ons. Ze zorgt nooit voor problemen, want ze heeft geen geheugen, tenzij dat op de een of andere manier wordt geprikkeld en dan nog reageert ze als een automaat. Jullie vroegen naar Chaim Stein... die naam kende ze. Ze weet echter niets van de gebeurtenissen eromheen. Ze kent me ook als dr. Von Enchanhauer en ziet daar niets tegenstrijdigs in.'

'Vanwaar die plastische chirurgie?' vroeg Jack.

'In 1943 zijn enkele gevangenen uit ons kamp overgebracht naar een ander kamp en ik had een slechte reputatie. De mensen zochten een schuldige, wie dan ook, om in elk geval íemand de schuld te kunnen geven van wat ze zelf hadden misdaan om in leven te blijven. Ik heb nooit iemand verraden, nooit geheimen overgebriefd en Hendrik heeft me ook nooit iets gevraagd. We spraken zelden over de oorlog en hadden het alleen over wat we zouden doen als het weer vrede was. We waren van plan een boerderij te kopen in de buurt van Straatsburg, we zouden bij zonsopgang gaan wandelen om van de ochtendbries in de heuvels te genieten.'

Von E. glimlachte weemoedig en ik zag de schaduw van de knappe man die hij ooit was geweest. 'Ik keerde terug naar Sofia, omdat ik me nog steeds moest verbergen, ditmaal voor mijn eigen volk. Haar vader regelde de operatie in Londen. Mijn hele familie was uitgeroeid en er was niemand meer die me nog van vroeger kende. Ik kreeg een haartransplantatie en onderging huidtransplantaties. Indertijd werd dat in de Engelssprekende wereld gedaan met vrij grote weefseltransplantaten.'

'Waar deden ze het dan nog meer?' vroeg ik.

'In 1939 beschreef een Japanse dermatoloog, Shoji Okudo, in een rapport dat weinigen in de westerse wereld hebben gelezen, het gebruik van kleine donortransplantaten van behaarde huid voor de correctie van kaalhoofdigheid en haaruitval op schedel, wenkbrauwen en bovenlip. Deze chirurg ontwikkelde zelfs eigen apparatuur om transplantaten uit te snijden.'

'Was er dan zoveel vraag naar haarimplantaten in de jaren veertig? Was Frank Sinatra er op tournee of zo?'

'Bent u Hiroshima vergeten, juffrouw Fitzgerald? Dr. Okuda had het razend druk.' Ik zei al niets meer. 'Vervolgens verfde en krulde ik mijn haar en liet mijn gezicht aanpassen. Tefonia ging met mij mee. Na de lobotomie wist ze niet meer wie haar ouders waren of dat ze die zelfs maar had, haar leven begint elke dag opnieuw.'

'Waarom hebt u voor zo'n Joods uiterlijk gekozen?' vroeg ik.

'Juffrouw Fitzgerald, meneer Lawton, als je je hele leven geprobeerd hebt je anders voor te doen dan je bent, zou je dan geen hekel krijgen aan degene die je zo driftig probeert te verbergen?'

'Kan zijn. Maar tot op zekere hoogte schamen we ons allemaal voor degene die we proberen te verbergen,' vond Jack.

'Toen ik de kans kreeg me te laten opereren, verzocht ik om een Joods uiterlijk om dit nooit meer te hoeven meemaken. Ik vond het belangrijk dat uiterlijk en innerlijk één geheel werden. Als ik er Joodser had uitgezien was ik allang dood geweest... ook wat dat betreft paste dit nieuwe uiterlijk beter bij mijn innerlijk.'

'Waarom besloot Sofia toch met u te trouwen?'

'Ze hield van me, ze had al die jaren op me gewacht. Ze zag het als haar plicht om van me te houden. Op haar dringende verzoek trouwden we nog voordat ik naar Londen vertrok. Ze was me al eens kwijtgeraakt en wilde dat niet nog een keer meemaken. We hadden een vrijwel platonische relatie, waar we allebei goed mee konden leven. Volgens mij hebben we een beter huwelijk dan de meeste mensen omdat we wederzijds respect voor elkaar koesteren. Gezien alles wat ik tegenwoordig lees en zie komt dat nog maar zelden voor. Ik had haar natuurlijk beter alles kunnen opbiechten, maar we leefden in het naoorlogse Wenen en iedereen had wel iets te verbergen.'

'Wat gebeurde er na uw terugkeer?' vroeg ik.

'Na de operatie hield ze niet meer van me, niet op de romantische manier. Sofia zou dat misschien ontkennen, maar ik voel of denk dat het waar is. Ik keerde niet terug als de man die van haar was weggerukt en was afgevoerd naar de kampen. Mijn hart was slechts een rudimentair orgaan en dat wist ze. Toen ik Hendrik zag wegrijden in die legerwagen, keek ik toe hoe mijn hart mijn lichaam voor eeuwig verliet. Wat restte was een lege holte die ik volledig heb getracht te vullen met Sofia, mijn zoons en mijn werk. Ik wilde dat ik ze meer kon geven, maar ik ben bang dat ik mijn tijd uitzit totdat mijn ziel van de beademing wordt gehaald.'

'Wat heeft Anders Konzak met dit alles te maken,' vroeg ik.

'Dat weet ik niet precies. Ik heb het gevoel dat hij op een onbewuste manier met mijn verleden is verbonden. Zijn aanstelling als directeur van de Freud-academie was absoluut een irrationeel besluit van me.' Hij keek naar zijn handen en schudde verbijsterd zijn hoofd. 'Daarmee heb ik Freud zelf verraden. Ik heb mijn leven lang andere mensen geholpen hun seksuele en agressieve instincten te begrijpen, opdat ze geen slachtoffer werden van de sublimatie daarvan, zoals ik heb meegemaakt in de dodenkampen.'

'Welke sublimatie had Hitler eigenlijk?' informeerde Jack.

'Hitler mobiliseerde de primitieve agressieve instincten van anderen en schilderde ze af als patriottisme. Hitler was een...'

Ik kwam tussenbeide. 'Laten we ons niet laten afleiden door de politiek en ons voorlopig houden bij de analyse van Chaim Stein.'

'Ik ben van mening dat ik uiteindelijk mijn homoseksualiteit had geaccepteerd, maar in 1945, vlak na de oorlog, ben ik wederom bij Freud in analyse gegaan. Ik wilde leren mijn eerder niet geaccepteerde instincten te aanvaarden. Ik wilde dat de wereld Freud zou begrijpen. Toch deed ik alles om Freud te ondermijnen, door mensen als Anders Konzak aan te nemen.'

'Voelde u zich seksueel tot Konzak aangetrokken?' vroeg Jack.

'Nee, niet dat ik weet. Het was natuurlijk wel een knappe man,' erkende Von E.

'Leek hij op Hendrik?' vroeg Jack.

'Nee, niet echt. Hendrik zag eruit als een typische Estlander. Hij had een tanig, breed, sterk gezicht, het was een buitenmens. Anders bezat het patina van de onbezonnen Amerikaan die nooit problemen heeft gekend, hij leidde het leven van iemand bij wie de vermenging van ouderlijke eigenschappen was geslaagd. Anders had het niet nodig inzicht te krijgen in zichzelf. Hij had plezier in zijn leven en was altijd bereid dat met anderen te delen. Met hem was het leven een feest. Alles was mogelijk. Hij had hetzelfde enthousiasme voor psychoanalyse als Freud en dat werkte zo aanstekelijk dat ik het ook opnieuw leerde ontdekken. Dingen waar ik tevoren nooit op had gelet... de uitdrukking van de gargouilles, de nerven in het hout, het unieke van elke deur, elke bovendorpel... alles kwam tot leven. Er is iets maagdelijks aan iemand die altijd een bevoordeeld leven heeft geleid. Ik besefte dat ik mijn plezier in de schoonheid van anderen was verloren. Ik had me omringd met mensen die evenals ik emotioneel waren afgestompt, omdat ik me één met hen voelde. Toen Anders me niet meer met rust liet, probeerde ik hem uit de weg te gaan, maar hij hield vol en langzaam maar zeker begon ik te ontdooien. Of hij op Hendrik lijkt? Het antwoord is nee, totaal niet, maar onbewust vergeleek ik ze wel met elkaar. Ik voelde me tot hem aangetrokken, misschien hoopte ik op een bepaald niveau dat iets van zijn tomeloze levenslust op mij zou overgaan.'

Jack vroeg: 'Ik heb begrepen dat het merendeel van de gevangengenomen nazi's na de oorlog niet ter dood is veroordeeld. Hebt u ooit nog iets van Hendrik gehoord?'

'Nee.' Dr. Von Enchanhauer keek recht voor zich uit en staarde over ons heen. 'Ik denk wel eens dat ik hem op straat zie lopen en dan, als ik dichterbij kom, blijkt het iemand te zijn die in de verste verte niet op Hendrik lijkt.'

We bleven alle drie zwijgend zitten. De stilte hield minutenlang aan, totdat dr. Von Enchanhauer opkeek en me voor het eerst tijdens dat gesprek recht in de ogen keek. 'Voor het geval u mijn gedrag veroordeelt, weet dan dat het zeer waarschijnlijk is dat ieder ander net zo gehandeld zou hebben als ik. De inmiddels klassiek geworden Milgram-experimenten toonden aan dat Amerikaanse proefpersonen bereid waren anderen een elektrische schok toe te dienen, enkel en alleen omdat een man in een witte laboratoriumjas ze vertelde dat ze dat moesten doen. We zijn niet zo vrij als we graag willen denken.'

Dr. Von Enchanhauer beende door de kamer. Het leek alsof hij voor de eerste maal onder woorden bracht wat veertig jaar lang dag in dag uit door zijn hoofd had gespookt. 'We zijn allemaal voorzien van een dun laagje beschavingsvernis. Maar Anders, zoals zoveel anderen die nooit oog in oog met hun vijand hebben gestaan, had geen enkele notie van zijn nihilistische kant en waar die toe in staat was. Mensen die minder geluk hebben dan Anders zijn op de proef gesteld, de spiegel heeft ons onze ware kant laten zien. We hebben niet in veilige filosofiecolleges gezeten en de áárd van het kwaad besproken of gebadineerd over de banaliteit ervan, maar het kwaad is diep in onze ziel doorgedrongen en heeft ze doorboord met hooivorken.'

Hij liet zijn tranen vrijelijk stromen, maar hield zijn ogen neergeslagen. 'Ik heb steeds dezelfde droom over een prachtige blonde man die me vanaf een afstand roept en wenkt. Ik draag een lange witte laboratoriumjas. Ik ren naar hem toe, maar ik kan niet dichter bij hem komen. Ik struikel over mijn veel te lange jas en kom te vallen. Als ik op de grond beland, springt mijn oog uit de kas. Ik sta op en probeer hem terug te zetten, maar hij is veranderd in een knikker. Het is geen echt oog meer. Ik wil met mijn ene goede oog de blonde man gaan zoeken, de man die Hendrik is, maar hij is verdwenen in het Beierse bos of misschien zie ik niet meer zo goed met dat ene oog, ik weet het niet. Ik ontwaak met een knagend gevoel van schuld en verlies.

Na deze droom word ik altijd drijfnat van het zweet wakker. Vreemd genoeg heb ik dit niet meer gedroomd sinds mijn kennismaking met Anders.'

Ik begon te begrijpen waarom hij zo heftig had gereageerd op het nieuws van Konzaks dood.

Hij wendde zijn uitgeputte gezicht naar het raam. 'Ik heb deze les geleerd uit het leven dat ik heb geleid: tragiek is een onderdeel van mijn leven. Iets anders hoef ik niet te verwachten.'

'Hebt u enig idee wie Konzak vermoord kan hebben?' vroeg Jack.

'Waarschijnlijk ikzelf, vanwege de oogkleppen die ik verkoos te dragen waar het hem betrof. Ik had evengoed zelf de trekker over kunnen halen. Door hem deze vertrouwenspost te geven stelde ik een termiet aan als hoofd van de timmermanswerkplaats. Hij bezat een overschot aan emotionele edelmoedigheid. Hij had geen idee van zijn effect op anderen of om welke prijs zíj het spel speelden.'

Bleek weggetrokken leunde hij tegen zijn stoel. Toen zijn vrouw in de deuropening verscheen liep hij plichtmatig naar haar toe, wankelend maar nog steeds hoffelijk. Ze zei: 'Zonder onbeleefd te zijn heeft deze ondervraging lang genoeg geduurd. Mijn man heeft een zwak hart en hij ziet grauw van vermoeidheid. Hij krijgt bijna geen lucht meer en moet nu gaan rusten.'

Jack knikte en ik wist dat ik niet verder durfde te gaan, ook al zou het me alle informatie opleveren die ik nodig had.

Eenmaal buiten liep ik naar het portier aan de bestuurderskant.

'Ik rij,' zei Jack.

'Hoezo?'

'Omdat ik het zeg.'

'Goh zeg, fijn dat je het zo goed uitlegt.'

Jack greep me stevig bij de schouder en gaf me een zetje de andere kant op. Ik keek hem kwaad aan en stapte naar de passagierskant, terwijl ik hem de sleutels toewierp.

We waren nog niet weg of Jack greep de telefoon om zijn loopjongens te instrueren. 'Nieuws over Enchanhauer, alias Chaim Stein. Laat hem dag en nacht bewaken, alle details, tap de telefoon af en laat hem schaduwen. Ik wil niet dat hij contact heeft met wie dan ook. Hoogste prioriteit.'

Pas toen we Kensington Road op reden langs Queen's Gate, zei Jack: 'Knap werk. Hoe kreeg je dat voor elkaar?'

'Welk gedeelte precies?' Ik kon net zo bot zijn als hij als ik mijn best deed.

'Chaim Stein, Hendrik, de hele bende.'

'Ik vond Freuds boek met aantekeningen over zijn patiënten. In feite was het enige wat ik had een droom waarin de naam Hendrik voorkwam. Ik denk dat Freud hem had bewaard voor een nieuw boek over droomduiding dat hij wilde schrijven maar door zijn ziekte nooit heeft afgemaakt. Het dateerde uit de tijd van de tweede analyse van Chaim Stein, de leeftijd klopte. De meeste andere patiënten in die tijd waren vrouwen. Ik wist dat Chaim iets verzweeg toen duidelijk werd dat hij zijn blindedarm nog had en dus controleerde ik de ziekenhuisgegevens op plastische chirurgie en de naam Chaim Stein, omdat dat Kenhaar me net een dwarsstraat te ver ging. En dan, de witte laboratoriumjas in de droom stond symbool voor "de arts". Andere aanwijzingen waren dat hij ontkende Bozo ooit ontmoet te hebben en jij had gezegd dat je vermoedde dat hij homo was omdat hij niet naar mijn achterste keek. Ten slotte, wie zou iemand als Tefonia als huishoudster nemen als er geen reden voor was? Ik wist dat ze de personificatie was van een of ander beladen schuldgevoel. Ik was van plan naar Chaim Stein te vragen en als zij dan zou vragen "Wie?" zou ik de zaak laten rusten. Niemand met het geld en het aanzien van de Von Enchanhauers zou zo'n lobotomieslachtoffer aannemen. Nou ja, dat is maar de helft van zijn verhaal.'

'Jezus, hij heeft echt van die Hendrik gehouden. Denk je dat hij dood is?'

Ik haalde mijn schouders op. 'De grote jongens kregen in Neurenberg wat hun toekwam, maar al die kleinere ellendelingen hebben zich over de hele wereld verspreid.'

'Die onderzoeken naar autoritaire karakters uitgevoerd door heren in witte jassen in psychologielabs waren interessant. Ze suggereren dat we allemaal hetzelfde zouden doen.'

'Ja,' zei ik, met de walging die ik voelde. 'Vreemd genoeg konden ze vaststellen dat zelfs studenten onder gesimuleerde omstandigheden niet anders zouden handelen dan Von Enchanhauer. Ik ben dol op sociaal-psychologische onderzoeken. Ze zijn als het behangpapier voor de interieurdeskundige. Ze onttrekken alle scheuren en narigheid aan het oog en je vindt er altijd wel eentje die bij je past.'

In de buurt van Knightsbridge gooide Jack zijn hoofd in de nek en zuchtte. 'Eerlijk gezegd had ik met hem te doen.'

'Je hoort alleen zíjn versie van het verhaal. Hij heeft jarenlang geleerd zich als een kameleon te gedragen. Von E. weet precies hoe hij kan zorgen dat hij zielig overkomt, hij is nergens verantwoordelijk voor.'

'Denk je dat hij liegt?'

'Dat niet.' Ik aarzelde. 'Ik denk dat het veel ingewikkelder ligt dan hij vertelt. Hij heeft gekozen voor zijn eigen waarheid en beschouwt zichzelf als het slachtoffer bij uitstek. Maar er zijn maar weinig slachtoffers met zoveel macht en geld als hij.'

'Jezus, ik zou niet graag op jouw lijstje staan,' mompelde Jack en haalde zijn aansteker te voorschijn.

'Jammer, ik had zo gehoopt dat je je naam in mijn balboekje wilde schrijven.'

'Ik zet je wel af bij het archief van Anna Freud, dan kun je verder met wat je ook zoekt.'

'Jij zit achter het stuur,' zei ik.

26

SCHERMUTSELING

Von Brücke, de grootste autoriteit die ooit invloed op mij heeft uitgeoefend.
– Sigmund Freud, *Het vraagstuk van de lekenanalyse*

Toen Jack op twee wielen de bocht nam op Anna Freuds oprijlaan stelde ik voor dat hij zich zou verdiepen in de Chaim Stein/Von E.-transformatie bij het Royal Vic, het Holocaust Museum, de joodse archieven en diverse joodse bibliotheken.

Hij greep het stuur vast of zijn handen zaten vastgeplakt met tweecomponentenlijm of ander sterk spul dat hem ervan weerhield te gaan meppen. Hij ademde zwaar, zijn borstkas ging als een blaasbalg op en neer, en hij zei sissend: 'Jij hebt mij geen orders te geven. Ik hoor niet bij je gecastreerde lobotomieclub of je liefhebbende publiek dat kickt op jouw gevangenischic. Ik wéét hoe ik informatie moet toetsen.'

'Wat kun jij je kwaliteiten toch goed verbergen. Geen wonder dat je detective bent geworden.'

Zijn stem steeg een paar octaven toen hij me toesnauwde: 'Wanneer ben jij van plan je theorieën met mij te delen? We worden geacht samen te werken en er zit een moordenaar achter ons aan.'

'Ben ik niet van plan.'

'Waarom niet?' Hij klonk oprecht verbaasd.

'Aangezien dit het uur van de waarheid schijnt te zijn, kan ik je vertellen dat ik ten eerste geen zin heb in kritiek, mocht ik ernaast zitten, en ten tweede dat ik je niet vertrouw. Misschien gebruik je dit wel tegen me. Misschien sta je wel aan de andere kant. Misschien wacht je wel af tot ik dit heb opgelost en dan, als ik bijna bij de ontknoping ben, knikker je me terug naar de Bastille of zoek je nog een betere plek voor me, waar helemaal weinig te knikkeren valt.'

'Kate, je hebt geen tijd om je in die paranoia van je te wentelen.' Hij liet zijn hoofd op het stuur zakken.

'Ik weet dat het extreem klinkt, misschien wel te extreem. Maar ik weet ook dat er dingen zijn die je voor me verzwijgt. Ik ben degene die gevaar loopt. Laat eens kijken... wie zit de politie op de hielen? Een moordenares met tijdelijk verlof of een detective die vijftien jaar heeft gezeten voor een gewapende roofoverval? Het zou niet de eerste keer zijn dat er een vrouw wordt ingeluisd.'

'Al die emotionele zooi van je slaat nergens op en belemmert ons werk.'

'Het spijt me dat ik me niet professioneel gedraag, maar dat komt omdat ik tuig van de richel ben, zelfs mijn eigen vader hield niet van me.' Ik imiteerde Jacks ironische stem: 'De wat oudere, magere ex-gedetineerde die...' Voordat ik mijn zin had afgemaakt, opende ik het portier en maakte aanstalten om uit te stappen.

Hij greep me bij de arm en sleurde me de auto weer in. Ik klapte met mijn hoofd tegen de rand van het portier en haalde mijn voorhoofd open, net boven mijn oog. Ik bloedde als een rund. Ik zag allemaal rode bibberlijntjes voor mijn ogen, net amoeben onder een microscoop. Toen verschenen er caleidoscopische kleuren op het dashboard, dat ineens leek te ademen. Ik hoorde nauwelijks wat hij zei. Ik trok mijn arm los en werkte me de auto uit. Ik had genoeg 'waarheid' gehoord voor die dag.

~

Het duurde een eeuwigheid voordat de huishoudster, Elsa, de deur voor me opendeed en me begroette met een van haar gebruikelijke laconieke opmerkingen. 'Niet op het tapijt bloeden.'

'Alsof iemand dat zou merken.' Waarom nam ik verdomme nog de moeite me te verdedigen tegenover een personage uit een film van Mel Brooks? Ik stommelde de trap op en probeerde te achterhalen waar het was misgegaan in de relatie tussen Jack en mij. Maar ik had een brein als een prikkelbare darm, dus ik gaf het op. Ik kon beter eerst die kwestie met Konzak uitzoeken. Ik had tenslotte nog mijn hele leven de tijd om al mijn destructieve relaties te onderzoeken. Verdorie, het was al donker buiten, ik had hoofdpijn en nog uren werk voor de boeg.

Ik had het eerste deel van de puzzel opgelost en werkte nu aan het tweede, de connectie met Darwin. De enige link tussen Darwin en Freud was professor Ernst von Brücke.

Von Brücke kon bogen op een buitengewoon lange carrière, ruim 65 jaar als hoogleraar fysiologie aan de universiteit van Wenen. In zijn jonge jaren deed Charles Darwin samen met Von Brücke onderzoek naar de hermafrodiete aal en Von Brücke was een docent die in Engeland studeerde. Darwin op zijn beurt bezocht Von Brückes laboratorium in Wenen. Het waren professionele tijdgenoten, allebei geïnteresseerd in de tweeslachtige fysiologie. Het hoeft geen betoog dat de fysiologie van de hermafrodiete aal geen snel groeiend gebied was en de twee mannen hadden respect voor elkaar en correspondeerden ruim dertig jaar.

Toen ik de papieren van Freuds universitaire periode doornam, bleek dat hij in 1873 als eerstejaars student geneeskunde een college had gevolgd met de titel Biologie en Darwinisme. Kennelijk was Freud nooit vergeten wat hij tijdens die cursus had geleerd, noch de hoogleraar, want in zijn studie geneeskunde en in zijn postdoctoraal opleiding kwam de naam van professor Ernst von Brücke het meest voor. Zowel Von Brücke als Darwin was in die tijd al op leeftijd, terwijl Freud een jonge postdoc was. Ik vond kopieën van diverse lezingen over de fysiologie van de aal die Von Brücke en Freud samen hadden gegeven, eind 1870. Von Brücke was waarschijnlijk een van de eersten die de genialiteit van Freud erkende en deed zijn uiterste best hem een professoraat aan de universiteit te bezorgen, echter zonder resultaat.

Het was duidelijk dat Von Brücke de historische link vormde tussen Darwin en Freud, dus ik moest op zoek naar de correspondentie tussen Freud en Von Brücke. Eindelijk, na twee uur zoeken, kwam ik het tegen in een harmonicamap, bijeengebonden met wit lint. Ik kon niet zeggen of dit de complete correspondentie was of dat ermee was gerommeld. Alle andere correspondentie vertoonde hiaten en briefjes met *persoonlijke informatie* of *verwijderd, niet relevant.* Dit was de enige bundel brieven zonder dergelijke briefjes. Ik durfde echter te wedden dat bepaalde belangrijke brieven toch wel zouden ontbreken. Terwijl ik de brieven uit de relevante periode las en vertaalde, sprong één regel in het oog.

22 maart 1880

Geachte professor Von Brücke,
Ook ik vind het spijtig dat het heersende antisemitisme verdere universitaire aanstellingen in de weg staat. Ik weet dat u uw best hebt gedaan mij een professoraat te bezorgen en zelfs hebt aangeboden uw toch al zo beperkte laboratoriumruimte met mij te delen.
Als professioneel vaarwel, hopelijk geen persoonlijk afscheid, wil ik u zeggen dat dit de gelukkigste jaren van mijn leven zijn geweest. Nooit eerder heb ik zoveel bewondering voor iemand gekoesterd als voor u. Uw geschenk heeft het gemis van een universitaire aanstelling meer dan goedgemaakt. Ik zal het altijd met wijsheid toepassen. Ik zou het als een eer beschouwen als u mij wilt toestaan mijn eerstgeboren zoon naar u te vernoemen.
Hoogachtend,
Sigmund Freud

Wat voor geschenk? Konzak en allen die hem waren voorgegaan namen aan dat het om een geldbedrag ging; Freud stond erom bekend dat hij geld leende als hij het moeilijk had. Maar waarom zou Freud 'altijd' zeggen als het om geld ging? Geld zou niet *altijd* blijven.

In Von Brückes lab besloot Freud van fysiologie over te stappen op psychologie. Wat was er gebeurd? Wat was het geschenk? Ik ijsbeerde door de kamer en vroeg me af wat je altijd met wijsheid kunt gebruiken dat geen geld is. Iets waar je zo blij mee bent dat je je eerstgeboren zoon vernoemt naar de schenker.

Joden vernoemen hun kinderen vrijwel altijd naar overleden familieleden. Het komt zelden voor dat ze een kind vernoemen naar iemand die nog leeft en dan ook nog een niet-Jood en geen familielid en dat gold zeker voor het Europa van de jaren tachtig van de negentiende eeuw. Freud was geen religieus man, maar hij was wel een Jood en hield zich zo goed als hij kon aan de Joodse gebruiken.

Een tijdje geleden had ik Jack gevraagd wat onderzoek voor me te doen dat nogal ingewikkeld was, zelfs voor mij. Ik besloot dat deze zaak te hoog opliep om al die weerzinwekkende persoonlijke details over Jack een rol te laten spelen. Als hij me erin wilde luizen, zou ik daar snel genoeg achter komen. Ik moest mijn angsten opzij zetten. Wie weet, misschien wás ik wel paranoïde. Nu de zaak tegen het kookpunt liep had ik iemand nodig om me te helpen roeren. Als we niet als team werkten, zou het deksel eraf vliegen. Hij nam meteen op.

'Jack, ik heb die info nodig. Ik zie je over twee uur in het restaurant van het Savoy. Hier kan ik niet praten. Het is dringend.' Toen ik ophing, voelde ik dat er iemand achter me stond. Ik draaide me vliegensvlug om en daar stond Anna Freud. Ze droeg een pakje van Ierse tweed dat naar mottenballen stonk, dikke katoenen kousen en Wallabee's.

'Elsa zei dat uw hoofd bloedde.'

Toen ik met mijn hand naar mijn voorhoofd ging, voelde ik iets plakken. Tot mijn verbazing zat er bloed aan mijn vingers. 'O, ik heb zo hard zitten nadenken dat er een adertje is gesprongen! Nee hoor, ik heb mijn hoofd gestoten tegen het portier. Ik wist niet dat het zo'n diepe snee was. Ik vrees dat mijn baseballpetje als pleister heeft gefungeerd.'

'Ik denk dat we het maar beter schoon kunnen maken. Misschien moet het zelfs gehecht worden. Ik ben wel geen arts, maar ik heb in de oorlog een weeshuis geleid en meer kinderhoofdjes verbonden dan me lief is.'

Anna nam me mee naar beneden en hield mijn hand vast of ik een klein meisje was dat van de schommel was gevallen. Ze bracht me naar de keuken en depte de snee met een vochtige handdoek. 'Elsa sprak over een schermutseling tussen u en meneer Lawton.'

Ik knikte in het besef hoe vulgair dat klonk, een kloppartij in de voortuin. Ik vond echter niet dat ik het kon afdoen met 'nee hoor, het viel wel mee', want niemand vindt zichzelf vulgair totdat het tegendeel bewezen is.

Ze behandelde mijn gebarsten schedel met zorg en zei nauwelijks hoorbaar: 'Pas op voor kameleons die onderzoek verrichten.'

'In oorlogstijd weet je tenminste wie je vijanden zijn. In een relatie loop je zomaar in een hinderlaag,' klaagde ik.

'Het leven is niet altijd gemakkelijk.'

'Ik wacht tot het beter wordt.' Ik vertrok mijn gezicht van pijn toen Anna de wond ontsmette, die duidelijk dieper was dan ik dacht.

'Ik heb relaties altijd vergeleken met een cyclotron, de ingrediënten gaan er in een normaal tempo in, maar zodra ze op snelheid komen raak je de controle kwijt. Daarom houd ik zoveel van analyse. Het geeft ons de rust de mallemolen stop te zetten en elk gevoel te analyseren en te volgen tot aan de bron.'

'U hebt gelijk, je kunt er nooit af. Door de middelpuntvliedende kracht blijf je kleven. Maar je komt er nooit achter, want je hebt het veel te druk met je uit alle macht vast te houden.'

'Eerlijk gezegd gaat het langzamer naarmate je ouder wordt. De motor heeft olie nodig. De trieste ironie is dat als je het eindelijk begint te begrijpen, je het merendeel van je fouten al hebt gemaakt. Je zult nooit meer achttien worden om het over te kunnen doen.'

'Plus dat je dan weet hoe je het beter had kunnen doen.'

'Precies.'

'Wat een nachtmerrie,' mopperde ik.

Glimlachend knipte ze een gaasje door. 'Dat heet wijsheid.'

'Dat heet veel te weinig en veel te laat.' Ik bekeek mijn humpty-dumpty-schedel in het spiegeltje dat ik uit mijn rugzak had gevist.

'Niemand is zonder spijt,' zei Anna. 'Kate, ik herken zoveel van mezelf in u. Net als u dacht ik ooit dat mensen met een doorsnee leventje niet echt nadachten over hun bestaan en niet alles uit het leven haalden wat erin zat. Nu ik ouder ben zie ik dat zij, de gedomesticeerde variant homo sapiens, degenen die ik eerst beschouwde als het gewone voetvolk, net zo introspectief zijn als iedereen. Het verschil is dat ze precies wisten wat ze wilden en recht op hun doel zijn afgegaan en al in een vroeg stadium hun keuzes maakten. Ze hadden geen last van de ambivalentie waar wij, en ik hoop dat u het niet erg vindt dat ik wij zeg, wel last van hadden. Ambivalentie ontstaat alleen als er te veel keuzemogelijkheden zijn, als je het gevoel hebt omnipotent te zijn, als je te vroeg aan te veel bent blootgesteld. Door ons superioriteitsgevoel denken we dat we boven de anderen uit moeten stijgen. We ontzeggen ons veel om dat te bereiken. We staan echter niet boven de menselijke instincten. Ideologieën evolueren en worden achterhaald, veel sneller dan het menselijke instinct. Natuurlijke selectie geeft geen zier om ideologie, maar wel om overleven en reproductie.'

Elsa stak haar hoofd om de deur om te zeggen dat de thee klaarstond. We dronken onze kopjes troost en keuvelden verder over Freuds theorie over penisnijd en de uitingen daarvan in de negentiende en twintigste eeuw. Toen ik opstond om te vertrekken, hield ik Anna's hand iets langer vast dan nodig om haar te bedanken voor de goede zorgen. Ze beloofde de volgende dag nog eens naar de wond te kijken.

Toen ik het Savoy binnenliep, vroeg Jack: 'Hoe kom je aan dat blauwe oog? Ben je soms een jungiaan tegengekomen in een donker steegje?'

Aangezien dit in niets op een excuus leek, reageerde ik er niet op en vroeg meteen om de informatie waar ik voor kwam. 'Vertel op.'

'We hebben succes. De Wedgwood Foundation heeft een aanvraag gehad voor de brieven van Josiah Wedgwood III aan Charles Darwin uit het jaar in kwestie. De aanvraag is pas drie maanden geleden gedocumenteerd. De man die de brieven wilde inzien tekende het register met de naam Jemmy Button.'

Ik schoot in de lach. 'Duidelijk een pseudoniem, want de echte Jemmy was een zwarte inboorling die kapitein Fitzroy meebracht naar Engeland na een van zijn vele reizen. Hij kwam uit Vuurland en werd door de Engelsen nooit anders beschouwd dan als een wilde. Uiteindelijk keerde Jemmy aan boord van de Beagle terug naar zijn geboorteland, waar hij werd uitgelachen om zijn beschaafde manieren.'

'Interessant.' Jack schreef *verstoten man* in zijn notitieboekje.

'We zijn dus op zoek naar een onbeschaafde darwinist met gevoel voor humor,' zei ik.

'Laat je grijze cellen maar met rust. De bibliothecaresse van de Foundation herinnerde zich zijn dubieuze mondhygiëne. Eigenlijk zei ze dat zijn hygiëne over het geheel veel te wensen overliet. Hij bewonderde enkele stukken aardewerk in de vitrines en kocht een melkkannetje in de winkel bij de uitgang. Dat vond ze nogal vreemd, vooral omdat zijn schoenen met isolatietape bijeengehouden werden, maar hij scheen goed op de hoogte te zijn van de verzamelobjecten van Wedgwood-porselein. Ze wist zich ook nog te herinneren dat hij sprak met een Amerikaans accent.'

'Wauw. Je hoeft geen magiër te zijn om te weten wie dat was.' Ik kon mijn vreugde over deze ontdekking nauwelijks verhullen.

'Tenzij er nog een vuurvretende magiër rondloopt met slechte tanden, adem die naar aanstekergas ruikt en die geïnteresseerd is in Darwin en Wedgwood-porselein,' zei Jack met zijn gebruikelijke ironie.

'Of, wie weet?' Ik ging er uitgebreid op in. 'Misschien staan interesse in Wedgwood-porselein en de theorieën van Darwin plus de dwangmatige behoefte om je schoenen met tape te omwikkelen allemaal in verband met een recessief gen.' Jack lachte bijna en dat moedigde me aan om door te gaan. 'Het zou interessant zijn als De Magiër een identieke tweeling had gekregen... de ene was opgevoed door De Magiër zelf, de ander door een lid van de Shrine uit het Midwesten. Ik durf te wedden dat beide helften van de tweeling op dezelfde dag in de Darwin-archieven te vinden zouden zijn, theedrinkend uit een Wedgwood-kopje en druk in gesprek over hoe moeilijk het vandaag de dag is nog goede isolatietape te vinden voor je gympen.'

Jack schudde zijn hoofd of ik niet goed wijs was, maar ik kon merken dat we weer op collegiale voet stonden. Hij leunde over de tafel. 'Luister goed, want hier komt de uitsmijter. Ik vroeg de bibliothecaresse of ik de brief mocht zien die De Magiër had gekopieerd en tot haar afgrijzen bleek dat hij met een stanleymesje behoedzaam uit het in leer gebonden boek was gelicht. Het wordt genoteerd wanneer deze boeken uit de opslag worden gehaald en de bibliothecaresse dient bij degene die het materiaal heeft opgevraagd te blijven zolang hij de documentatie gebruikt. Daarom herinnerde ze zich De Magiër zo goed, ze moest naast hem blijven zitten tot hij uitgelezen was. Sinds De Magiër heeft niemand dat boekdeel opgevraagd. Ze weet zeker dat de bladzijde er nog in zat toen De Magiër vertrok, want ze heeft hem met argusogen in de gaten gehouden.'

'Ze was zeker bang dat hij in rook zou opgaan.'

'Ze was ervan overtuigd dat de dief iets anders heeft opgevraagd en toen stiekem naar de opslag is gegaan om de brief in kwestie eruit te snijden.'

'Heb je de brieven ervoor en erachter gekopieerd?' vroeg ik.

'Natuurlijk, Katy.' Hij produceerde een paar kopietjes.

Ik las de brieven snel door. Een ervan ging over het kweken van rozen en hoe je ze water moest geven. Ik las hardop voor. 'Mijn beste Charles: het spijt me te horen dat je gezondheid te wensen overlaat. Het is aan te raden om ten minste één uur daags een zonnebad te nemen. Wat de rozen betreft, kan ik je verschillende meststoffen aanraden...' Het gaat twee pagina's door over meststoffen. Wie zegt dat de Engelsen het altijd over het weer hebben als ze het over meststoffen kunnen hebben?

‘Ik wil die brief hebben, verdorie!’ Ik sloeg met mijn vuist op de bewerkte mahoniehouten tafel van het Savoy. Tussen de slokjes Newcastle door vroeg ik: ‘Waar heeft De Magiër zijn kopie van die brief verstopt en wie heeft het origineel gestolen uit het boek in de bibliotheek?’

We aten zwijgend verder en Jack las de geschiedenis van de Beefeater achter op het menu tot ik een heldere ingeving kreeg. ‘Jack Jack dombo, weet je wat het is?’

‘Niet precies.’

Ik dacht dat ik het had, maar ik wilde het nog niet meteen zeggen, daarom vroeg ik met mijn aangeboren argwaan: ‘Twee dingen, het is een schot voor de boeg, maar wie weet. Ten eerste, laat de dame van de Wedgwood Foundation foto’s zien van alle verdachten en vraag of ze iemand herkent die daar in de afgelopen maanden is geweest. Ten tweede, ik wil dat er iemand naar Shawna’s huis gaat om dat Wedgwood-melkkannetje te zoeken dat De Magiër bij de Foundation heeft gekocht om te zien of daar misschien een opgevouwen document in zit. Als het daar niet in zit, kijk dan of er nog een ander stuk Wedgwood-porselein staat... Weet je nog steeds niet waar De Magiër uithangt?’

‘Nee. Het lijkt wel of die vent geen verleden heeft. Hij heeft zijn naam veranderd, maar de naam die hij eerder had was ook al een pseudoniem,’ vertelde Jack.

‘Als ze het vinden, laat het dan direct naar mijn kamer brengen. O, en vergeet niet ze ook een foto te laten zien van Elsa, de Duitse folteraarster uit het Freud-mausoleum en van Tefonia, het licht in het spiegelhuis van de Steins. Hun belangstelling voor porselein kan geen toeval zijn, want toeval bestaat niet in Wenen.’

‘Wat denk je dat er in die brief staat?’ vroeg Jack.

‘Ik wéét wat er in die brief staat, maar ik moet harde bewijzen hebben. Kijk eens of je een artikel kunt vinden over de chronische aandoeningen van Darwin of stuur me een uittreksel. Ik vrees dat me nog maar weinig tijd rest.’

‘Waarom?’

‘Ik heb het gevoel dat de moordenaar binnenkort opnieuw toeslaat. Ik weet niet waarom, maar volgens mij zit hij me op de hielen.'

'Ik voel het ook, zijn hete adem hijgt in mijn nek. We hebben het bijna rond en dat weet hij. O, tussen twee haakjes, je kunt me beter alles vertellen wat je weet, want jij bent de enige die vermoedt wie de moordenaar is.'

Ik schoof mijn stoel achteruit om weg te gaan.

'Kate, die stijfkoppigheid van jou of wat het ook is dat in je overwerkte, idiote hersenpan rondwaart heeft je de laatste tijd niet al te scherp gehouden. Ik zal proberen je neus in het grote plaatje te wrijven, want je weigert nog steeds het te zien. Ik ben totaal niet van plan je gek of paranoïde te noemen of wat dan ook. Wat me ironisch genoeg wel is opgevallen, is dat jij míj vertelt dat teamwerk niet mijn sterkste kant is.' Elke zin in zijn monoloog kwam er luider uit dan de vorige, hoe hij ook zijn best deed kalm te blijven. Zelfs hij merkte dat de beau monde in de Savoy Grill hem in de gaten hield. Het publiek had hem allang gespot als NOSM, niet ons soort mensen, lieverd. 'Ten eerste hebben we twee doden en nu weet jíj wat zij ook wisten. Ten tweede weet de moordenaar niet dat je de boel geheimhoudt. Hij gaat ervan uit dat Gardonne en ik weten wat jij weet. Ten slotte, wat mij betreft ook het belangrijkste, één bommetje onder de auto of in het Savoy en we zijn er verdomme allemaal geweest.'

Ik moest dringend een tukje doen, mijn hoofd tolde toen ik opstond en het restaurant verliet zonder achterom te kijken.

27

TWEE GLADDE ALEN

And pleased on Wedgwood ray you partial smile
A new Etruria decks Brittannia's isle,
Charmed by your touch, the kneaded clay refines,
The biscuit hardens, the enamel shines
The bold Cameo speaks, the soft Intaglo thinks.
– Erasmus Darwin, *The Economy of Vegetation*

Ik had een douche genomen en was in bed gedoken, maar werd wakker geschud door Jack. 'Ik sta al tien minuten op je deur te kloppen!'

'Ik ben de prinses op de erwt niet. Het is midden in de nacht, wat moet je nou?'

'De telegrammen zijn binnen. Ze hebben goed werk verricht.'

Ik had alleen een zwart hemdje aan en een slip. Ik hees me uit mijn bed en kamde mijn haar met mijn vingers. Hij wierp me mijn spijkerbroek toe en ik trok mijn cowboylaarzen aan, terwijl ik intussen mijn Ezeltjes van alle landen-oorbellen zocht. Deze hadden een hanenkam en veiligheidsspelden door hun bruine neus. 'Vertel het me maar, jongen.'

'Ik zie je over tien minuten in de grillroom. Ze zijn de hele nacht open en voor wat ze daar in rekening durven brengen kun je verdorie dragen wat je wilt, dus schiet maar op.'

In mijn door de motten aangevreten zwarte uniform en met de slaapkreukels nog in mijn gezicht kuierde ik de grillroom binnen. Ik zat nog niet of Jack stak al van wal. 'Je had gelijk, Einstein, in twee van de drie gevallen. Ten eerste is geen van onze verdachten herkend door de mensen bij de Wedgwood Foundation en de Von Enchanhauers zijn van voor naar achteren doorgelicht, zonder resultaat. Niets.'

'Ik neem aan dat dat niet het Einstein-gedeelte was. Verder...'

'Bingo!' Hij leunde voorover. 'Verder... zijn de brieven van Von Brücke beschikbaar, zijn achterkleindochter zit in een klooster in Arlington, Virginia. Ja, ze heeft de brievenverzameling van haar overgrootvader ontvangen en sommige daarvan waren inderdaad afkomstig van Freud en ja, ze herinnert zich dat in een van die brieven sprake was van een geschenk. En ja, dat was omstreeks maart 1880. Om precies te zien, 31 januari 1880. Ze heeft ze niet gefotokopieerd omdat ze dat niet ethisch vond. Want waarom zou iemand zoveel geld willen betalen voor de originelen? Ze heeft ze verkocht aan een man met een slecht gebit voor... hou je vast... 800.000 dollar. De Magiër betaalde met een Weense internationale postwissel.'

'Hoe komt De Magiër in vredesnaam aan zoveel geld?' riep ik uit.

'Professionele magie, misschien? Vier maanden geleden opende hij een bankrekening in Montreal en deponeerde een cheque van Steinway Imports. Dat is een holdingmaatschappij voor de afdeling acquisitie van de Freud-nalatenschap. De cheque was voorzien van de initialen van dr. Von Enchanhauer, alias Chaim Stein.'

We keken elkaar aan, zeiden allebei tegelijk 'Zo!' en sloegen onze handpalmen tegen elkaar zoals achterbuurtjochies doen na een goed verlopen drugsdeal.

'Wacht, De Magiër heeft nog veel meer magie in huis,' zei Jack.

'Ge-weldig,' zei ik.

De kelner kwam haastig naar ons toe om onze bestelling op te nemen, in de hoop dat we daarna minder lawaaierig zouden zijn. Ik nam de menukaart vol literaire verwijzingen snel door en bestelde de 'David Copperfield arriveert in Yarmouth' en een cola.

'Maak er maar twee van.'

Toen de kelner Jack vroeg welk garnituur hij wenste, zei Jack: 'Ik laat me graag verrassen.' De kelner begreep de hint en haastte zich weg.

Jack keek de zaal rond, boog zich naar me toe en fluisterde: 'Ik heb iemand naar het huis van Bozo c.q. De Magiër gestuurd en gek genoeg was Shawna thuis. Ze vond het Wedgwood melkkannetje naast een bizarre Russische samowar en wat denk je dat erin zat, opgerold als de Dode Zee-rollen? Ta-dah!' Hij rolde een kopie uit van de ontbrekende brief van Josiah Wedgwood aan zijn schoonzoon Charles Darwin, geschreven op Wedgwood-papier voorzien van een wapen. 'Ik heb geen idee waar hij het over heeft,' zei hij en overhandigde me de brief.

31 januari 1880

Mijn beste Charles,

Ik heb me bereid verklaard me te kwijten van twee hoogst onplezierige taken, hier genoteerd in volgorde van lamzaligheid: de eerste betreft de haastige voorbereidingen die ik moet treffen om datgene te benutten waaraan mijn beminde vrouw en jouw geliefde zuster Caroline refereert als 'De openbaring van Christus over het eeuwige leven'. De tweede en pijnlijkste taak, Charles, is de censuur die ik moet opleggen in mijn hoedanigheid van executeur-testamentair van de Wedgwood-nalatenschap. Ik kan je met de hand op mijn hart verzekeren dat dit op geen enkele manier afdoet aan mijn gevoelens voor jou als zwager, schoolvriend en eersteklas mopperaar. Echter, een levenslange vriendschap maakt geen executeur. In deze kwestie, mijn beste vriend, draag ik de mantel van verantwoordelijkheid voor de familie. Ik draag het juk dat tracht de financiële noden van de Darwins en de Wedgwoods in balans te houden. Vergeet hierbij echter niet dat het niet alleen de persoonlijke noden van ons beider families betreft, maar evenzeer die van toekomstige generaties. Met deze inadequate inleiding verzoek ik je me toe

te staan mijn fiscale verantwoordelijkheden te uiten, aangezien dit juk zwaar op mijn schouders rust zelfs voor, zoals onze in Oxford opgeleide neven zo gaarne zeggen, 'een Cambridgeman als ik'.
Het is me onder de aandacht gebracht dat je van plan bent enkele caprices te publiceren omtrent de polymorfe seksualiteit van schepsels. Volgens de overlevering in de familie (en ik weet zeker, beste vriend, dat dit slechts wordt verteld door vermaarde kletskousen of domme gansjes) heb je het plan opgevat het een en ander over dit onderwerp te publiceren met betrekking tot de homo sapiens. Onze familie heeft de storm over de evolutieleer nauwelijks weerstaan en hoewel jouw verbintenis met mijn schoonzuster, Emma Wedgwood, uiterst gelukkig is in huiselijke zin en het me ten zeerste spijt deze indiscrete zaak aan te roeren bij een aangetrouwd familielid, een goede buur en het belangrijkste van alles, een dierbare vriend, is dit gedurende een zekere periode uiterst schadelijk geweest voor de verkoop van ons porselein.
Nu we deze ecclesiastische storm, veroorzaakt door jouw evolutietheorie, doorstaan hebben en verzekerd zijn van een familiegraf in Westminster Abbey, ben ik van mening dat het getuigt van verregaande onverantwoordelijkheid als je deze weerzinwekkende ideeën en losbandige Zoonomia zou publiceren. Wij dienden je grootvaders infantiele poëzie en zijn twee onwettige kinderen te verdragen; wij zijn bereid geweest dat te beschouwen als de excessen van een andere eeuw. Een van de meest illustere karaktertrekken van jouw voorvader, Erasmus, was zijn ijver en, ondanks zijn zwaarlijvigheid, zijn sterke gestel en zijn nooit aflatende vermogen financiële middelen te vergaren. Zeker, in bepaalde opzichten was hij lichtzinnig, maar hij was ertoe gerechtigd, aangezien hij in staat was zijn eigen excessen te bekostigen. Als men echter minder robuust van gestel is, moet men het hoofd buigen voor degenen die bijdragen aan de dagelijkse behoeften van degenen die hogere studies nastreven op het gebied van naturalisme.

Ik bedoel dit veel minder kritisch dan het mogelijk overkomt. Het is onze plicht de Wedgwood-waren te beschermen voor toekomstige Darwins en Wedgwoods. Misschien komt het omdat onze families al generaties lang verbintenissen sluiten met neven en nichten, maar onze persoonlijke energie neemt af met elke generatie.
Als ik erover nadenk wat onze grootvaders Josiah en ook Erasmus Darwin hebben bereikt, maakt alleen de gedachte daaraan mij al krachteloos. Jij, mijn beste Charles, bezit het geniale verstand van je grootvader Erasmus, maar niet zijn energie noch zijn vasthoudendheid om een fortuin te vergaren voor vele generaties na hem. Nu mijn grootvader Josiah I *is overleden, is er geen Wedgwood meer in leven met het talent, het doorzettingsvermogen, de originaliteit of zelfs maar de wens om voor zichzelf te zorgen, laat staan voor de komende generaties. Het is mijn droeve plicht je te melden dat de Wedgwood-reputatie onze toekomstige nazaten drijvende zal houden op het mooie Trent and Severn-kanaal. Ik ben me ervan bewust dat je geen 'arme prediker' bent en wij zijn niet onbemiddeld, maar de toekomst van onze families hangt af, mijn beste Charles, van de goede naam van Wedgwood.*
Gelukkig is het tij gekeerd en je geniet momenteel waardering voor je werk. De verkoop van porselein is evenredig gestegen en inmiddels is de groei weer als voorheen. Charles, ik verzoek je dringend niet te vergeten dat porselein slechts de linguïstische expressie is van het leem der aarde. Het bezit slechts de waarde van haar naam en de reputatie van de maker, hoe vaardig de hand van de pottenbakker of de ambachtsman ook is. Derhalve moet ik protest aantekenen tegen jouw onzalige en ongepaste voornemen de naam van de familie Wedgwood door het slijk te halen met scabreuze ideeën die, als ik zo vrij mag zijn, de vindingen zijn van een vruchteloze geest. Geen wonder dat je lijdt aan waterzucht als je je bezighoudt met deze theorieën, al is het maar een fractie van tijd in je wakende leven.
Ik dank je voor je aandacht voor een man die slechts de belan-

gen van de familie en de Wedgwood Foundation op het oog heeft, ten behoeve van de generaties na ons.
Voor altijd uw geliefde zwager.
Met vriendelijke groeten,
Josiah Wedgwood III

Ik vouwde de brief zorgvuldig dicht en keek op.

'Waar gaat dat nou over?' vroeg Jack.

'Chuck, je bent een beste vent, we zijn samen opgegroeid. Maar als je die kinderporno publiceert stel je het familiefortuin in de waagschaal. We hebben het nu goed, maar wie zorgt er voor de fondsen van de kinderen? Niemand in de familie is gezegend met zakelijk instinct. We leven allemaal van de goede Wedgwoodnaam en we hebben die fabriek hard nodig om Wedgwood-bordjes te blijven verkopen. Zo niet, dan komen we tot onze nek in de modder terecht.

Jouw reputatie kan ons het bedrijf kosten, Chuck. Erasmus mocht natuurlijk zo geil zijn als hij wilde, hij verdiende miljoenen. Maar van jou, microbenjager, pikt niemand dat, vooral niet omdat je het allemaal doet van onze Wedgwood-centen.'

Jack overhandigde me een tweede document en ik vouwde het open. 'Hier hebben we de volgende brief, twee weken later geschreven. Het is een brief van Charles Darwin aan professor Von Brücke. Tjonge Chuck, wat heb je daar lang over moeten nadenken!'

15 februari 1880

Geachte Dr. Von Brücke,
Ik schrijf u in het diepste geheim, in de wetenschap dat ik op uw discretie kan rekenen. Ik denk met groot genoegen terug aan ons gezamenlijke laboratoriumwerk, in de jaren waarin wij beiden nog jong en vol enthousiasme waren. Nu we in de herfst van ons leven zijn beland, en dat geldt voor mij meer dan voor u, zou ik opnieuw een beroep willen doen op uw welwillendheid. Sinds wij elkaar voor het laatst hebben gezien, heb ik Over het ontstaan van soorten, De afstamming van de mens

en Het uitdrukken van emoties bij mens en dier *geschreven. Ondanks de meestal onverdiende lof die ik mocht ontvangen, was de tijd dat we in uw laboratorium onderzoek deden naar de hermafrodiete aal voor mij de meest aangename van mijn leven.*

Het was zeer vriendelijk en toevallig dat u eraan dacht deze bejaarde heer te schrijven over uw jonge, ijverige student, Sigmund Freud. Het is verbazingwekkend dat hij de cellen van Reissner heeft gevonden waarnaar wij zo lang hebben gezocht in ons onderzoek naar de aal.

De komst van uw brief bracht me gevaarlijk dicht bij het geloof in goddelijke voorzienigheid. Ik heb diverse ontdekkingen gedaan, of om het nederiger en accurater te stellen, ik heb enkele losse ideeën die mogelijkerwijs deel uitmaken van een theorie aangaande de menselijke psyche. Als ik nog een jonge man zou zijn, zou ik deze nader onderzoeken en trachten ze te staven met een groot aantal feiten en bewijzen, zoals ik dat heb gedaan voor mijn evolutietheorie. Mijn lieve vrouw meent dat ik mij nog steeds vlijtig zou bezighouden met het vergaren van bewijsmateriaal, als er niet de gelijktijdige ontdekking door mijn waarde collega Alfred Wallace was geweest. Mijn obsessieve en overijverige aard zou me gedwongen hebben niet te publiceren totdat ik elk feit had verzameld. Over het ontstaan van soorten *was, tot veler verbazing, slechts een uittreksel van het boek dat nog moest komen. Ik had ruim driehonderd aantekenschriften met informatie betreffende elk concept dat in dat werk stond gesuggereerd. Mijn lieve vrouw zei dat Wallace een godsgeschenk was dat de wereld heeft gered van mijn oneindige langdradigheid. Daar schuilt zeker grond van waarheid in, want tot mijn schrik ontdekte ik dat het dunne gepubliceerde werk door het grote publiek als meer dan ruim van opzet werd beschouwd. Wat ik zelf beschouwde als een bijna achteloze expressie van de theorie van mijn kant, werd door mijn briefschrijvers als rijk aan voorbeelden gezien. Op dat punt was ik gedwongen mij te verlaten op de verstandige waarnemingen van mijn lieve vrouw.*

Zoals altijd dwaal ik af. Ik zou graag willen terugkeren naar de naam van de talentvolle Weense docent, Herr Sigmund Freud. Het lot is deze man goedgezind, gezegend als hij is met intellectuele vrijheid waar de mijne mij door roem is afgenomen. Hij wordt niet beperkt door zes kinderen, noch is hij afhankelijk van de goede auspiciën voorzien door een ongetwijfeld gulle, altijd standvastige zwager. Mijn familielid heeft gelijk mij erop te wijzen dat de Wedgwoods de hoeksteen van de industriële revolutie zijn geweest en dat de familie reeds in 1759 een van de meest succesvolle fabrieken in Engeland bezat. Hij staat in zijn volste recht als hij zegt dat de Wedgwoods de weg hebben vrijgemaakt voor het aangename leventje van de Darwins, aangezien dit de tweede generatie is die een verbintenis aangaat. Ik ben bang dat ik niet gezegend ben met zakelijk instinct en daarom moet ik vertrouwen op de welwillendheid en goede werken van degenen die me in staat hebben gesteld mijn werk in mijn tuinen en tijdens mijn reizen ongehinderd te kunnen doen. Zonder spijt stel ik mijn nieuwste theorieën in handen van uw Sigmund Freud om ze verder uit te werken als hij deze daarvoor voldoende verdienstelijk acht. Van wat u in uw brief schrijft, zou hij de ideale kandidaat zijn. Op gevaar van snoeven af wil ik Herr Freud laten weten dat hij enige en alle acclamatie die uit deze ideeën kan ontspruiten mag aanvaarden. En dan nu het zwaard van Damocles! Hij moet tevens de enige drager zijn van alle boosaardige hoon die eruit voort kan komen. Door de ideeën aan hem over te dragen, moet ik mijzelf ervan distantiëren.

Ik word vaak geplaagd door Thomas Carlyles beschrijving van mijn oudere broer Erasmus als 'kalm en lui' maar hij onderscheidde hem van deze schrijver, zijn jongere broer, door hem 'de oprechte Darwin' te noemen. Ik geef er de voorkeur aan dit niet te beschouwen als een kwestie van oprechtheid, maar meer als een kwestie van instelling. U bent ongetwijfeld op de hoogte van mijn zwakke gestel, aangezien ik al ruim twintig jaar niet sterk genoeg ben om af te reizen naar wetenschappelijke con-

gressen. Maar mijn broer Erasmus en ik lijden aan een bepaalde vorm van melancholie en een slechte spijsvertering waarvoor geen geneesmiddel schijnt te zijn. Daarmee zijn we gedoemd tot een slechte gezondheid en beperkte uitbarstingen van energie.

Ik heb één catastrofale gebeurtenis doorstaan, de evolutietheorie, de manifestatie van het darwinisme en de strijd met de aanhangers van het creationisme, terwijl ik ironisch genoeg was opgeleid tot predikant. Ik moest me de sociologische steun laten aanleunen van Spencer en de verbazingwekkende politieke affiliatie van Karl Marx, de woede van de aanhangers van het utilisme en de smalende opmerkingen van de gewone man.

Daarom heb ik het gevoel dat ik de mantel moet overdragen aan iemand die jonger is en een sterker gestel heeft dan ik, iemand die beter bestand is tegen de uitdagingen van het leven en de intellectuele strijd wenst aan te gaan. Ik vertrouw erop dat hij met deze geschenken zal bewijzen een werkelijke conquistador van de geest te zijn. Leg alstublieft uit aan Herr Freud dat dit mijn enige communicatie met hem is en dat deze uitsluitend plaatsvindt middels u als tussenpersoon.

Voor altijd uw toegewijde laboratoriummedewerker,
Charles Darwin

Bijlage: overzicht van De theorie van de geest

P.S. Hierbij vestig ik uw aandacht op het feit dat ik u mijn groeten slechts kan aanbieden voor de beperkte tijd die mij nog rest in dit aardse paradijs. Ik schrijf momenteel een werk over de activiteit van wormen, en ik ben er zeker van dat dit mijn laatste werk zal zijn. Ik ben onder de indruk van de scherpzinnigheid van de worm en heb er geen enkel bezwaar tegen binnenkort onder ze te mogen verkeren. Ik heb geen kracht om uit te wijden over mijn theorie, noch kan ik voetnoten aanbrengen en anderen rechtmatig bedanken voor hun bijdrage, maar ik vraag de lezer mij in deze korte schets te volgen.

Ten slotte stel ik geamuseerd vast dat het eerder mijn goede vriend Wallace is geweest die mij tot het uiterste heeft gedreven en dat het nu een andere Engelsman is, namelijk de dood zelf, die mij dwingt tot een nieuwoverzicht... schets bijgevoegd, aantekenschriften volgen.

OVERZICHT VAN DE THEORIE VAN DE GEEST

In mijn boek De afstamming van de mens *stelde ik dat de theorie van seksuele selectie prevaleert boven mijn theorie van de natuurlijke selectie. Dat betekent dat het belangrijkste mechanisme voor de evolutie het seksuele instinct is. Het overlevingsinstinct speelt tevens een rol, maar als voorbeeld verwijs ik naar de strijd op leven en dood om een partner bij herten en andere zoogdieren. Dat plaatst het seksuele instinct boven alle andere.*
De menselijke psyche is ontwikkeld ten behoeve van de voortplanting en het ervaren van seksueel genot. Het lied van de vogel is een paringsroep die het mannetje of het vrouwtje aanspoort tot seksuele handelingen. De dans van de paraderende soorten als ze voor de vrouwtjes heen en weer stappen wordt cultureel nagebootst in de dans van het ballet en het moderne bal. Dit zijn paringsrituelen die worden aangemerkt als 'cultuur'. Cultuur, in de zin van seksuele selectie, is een prikkelend mechanisme dat de paringsrituelen nabootst van andere zoogdieren. Het paraderen van de kalkoen en het uitwaaieren van de veren verschilt niet van onze zondagse wandeling door het park waarvoor we ons hebben uitgedost.
Aanpassing is een evolutiemethode, maar deze is veel trager en willekeuriger dan het seksuele instinct of het voortplantingsinstinct. Het voortplantingsinstinct produceert vele levens in een generatie, terwijl een mutatie er slechts één is. Degenen die niet de neiging hebben zich voort te planten zullen dat uiteindelijk niet doen; die individuen zetten de genetische lijn niet voort en zullen uitsterven. Degenen met het sterkste seksuele instinct

zullen overleven en zelfs meer reproduceren met hetzelfde instinct.
Het probleem is dat mensen zulke grote hersenen hebben ontwikkeld dat ze bij de geboorte zeer onvolgroeid moeten zijn, anders kan hun hoofd niet door het geboortekanaal. Het kind is derhalve afhankelijk van de ouder, in de meeste gevallen de moeder, gedurende ten minste zestien jaar, wat een recordtijd is onder zoogdieren. Dat is vier tot zes jaar nadat het kind de voortplantingsleeftijd heeft bereikt. Een of ander mechanisme moet voorkomen dat mannetjes met hun moeders paren en vaders met hun dochters, zoals bij andere zoogdieren vaak gebeurt en ook zeer regelmatig onder de homo sapiens op Vuurland. Er is te veel jaloezie tussen vader en zoon en het resulteert in ontwrichting van het huwelijk tussen de echtgenoot en de echtgenote als de zoon de moeder tot zich neemt, d.w.z. de kracht van Oedipus. Het lot bepaalt dat Oedipus blind moet worden gemaakt als gevolg van zijn daad. De goden symboliseren de vader.
Om onze grote hoeveelheid grijze cellen te kunnen herbergen, moeten we ons onthouden van seks tot we het huis uit gaan en 'ons zaad verspreiden' zoals de esdoorn, en die zaden niet al te dicht bij huis uit te zaaien. Wat gebeurt er met de seksualiteit van het kind? Deze dient te worden onderdrukt of verdrongen. Aangezien we echter zijn geëvolueerd met de genetische belasting van het seksuele instinct, smeult het onder de oppervlakte, zelfs in een verdrongen cultuur waar de ontkenning ervan een vereiste is. In een beschaafde maatschappij kan het seksuele instinct zich niet manifesteren op voor de hand liggende plaatsen, zoals honden doen door de oestrus te ruiken, of door middel van geweld, zoals ik heb gezien onder de inboorlingen op Vuurland; in plaats daarvan moet het zich moeizaam een weg banen onder ons laagje beschaving uit en te voorschijn komen in bedrieglijke vormen als humor, dromen en versprekingen. Alles wat niet bijdraagt aan onze band of verbondenheid met onze ouders moet verdrongen worden omdat wij, als kin-

deren, weerloos zijn en hen nodig hebben om ons te beschermen.

Wij allen worden geboren met geatrofieerde seksuele organen van de andere sekse; dit is iets dat we allebei hebben gezien in dissectie, van spinachtigen tot zoogdieren. Wat is de vrouwelijke clitoris anders dan een geatrofieerde penis en wat zijn mannenborsten, als het geen geatrofieerde borstklieren zijn? Alle mensen voelen zich op zeker moment aangetrokken tot hun eigen sekse en nemen dan een besluit ten aanzien van hun gerichtheid, die vrijwel altijd, ten gevolge van de druk van de evolutie, de soort is die nakomelingen produceert.

Hoe houd je een beschaving bloeiend zonder de innerlijke beroering die haar kan vernietigen en berust je in de neigingen van het seksuele instinct? Dat is de belangrijkste vraag en onze grootste uitdaging. Ik ben van mening dat we hier bewonderenswaardig aan hebben voldaan, hoewel niet geheel onberispelijk. Wij als beschaving hebben regels opgesteld die onze seksualiteit in toom houden. Er zijn regels met betrekking tot incest en regels die seks met kinderen verbieden. Kinderen krijgen de boodschap dat het uiten van seksualiteit verboden is en dat er morele vergelding staat op het voelen van seksualiteit. Deze functie wordt door de godsdienst extra benadrukt. Dat is Beschaving en dit, mijn beste Freud, zijn de bezwaren. We hebben het gat in de dijk gedicht, maar een bepaalde hoeveelheid moet er noodzakelijkerwijs uit lekken, in de vorm van een soort decompressieklep, of anders bezwijkt de complete muur onder de druk. Laat het seksuele instinct voldoende naar buiten om een overstroming te voorkomen, maar houd de sluizen gesloten. Laat het eruit lekken in dromen; wijs bepaalde paringsrituelen aan als 'cultuur'; vind ballet uit en toneel en leef met fantasieen. Zoek een evenwicht tussen de behoefte aan beschaving en de evolutionaire behoefte van het seksuele instinct zich te uiten. Alle beschaving is een list om de seksuele driften te camoufleren en degenen onder ons die dit beseffen en trachten de informatie te verspreiden worden gekwalificeerd als zondig en uitgestoten

als een Mefistoles. Dat dit waar is bemerkte ik al nadat ik slechts een minieme zinspeling aan een dergelijke gedachte in mijn werk had gemaakt.
De geesteszieken zijn de ongelukkigen die lijden aan een organische aandoening of degenen die te veel hebben verdrongen, de seksuele behoefte komt naar boven in een symptoom of anderszins bij diegenen die wellustig zijn en hun seksuele instinct op geen enkele manier kunnen beteugelen. We hebben afweermechanismen nodig om ons seksuele instinct te camoufleren, maar niet te veel ervan, anders worden we neurasthenisch.
Ik heb deze afweermechanismen nader uitgewerkt en heb grootse voorbeelden... ik wil niet pochen, maar ik zou kunnen zeggen, bewijzen... in tweeduizend pagina's aantekeningen, waarmee ik deze theorie kan staven. Ik heb diverse beschavingen bestudeerd en het is me duidelijk geworden dat de mate van beschaving evenredig is aan het verdringen van seksualiteit. Intellectuele arbeid is op zichzelf een sublimatie voor seksualiteit. Hoe meer seksuele vrijheid een gemeenschap toestaat, hoe minder deze zal uitvinden en hoe meer deze onderhevig zal zijn aan luiheid.
Instinct dat aan banden wordt gelegd is vergelijkbaar met de nieuwe uitvinding van hydro-elektrische kracht. Het moet onder controle worden gehouden om de gemeenschap van energie te voorzien. Hoe hoogstaander de beschaving, hoe meer de energie moet worden ingedamd. Het is net als gas: zet het onder druk en het zal zijn werk voor je doen.
Kort gezegd kan het zijn dat ik te veel vrije tijd heb, zoals mijn ijverige zwager graag zegt en wellicht zijn mijn gegevens correlationeel en niet causaal. Maar ik vind dat ik mijn levenswerk moet delen, dat ik om verschillende ingewikkelde redenen, de ene mijn gestel en de andere tijdgebrek, zelf niet heb kunnen voortzetten.
Als ik uw geduld nog verder op de proef mag stellen en ik hoop dat ik niet opgeblazen op u overkom, zou ik willen voorstellen dat het onderzoek naar de ontogenese en fylogenese van de

menselijke geest succesvol zou zijn onder de auspiciën van diverse specifieke atypische methodologieën. Een daarvan is het onderzoek naar geesteszieken, zoals Charcot dat heeft gedaan, en zien wat er gebeurt als het laagje vernis van de beschaving door geestelijk verval is weggeschuurd, zoals in Bedlam. Gaarne voer ik hierbij aan dat er geen willekeurige handelingen zijn: alle incoherente vaagheden afkomstig van patiënten wijzen op een zekere fylogenetische status; dit onbewuste gemompel, zoals Schopenhauer het noemt, of mysteries van de geest, zoals ik ze graag noem – al deze tirades moeten beluisterd en ontcijferd worden. Ik laat de elementaire wetenschap van het duiden van de menselijke geest aan u over.
Ten tweede zou ik willen voorstellen onderzoek te doen naar geestelijk gezonde lieden die er moeite mee hebben hun seksuele driften te beteugelen. Bijvoorbeeld, blindheid kan voorkomen bij een vrouw die haar seksuele gevoelens voor een familielid niet kon verdringen en het zelf niet wilde zien. Ik zag een vorm van mesmerisme in Zuid-Amerika dat mensen tijdelijk in een onbeschaafde toestand bracht. Ik begrijp dat daar tegenwoordig ook mee wordt geëxperimenteerd in Frankrijk.
Ten slotte zou ik uiterst oplettend zijn in uw studies naar de compos mentis, de mensen met een normaal, gezond verstand en diepgaand onderzoek verrichten naar hun diepste gevoelsleven of hun fantasieën. Deze seksuele gevoelens zouden naar buiten komen middels versprekingen, dromen, symptomen en fantasieën.
Als u een dappere ziel zou kunnen vinden die representatief is en geestelijk kerngezond, maar in staat is zijn geest te laten terugkeren naar zijn prebeschaafde staat, zult u talrijke verklaringen vinden.
Er zijn regels voor gedrag zoals er regels zijn voor de flora en fauna en het is onze verantwoordelijkheid deze te vinden en in categorieën onder te brengen. Er is een uitzonderlijke homo sapiens voor nodig om degenen van zijn eigen soort te bestuderen, want in tegenstelling tot het ontleden van de aal op zijn bi-

seksuele aard en hermafrodiete Reissner-cellen zou het een erkenning zijn van onze eigen seksuele gevoelens jegens degenen om ons heen, voor onanie en de uiteindelijk polymorf perverse individuen die we zijn. Wie kan zichzelf aan dergelijk kritisch onderzoek onderwerpen? Dr. Von Brücke oppert dat de veroveraar van de geest Sigmund Freud is.
Mijn beste wensen nu ik deze zware mantel aan u overdraag.
Charles Darwin

'Niet te geloven, geen wonder dat Freud zo snel zo ver is gekomen.' Verbijsterd constateerde ik wie er werkelijk aan de wieg had gestaan van het seksuele instinct, biseksualiteit, sublimatie, latentie, verdringing, afweermechanismen, zelfs het oedipuscomplex, om nog niets te zeggen over het feit dat Darwin hem de methodeleer op een zilveren presenteerblaadje had aangeboden: doe onderzoek naar dromen en versprekingen, alle symptomen hebben een betekenis, vrije associatie. Mijn mond was kurkdroog. Ik was tijdens het lezen vergeten speeksel te produceren en mijn stem kraakte toen ik iets probeerde te zeggen. Ten slotte keek ik op in de afwachtende ogen van Jack.

'Darwin schetste de hoekstenen van de theorie van de psychoanalyse voor Freud en gaf hem zelfs de beginselen voor de praktijk. Von Brücke, de professor fysiologie onder wie ze beiden in verschillende perioden hebben gestudeerd, was de tussenpersoon. Wat een ongelooflijke connectie!' We staarden elkaar aan terwijl het me duizelde, wetende dat dit meer was dan een mosterdzaadje in de ontwikkeling van de intellectuele geschiedenis.

'Is Freud een bedrieger?' vroeg Jack.

'Ik denk het niet, maar hij is ook niet echt openhartig geweest over de oorsprong van een groot aantal van zijn ideeën. Maar dat kon ook niet, dat heeft Darwin hem van begin af aan duidelijk gemaakt. Het is een ingewikkelde kwestie en ik heb wat tijd nodig om de brieven door te nemen en de intellectuele invloed van Darwin op Freud te onderzoeken in het licht van wat ik nu weet. Ik kan het nu niet doen, want er zit ons een moordenaar op de hielen.'

'Kate, wat zou jij doen als je de moordenaar was?' informeerde Jack.

'Ik zou zorgen dat ik deze brieven in handen kreeg.' Ik zwaaide ermee voor zijn neus. 'De moordenaar heeft ze gezocht in de kamers van Bozo en De Magiër.'

'Volgens mij vond hij in Bozo's kamer wat hij zocht en is hij op heterdaad betrapt in die van De Magiër. De Magiër was slim genoeg om zijn spullen ergens anders te verstoppen... in de melkkan in de keuken,' zei Jack.

'Daarna zou ik achter de aantekenschriften en de andere informatie aan gaan waar Darwin het over heeft... de aantekenboeken waar de bewijzen of voorbeelden in staan. Ik durf te wedden dat ze ontbreken.' Ik dacht er even over na. 'Darwin was ernstig ziek toen hij dit overzicht schreef en stierf twee jaar later, dus misschien zijn ze wel nooit verzonden.'

'Kate, je moet naar de Freud-archieven om die aantekenboeken te vinden. Ik ga naar de Wedgwood Foundation en de Darwin-archieven om navraag te doen, wie weet zijn ze daar.'

'Misschien kan ik beter zelf gaan, het kan verdeeld zijn over verschillende aantekenboeken.' Ik was in de wolken. 'Morgen rond deze tijd hebben we de zaak rond.'

'Als ik Josiah Wedgwood was, zou ik ze vernietigd hebben de seconde nadat Chuckles naar het grote biologische laboratorium in de hemel was vertrokken. Josiah stierf eerder dan Darwin. Ongeveer een maand nadat hij die brief had geschreven ging hij onder de groene zoden de wormen gezelschap houden. Tussen twee haakjes, waarom heeft Freud die brief van Darwin eigenlijk niet vernietigd?'

'Dat heeft hij wel gedaan. Von Brücke bezat het origineel. Von Brücke of Darwin moet Freud een kopie hebben gestuurd.'

'Dit is een kopie van een origineel,' zei Jack. 'De detective die ik erop heb gezet zegt dat je als je hem tegen het licht houdt het watermerk kunt zien en dan zie je dat hij uit de jaren tachtig van de negentiende eeuw stamt. Von Brücke was niet zo dom dat hij een originele brief uit handen gaf van een man die hij bewonderde.'

Ik knikte.

'Wie is de moordenaar?' vroeg Jack.

Ik legde mijn vork neer, na een paar happen van iets dat smaakte alsof David Copperfields koets er bij Yarmouth overheen was gereden. 'Ik moet gaan. Het is al laat en we moeten morgen weer vroeg op. Ik bel je zodra ik wakker ben en dan kunnen we samen nog twee dingetjes checken in het archief. Ik zie je om acht uur bij het ontbijt en dan vertel ik je hier aan deze tafel wie het is.' Ik verliet het restaurant op de overwinningsmuziek van een denkbeeldige mars van John Philip Sousa.

Toen de lift van het Savoy met het schitterende, schuin aflopende glazen dak me naar de wolken stuwde, trachtte ik de stukjes van de puzzel in elkaar te zetten. Jack wist vrijwel niets over Freud en Gardonne was een bedrieger. Misschien was Jack ingehuurd om me te volgen om te zien of ik Gardonnes ware identiteit boven water wist te halen. Misschien was die hele Freud-plot wel een afleidingsmanoeuvre. Nu ik achter het ware verhaal van Gardonne was gekomen, was Jack misschien wel ingehuurd om me te vermoorden. Zou hij tot moord in staat zijn? Een venijnig stemmetje binnen in me siste... *ja.*

Toen ik steeds dichter bij de sterreloze hemel kwam besefte ik met een schok opnieuw dat Gardonne en Jack over me spraken als een verdachte en me terzijde schoven zoals alleen twee mannen dat kunnen doen als ze de 'unieke kwaliteiten' van een vrouw bespreken. Ik zou wel gek zijn als ik mijn bevindingen met ze zou delen. Het was tenslotte míjn werk dat ons naar de moordenaar leidde. Zij waren degenen die achter me aan wandelden met hun vergrootglazen aan hun piemels gebonden. Zij zagen er geen been in mij buiten hun zaken te houden. Ze hadden vast een camera in mijn kamer geïnstalleerd en heel wat meer van me gezien dan mijn freudiaanse slip.

Eenmaal op mijn verdieping aangeland gingen de glazen deuren open en voordat ik de gang in liep zei ik tegen mezelf, noem me paranoïde, noem me een slechte teamspeelster, maar zeg niet dat ik onnozel ben. Ik zou om vier uur opstaan en teruggaan naar Anna om me in mijn eigen glorie te wentelen voordat een van hen zich ook maar kon omdraaien om te zeggen: ‘de vroege vogel vangt de worm’... in dit geval de gloeiworm.

28

BONDING DOET PIJN

Mein Vater, mein Vater, jetzt faßt er mich an
Erlkönig hat mir ein Leids getan!
– Johann Wolfgang von Goethe, 'Der Erlkönig'

Nadat ik bij Anna Freud had aangebeld moest ik een hele tijd wachten voordat de afgebladderde deur eindelijk op een kiertje open kraakte. Elsa stak met een verbijsterde blik haar hoofd om de deurpost en snerpte: 'U, natuurlijk! Wie anders zou het lef hebben tweemaal aan te bellen voordat de haan kraait?'

Halfvijf was inderdaad ietwat aan de vroege kant. Schaapachtig opende ik mijn mond om mijn excuses aan te bieden, maar ze snauwde, voor zover iemand kan snauwen zonder gebit: 'U hebt die doden op uw geweten. Jullie Amerikanen strijken de buit op en maaien degenen die je niet langer nodig hebt met de grond gelijk.'

Ik had echt geen tijd voor haar venijn en liep langs haar heen de trap op, maar het was me niet ontgaan dat ik intussen iedereen om me heen tegen me in het harnas had gejaagd. *Quelle surprise.*

De opslagruimte voor het archief bevond zich in een zolderkamertje. Het stond vol oude koffers die aan elkaar zaten gekleefd met stoffig spinrag. Ik veegde er een schoon om te gaan zitten en schrok van de hakenkruisen op het bolle deksel. Het leek wel of de koffer zijn rug opzette om het onheilspellende verleden van zich af te schudden. Toen ik de ruimte in me opnam en de opgestapelde hutkoffers bekeek, leek het wel of ik omringd was door totempalen vol hakenkruisen. De nazi's hadden geen idee gehad wat ze het land uit lieten gaan. Ze hadden een grote vergissing gemaakt met Einstein en Freud, de een ageerde tegen hun oorlogspraktijken, de ander analyseerde hun ondergang.

Na een paar uur hard werken hoorde ik behoedzame voetstappen op de trap. De deur piepte open en de geur van mottenballen dreef de kamer binnen. Anna stapte bleekjes de zolderkamer binnen. 'Hallo, juffrouw Fitzgerald. Hoe gaat het met uw hoofd?'

'Vanbuiten genezen. Vanbinnen dezelfde gapende wond die er altijd al heeft gezeten. Hoe is het met u?'

Wankelend kwam ze verder. Ik trok een hutkoffer bij en legde er wat extra dossiers op, zodat ze kon zitten. 'Ik ben wat duizelig. Op de trap moest ik me goed vasthouden aan de leuning. Soms voel ik me wat zwak als ik ga staan.'

'Rustig aan, gaat u maar zitten. Ik word al duizelig als ik probeer er een gevoelsleven op na te houden en tegelijkertijd door te gaan met ademhalen.'

Dat bracht een vage glimlach te voorschijn. 'Ah, dat is een aandoening die me bekend voorkomt. Nu voldoet u aan alle voorwaarden van een goede analytica.'

We lachten allebei, in de aangename wetenschap dat we elkaars humor begrepen. Dat schept een band. 'Hoe vordert de zaak?' informeerde Anna.

'Uitstekend. Ik hoop het vandaag af te ronden.'

'Weet u dan al wie de moordenaar is?'

'Jazeker. Ik weet het al heel lang. Maar ik lever mijn werk graag netjes af, keurig ingepakt met een strik eromheen. Ik hou er niet van om in hoger beroep te gaan. Al dat gedoe met een rechterlijk bevel en voorlopige hechtenis. Ik ga net zo lang door tot ik een simpele bekentenis heb, bij voorkeur op schrift.'

'Het is me wel vaker opgevallen dat we veel met elkaar gemeen hebben, juffrouw Fitzgerald. Ik hou ook niet van patiënten die tegenwerken of in discussie gaan. Ik geef er de voorkeur aan de val zo op te zetten, dat hij of zij er volledig in verstrikt raakt. Als je slechts een voet te pakken krijgt, reageren mensen net als muizen... ze zijn in staat hem eraf te bijten en weg te hobbelen. Ik wacht tot ze een freudiaanse verspreking maken en vraag ze dan om eens goed naar zichzelf te luisteren.'

We zaten genoeglijk zwijgend bij elkaar, de twee Cordelia's van de stoffige zolder, in het besef dat we in het gezelschap waren van de geschriften van een van de grootste geesten van de twintigste eeuw, omringd door de diverse stadia van zijn intellectuele ontwikkeling. De ruimte zinderde van onze gelijkgestemde zielen. Anna en ik koesterden ons in ons wederzijds begrip voor de waarde van deze oude, niet gecatalogiseerde documenten, opgeborgen in gemarmerde harmonicamappen en bijeengehouden door gerafeld zwart band.

'Het lijkt wel of het langer duurt als je op zeker speelt,' verzuchtte ik. 'Dr. Gardonne zal wel tureluurs van me worden, maar op de lange termijn scheelt het veel tijd. Dat is het probleem met emoties: ze zijn zo slordig, er blijven altijd losse eindjes hangen. Het is moeilijk om iets netjes af te ronden.'

'Dat is tegelijkertijd de schoonheid van emoties. Pure kunst is afhankelijk van emoties, juist omdat ze in oneindige variaties voorkomen.'

'Daar ben ik het niet mee eens,' weerlegde ik. 'Het komt allemaal op hetzelfde neer. Daar hebben we de klassieken voor. *King Lear* gaat over ons allemaal als dochters. Alleen de narcistische mens denkt dat emoties er in allerlei soorten en maten zijn.'

Ik hoorde een belletje overgaan. 'O, dat is voor mij,' zei Anna. 'Elsa zou me waarschuwen als er een telefoontje uit het buitenland kwam. Ik verwacht een belletje van mijn Amerikaanse uitgever.'

'Zal ik u naar beneden helpen?' bood ik aan.

'Nee, het zal wel gaan. Het is slechts een kwestie van lage bloeddruk. Ik voel het als ik mijn armen hef.' Ze stond op en nodigde me uit over een uurtje een kopje thee met haar te komen drinken.

'Maar ik ben zo vies en stoffig.'

'Dan breng ik het u wel hier.' Ze keek fronsend naar het bolronde hakenkruis waar ze op had gezeten, sloeg haar rok af en vertrok.

Toen Anna een uur later terugkwam, had ik in mijn speurtocht naar de aantekenboeken de hele kamer overhoop gehaald. Fräulein Freud keek vragend om zich heen. 'U bent duidelijk op zoek naar iets specifieks. Weet de moordenaar dat hij psychologisch omsingeld is?'

'Ik denk het wel,' zei ik, terwijl ik wat spullen terugstopte in dozen.

'Ik heb grote bewondering voor uw ijver, uw behoedzame strategie en u bent me erg dierbaar geworden. Ik zou wensen dat u mijn...' Aarzelend zocht ze naar het juiste woord en eindigde met: '... patiënte was geweest. Ik heb het gevoel dat ik u misschien had kunnen helpen, wellicht was uw leven dan iets draaglijker geweest.' Ze lachte en zei: 'Ik geloof dat ik langzaam maar zeker besmet ben geraakt met uw Amerikaanse hang naar overdrijving. Het woord "draaglijk" riekt naar melodrama.'

'Volgens mij was ons beider leven ondraaglijk. Ik denk dat dat een deel van onze band is,' gaf ik toe.

'In welk opzicht ondraaglijk?'

'We zijn allebei door onze vader gebruikt om hun intellectuele inspanningen vooruit te helpen en daar zijn we allebei boos over, terwijl we tegelijkertijd te afhankelijk zijn van hun goedkeuring om er iets aan te doen. Kent u het gedicht "Fra Lippo Lippi", van Robert Browning?'

'Ik ben bang van niet.'

'Onze onvrijwillige toewijding wordt door dit gedicht perfect geïllustreerd. De van het rechte pad afgeweken monnik wordt gekluisterd door ketenen waarin hij niet langer gelooft. Hij zondigt tegen de katholieke Kerk, die hij als corrupt beschouwt, maar voelt zich alsnog schuldig over zijn "zonden" zoals de Kerk ze preciseert.' Ik stopte met het sorteren van de aantekenboeken om een gedeelte van het gedicht voor te dragen:

Those great rings serve more purposes than just
To plant a flag in, or tie up a horse!
And yet the old schooling sticks, the old grave eyes
Are peeping o'er my shoulder as I work.

'Ik zal u het gedicht wel toesturen.'

Anna keek me bezorgd aan. 'Ik vrees dat u zich middels projectie van uw gevoelens op mij iets te veel met mij identificeert. Het is van belang grenzen te stellen. Mijn gevoelens zijn de uwe niet.'

'Vindt u van niet? We hebben ons allebei schuldig gemaakt aan moord,' zei ik nonchalant, terwijl ik met handen die zwart zagen van het stof een harmonicadossier dichtknoopte.

Anna Freud schonk de thee in en overhandigde me een kop. Ik sloeg de Wedgwood-kop beleefd af en vervolgde kalm en weloverwogen: 'Nee, dank u. Ik ben niet zo dol op thee van giftige paddenstoelen, hoewel het vast lekkerder is dan cafeïnevrije oploskoffie.' Gekalmeerd door mijn bezigheden bleef ik doorgaan met het inpakken van de documenten die ik bestudeerd had en overal had opgestapeld. De dozen waren zo oud dat ze al uit elkaar vielen als ik ernaar wees. 'Ik vroeg me af hoe een vrouw van uw leeftijd het klaarspeelde mensen als Konzak en Bozo te vermoorden, maar nu begrijp ik dat u ze eerst een kopje paddenstoelenthee serveerde waarvan ze gingen hallucineren. Vervolgens kregen ze stuiptrekkingen en stierven na enkele minuten. Toen hoefde u ze alleen nog maar de keel door te snijden. Het was heel slim de *Amanita phalloides* te gebruiken... ook een interessante naam, gezien de omstandigheden... beter bekend onder de naam groene knolamaniet. Hij is moeilijk van andere zwammen te onderscheiden vanwege het zoete, witte vlees met een zweempje lichtgeel. Kenmerkend is de kwalijke zoete geur, die echter verdwijnt door ze te koken.' Ik hield mijn theekop omhoog. 'Slechts een handjevol mensen is ervan op de hoogte dat de sporen nauwelijks te traceren zijn in de bloedbaan en dat de chemische samenstelling ervan verandert als ze in contact komen met speeksel. De kinderen Freud waren echter als kind al deskundig op het gebied van paddenstoelen, toen hun vader wedstrijdjes organiseerde in de Alpen wie de mooiste, de grootste, de glanzendste of de giftigste paddenstoel vond. Ik weet als geen ander wat het is om tot het uiterste te gaan of verder nog om het papa naar de zin te maken.'

'De vraag is natuurlijk, *waarom?*' Anna sprak op de afstandelijke toon van de psychoanalytica die ze was en nipte van haar Earl Grey. 'Ik heb al heel wat doorstaan. Waarom zou ik nu plotseling zoiets doen?'

'Wat dacht u van de combinatie woede, angst, liefde, schaamte en met name loyaliteit?' Ik sprak met mijn rug naar haar toe en legde een beschimmeld aantekenboek terug op de bovenste plank.

Toen ik me weer omdraaide keek Anna me koud als staal aan, zo koud als het pistool dat ze op heuphoogte in de hand hield. 'Ook een vrouw van mijn leeftijd weet nog hoe ze de trekker moet overhalen. Ik zou altijd kunnen zeggen dat ik dacht dat er een inbreker binnen was toen ik zag dat alles overhoop was gehaald en heb geschoten zonder te weten dat u het was. U was tenslotte nog nooit in deze kamer bezig geweest en Elsa zou me nooit verraden.'

'Allicht niet. Ze is altijd loyaal geweest, zelfs ten tijde van uw postnatale depressie.'

'Het spijt me u te moeten meedelen dat ik nooit ben bevallen.'

'Vertelt u dat maar aan Anna O. U weet wel, die vrouw die diep in uw ziel leeft. Het meisje dat door haar vader in analyse werd genomen en hem al haar seksuele fantasieën moest vertellen. Hetzelfde meisje dat al die fantasieën op hem projecteerde totdat ze culmineerden in een bevalling, een schijnbevalling weliswaar, als gevolg van haar ingebeelde seksuele relatie met haar vader.'

'U bezondigt zich aan presentisme. Mijn vader had geen idee wat de uitwerking van de analyse op mij zou zijn,' zei Anna.

'Flauwekul. Ferenczi, een andere analyticus die u goed hebt gekend, schreef Freud met de vraag of het in orde was zijn eigen kind te analyseren en Freud antwoordde, "dat raad ik af", zonder te vermelden dat hij in diezelfde periode zijn eigen dochter analyseerde.

Als hij niet wist dat het kwaad kon, waarom zou hij het dan zijn beste vriend afraden?' vroeg ik.

'Misschien omdat hij dacht dat Ferenczi's kind het niet aan zou kunnen?'

'En u kon dat wel? Jarenlang kwam u dag in dag uit een uur lang naar zijn spreekkamer om hem uw seksuele fantasieën en uw liefde voor uw vader toe te vertrouwen, die tijdens de analyse meer en meer seksueel van aard werd. Hij vergaarde op die manier veel belangrijk materiaal voor zijn theorie waarbij het, onbewust, voor zijn ego, geen seconde bij hem opkwam u een halt toe te roepen.'

'Ik heb hém een halt toegeroepen,' zei ze.

'Dat hebt u zeker. Uw analyse werd abrupt beëindigd op 22 september 1893, toen hij de spreekkamer binnenliep voor de gebruikelijke sessie en zijn dochter puffend en wel aantrof op de sofa, hijgend dat ze aan het bevallen was van zijn kind. U had zes centimeter ontsluiting, u had prolactine in uw urine en uw borsten lekten melk.'

'Mijn buik zwol op en ik greep zijn arm, ik was doodsbang.' Ze leek haar bevalling opnieuw te doorleven. 'Hij keek me aan zoals een oude hond kijkt als hij een ongelukje heeft gehad op het tapijt.'

'Hij maakte uw vingers een voor een los en rende de kamer uit. Hij liet u alleen achter in de culminatie van uw libidineuze behoeften. De vraag was natuurlijk wie hij om hulp kon vragen, aangezien hij medeplichtig was. Hij kon Martha, zijn vrouw, niet vragen u bij te staan in uw barensnood, want ze had al lang geleden duidelijk gezegd dat ze niet wilde dat haar kinderen ook maar iets te maken zouden hebben met psychoanalyse. Ze wist dat haar man in staat was zijn eigen kinderen te misbruiken voor zijn mentale masturbatie. Ze wist haar andere vijf kinderen bij hem uit de buurt te houden, maar u was de jongste, een ongelukje, en Martha was opgebrand.'

'Ik was het proefkonijn van de psychoanalyse,' gaf ze toe met het eerste spoortje woede.

'In een experiment dat op de sofa in rook opging. Freud stond voor een dilemma. Hij kon u niet alleen laten tijdens uw bevalling, waarvan u en ik weten dat het een liefdesuiting was. Maar hij moest de huisarts halen, Josef Breuer. En dus vloog hij naar de wachtkamer en greep de volgende patiënt in zijn kraag, een jongeman die rustig zijn beurt zat af te wachten, Chaim Stein. Freud verzocht Stein u bij te staan in uw nood en drukte hem op het hart u niet te laten doodbloeden. Herr Stein was nog maar een tiener, hij kwam bij Freud omdat zijn latente homoseksualiteit hem paniekaanvallen bezorgde. Freud had echter geen keus. U en Chaim Stein ontwikkelden een emotionele band, daar bij uw ingebeelde baby. Chaim Stein, alias dr. Von Enchanhauer, hield uw hand vast tijdens de bevalling en tegen de tijd dat Freud terugkeerde met dr. Breuer was de geboorte een feit. Chaim had de navelstreng van de verleidingstheorie doorgeknipt.'

'We zijn beiden ons hele leven bezig geweest die theorie te begraven,' zei ze en plukte een spinnenweb uit de dakkapel.

'Geen wonder dat u aan een postnatale depressie leed. U verloor uw baby aan de realiteit en werd tegelijkertijd door de vader in de steek gelaten... en dan hebben we het nog niet gehad over de hele ervaring van vijf jaar psychoanalyse. Wat heeft dat met u gedaan?'

Ze ging voorover zitten op haar hutkoffer, met het pistool naar de vloer gericht. 'Ik onderging in feite een libidineuze lobotomie. Al mijn seksuele gevoelens stroomden naar mijn vader. Mijn overdracht gold de man die ook mijn preadolescente seksualiteit had ontvangen. Mijn complete libido moest verdrongen worden, want ik kon het niet los zien van mijn vader. Ik verkeerde in een permanente latentieperiode. De impulsen waren in mijn hoofd verbonden met het incesttaboe en ik liet ze nooit naar boven komen.'

'Tot Anders Konzak verscheen.'

'Ja, tot Anders Konzak verscheen.' Ze zuchtte en zocht steun bij de gepleisterde muur die bijna een halve eeuw freudiaans stof in de vele gaten en kieren had verzameld. 'Ik wist alle aandacht van mannen met succes uit mijn hoofd te bannen. Geloof het of niet, ooit was ik zeer aantrekkelijk voor mannen, maar ik ging ze angstvallig uit de weg, alsof ze tot een andere soort behoorden. Mijn enige liefdesrelatie was in een ramp geëindigd. De meeste mannen in Freuds kringetje waren schuchtere meelopers. Ze lieten zich al afschrikken bij de eerste afwijzing.'

'Uw vader zorgde er wel voor geen leiders in zijn nabijheid toe te laten.'

'Anders was anders. Hij streefde naar het directeurschap van de Freud-academie. Hij gebruikte me, dat wist ik, maar hij flirtte met me en maakte me het hof. Ik wist precies waar hij mee bezig was toen hij beeldige kanten blouses voor me meebracht en andere dingen die ik zelf nooit zou kopen. Hij maakte me aan het lachen en schudde mijn hoon en afwijzing van zich af zoals een slang zijn huid afschudt. In het begin was ik bang, want mijn verweer in de vorm van verachting werkte niet, terwijl mijn libido in diepe rust verkeerde. Hij hoorde zelfs niet dat hij werd afgewezen. Hij beschouwde het als het afweermechanisme dat het in feite ook was.' Anna was het pistool compleet vergeten en ging geheel en al op in haar verklaring. 'Ik was nooit eerder het hof gemaakt. Ik wist dat hij er bijbedoelingen mee had, maar dat maakte me weinig uit. Eigenlijk gebruikten we elkaar. Ik gebruikte hem, omdat ik een echte, menselijke, romantische relatie wilde voordat ik zou sterven en hij was absoluut mijn laatste kans. Het enige wat me weer bij mijn positieven bracht was het consumeren van de relatie... de daad zelf.'

'Waarom?'

'Naar mijn idee wordt dat zwaar overschat. Het was lang niet zo strelend voor het Ik als de hofmakerij. Het was meer een fysieke stoeipartij... twee vellen schuurpapier die tegen elkaar aan wrijven tot er geen structuur meer over is.' Ze wreef haar twee wijsvingers tegen elkaar om het te demonstreren.

'Ik heb liever seks dan hofmakerij,' zei ik. 'Dan weet je tenminste wat er daarna komt.'

Ze negeerde me, ze kon niet meer stoppen nu de dam rond haar levenslang opgekropte gevoelens eindelijk was doorgebroken. 'In de korte periode waarin ik een seksuele relatie onderhield met professor Konzak begon ik te beseffen dat hij werkelijk een gevaar vormde voor de psychoanalyse. Er hingen steeds vaker journalisten van de *The Washington Post* rond, die me ondervroegen over het archief en de brieven van Fliess. Anders' versie van de verleidingstheorie verscheen in druk.'

'Waarom greep u dat zo aan? Hij had geen enkel bewijs.'

'Dat weet ik nú.' Ze stond op en begon heen en weer te drentelen. 'Ik kon niet geloven dat ik dr. Von Enchanhauer en mijn eigen libidineuze verlangens had toegestaan zo'n slechte keuze te maken. De keuze van dr. Von Enchanhauer voor Anders als Freud-directeur werd tot op bepaalde hoogte gestuurd door zijn woede op mijn vader. Mijn eigen woede op mijn vader schraagde die keuze, zij het aarzelend. Ik verwijt dr. Von Enchanhauer niets. Ik had beter op moeten letten.' Haar woordenstroom was niet meer te stuiten.

'Op een bewust niveau zag ik Anders als een zelfgenoegzame egoïst die aandacht nodig had, dat was belangrijker voor hem dan bewondering of het streven naar de waarheid.' Voor het eerst keek Anna me recht aan. 'Juffrouw Fitzgerald, begrijp goed dat ik oprecht in de psychoanalyse geloof. Ik ben ervan overtuigd dat Hitler nooit aan de macht was gekomen als iedereen de grondslagen der psychoanalyse volgde. Dan zouden mensen hun instincten begrijpen en niet geleid worden door seksuele en agressieve aberraties, met verkrachting en oorlog tot gevolg, omdat men dan zou weten hoe de impulsen in juiste banen te leiden en er niet naar te handelen. Anders dreigde aan dat alles een eind te maken. De psychoanalyse is de enige hoop die de beschaving heeft. Ik was niet van plan Anders Konzak toe te staan de wereld het wapen in handen te geven waar het om vroeg... om het onbewuste te ontkennen door de boodschapper te ontkennen. Wat betekent één leven ten opzichte van deze onnoemelijke schade?'

'Dat is een inspirerende boodschap, maar het verklaart de dood van Bozo niet, noch de verdwijntruc van De Magiër.'

'Daar weet ik niets van.' Ze begon aan de combinatiesloten van verscheidene hutkoffers te draaien om te zien of ze ze zich nog kon herinneren.

'Zowel u als dr. Von Enchanhauer speelt uw rol tot in de perfectie. Hij speelt de rol van het slachtoffer dat geen nieuwe tragedie kan verdragen. Intussen is hij wel miljonair en bekleedt hij een van de meest begeerde functies ter wereld. U worstelt om de mensheid te redden van haar eigen destructieve krachten. De enige vlieg in uw zalf is dat u twee of misschien drie mensen moest vermoorden om de wereld te beschermen tegen haar moordimpulsen. En toch ziet u beiden enkele cruciale feiten over het hoofd die uw voorstelling blameren. Laten we eens zien of deze versie beter aansluit bij de gegevens. Ik constateer dat in elke heldendaad een kern van zelfbehoud schuilgaat. Laten we wel wezen,' zei ik, en ging tussen haar en de hutkoffer staan waar ze aan zat te prutsen, om haar te dwingen me aan te kijken, 'de hele beschaving kan in één zin worden samengevat, *we hebben allemaal iets te verbergen.*' Ik vroeg me af of ze zelf ook maar enigszins in de gaten had dat zij niet anders was dan al die andere idealisten die anderen doodden voor wat ze zelf zagen als 'het hogere goed'. Ik bedoel maar, zelfs Charles Manson hing een ideologie aan als je bereid bent *Helter Skelter* mee te tellen.

'Gaat u door. Ik zou het zeker nooit oneens kunnen zijn met uw inleiding,' zei Anna. Ze zat alweer op de hutkoffer en het pistool lag losjes op haar schoot, als een staalgrijs servet tijdens de high tea.

'U en dr. Von Enchanhauer hadden veel te verbergen, evenals uw vader vóór u. Waarom omringde Freud, een man met zo'n scherpe geest, zich met zulke kleurloze figuren als Ernest Jones en de andere pluimstrijkers uit de freudiaanse kring? Niemand van hen heeft ook maar één bijdrage geleverd aan de psychoanalytische theorie, afgezien van hier en daar een pedante aanvulling op het materiaal van Freud. Enkele van de vrouwen, zoals Lou Andreas-Salomé en Marie Bonaparte, hadden wel degelijk iets te zeggen, maar Freud snoerde hen de mond door ze te analyseren. Ze werden emotioneel in submissie gemept met behulp van overdracht. Pittige intellectuelen ondergingen een metamorfose en veranderden in dociele dochters die geen kwaad konden zien in hun geliefde paps die alles wist.

U was wanhopig op zoek naar een directeur voor de Freud-academie. Dr. Von Enchanhauer werd zo langzamerhand te oud en te moe. U zocht beiden iemand met de loyaliteit van Von Enchanhauer, of iemand die weinig inzicht had en zich zou beperken tot catalogisering, zonder ooit op zoek te gaan naar de werkelijke achtergronden van het mysterie Anna O., want dat zou schadelijk zijn voor u allebei.

U vond de perfecte kandidaat in de vorm van Anders Konzak. Lees zijn Russische kritieken er maar op na, hij heeft nooit één oorspronkelijk idee gehad en nooit één originele kanttekening geschreven. Hij jongleerde wat met academisch jargon, bezocht congressen in zonnige steden met sterrenrestaurants en droeg een corduroy jasje met elleboogstukken naar zijn colleges. Zijn rijke, toegeeflijke vader wist hem een plaatsje te bezorgen op een vooraanstaande universiteit en vervolgens werd deze knappe, charmante maar middelmatige man losgelaten op de wereld. U, dr. Von Enchanhauer en ik weten dat Anders Konzak geen vlieg kwaad deed. Hij zou zelf nooit op de verleidingstheorie versus de echte wereld gekomen zijn, als Bozo zich er niet mee had bemoeid. U had geen rekening gehouden met de bokkensprongen van clowns als Bozo. Hij gaf Konzak de informatie, in ruil voor een introductie bij Von Enchanhauer. Vervolgens stelde hij Konzak meer informatie in het vooruitzicht, in ruil voor verdere introducties in het freudiaanse circuit. Konzak schaamde zich voor Bozo's gezelschap, maar wist dat hij zelf de intellectuele bagage niet bezat om een klapper te maken. Door Bozo's herziene verleidingstheorie aan te nemen zette hij zichzelf met één klap midden in het dorp dat de wereld is, waarin hij zich kon koesteren in alle aandacht. Het kwam niet bij Konzak op het IQ te bijten dat zijn grijze cellen voedde en dus stelde hij Bozo tijdens een congres in Syracuse voor aan Von Enchanhauer.

En toch heeft Konzak Bozo belazerd. Tijdens de lunch met Bozo en Von Enchanhauer bracht hij de herziene verleidingstheorie als zijn eigen idee naar voren en hij gaf tussen neus en lippen te kennen dat Bozo wat ondergeschikt speurwerk voor hen zou kunnen doen. Hij adviseerde Von Enchanhauer Bozo aan te nemen als onderzoeksassistent, een soort loopjongen met de status van een veredelde koffiejuffrouw. Bozo was beledigd, maar had wel Von Enchanhauer ontmoet. Hij betaalde Konzak met gelijke munt terug en onthield hem het tweede deel van zijn theorie.' Ik haalde diep adem en keek Anna aan voor een bevestiging van mijn pleidooi.

'Deel twee was dat ik Anna O. ben.' Het was haar eindelijk gelukt een van de koffers open te krijgen.

'Precies. Konzaks essay over Freuds verleidingstheorie was briljant en zette hem op de intellectuele wereldkaart. Het enige probleem was dat hij Bozo nodig had om hem de weg te wijzen. Alle ideeën in zijn essay waren afkomstig van Bozo en Konzak had zijn juichende publiek een vervolg beloofd van wat hij nederig zijn "openbaringen" noemde. Konzak had de tweede afbetaling van Bozo hard nodig.

Waarom had Freud gezegd dat kleine meisjes fantasieën koesteren over het verleiden van hun vader in plaats van te erkennen dat vaders klaarblijkelijk incest plegen? Bozo weigerde Konzak er nog maar iets over te vertellen, want hij voelde zich verraden. Konzak rekte tijd. Hij zei dat de redenen spoedig bekend zouden worden, na publicatie van de tot dusver nooit gepubliceerde brieven.'

'Hij raakte in paniek toen de deadline van publicatie steeds dichterbij kwam,' beaamde Anna.

'Bozo speelde een kat-en-muisspelletje met hem. Hij stuurde hem tergende hints per post over de redenen waarom Freud zijn verleidingstheorie had gewijzigd. Hij zond hem cryptische brieven en ook eens een plastic sleutelhanger met een 45-toerenplaatje en de tekst *The Name Game.* Op het moment waarop u net weer een beetje was bijgekomen van uw postcoïtale teleurstelling met Konzak, kwam hij met die *The Name Game*-sleutelhanger op de proppen. Het zweet brak u uit in het besef dat het slechts een kwestie van tijd was voordat onze Bozo het Anna O.-geheim zou verraden.'

Ik begon plagend te zingen. '*Anna, Anna bo-ban-na, bo-na-na, fanna, fo-fan-na. Fee fi mo-man-na, Anna.* Dat had ik in een van mijn dromen gehoord, waarin Annette Funicello, ook een Anna, met een jonge man danste. Het duurde een paar dagen voordat ik die man kon thuisbrengen, maar toen herinnerde ik me een foto uit mijn jeugd die op de schoorsteenmantel in mijn vaders werkkamer stond. Het was een foto van mijn vader toen hij jong was, genomen op Princeton tijdens een roeiwedstrijd. Die lachende, zelfverzekerde, bijna olijke man danste met Annette. Het kostte wat tijd voordat ik het een met het ander in verband bracht. Mijn onderbewustzijn wist het eerder dan mijn bewustzijn. Uw naamgenote, Anna, danste met een vader. Ik geef toe dat het míjn vader was, maar onbewust had ik mezelf met u geïdentificeerd.

Het klopte als een bus. Konzak was er nooit achter gekomen, maar ik wel. U bent Anna O. en u bent nooit bij dr. Breuer in behandeling geweest. U zat elke dag een uur in uw vaders spreekkamer opgesloten en vertelde hem uw diepste zielenroerselen, die net als bij iedereen waarschijnlijk van seksuele aard zijn. Hij nam uw gedachten en uitingen van het onbewuste op in zíjn theorieën, verwerkt in de anamnese van andere patiënten. Als je de chronologie bekijkt, stammen veel incidenten uit uw anamnese. Het is zelfs mogelijk, ik speculeer maar even, dat er geen andere patiënten waren. Alle vrouwelijke casussen waren aspecten van uw psyche en alle mannelijke casussen waren aspecten van die van uw vader... een familiezaak, zeg maar.'

Ik had al die tijd lopen ijsberen, in opperste concentratie op mijn relaas. Nu bleef ik staan om Anna Freud aan te kijken. De uitgebluste vrouw tegenover me keek zonder enige uitdrukking terug, alsof haar stramme geest was blijven steken. Ze had de laatste paar minuten geen woord gehoord van wat ik zei. Ze had het kofferslot open gekregen, maar niet gekeken wat erin zat. Het combinatieslot hing los en wiebelde nog wat na.

Ik ging als een trein, alles viel op zijn plaats. Ik vond het heerlijk als mijn brein als een acrobaat van het ene naar het andere idee zwaaide. De geest van Bozo slingerde sierlijk van liaan tot liaan mijn richting uit en ving me in volle vlucht op.

'Nu komen we bij de vraag waarom dr. Von Enchanhauer, geboren Stein, u en uw vader zijn hele leven trouw is gebleven. Freud heeft er slechts op gezinspeeld dat hij erover zou zwijgen en hij ging ervan uit dat Chaim hetzelfde zou doen. Freuds beleefde understatement betekende het volgende: "Mijn beste jongen, ik weet alles van je homoseksuele Hendrik-Shmendrik concentratiekampverleden. Ik zal je dossiers vernietigen en voor de veiligheid alleen mijn dochter de waarheid over jou vertellen. Maar Chaim, *mein jungen*, als je ooit uit de school klapt over mijn dochter, nu of na mijn dood, krijg je heel Buchenwald over je veranderde haargrens heen." Later sloot u zelf een pact met hem om elkaars identiteit geheim te houden. U had beiden reden uw ware identiteit te verbergen, vandaar Bozo's plagerijtje met "the name game".

Chaim Stein werd dr. Von Enchanhauer en u bleef Anna Freud. De bevalling werd toegeschreven aan de hysterische Bertha Pappenheim, een patiënte van Breuer die volgens de gegevens in die periode was opgenomen in de Zwitserse Burghölzi-kliniek. Dr. Breuer was met alle liefde bereid aan dit plan mee te werken en Anna O. als zijn eigen patiënte te lanceren, mits Freud alle *Studies over hysterie* zou publiceren en hem zou noemen als co-auteur.'

'Hoe bent u achter de identiteit van Chaim Stein gekomen?' vroeg Anna verbaasd.

'Toen ik het afsprakenboek van 1893 doornam, begreep ik dat "O" geen uurtje vrij betekende, maar verwees naar patiënte Anna O. De volgende naam was Stein. Ik nam zijn gegevens door en confronteerde hem met de naam Hendrik.'

'Dus de eer komt u toe?'

'De hints van Bozo hebben me geweldig geholpen, vooral toen hij stelde dat Freud een spelletje speelde met zijn lezers,' bekende ik eerlijk.

'Mijn vader had meer met Bozo gemeen dan je zou denken.'

'Zeer zeker. Uw vader tartte het noodlot door uw analyse de zaak Anna O. te noemen. Hij gebruikte zelfs uw naam! Hij daagde de psychoanalytische gemeenschap uit met een rode vlag, maar had zich omringd met saaie, alledaagse geleerden zonder enige verbeeldingskracht. Behalve één: Carl Jung. Toen Jung het een en ander had uitgedokterd, nam Freud afstand van hem... maar niet zonder flauw te vallen.'

'Hoe bestaat het toch dat iemand als Bozo daar achter is gekomen?'

'Hij stond buiten het systeem, zijn belangstelling was puur intellectueel. Hij was geen psychoanalyticus die geld moest verdienen aan de theorie, noch een teleurgestelde aanhanger die alles deed om de theorie te weerleggen. Wat hem fascineerde was de ontwikkeling van de wetenschap. Hij stelde zichzelf de juiste vraag: als incest aan de orde van de dag was, met de vader als schuldige, waarom stelde Freud dan dat het andersom was? Bozo begreep dat Freud zijn patiënten gebruikte om zijn eigen ervaringen op af te wentelen en Anna was de enige dochter die bij hem in analyse was.'

'Niemand is geheel objectief, maar hij stelde inderdaad de juiste vragen.'

'Freud dacht dat hij een *universeel* verschijnsel had gevonden. Meisjes verleiden hun vader en fantaseren dan over seksuele experimenten met hem. Ik hoef u niet uit te leggen dat dit geen wereldwijd gegeven was. Wel was het zo dat meisjes over de hele wereld door hun vaders worden misbruikt. Freud vergat voor het gemak dat niet alle vaders hun dochters analyseerden. Dat was geen universeel verschijnsel, hij was de enige die dat deed. Wat gebeurt er als een vader en dochter jarenlang bij elkaar gaan zitten om haar seksuele driften te analyseren met behulp van vrije associatie? Raad eens, ze ontwikkelt seksuele gevoelens voor haar vader en haar fantasieën komen tot een hoogtepunt in een schijnzwangerschap.'

'Eén vader deed dat en één dochter overleefde het... nauwelijks.'

De tranen stroomden over haar gezicht en ze liet een troosteloos gekerm los, als de wanhopige kreet van een moeder boven het grafje van haar pasgeboren zoon.

'Precies. En daarom, Fräulein Freud, was Konzak de man die u zocht. Hij had geen idee wie u was. Het probleem was dat Bozo het net steeds strakker trok en dat maakte u nerveus. Het andere probleem was dat Konzak, onze opschepper, tegenover u volhield dat hij de verleidingstheorie helemaal zelf had uitgeplozen.'

In een poging haar verdriet voor me verborgen te houden kwam ze weer in beweging. Ze veegde spinrag van koffers en opende er een met het etiket *familiefoto's*. Ze haalde er een sepia foto uit met rijen lege wiegjes. Achter op de foto stond *Jackson kinderbewaarplaats, 1937*. 'Ach, deze foto van het weeshuis heb ik jaren niet gezien.' Ze zette de foto neer en deed een stapje achteruit om hem beter te bekijken. 'Waarom denkt u dat ík hem heb vermoord?' vroeg ze afwezig. Ze rommelde verder door de foto's en haalde er een te voorschijn van haar en haar zus Sophie, beiden met dezelfde feestjurkjes aan en een identieke pop in de armen.

'Om diverse redenen. Hij was van plan u en de affaire Anna O. aan het licht te brengen, waarmee hij zich tegen Freud keerde. Dat wilde u voorkomen, ook al haatte u Freud omdat hij u uw seksualiteit had ontnomen ten behoeve van de wetenschap...'

Anna's ogen vernauwden zich tot spleetjes en ze kwam plotseling tot leven. Haar slap afhangende hand met het pistool erin was nu weer op mij gericht en ze viel me in de rede. 'Na de zwangerschap was ik seksueel verdoofd. Ik durfde geen seksuele gevoelens meer toe te laten, uit angst dat ik gek zou worden. Met de jaren werd ik milder en ik raakte de woede jegens mijn vader kwijt...'

Nu was het mijn beurt in de rede te vallen. 'Uw woede kwijt? Dat denk ik niet. Hij heeft het enige van u gestolen waar u met hart en ziel naar verlangde, een kind. U hebt die weeshuizen opgericht om kinderen te helpen die geen ouders hadden. Ze waren net als u. Uw moeder, Martha, was uw rivale geworden en uw vader was uw analyticus en ingebeelde minnaar. U was een weeskind. Daarom voelde u zich aangetrokken tot andere weeskinderen. U zette een praktijk op om kinderen te analyseren om de periode met uw vader opnieuw te kunnen beleven, maar nu was u de papa en speelde het kind úw rol. U had de kans om het goed te doen. U zou er wel voor zorgen dat seksueel gedrag niet de overhand nam. Het was een kwestie van herhalingsdwang, uw drang om de analyse in pure vorm te herhalen.'

Weer sprongen de tranen haar in de oude ogen. Ik wist dat ik de spijker op de emotionele kop had geslagen. Ik vermoedde dat dit de eerste keer in jaren was dat ze haar tranen de vrije loop liet. Niet voor niets handelde haar beste werk over afweermechanismen. Dat keiharde pantser had haar jaren beschermd tegen het verdriet over die lege baarmoeder, over het kind dat een voortijdige dood stierf door de realiteit.

Met een nieuwe stem vol pathos riep ze uit: 'Híj heeft mijn kinderen van me gestolen! Het enige wat ik wilde was een kind. Ik heb mijn hele leven aan kinderen gewijd. Hij had een seksleven en een gezin, maar hij stal het mijne. Ik was al een verzuurde oude vrijster toen ik twintig was. Hij beklaagde me en public over mijn ongehuwde staat, terwijl hij wist hoeveel ik van kinderen hield. Die lege buik en dat gevoel van eenzaamheid konden nooit worden gevuld, nog niet door een heel weeshuis.' Ze draaide haar hoofd opzij alsof ze iets zag dat ze nauwelijks kon verdragen. 'Juffrouw Fitzgerald, herinnert u zich de jongen in de plastic bol?'

'Bedoelt u die jongen die zonder immuunsysteem werd geboren en in een kiemvrije plastic tent in Texas moest leven? Alle gevangenen volgden dat op de voet, hij zat in eenzame opsluiting zonder ooit een misdrijf te hebben gepleegd.'

'Ik kon het niet aanzien, dat handje waarmee hij zijn ouders probeerde aan te raken vanachter het plastic. Ik was de enige die werkelijk begreep wat hij doormaakte. Ik was aseksueel, veroordeeld tot een leven in een glazen bol en toch hield ik zielsveel van de man die me daartoe had veroordeeld. Natuurlijk voelde ik woede. Daarom kostte het me geen enkele moeite Anders de keel door te snijden. De woede was in alle hevigheid opgelaaid. Ik moest hem ervan weerhouden alles aan het licht te brengen. Ja, ik haatte de man die mijn libido stal. Koestert u dan geen haat jegens de man die u beroofde van de gevoelens die u zo wanhopig nodig hebt?'

Ik kreeg een visioen van mijn glimlachende vader met zijn witte pet op die mij, zijn eerste matroos, vertelde het zeil te laten vieren, en zei behoedzaam: 'Ja, maar ik hou ook van hem, anders had ik het niet laten gebeuren.' Toen ik mezelf dat hardop hoorde zeggen en de klank ervan in de holle ruimte van de zolder bleef hangen, begreep ik pas hoe waar dat was en hoeveel energie ik had verspild om het te ontkennen. Ook ik bleef de relatie met mijn vader herhalen: eerst mijn vader, toen mijn man, vervolgens Freud. Dat is me het rijtje wel. En zo onnodig. Alleen kleine meisjes denken dat hun vader God zelf is. Opgroeien betekent dat je leert dat hij niet perfect is en dat ook niet hoeft te zijn. Hij heeft me niet verraden, hij is slechts menselijk. Goeie genade, waarom had ik hem al die tijd op een voetstuk geplaatst en vervolgens gehaat omdat hij niet aan mijn fantasiebeeld voldeed? Wat een ongelooflijke verspilling van tijd en energie.

Het duurde even voordat ik mezelf weer bijeengeraapt had en een blik op Anna Freud wierp. Ze negeerde het pistool nog steeds, dus ik besloot nog even door te gaan. Ik wist dat ze niet tot actie zou overgaan voordat ze alles had gehoord wat ik te zeggen had. Daarvoor hield ze te veel van keurig afgewerkt feitenmateriaal.

'Laten we verder gaan met Bozo en De Magiër. Na de moord op Konzak besefte u dat Bozo achter dit alles stak, want hij bleef Konzak hints sturen, per adres van de academie. Toen u de post van de recent overleden Konzak opende, ontdekte u dat Bozo en De Magiër wisten dat u Anna O. was. Ze schreven Anna O. zelfs brieven en verzonden ze naar ditzelfde adres,' zei ik, vertrouwend op Shawna's reactie op Bozo's enveloppen.

'Dat was pure brutaliteit. Een gotspe, zoals mijn vader zou zeggen.' Ze keek aandachtig naar een foto van zichzelf en haar vader in een onderonsje op een terrasje in Den Haag.

'U besefte dat u Bozo moest vermoorden en dus zeilde u in recordtijd met de jongens Von Enchanhauer van Cowes, op het eiland Wight, naar Newfoundland. Ze hadden tenslotte al meerdere malen rond de wereld gezeild met een groot zeewaardig zeiljacht met alle toeters en bellen. Zo hoefde u niet langs de douane. U vloog met American Airlines naar Toronto onder de naam Bertha Pappenheim. U lijkt veel op uw vader wat het tarten van het noodlot betreft. U had elke naam kunnen gebruiken, maar u koos er een die de ingewijden onder ons een kleine hint gaf. U, net als uw vader voor u, had de onbewuste behoefte betrapt te worden, of anders was het grootheidswaanzin en u ging ervan uit dat niemand zo slim was als u. U bent slechts enkele uren in Toronto geweest en vloog terug naar Newfoundland om per zeiljacht terug te keren naar Engeland.

Eenmaal daar was u van plan ook De Magiër te vermoorden, maar hij was niet in zijn kamer. U ging op zoek naar zijn papieren, maar toen u naar de bovenste plank reikte werd u duizelig vanwege uw lage bloeddruk en trok een van de planken los waaraan u zich vastklemde om niet te vallen. Dat maakte een hels kabaal. Wat u niet wist was dat de brief van Darwin niet in zijn kamer lag.'

'Waar lag hij dan?' vroeg ze.

'In een Wedgwood-kan in de keuken. U sloeg op de vlucht. U maakte zich echter zorgen, want dr. Von Enchanhauer had een aanvraag voor een studiebeurs ontvangen van De Magiër. Hij had geld nodig om Von Brückes achterkleindochter op te zoeken in Virginia van wie hij brieven wilde kopen over Freud die licht zouden werpen op zijn mogelijke intellectuele schuld aan Darwin. De Magiër had Konzak eerder al een "natuurlijke selectie"-berichtje gestuurd waaruit u opmaakte dat De Magiër er evenals Bozo geen been in zag Freuds nooit erkende schuld openbaar te maken. Dr. Von Enchanhauer begreep dat het was gebeurd met de poets die Darwin, Von Brücke en Freud gebakken hadden. U was het erover eens dat het een hachelijke situatie was. Dr. Von Enchanhauer ging over de financiën van het archief en besloot de verarmde Magiër af te kopen. Von Enchanhauer stond perplex toen bleek dat De Magiër het karmelietenklooster 800.000 dollar had betaald voor de brieven. Dr. Von Enchanhauer had het bedoeld als een omkoopsom. De Magiër begreep dat jullie hem permanent het zwijgen op wilden leggen en vluchtte voor zijn leven. De vraag is of jullie hem gevonden hebben.'

'Ik niet.'

'Dr. Von Enchanhauer heeft u de brieven voorgelegd. U bent naar de Darwin- en Wedgwood-archieven gegaan om het materiaal eruit te snijden, maar u kwam te laat. De Magiër was u voor geweest. Hij vond de aanvullende brieven betreffende de Von Brücke-correspondentie en heeft ze gefotokopieerd. Uw enige hoop was nu nog de brieven uit de correspondentie te snijden en te vernietigen, De Magiër uit de weg te ruimen en zijn kopietjes te vinden om die eveneens te vernietigen. Nu u toch bezig was, kon u meteen achter zijn Von Brücke-Freud-Darwin-correspondentie aan gaan.

Het was heel slim van u dat u Elsa naar de Darwin-archieven hebt gestuurd, en nog wel vermomd als man. Veel hoefde ze daarvoor niet aan zichzelf te veranderen. U vergat echter dat haar horrelvoet en dat Duits-Cockney accent niet te camoufleren waren. U wist dat ze prima overweg kon met een stanleymes. U zou van carrière moeten veranderen, u doet het niet slecht als detective,' zei ik, niet ontevreden over mijn eigen detectivewerk.

'En u zou analytica moeten worden.'

'Veel verschil is er eigenlijk niet. De detective zit op het spoor van het bewuste, de analyticus op dat van het onbewuste. Spijtig genoeg zit er wel een groot verschil in de honorering,' zei ik.

'Wanneer bent u erachter gekomen?' Anna bleef haar nieuwsgierige hersencellen pijnigen.

'De eerste aanwijzing was de geur van mottenballen. Ik was vlak na de moord in Konzaks flat. Zowel in de kamer als in de hal bij het trappenhuis rook het naar mottenballen. Aanvankelijk kon ik de geur niet thuisbrengen, zo flauw was het, maar ik bleef de band van dat dineetje met Konzak maar afspelen in mijn hoofd en aangezien hij me had verteld dat uw kleren eeuwig naar de mottenballen roken, viel het kwartje. Toen ik dat eenmaal wist, begon ik te vermoeden dat Von Enchanhauer in het complot zat.'

'Dat was eerlijk gezegd niet het geval. Ik denk dat hij zo zijn verdenkingen koesterde, maar hij heeft reeds lang geleden geleerd geen overbodige vragen te stellen. Hij voelde wel aan dat Konzaks seksuele aantrekkingskracht op hem of wat het dan ook was het deksel van zijn doos van Pandora zou openrukken,' zei Anna.

'Op de avond van de moord, tussen uw giftige theepartijtje en kundige snijwerk in, terwijl ik op mijn wandelschoenen door Wenen sjokte, hebt u zijn dagboeken nagekeken en u kwam erachter dat hij in feite vrij weinig wist. Jammer genoeg dacht hij dat zijn "grote openbaring" het feit was dat Freud Bertha Pappenheim in analyse had gehad onder de naam Anna O.'

Anna knikte. 'Hij had wat smeuïge bijzaken bij elkaar opgeteld en zich geen seconde verdiept in de hints die Bozo en De Magiër hem hadden gezonden.' Ze stond nog steeds in alle rust familiefoto's op de hutkoffer te zetten alsof het een schoorsteenmantel was.

'Slechts enkele minuten na de moord op Konzak besefte u dat Bozo en De Magiër degenen waren die u werkelijk het zwijgen moest opleggen. U stond nog bij te komen van de schok toen u geconfronteerd werd met nog een verrassing. Konzak had de tijd niet gehad u te vertellen dat ik om halftwee 's nachts naar hem toe zou komen. U hoorde me de trap op komen, verstopte u achter de deur en wachtte tot ik binnenkwam. Toen ik volkomen de kluts kwijt was na de aanblik van die slachtpartij, deed u het licht uit en vluchtte via de nooduitgang, die u van tevoren had opengezet. Zoals gewoonlijk had u gelijk... ik gleed uit en u wist te ontkomen. U wist dat er haast geboden was bij de moord op De Magiër en Bozo. Ze waren niet moeilijk te vinden, want als lammetjes op weg naar de slachtbank hadden ze hun brieven altijd voorzien van een retouradres.' Ik keek haar recht in de ogen. 'Rest mij de vraag waarom. Waarom nu, nu u al zo oud bent?'

'Ik heb mijn leven opgeofferd aan deze beweging. Ik kon de vernedering ontmaskerd te worden als Anna O., de vrouw van de schijnbevalling, niet aan en ik kon de gedachte niet verdragen dat Freud een huichelaar was en schreef voor degenen die ooit zijn leugens zouden onthullen. In die tijd was er geen andere manier om zijn doel te bereiken. De luxe van een nieuwe eeuw was hem niet vergund. Alle grote uitvinders nemen risico's, dat hoort bij het proces. Hij wist niet hoe ik op de analyse zou reageren. Hoe kon hij het ook weten? Het was nog nooit eerder gedaan. Ik leef in het vertrouwen dat hij het nooit had gedaan als hij had geweten wat het met mijn libido zou doen en wat de gevolgen zouden zijn. We weten niet altijd wat we andere mensen aandoen, wel?' Ze staarde naar een foto uit 1938 van zichzelf aan de hand van haar vader, toen ze op de trein stapten om Wenen te verlaten en citeerde Lear: 'Op zulk een heilig offer, lieve Cordelia, strooien de Goden wierook.'

Ik wilde me niet laten afleiden door de manier waarop wij mensen elkaar de vernieling in helpen. Nu ik de raadsels rond Anna O. naar tevredenheid had opgelost, wilde ik verder met de kwestie Darwin. 'En de brief van Darwin dan? Darwin heeft de aanzet gegeven tot veel van de zogenaamde ontdekkingen van Freud.'

'Ja.' Ze ontweek mijn blik en de tranen sprongen in haar ogen. 'Ik kon de gedachte niet verdragen dat ik alles had opgegeven voor een bedrieger, voor een man die zijn ideeën van Darwin had gekregen en ze vervolgens doorgaf alsof ze van hemzelf waren. Ik hield echt van hem en wilde hem die vernedering besparen, al was het dan postuum. Ik wilde hem tegen elke prijs beschermen.' Ze leek verteerd te worden door haar eigen felle kritiek en intussen zocht ik naarstig naar een manier om die kamer uit te komen. 'Hij stond alleen in de strijd en onderging de verachting. Hij werd verbannen uit zijn vaderland omdat hij Joods was.'

Haar borst zwoegde als een blaasbalg. Door de jarenlang opgekropte woede klonk haar stem vreemd en schril. 'Darwin heeft nooit geleden, nooit. Hij verdiende de eer niet. Hij hoefde niet eens te werken, terwijl mijn vader een groot gezin moest onderhouden, plus zijn ouders en de familie van mijn moeder. Weet u, juffrouw Fitzgerald, bonding is niet geheel positief of negatief, het is vooral krachtig.' Ze pakte de foto's bij elkaar en opende met de ene hand de hutkoffer, terwijl ze met de andere de revolver tegen haar borst geklemd hield.

'Fräulein Freud, begrijpt u nu dat dit alles volstrekt zinloos is geweest? Uw vader kristalliseerde 23 delen uit één simpele brief, om nog maar te zwijgen van het feit dat hij waarschijnlijk al veel van zijn eigen theorieën had ontdekt tegen de tijd dat hij die brief ontving. Hij slaagde er in het Victoriaanse tijdperk in een theorie op de kaart te zetten, gebaseerd op verdrongen seksualiteit. Daarbij ontwikkelde hij een methode om toegang te krijgen tot het onbewuste. Dat maakt hem tot een genie. De ellende met Anna O. staat daar geheel los van en het grote publiek zou hem dat wel vergeven hebben, net zoals u en ik dat doen.'

'Ik vergeef het hem niet, ik hou van hem.' Ze borg de foto's op in de hutkoffer en sloeg hem met een klap dicht. Plotseling maakte mijn brein een *Gestaltswitch.* Toen Anna Freud haar psychologische maliënkolder los gordde en over haar afweermechanismen heen stapte, kwam er een moordenares te voorschijn, compleet met de half toegeknepen ogen en de schizoïde opheffing van alle gevoel, dat ik bijna van de loop van haar pistool af zag druipen.

Ik stond tegenover de grootste deskundige ter wereld op het gebied van ontkenning. Ze spande de haan van haar vuurwapen en zei: 'Het spijt me dat u het moest zijn. In mijn bewuste geest dacht ik dat Anders u misschien zou vertellen wat hij wist over Anna O... of wat ik dácht dat hij wist over Anna O.'

'Hoe wist u dat ik die avond met hem zou dineren?'

'Ik had hem die middag gesproken, vlak nadat hij met u had geluncht. Ik had enkele Britse weldoeners uitgenodigd om Freuds huis in Wenen te bezichtigen. Professor Konzak blies de loftrompet over zijn ontmoeting met u, zoals zijn gewoonte was als hij iemand leerde kennen die hem beviel. Hij sprak over uw briljante geest en fysieke attributen. Mijn angsten werden gewekt toen hij vertelde dat uw belangstelling met name de vroege periode van Freud gold. Toen hij een afspraak voor die avond wilde afzeggen voor een diner waarbij ook dr. Von Enchanhauer en ik aanwezig zouden zijn, nam ik hem kennende aan dat hij in plaats van met ons met u wilde dineren.

De waarheid, of moet ik zeggen de onbewuste realiteit, die altijd een universelere waarheid is, die zojuist tot me doordringt is dat ik bang was dat Anders met u naar bed zou gaan. Dat was een reden te meer om hem juist die avond te vermoorden. Het was een schrikbeeld voor me te bedenken dat hij met u zou slapen en mij zou uitlachen, grapjes zou maken over mijn verdorde lichaam en povere vaardigheden in bed.'

'Is dat niet wat al te ver gezocht?' vroeg ik onwillekeurig.

'Absoluut niet. Ik ben namelijk in het bezit van de tape die Anders heeft gemaakt van zijn afspraakje met Dvorah Little. Een van hun obscene gespreksonderwerpen betrof bepaalde aspecten van mijn paringsritueel. Een herhaling van die vernedering kon ik niet verdragen. Ik was al eerder te schande gemaakt in mijn eigen huis. Ik moest na mijn postnatale depressie met mijn broers en zussen zien te leven. Ik kon de medelijdende lachjes met hun arme oude vrijster van een zus niet verdragen. Ik was misbruikt door mijn vader en kreeg er, in zijn theorie, zelf de schuld van. Het kleine meisje als de grote verleidster. Toen hij ziek was heeft hij me dat essay laten lezen voor de conferentie in Berlijn. Ik had het gevoel dat alle aanwezigen daar wisten dat ík dat kleine meisje was.'

Ik rook het metaal van het vuurwapen. Mijn ogen flitsten door de kamer, op zoek naar een hoek of spleet waarin ik kon verdwijnen. Ik wenste vurig dat Jack zou verschijnen.

Jezus, ik had het weer gedaan. Ik had me geconcentreerd op de achterliggende ideeën, deed wat er van me werd verwacht zonder de realiteit onder ogen te zien of het voor de hand liggende serieus te nemen: als Anna Freud iedereen die op haar pad kwam vermoordde om haar vader te beschermen, dan zou ze ook mij vermoorden. Waarom had ik dat niet eerder bedacht? Voor de zoveelste keer strandde ik op de zo banale details van de wereld die andere mensen net zo makkelijk begrijpen als één en één twee is. Ik dacht koortsachtig na en het enige wat ik kon bedenken was te proberen haar naar een ander bewustzijnsniveau te brengen, door naar de verstandige burgervrouw te graven die ergens in haar hersenen zat ondergesneeuwd.

'Hebt u er ondanks uw ontbrekende liefdesleven, dat overigens zwaar overschat wordt, wel eens aan gedacht dat u meer voor de mensheid hebt betekend dan de meeste mensen?'

'Eerlijk gezegd heb ik daar geen boodschap aan. Niemand heeft ooit van me gehouden. Als ik sterf, zullen duizenden mensen het vereiste kwartiertje om me rouwen, maar niemand zal werkelijk door mijn dood worden geraakt.'

Dat werkte dus niet. Ze was duidelijk het stadium voorbij waarin ik een beroep kon doen op haar superego. Ze verdronk in de schaamte van haar jeugd. Ik had de doos van Pandora vol herinneringen geopend en stond nu tegenover de moordenaar die eruit was gekropen. Anna richtte haar vuurwapen op mijn hart. Ik hoopte dat ze net zoveel moeite had het te vinden als ik. Ik dacht er even aan haar tot spoed te manen, maar van zo dichtbij zou de kogel sneller gaan dan ik op de grond kon vallen.

Niet te geloven wat er in een seconde allemaal door je hoofd kan gaan. Ik was doodsbang, maar om eerlijk te zijn was ik tegelijkertijd opgelucht. Het zou eindelijk voorbij zijn, ik hoefde niet meer zo hard mijn best te doen om uiteindelijk nergens uit te komen. Ik kon niemand iets verwijten behalve mezelf. Wat verbeeldde ik me wel toen ik dacht dat het een makkie zou zijn om Anna te ontmaskeren? Ik had alleen het beeld voor me gezien van Anna Freud, de toonaangevende intellectueel, nooit dat van de moordenares die nu voor me stond.

Ik herinnerde me wat Anna had gezegd over omnipotentie en hoe ik me op sommige punten minderwaardig kon voelen en op andere juist heel bijzonder. Pas nu besefte ik dat ik altijd had gedacht dat de dood iets was voor ándere mensen. De bakermat van dat groteske gevoel dat ik boven iedereen verheven was lag bij mijn vader; het werd aangewakkerd door waanideeën... voor één daarvan had ik betaald met negen jaar afzondering... en nu stond ik op het punt ervoor te betalen met mijn leven.

Er wordt heel wat emotionele rommel helder als je in de loop van een vuurwapen kijkt. Ik begreep waarom ik mijn man had vermoord: ik dacht dat ik boven de wet stond. En nu werd mijn eigen narcisme mijn dood. Ik dacht dat de wereld het wel zou begrijpen zolang ik me gedroeg zoals ik dácht dat ik me moest gedragen, omdat ik toestemming had om anders te zijn. Ik dacht dat het me wel vergeven of zelfs in me geprezen zou worden, zolang mijn handelingen rationeel waren en ik ze kon verklaren. Wat Anna had gezegd over mijn vaders ongevoeligheid en dat als een deugd te zien was waar, evenals Jacks opmerking dat ik meende het recht niet te hebben anderen om hulp te vragen. Ik dacht dat ik moest handelen en ik handelde zoals ik dacht dat mijn vader het wilde.

Ik schudde mijn hoofd bij dit besef en zei: 'Anna, laten we de kop heffen op onze vaders.' Ik hief een kop thee van de niet-giftige variant en zei: 'Op de mannen die enorm veel tijd aan ons hebben besteed en jarenlang met ons in één ruimte zaten opgesloten, waarin u werd geanalyseerd en ik gerationaliseerd.' Ik schudde ongelovig mijn hoofd en lachte zuur om de absurditeit van dit alles.

Ze reikte langs me heen om de kop gifthee te pakken, tikte ermee tegen mijn Wedgwood-kopje met Earl Grey en bracht de volgende toost uit: 'Lou Andreas-Salomé heeft me ooit een brief laten zien die hij haar in 1935 schreef en waarin hij Goethe citeerde in verband met mij: "We zijn allemaal afhankelijk van wezens die we zelf hebben geschapen."'

Ze bracht de kop naar haar lippen en zei: 'Juffrouw Fitzgerald, het ging me er niet om mensen te doden, het ging me erom mijn vader te redden.' Zonder aarzelen dronk ze in twee grote teugen haar giftige paddenstoelenthee.

Daarna hervond ze haar normale gesprekstoon. 'Ik heb minder dan enkele minuten te gaan, dus ik vrees dat ik beter op de vloer kan gaan liggen. Wees zo vriendelijk mij en mijn vader een laatste plezier te doen. Laat de wereld onkundig van mijn afrekeningen. Dat zou slechts een blamage zijn voor de opvoedkundige kwaliteiten van mijn vader en een schaduw werpen op de psychoanalyse. Om dezelfde redenen zou ik u willen verzoeken de bijdrage van Darwin en de ware identiteit van Anna O. niet te onthullen. Ik begrijp dat dat misschien niet mogelijk is. Ik heb het gevoel dat ik mijn post kan verlaten in de wetenschap dat u uw best zult doen.

Als u het niet erg vindt, kunt u me misschien helpen te gaan liggen, want ik verwacht spoedig onderhevig te zijn aan tonische en vervolgens klonische bewegingen.'

Toen ik haar naar de stoffige vloer hielp en mijn sweatshirt onder haar hoofd legde als kussen begonnen de aanvallen al. Ik zag dat ze nog iets wilde zeggen, dus ik boog me over haar heen, toen ze mompelde: 'Mijn vader zei altijd: "*Es soll einem nicht zukommen, was man aushaltern kann.*" Sorry, *Mizinikil*, waarom praat ik Duits tegen je?' Haar stem klonk droog en rasperig. Het klonk alsof een demon haar keel dichtkneep en toch wist ze er nog zachtjes uit te brengen: 'Het betekent: "Wat je kúnt verdragen is zelden wat je moet verdragen."' Haar eerder heftig schokkende lichaam trilde nog zachtjes na. Haar laatste ademtocht was een diepe zucht.

29

SCHONE STRATEN

We think by feeling. What is there to know?
I hear my being dance from ear to ear
I wake to sleep, and take my waking slow.
– Theodore Roethke, 'The Waking'

De limousine van het vliegveld baande zich traag een weg door het drukke verkeer op University Avenue in Toronto. De paarse tulpen in de middenberm hieven hun kopjes trots omhoog, niet gehinderd door het feit dat ze spoedig vervangen zouden worden door de vlijtig liesjes van de zomer. Ik keek uit het getinte raampje en besefte dat er een heel seizoen was verstreken.

Via de achteruitkijkspiegel met de ingegraveerde boodschap *Voorwerpen in de spiegel zijn dichterbij dan u denkt* richtte ik mijn blik op Jack. Hij keek opmerkelijk knorrig, vooral nu ik de zaak had opgelost. Ik vroeg me af of hij soms op een excuus zat te wachten, omdat ik mijn afspraak voor een laatste ontbijt in het Savoy niet was nagekomen. Hij had nauwelijks een woord tot me gesproken sinds ik hem had gebeld vanuit het huis van Anna Freud om te vertellen dat ze dood was.

In een poging hem in een beter humeur te brengen, wereldwijd de rol van de vrouw, met name als zij degene is geweest die het schip wist vlot te trekken, zei ik opgewekt: 'We zijn weer thuis, levend en wel. Alle problemen zijn opgelost, Konzak kan Freud niet meer aan de schandpaal nagelen, we weten waar Konzak zijn informatie vandaan had, de moordenaar is gevonden en als extra bonus hebben we veel geleerd over Freud en zijn achtergronden... en dat alles voor duizend dollar per dag plus onkosten.'

'Klopt,' gromde hij en keek halsstarrig uit het andere raampje.

We reden langs de ziekenhuizen, waar rijen patiënten in rolstoelen van het zonnetje genoten. Nog even en we zouden afscheid van elkaar nemen en ik zag geen reden waarom dat een rancuneus afscheid zou moeten worden. Ik zocht naarstig naar een subtiele manier om toenadering te zoeken, maar subtiliteit, noch toenaderingspogingen waren mijn sterkste kant. En dus flapte ik eruit: 'Je bent duidelijk ergens kwaad over. Waarom zeg je het niet gewoon in plaats van te zitten mokken als een puber?'

Hij pakte een sigaret en stak hem aan met een zilveren aansteker waarin de tekst *Voor altijd de jouwe, Crystal* stond gegraveerd. Hij haalde diep adem, liet de lucht langzaam weer ontsnappen en zei: 'Laten we er maar geen energie aan verspillen. Jij bent wie jij bent, ik ben wie ik ben.'

'Toe nou, alsjeblieft,' zei ik.

Hij draaide zijn raampje open en blies de rook naar buiten. Ik had dezelfde cursus woedebeheersing gedaan als hij en wist dat hij probeerde kalm te blijven door op zichzelf in te praten en goed te bedenken wat hij wilde zeggen, voordat hij kalm en effen begon te praten. 'Ik werk een maand met je samen, we reizen vier landen af en krijgen drie moorden voor onze kiezen. En wat doet Katy vlak voor de finish, met een levensgevaarlijke moordenaar zo dicht achter ons dat zijn hete adem ons haar in de war blaast?' Hij draaide zich naar me toe. 'Ze wordt paranoïde... niet zomaar achterdochtig, maar ze zwelgt in haar paranoia, zo erg dat het weinig scheelde of we hadden de hele operatie op onze dooie buik kunnen schrijven.' Hij hief zijn handen en vervolgde: 'Wie heeft er ooit gehoord van een moordzaak waarbij de partners elkaar niet vertellen wat ze weten?'

Ik kreeg geen tijd om zijn vraag te beantwoorden. 'Toen ik achter mijn derde kop koffie zat, daar in het Savoy, begreep ik dat je niet zou komen opdagen. En na al die jaren dat ik hier op deze aardkloot rondloop, dacht ik dat ik alles al had beleefd wat er te beleven viel. Maar toen ik daar in het Savoy zat, tussen de Duitse en Arabische toeristen, en probeerde een kleverige muffin naar binnen te werken, realiseerde ik me dat ik nog nooit door iemand was gedumpt...'

'Je kunt het slechter treffen dan het Savoy,' schimpte ik.

'Hou je mond, ík praat. Je hebt me een vraag gesteld en die ben ik aan het beantwoorden,' beet hij me toe. 'Daar, aan het ontbijt, moest ik wel erkennen dat er een moordenaar achter ons aan zat die niet van plan was ons te laten gaan. Maar in jouw troebele geest was ík de vijand. Jouw paranoia had ons werk zo vertroebeld dat we beiden in levensgevaar verkeerden.

Ik kon weinig anders doen dan teruggaan naar mijn kamer, waar ik uiteindelijk een schaapachtig telefoontje van je kreeg met de mededeling dat Anna dood was. Elsa stond ernaast te jammeren en plotseling had je me nodig. Dus ik kon komen opdraven in Maresfield Gardens en vervolgens afreizen naar vier andere landen om de rotzooi op te ruimen. Daarbij moet ik voor de pers en iedereen verzwijgen dat Anna Freud al die moorden heeft gepleegd. En wat doe ik? Ik regel dat allemaal, ik zorg dat al die dingen in orde komen en het is geen moment bij je opgekomen om dank je wel of zelfs maar sorry te zeggen.' En toen schreeuwde hij: 'Dáárom ben ik kwaad!'

De taxichauffeur keek Jack via zijn spiegeltje meewarig aan. 'Jezus man, dat zou iederéén razend maken.'

'Heeft iemand je wat gevraagd, nieuwsgierig Aagje?' katte ik de chauffeur af, voordat ik me tot Jack wendde. 'Hoor eens, ik heb er heus geen moeite mee sorry te zeggen, maar luister eerst even naar mijn verhaal.'

'Als je er geen moeite mee hebt, waarom zeg je het dan niet?'

'Ik móest wel voorzichtig te werk gaan. Ik was degene die het laatst was gezien in gezelschap van twee, misschien wel drie mannen die waren vermoord. Ik ben veroordeeld voor moord en niet eens voorwaardelijk vrij, maar op proefverlof. Ik moest wel op mijn hoede zijn. Gardonne bleek een leugenachtige psychopaat te zijn die zijn hand er niet voor zou omdraaien mij voor eeuwig in de bak te gooien of erger nog, als hij erachter kwam dat ik alles wist van zijn eilandfraude. Misschien zou hij me niet vermoord hebben, maar hij zou wel weten wat hij moest doen om me te laten zwijgen. En ter uwer informatie, stuk chagrijn van een detective, wordt zwijgen op vele manieren tot stand gebracht. Eerst trekt hij mijn proefverlof in, dan krijg ik tbs opgelegd omdat ik een gevaar zou vormen voor hem of voor de rest van de wereld. Vervolgens kan hij alles met me doen wat volgens hem, ik citeer "het beste voor de maatschappij" is. Dat betekent zoveel elektroshockbehandelingen dat ik niet meer weet wat mijn eigen naam is, laat staan de zijne. Als hij er ooit achter komt dat ik op de hoogte ben van de Onondaga-sage, brandt hij mijn hersenen net zo lang kapot tot ik alleen nog maar onzin uit kan kramen, beter bekend als wartaal.'

Jack probeerde iets te zeggen, maar ik was niet meer te stuiten. 'Laat me uitpraten. Je hebt toegegeven dat je me als verdachte zag. Je zei Gardonne zelfs dat ik een van de verdachten was en na de moord op Bozo heb je in Shawna's huis rondgesnuffeld op zoek naar vingerafdrukken. Dat heeft ze me verteld, omdat ze vindt dat vrouwen solidair moeten zijn.'

'Vrouwen en solidair, schiet toch op! Dat heeft ze je alleen verteld omdat ik geen zin had om met haar te dansen.'

Nu was ik degene die schreeuwde. 'Nou moet je even goed naar me luisteren! Ik heb mijn hele leven gedacht, nee gehoopt, dat ik mensen kon vertrouwen en dat bleek altijd een grote vergissing te zijn. Godzijdank heb ik Gardonne nooit vertrouwd toen ik in de bak zat, want anders was ik nu al gereduceerd tot een kwijlende idioot in een dwangbuis.'

'Hebt u in de bak gezeten?' informeerde de chauffeur.

Ik leunde naar voren en toeterde in zijn oor: 'Hou je erbuiten!' Ik probeerde mijn kalmte te herwinnen om verder te gaan. 'Hij heeft negen jaar geprobeerd me ervan te overtuigen dat hij het beste met me voorhad. Jou ken ik pas zes weken, Gardonne is jouw opdrachtgever en jij noemt mij *paranoïde*? Ik noem dat verdomme *voorzichtig*! Wat dacht je, ik móest wel voorzichtig zijn! In jouw geval had ik het misschien mis, dat kan best. Maar het leven is een les en ik heb mijn lesje geleerd.'

'Er zijn altijd nieuwe lessen te leren. Dat heet persoonlijke groei,' zei hij.

De witte schuimkoppen op het meer waren al in zicht, ik was bijna thuis. Ik wilde dolgraag dat het anders zou eindigen, maar zoals gewoonlijk had ik geen idee hoe ik dat moest aanpakken.

Toen de wagen de weg langs het meer opreed, zei Jack: 'Je hebt dat onderzoek naar Anna geweldig gedaan. Ik heb haar eerlijk gezegd geen seconde verdacht. Maar je mag van geluk spreken dat ze koos voor plan B en zelfmoord pleegde, met achterlating van een bekentenis op papier. Ze had ook voor plan A kunnen kiezen, dan had ze je doodgeschoten en gezegd dat ze dacht dat je een inbreker was. Wist je dat haar revolver geladen was?'

'Ik denk eerder dat ze me die gifthee had laten drinken als ik haar niet had tegengehouden, maar zelfs zij begreep dat ze te ver was gegaan. Ik denk ook dat ze wist dat ik mijn uiterste best zou doen om Freud de hand boven het hoofd te houden.' Ik keek Jack aan en probeerde een zwak glimlachje. 'Jij hebt ook geweldig werk afgeleverd, en zo snel. Hoe is het je in vredesnaam gelukt alle autoriteiten in Londen, Wenen, de VS en Canada over te halen de zaak in de doofpot te stoppen?'

'Het was verrassend gemakkelijk. In Engeland hoopten ze dat Anna genomineerd zou worden voor de Nobelprijs. Ze wilden niets liever dan dat ze een natuurlijke dood gestorven was. Ze was er verdorie ook oud genoeg voor.' Ik knikte en hij ging verder. 'Zij stond aan de bakermat van de kinderanalyse en is een grotere naam op dat gebied dan ik me ooit heb gerealiseerd. Het huis en het museum van Freud zijn belangrijke toeristische trekpleisters. Je kunt tenslotte niet ieder jaar een koninklijke bruiloft organiseren. Je moet íets hebben om toeristen te lokken. Daarbij heeft Anna Freud vrienden in de hoogste echelons. De Britten hebben veel waardering voor alles wat ze voor de oorlogswezen heeft gedaan. Ze heeft ook een ongelooflijk aantal kindertherapeuten opgeleid en kreeg veel steun van al die jonge postdoctoraal studenten. Niemand heeft ook maar een woord ten nadele van haar gezegd.' Hij bladerde nog eens door zijn aantekenboekje. 'Dus waarom zouden ze een heel mediacircus ontketenen? Daar zou niemand bij gebaat zijn.'

'En Wenen?'

'In Wenen sméékten ze me de pers erbuiten te laten. Wenen bestaat van het toerisme. Ze stromen uit alle hoeken en gaten toe om de intellectuele geur van het verleden op te snuiven en bezichtigen alle huizen van de grote intellectuelen en componisten. Er was niemand in Wenen die wilde dat de naam van de familie Freud bezoedeld werd.

De Canadezen waren bereid de moord op Bozo in de doofpot te stoppen toen ze eenmaal wisten dat ze zelfmoord had gepleegd. De meeste mensen in Bozo's circuit waren niet het type om met de politie samen te werken. Het is triest, maar Bozo's dood heeft zelfs het plaatselijke sufferdje niet gehaald. De politie ging ervan uit dat het een uit de hand gelopen drugsdeal was geweest, vooral ook omdat De Magiër de benen had genomen.'

'Hebben jullie geen van allen De Magiër weten te vinden?' vroeg ik.

'Nee,' zei Jack hoofdschuddend. Hij sloeg zijn aantekenboekje weer open. 'De VS was een ander verhaal. Wenen en Engeland oefenden wat druk uit en in het belang van de internationale diplomatie waren ze bereid de zaak stil te houden. Konzak was enig kind en zijn ouders zijn al overleden. Niemand heeft navraag gedaan. De doodsoorzaak is vastgesteld op een roofoverval. O, uit nieuwsgierigheid, hoeveel mensen denk je dat er op Konzaks begrafenis zijn geweest?'

'Ik zou het niet weten.'

'Drie.'

'Ik durf te wedden dat er duizenden naar die van Anna Freud zijn geweest.'

'Over Anna gesproken, waarom denk je dat ze voor de thee heeft gekozen in plaats van voor die revolver?' informeerde Jack.

Ik dacht er even over na. 'Volgens mij was ze alleen van plan geweest Konzak te vermoorden. Daarna besefte ze pas dat Bozo en De Magiër de juiste informatie hadden en vermoordde ze hen ook. Ze wist dat ze er niet eindeloos mee door kon gaan. Misschien doe ik mezelf te veel eer aan, maar ik denk dat ze me vertrouwde. Ze dacht dat ze de informatie mee zou nemen in haar graf en dat ik er wel voor zou zorgen dat het deksel stevig op de kist bleef zitten. Door loyaal te zijn aan haar, was ik loyaal aan haar vader.'

'Als het niet voor Anna was, zou je papa Sig er dan bij lappen?'

'Ik zou eerst alles lezen en uitzoeken wat wel en wat niet waar was. Ik denk echt dat Freud de lezers een psychologisch rad voor de ogen draaide wat de pathologie van de vele patiënten betreft. Het meeste materiaal was afkomstig van hem en zijn dochter Anna.' Ik draaide me naar hem toe. 'Wat zou jij doen als je dacht dat je een belangrijke theorie op het spoor was, maar je wilde niet dat jouw eigen onbewuste vuile was of die van je dochter voor de hele wereld buiten werd gehangen?'

'Ik zou de bron verborgen houden en de theorie naar buiten brengen voor ik dood zou gaan,' zei Jack.

Ik knikte. 'Ik ben in staat hem te vergeven voor wat we op zijn best een machiavellistische voorstelling van zaken kunnen noemen en op zijn slechtst bedrog. Freud noemde zichzelf een "conquistador". Hij was een overlever. Hij kwam met een theorie die voor de meeste mensen in de Victoriaanse tijd een pure banvloek was. Toch wisten hij én zijn theorie zich staande te houden tot in de twintigste eeuw. Hij overleefde de nazi-terreur, terwijl hij het land pas in 1938 ontvluchtte. Jarenlang overleefde hij mondkanker en ook zijn genezingswijze door middel van gesprekstherapie hield stand. Hij bleef tot op zijn sterfbed aan zijn theorie schaven.'

'Slechts weinig mensen zouden Freud een bedrieger durven noemen,' zei Jack.

'Ik heb zijn werk gevolgd vanaf zijn studententijd, toen hij tweeslachtige alen ontleedde in Von Brückes lab. Volgens mij was hij intellectueel gezien oprecht. Ook wat die theorie betreft heeft hij nooit getracht een wit voetje te halen bij het publiek, dat er ongetwijfeld vijandig tegenover stond. Ik wist dat Konzak Freud als persoon verkeerd begreep toen hij dacht dat Freud zijn verleidingstheorie vanwege persoonlijk gewin had opgegeven. Hij zou de waarheid nooit verkwanselen voor wat aanbevelingen. Daar was hij veel te sterk voor. Ik wil niet zeggen dat Freuds theorie altijd juist was. God nee, Freud zelf heeft hem keer op keer aangepast met de vermelding dat hij er eerder naast had gezeten, maar hij heeft nooit een theorie aangepast vanwege persoonlijk gewin. Wat mij betreft vind ik intellectuele oprechtheid belangrijker dan de manier waarop het wordt gebracht.'

Jack knikte zwijgend en ik vroeg me af of hij vond dat ik Freud de hand boven het hoofd hield, net zoals Anna Freud dat had gedaan. 'Misschien zie je dat als excuus of vind je dat ik een onjuiste voorstelling van zaken geef. Wellicht doe ik voor Freud hetzelfde wat ik voor mijn vader en mijn echtgenoot heb gedaan. Dat zou kunnen.'

'Vind je dat Freud fair is geweest ten opzichte van Anna?' vroeg Jack.

'Het ouderschap is geen gemakkelijke taak, vandaar dat ik geen kinderen heb. Op een bepaalde manier denk ik dat hij haar "de ziektegeschiedenis van Anna O." noemde, omdat hij haar als zodanig beschouwde, een dikke, vette nul. Niemand kiest ervoor een proefkonijn te zijn in plaats van een dochter. Freud wist echter niet precies wat de gevolgen zouden zijn. De analyse bracht haar ontwikkeling tot stilstand en het scheelde weinig of ze was eraan onderdoor gegaan. Maar wie weet hoe het anders was verlopen? Aan de andere kant heeft ze een uniek leven geleid dat heel wat productiever was dan dat van de meeste anderen.'

Ik zag mijn flat al liggen. Het verkeer kroop stapvoets vooruit, want de Blue Jays-wedstrijd in het Exhibition Stadium was net afgelopen. Het was de hoogste tijd de vraag te stellen die ik tot mijn schande niet eerder had durven stellen. 'Wat doen we met Gardonne?' Ik probeerde het zo nonchalant mogelijk te vragen, maar Jack wist donders goed dat Gardonnes macht over mij een blok aan mijn been was. Hij kon me sneller in de nor terugsmijten dan ik 'habeas corpus' kon zeggen.

De glimlach verdween van Jacks gezicht. 'Daar heb ik ook al over nagedacht. Gardonne wist dat de padvinderskampioen houthakken uit de krochten van Onondaga het niet zou redden, dus hij velde de jonge Ned Mapples met één flinke klap van zijn bijl en nam een andere naam en een andere identiteit aan. Maar doctor is hij wel, hij heeft zijn titel behaald aan een universiteit, zij het een obscure. Hij slaagde pas na drie keer voor de Canadese examens, maar hij kreeg zijn bul. Iedereen mag zich tegenwoordig noemen wat hij zelf wil. Het is niet tegen de wet je voor te doen als een goed opgevoede jongen uit de betere klasse, het is hooguit een beetje triest.' Jack nam nog een diepe haal van zijn sigaret voordat hij de peuk uit het raampje wierp. 'We kunnen hem niks maken.'

'Ik heb ook nooit gezegd dat hij dom was.'

'Met die eilandfraude maakte hij misbruik van patiënteninformatie en dat zou hem zijn vergunning kunnen kosten, maar over het algemeen volstaan ze met een tik op de vingers. Zowel Konzak als de patiënt die hem de informatie heeft verschaft is dood. Dvorah Little zou kunnen getuigen in de chantagezaak, maar dan zou zij hangen, niet Gardonne.' Jack draaide het raampje wat verder open om de rook te laten ontsnappen en Ontario's vervuilde lucht binnen te laten. Toen zei hij als nadere overweging: 'Hij is een gladde jongen.'

Toen we de U-bocht namen naar mijn flat, zag ik Gardonnes zwarte Jaguar XK op de parkeerplaats staan. Jack en ik keken elkaar aan, wetende dat de komende vijf minuten bepalend zouden zijn voor de rest van mijn leven.

'Wat doet hij hier?' vroeg ik.

'Ik heb hem gebeld vanaf het vliegveld in Düsseldorf om te vertellen dat de zaak was afgerond. Ik heb hem tevens het vluchtnummer doorgegeven, met de mededeling dat ik zo snel mogelijk uitbetaald wilde worden.' Hij keek me nog eens aan. 'Sorry dat ik zo burgerlijk ben dat ik meteen geld wil zien.' Hij keek omhoog langs de balkons. 'Jij vindt het misschien gek, maar ik heb nooit een luxeflat gekregen om bij te komen van alle beslommeringen.'

We stapten de lobby in en ik zei: 'Ik ken hem beter dan jij. Laat mij dit maar regelen.'

'De vorige keer dat ik jou je gang liet gaan...'

'Heb ik de zaak opgelost.'

Gardonne stond in de marmeren foyer in zijn dure zwarte broek en donkergrijze kasjmieren coltrui. Hij ging ons voor en gebaarde dat we moesten plaatsnemen in de grote ruimte die uitkeek over het Ontariomeer. Typisch iets voor hem om me een stoel aan te bieden in mijn eigen lobby. Hij was in elk geval niet bot genoeg om te denken dat ik hem in mijn appartement zou uitnodigen.

Hij begroette ons hartelijk, handenschuddend en glimlachend. Jack nam het woord. 'Het is een hachelijk avontuur geweest, maar alles is goed afgelopen.'

Gardonne hield twee enveloppen in zijn hand en stond te wachten op ons verslag. Ik graaide in mijn rugzak en overhandigde hem het lange rapport over de Freud-Anna O.-Darwin-Konzak-Bozo-Magiër-connectie. Jack had zijn dossier getiteld *Verleiding en evolutie van een moordpraktijk* en overhandigde hem een tweede verslag met alle kosten en onkosten, en zei: 'Geen losse eindjes.' Jack beschouwde de verdwenen Magiër zeker niet als een los eindje. Hij heeft net een andere manier van rekenen dan ik, vandaar dat hij over de onkosten ging zeker.

Gardonne trok een wenkbrauw op, waarmee hij Jack aanspoorde tot een iets uitvoeriger bespreking van de zaak. Jack deed hem dat genoegen zoals alleen mannen dat kunnen doen, met één zin die voor een gedetailleerd verslag moest doorgaan. 'Konzak is voorgoed het zwijgen opgelegd; de Psychoanalytic Association kreeg waar het om vroeg; Freuds naam is niet ontheiligd en Londen en Wenen hebben hun toeristische trekpleisters behouden.'

Gardonne schoof de witte enveloppen van geschept papier over de glazen koffietafel naar ons toe. 'Jullie hebben allebei uitstekend werk geleverd.' Gardonne keek mij aan en glimlachte me toe met de glimlach van Helen Mapple. 'Ik kan alleen maar hopen dat de commissie die over jouw vrijlating moet beslissen evenveel waardering voor je werk zal hebben als ik. Spijtig genoeg hebben de commissieleden minder ervaring met de theorieën van Freud dan met schendingen van proefverlof. We moeten dus maar vertrouwen hebben in hun ruimdenkendheid en vergevensgezindheid, zelfs waar het ernstige delicten betreft als inbraak en uiteraard het gegeven dat je zonder toestemming het land hebt verlaten.'

Hoe was hij erachter gekomen dat ik op het eiland Wight in zijn kamer was geweest en in mijn eentje de Amerikaanse grens was overgegaan? Ondanks mijn onbewogen gezicht wist hij dat hij me had geraakt. Hij kon niet wachten totdat hij de sleutel weg kon gooien. Ik had niet anders verwacht, maar Jack wist niet wat hij hoorde.

Ik wist me te beheersen en vatte de koe bij de horens, het was erop of eronder. 'Jack, het ziet ernaar uit dat ik de kust voorlopig vaarwel kan zeggen, dus we kunnen beter vandaag al naar het eiland gaan.'

'Het eten is daar alleen zo smerig,' klaagde Jack. 'Veel te duur ook. Waarom gaan we niet ergens naartoe waar het echt leuk is, zoals de voormalige Amerikaanse hoofdstad van de handschoenen? Jij vond het toch ook fijn in Onondaga?'

'Toe nou, je bent in geen eeuwigheid op het eiland geweest. De firma Helen of Troy heeft een tijdje geleden alle snackbars opgekocht. Het eten is nu natuurlijk verschrikkelijk duur en smakeloos, maar wel voorspelbaar.'

Ik keek vanuit mijn ooghoeken naar Gardonne, die op de parkeerjongen stond te wachten.

'Ik ga nergens naartoe met iemand met zo'n kop.' Jack grijnsde naar mijn blauwe oog, dat inmiddels geel begon te kleuren. Hij ging verder en betrok Gardonne in het gesprek, op de toon die mannen aanslaan als ze lopen te klagen over politieke correctheid, vooral waar het vrouwen betreft. 'Jezus, iedereen denkt natuurlijk meteen dat ik mijn vrouw sla, denk je ook niet?'

Voordat Gardonne ook maar iets kon terugzeggen, ging ik

door. 'Oké, ik ben Helena van Troje niet, maar wie is dat wel?' Ik keek Gardonne strak aan.

'Die vrouw zorgde toch ook altijd alleen maar voor problemen?' zeurde Jack door.

'Ze zorgde in elk geval wel voor haar eigen veiligheid,' giechelde ik. 'Laten we toch naar het eiland gaan. Het is een schitterende lentedag en daar is de veerboot al,' zei ik met een verlangende blik op het meer. 'En in het najaar wil ik graag naar New York om van de schitterende herfstkleuren van de bladeren te genieten, vooral van de esdoorns natuurlijk, die goeie, ouwe *maples*.'

De parkeerjongen kwam de lobby binnen met de sleutels, maar Gardonne draaide zich naar mij toe en zei: 'Kate, je bent een betere detective dan ik had gedacht.'

'Bedankt.' Ik wist dat ik hem in de tang had.

Hij wachtte een hele poos en zei toen: 'Er is geen reden waarom je aanwezig zou moeten zijn bij je hoorzitting. God weet dat je meer dan genoeg hebt gereisd. Mijn rapport volstaat. Ga je ermee akkoord dat ik je de papieren voor je invrijheidstelling per post toezend?'

'Morgen, per aangetekende post.' Ik keek hem recht aan. Jack zou mijn getuige zijn.

Hij aarzelde, want het zou niet zo gemakkelijk binnen een dag te regelen zijn. Hij liep naar de deur en gaf zich gewonnen. 'Morgen.'

Op dat moment stapte een lid van Onondaga's elite de draaideur in om de slechts lichtelijk aangeslagen dr. Gardonne met zich mee te voeren, een man die ik gelukkig nooit van mijn leven meer hoefde te zien.

Ik viel neer op de bank en liet een lange fluittoon horen om alle opgekropte spanning los te laten. Jack stapte naar me toe, gaf me een high five en we kregen allebei de slappe lach. Toen hij eindelijk weer bijkwam veegde hij de lachtranen uit zijn ogen en zei: 'Dat verhaal over Helena van Troje was kostelijk. Zag je dat hij stokstijf stil bleef staan?' Hij ging weer zitten en zei nadenkend: 'Gek eigenlijk, wat je ook doet en wie je ook bent, de achilleshiel van elke man is en blijft zijn moeder.' Hij stak een sigaret op en peinsde verder. 'Dat geldt net zozeer wanneer je iemand in de gevangenis een hoerenzoon noemt als op de divan bij de psychiater.'

De portier kwam haastig op ons af om Jack te vertellen dat hij hier niet mocht ~~niet~~ roken. Jack liep in de richting van de deur en vroeg de portier een taxi voor hem te bellen.

Ik liep met hem mee naar buiten. 'Wat doen we verder aan Gardonne en zijn psychiatriepraktijken?'

'Wat wil je daarmee?' vroeg Jack ongeduldig.

'Hij mag er niet mee doorgaan. Hij heeft vertrouwelijke patiënteninformatie misbruikt.'

'Schei toch uit. In de gevangenis wordt toch niemand geholpen. Je kunt alleen maar hopen dat ze niet compleet naar de andere wereld geholpen worden, mentaal of fysiek. Gardonne is een engel vergeleken bij de zielenknijpers met wie ik te maken heb gehad.'

'Hij was snugger genoeg om te weten hoe dom hij eigenlijk was. Valt dat onder zelfkennis? Hij koos voor een gebied waarin niemand ooit ter verantwoording wordt geroepen. Als gevangenen klagen over de autoriteiten, worden ze meteen als onaangepast te boek gesteld.'

'Dat zei je ook over Freuds gebrek aan verantwoordelijkheid. Als je klaagt, zit je in de ontkenningsfase,' antwoordde Jack.

Ik schoot in de lach. 'Iedereen verleidt wel iemand. Ik bedoel, de psychoanalyticus verleidt de patiënt ertoe te geloven dat hij een soort heilige is, de welwillende vader.'

'Iedereen heeft zijn eigen kleine zwendelzaakje. Als je die allemaal ontrafelt, eindig je met een kaartenhuis.'

De portier zwaaide met zijn witte handschoen naar Jack, om aan te geven dat de taximeter liep. Ik was blij dat ik er niet over hoefde na te denken hoe ik afscheid van hem zou nemen. Ik had een bloedhekel aan dat emotionele gedoe. Ik liep met hem naar de taxi. Ik kon weinig meer doen dan me naar het raampje te buigen, voorzien van de tekst *kogelvrij glas*, zijn hand te schudden en achteruit te springen toen de taxichauffeur schakelde en wegreed.

Ik keek de taxi na toen hij de halfronde oprit af reed. Aan het eind van de weg keek Jack door de achterruit en wuifde naar me. Ik dacht aan dr. Von Enchanhauer en zijn laatste blik op het gezicht van Hendrik toen hij voor altijd in een legerwagen verdween.

De lente ging over in de zomer en vanuit mijn raam keek ik afgunstig naar de roeiers op het meer. Ze droegen blauwwitte roeikleding en petjes met roeispanen erop en gleden in hun eentje voorbij in skiffs of met zijn vieren of achten in grotere boten.

Ik moest mezelf er constant aan blijven herinneren dat ik niet binnen hoefde te blijven en best naar buiten mocht. Ik had tien jaar lang de zonsopgang gemist en had een hoop verloren tijd in te halen. In een moment van verstandsverbijstering waarin ik werkelijk mijn vrije wil liet gelden werd ik lid van de roeiclub vlak bij mijn appartementengebouw. Ik nam Jacks advies ter harte over dat ik geen teamspeler was en pakte elke ochtend om halfzes een eenpersoons skiff. Ik genoot van mijn bootje, het gevecht tegen de elementen en de verandering in temperatuur. Soms was het vochtig en fris in de schemerige ochtendlucht. Na al die jaren ingeblikte lucht vond ik het heerlijk om te voelen hoe het warmer werd zodra de zon opkwam. Dan pelde ik de ene laag kleren na de andere af en liet de zon mijn botten verwarmen.

Op zulke momenten overwoog ik serieus een boek te schrijven over Freuds intellectuele invloed, een soort geschiedenis van het onbewuste. Inmiddels identificeerde ik me niet meer met hem en zag ik hem ook niet meer als de perfecte vader. Ik weet niet of dat betekent dat ik eindelijk volwassen ben geworden of een stap heb gezet in de richting van normaliteit. Waarschijnlijk geen van beide. Ik dacht aan de schitterende lofrede van W.H. Auden aan Freud, waarin hij zijn bewondering uitte zonder hem als perfect af te schilderen. Hij schreef: 'Al was hij ook vaak abuis, en bij tijden absurd...' hij deed ons 'opeens beseffen hoe rijk het leven was geweest en hoe dwaas.'

Ik had de gewoonte aangenomen om na het roeien, zo rond halfacht, een kopje koffie te drinken in een dokwerkerskroeg aan het water. Het lag ingesloten tussen de vuilnispakhuizen en de vervallen kades waaraan grote roestige stoomschepen voor altijd lagen aangemeerd. De ganzen, eenden, zeemeeuwen en andere vogels cirkelden boven de vuilnisschepen en krijsten elkaar hongerig toe. Ik trapte wat hard geworden vogelpoep van de plastic stoel en ging buiten zitten om naar de golven te luisteren, het zachte geklots tegen de aangroei op de scheepsrompen.

Ik keek de menukaart in, dat een prometheïsch ontbijt aanprees met lever en uien, zeker de specialiteit. Ik had een zwak voor Prometheus. Je moest wel een Griek zijn om een straf te verzinnen waarbij een man aan een rots werd vastgebonden om elke dag opnieuw aangevallen te worden door een gier die zijn lever opvrat. Ook ik vrat mezelf op als ik aan de gênante vertoning van de afgelopen maand dacht. Dat ik Jack niet had vertrouwd en dacht dat hij onder één hoedje speelde met Gardonne was zo belachelijk... paranoïde, zelfs.

Anna Freud had gelijk. Intimiteit is het vernederendste wat er is. Elke dag weer beleefde ik de schande van mijn dans met hem. Ik had hem gelikt, nota bene! En toen ik dacht dat hij dood was had ik het uitgesnikt en hem aangeboden meer te zijn dan een collega alleen. Ik ben vast de enige vrouw ter wereld die ooit een blauwtje heeft gelopen bij een seksverslaafde. Ik zwoer dat ik hem voor altijd uit mijn hoofd zou bannen, maar de volgende dag keerde de gier weer terug om zich te goed te doen aan mijn aangegroeide lever en begon ik weer van voren af aan, vastgeketend aan mijn vernederende herinneringen.

Alsof het nog niet genoeg was dat ik constant mijn herinneringen bleef herkauwen, leed ik ook nog aan een soort posttraumatische stressstoornis. Ik dacht om de haverklap dat ik hem zag. Maar als ik dan nog eens goed keek, was hij het niet. Op een keer dacht ik dat ik hem zag lopen en draaide me vliegensvlug om, tot ik besefte dat het een kleine Aziaat was.

Het vreemde was dat ik geen idee had waarom ik zo'n ongelooflijk ongeschikte engerd in mijn geest toeliet. Wat deed een man met veel te kleine tanden die tandenstokers gebruikte en

Stanley Kowalski-hemden droeg überhaupt in mijn hoofd? Wat een zielige verspilling van mijn opslagruimte.

Er zwaaide een Clydesdale-been over de rugleuning van de stoel tegenover me, het witte plastic trilde ervan. Zelfs de brutale ganzen maakten dat ze wegkwamen. 'Hoi,' zei Jack. Hij plofte op de wiebelende stoel en blies in zijn koffie.

'Hoi,' zei ik schaapachtig. Als hij me in dit doolhof van havendokken en vrachtschepen had gevonden, in dit gore kroegje met zijn roestige tinnen dak en dat ene krakkemikkige tafeltje buiten, in een doodlopend steegje waar alleen de vuilniswagens kwamen en gingen, kwam hij niet toevallig langs.

'Je ziet er goed uit op het water. Je bent een stuk vooruitgegaan sinds je begon.'

'Bespioneer je me?'

'Daar word ik voor betaald.'

Ik keek hem aandachtig aan. Hij was naar de kapper geweest en droeg een soort zwarte Eddie Bauer-trui en een kaki broek. Heel anders dan zijn gewone achterbuurtkloffie. Hij zag eruit als een opgeleukte Pat Boone. 'Wie heeft je haar geknipt, Stevie Wonder?' vroeg ik.

'Ja, ik heb het in Motown laten doen.' Hij keerde zijn rug naar de wind en boog zich voorover om een sigaret op te steken. 'Ik begrijp dat je vrij bent sinds ons laatste akkefietje, of eigenlijk, ons enige akkefietje.'

'En?' Die reactie had ik van hem gepikt.

'En, heb je geen baantje nodig?'

'Hoezo?'

'Ik heb een grote zaak, internationaal. De opdrachtgever is het Nationale Gezondheidsinstituut in Bethesda, Maryland. Ik zoek iemand die een beetje thuis is in de natuurwetenschappen.'

'Dan ben je aan het verkeerde adres, want ik ben uitstekend thuis in de natuurwetenschappen.' Jack keek me aan met een gezicht van 'die verandert ook nooit'. 'Bedankt, maar ik sta liever zelf aan het roer.'

In de daaropvolgende stilte schoot me een andere zin uit Audens lofrede aan Freud te binnen. Het was iets over dat je 'in staat moest zijn de Toekomst als een Vriend te benaderen, zonder een hele kleerkast excuses'.

Ik keek op en vroeg: 'Eén zaak maar?'

'Ja.'

'Per diem of contract?'

'Per diem.'

'Plus onkosten?'

'Dat wel, maar ditmaal geen Savoy of Sacher Hotel.'

Jacks glimlach ging niet verder dan zijn ogen, maar we bezegelden het met een handdruk. Hij ging naar binnen voor een kop koffie voor mij en ik riep hem achterna: 'Weet je nog wel hoe ik 'm wil hebben?'

Ik staarde over het meer. De zon kwam net op. De vuilniswagens waren vertrokken en ik moest mijn benen optrekken voor de spuitwagen die de straten kwam vegen. Het vuil van gisteren spoelde het riool in. De zon werkte eindelijk mee en verwarmde mijn blote voeten, ik had de koffiekop niet meer nodig om me warm te houden.

DANKWOORD

Er zijn zoveel mensen die ik wil bedanken dat ik ze chronologisch opnoem. Mijn belangstelling voor Freud werd al vroeg spontaan gewekt... als ik maar even lucht kreeg van een spoortje Freud, ging ik erachter aan. Mijn belangstelling voor Darwin kwam echter pas later en werd ongeveer 25 jaar geleden gewekt door mijn mentor, professor Ray Fancher. Hij deelde zijn enthousiasme en kennis met mij, waarvoor mijn oprechte dank.

Ook wil ik mijn vriendinnen Anne Koven en Linda Kahn bedanken, die mij hebben aangespoord te gaan schrijven na 25 jaar werkzaam te zijn geweest als klinisch psychologe. En mijn echtgenoot, Michael Gildiner, omdat hij me al die jaren door dik en dun heeft gesteund. Ik denk dat onze zoons David en Sam hem als voorbeeld hebben genomen, want als ik ook maar even twijfelde, stonden zij voor me klaar. Tevens wil ik mijn zoon Jamey bedanken voor het lezen van het manuscript en zijn waardevolle adviezen.

Mijn trouwe vrienden, Michael Laing, Abby Pope en Helen Mclean hebben niet slechts één concept gelezen, maar drie... en deze waren tweemaal zo lang als het uiteindelijke boek! Ze hebben me geholpen bij de lastige taak het manuscript voor de helft in te korten, voordat het op het bureau van een uitgever terechtkwam. Als ook maar iets in dit boek kort en krachtig overkomt, is dat dankzij deze drie.

De beste uitgeefster die iemand zich maar kan wensen is Diane Martin van Knopf Canada. Zij kroop in de huid van elk personage en wist elke valse noot op te sporen. Ook theoretisch gezien wist ze precies waar iets niet klopte. Als mijn denkwijze ook maar enigszins onduidelijk werd, stuurde ze een redactionele Mack-vrachtwagen door mijn werk en ze hielp om het helder te krijgen. Ook wil ik mijn kopij-redacteur bedanken, John Sweet; zijn dickensiaanse naam past precies bij hem, hoewel ook Arendsoog hem niet zou misstaan.

Speciale dank voor mijn schoonvader, Chaim Gildiner, voor zijn hulp met het Jiddisch, de politie van Toronto omdat ik mee mocht lopen in het onderzoek naar een moord en dr. Hugh McLean voor zijn adviezen op het gebied van chirurgie.

VERANTWOORDING

Opdracht
Freud, Sigmund. *De eindige of de oneindige analyse. Verdere adviezen over de psychoanalytische techniek, III.* In *Klinische Beschouwingen 4.* Meppel en Amsterdam: Uitgeverij Boom, 1992. Vertaald door Wilfred Oranje.

Hoofdstuk 1
Freud, Sigmund. *Een moeilijkheid in de psychoanalyse.* In *De Psychoanalytische Beweging I.* Meppel en Amsterdam: Uitgeverij Boom, 2000. Vertaald door Thomas Graftdijk.

Hoofdstuk 2
Freud, Sigmund. *Psychical Treatment.* 1905.

Hoofdstuk 3
Dickens, Charles. *In Londen en Parijs.* Schiedam: Uitgeverij Roelants, ca. 1880. Vertaald door Mark Prager Lindo.

Hoofdstuk 4
Karl Kraus in *Die Fackel.* 1911.

Hoofdstuk 5
Elbert Hubbard in *An American Bible,* Alice Hubbard, 1911. Herdrukt in *Quotationary,* Leonard Roy Frank. New York: The Roycrofters, 1946.

Hoofdstuk 6
Dennis Potter op de BBC. Later geciteerd in Humphrey Carpenter, *Dennis Potter: The Authorized Biography*. Londen: Faber & Faber, 1998. En geciteerd in V.W. Gras and J.R. Cook, *The Passion of Dennis Potter: International Collected Essays*. New York: Palgrave Macmillan, 2000.

Hoofdstuk 7
Freud, Sigmund. *Het onbehagen in de cultuur*. In *Cultuur en Religie 3*. Meppel en Amsterdam: Uitgeverij Boom, 2000. Vertaald door Dick Bergsma, Henk Bouman en Gerda Mathot.

Hoofdstuk 8
Tennyson, Alfred. 'To the Rev. F.D. Maurice'. *The Complete Poetical Works of Tennyson*. Boston: Houghton Mifflin, 1898.
Keats, John, 'On the Sea'. *The Complete Poems of John Keats*. New York: Modern Library, 1994.

Hoofdstuk 9
Freud, Sigmund. *Een moeilijkheid in de psychoanalyse*. In *De Psychoanalytische Beweging I*. Meppel en Amsterdam: Uitgeverij Boom, 2000. Vertaald door Thomas Graftdijk.

Hoofdstuk 10
Sigmund Freud in een brief aan Max Eitingon, 11 november 1921.
Elisabeth Young-Bruehl, *Anna Freud, een biografie*. Baarn: Uitgeverij Anthos, 1989. Vertaald door Christine Quant.
Tennyson, Lord Alfred. 'Crossing the Bar'. *Demeter and other poems*. Londen: Macmillan, 1889.

Hoofdstuk 11
Milton, John. *Het paradijs verloren*. Amsterdam: Uitgeverij Atheneum Polak & Van Gennep, 2003. Vertaald door Peter Verstegen.

Hoofdstuk 12
Rousseau, Jean Jacques. *Emile of Verhandeling over de opvoeding*. Campen, 1790-1793. Vertaald door Reisewitz.

Hoofdstuk 13
Albert Einstein geciteerd door Michael Frayn in een interview in *The Paris Review*, no. 165, door Shusha Guppy, 2003.
Freud, Sigmund. *Psychopathologie van het dagelijks leven*. Meppel en Amsterdam: Uitgeverij Boom, 2001. Vertaald door Thomas Graftdijk.

Hoofdstuk 14
Oscar Wilde in *The Critic as Artist*, part 2, 1891. Herdrukt in *The Complete Works of Oscar Wilde*. Glasgow: HarperCollins, 1994.

Hoofdstuk 15
Racine, Jean Baptiste, *Phaedra*. Amsterdam: Uitgeverij Van Kampen, 1939. Vertaald door Jan Walch.
Songtekst 'The Name Game', Lincoln Chase en Shirley Elliston. © 1965 EMI Music Publishing. All rights reserved.

Hoofdstuk 16
Woolf, Virginia. *The Moment and Other Essays*. Londen: The Hogarth Press, 1947.

Hoofdstuk 17
Eliot, George. *Middlemarch*. Amsterdam: Uitgeverij Atheneum-Polak en Van Gennep, 2002. Vertaald door Annelies Roeleveld en Margret Stevens.
Freud, Sigmund en Josef Breuer. *Studies over hysterie. Over het psychische mechanisme van hysterische fenomenen*. 'De ziektegeschiedenis van mejuffrouw Anna O.' In *Klinische Beschouwingen 5*. Meppel en Amsterdam: Uitgeverij Boom, 2000. Vertaald door Wilfred Oranje.

Hoofdstuk 18
Freud, Sigmund en Josef Breuer. *Studies over hysterie. Over het psychische mechanisme van hysterische fenomenen.* 'De ziektegeschiedenis van mejuffrouw Anna O.' In *Klinische Beschouwingen* 5. Meppel en Amsterdam: Uitgeverij Boom, 2000. Vertaald door Wilfred Oranje.

Hoofdstuk 19
Sontag, Susan. *Tegen interpretatie.* Utrecht: A.W. Bruna Uitgevers b.v., 1969.

Hoofdstuk 20
Freud, Sigmund en Josef Breuer. *Studies over hysterie. Over het psychische mechanisme van hysterische fenomenen.* 'De ziektegeschiedenis van mejuffrouw Anna O.' In *Klinische Beschouwingen* 5. Meppel en Amsterdam: Uitgeverij Boom, 2000. Vertaald door Wilfred Oranje.
Larkin, Philip. 'Padden'. Uit *Gedichten.* Amsterdam: Uitgeverij De Arbeiderspers, 1983. Vertaald door J. Eijkelboom.

Hoofdstuk 21
Freud, Sigmund. *Totem en Taboe.* In *Cultuur en Religie* 4. Meppel en Amsterdam: Uitgeverij Boom, 1984. Vertaald door Wilfred Oranje en Robert Starke.

Hoofdstuk 22
Darwin, Charles R. *Darwin and his critics: the reception of Darwin's theory of evolution by the scientific community.* Cambridge, Mass.: Harvard University Press, 1973.

Hoofdstuk 23
Nietzsche, Friedrich. *Voorbij goed en kwaad. Voorspel van een filosofie van de toekomst.* Amsterdam: Uitgeverij De Arbeiderspers, 1979. Vertaald door Thomas Graftdijk.

Hoofdstuk 24
Sigmund Freud in een brief aan Arnold Zweig, 31 mei 1936. Sigmund Freud, *Briefe 1873-1939*. Frankfurt am Main: S. Fischer Verlag, 1968.

Hoofdstuk 25
Freud, Sigmund. *Actuele beschouwingen over oorlog en dood.* In *Cultuur en Religie 3*. Meppel en Amsterdam: Uitgeverij Boom, 1984. Vertaald door Dick Bergsma, Henk Bouman en Gerda Mathot.

Hoofdstuk 26
Freud, Sigmund. *Het vraagstuk van de lekenanalyse.* In *De Psychoanalytische Beweging 2*. Meppel en Amsterdam: Uitgeverij Boom, 2000. Vertaald door Thomas Graftdijk.

Hoofdstuk 27
Darwin, Erasmus. *The Economy of Vegetation.* Londen: J. Johnson, 1791.

Hoofdstuk 28
Goethe, Johann Wolfgang von. 'Der Erlkönig', ballade. 1782.
Browning, Robert. 'Fra Lippo Lippi'. Uit *Men and Women.* Londen: Oxford University Press, 1855, 1910.
Songtekst 'The Name Game', Lincoln Chase en Shirley Elliston. © 1965 EMI Music Publishing. All rights reserved.

Hoofdstuk 29
Roethke, Theodore. 'The Wakening', 1953. Uit *The Collected Poems of Theodore Roethke.* New York: Doubleday & Company, Inc., 1966.
Auden, W.H. 'In memoriam Sigmund Freud'. Uit *Die avond dat ik de stad inliep.* Vianen: Uitgeverij Kwadraat, 1983. Vertaald door Peter Verstegen.